MAISONS DE VERRE

Catalogage avant publication de Bibliothèque et Archives nationales du Québec et Bibliothèque et Archives Canada

Penny, Louise

[Glass houses. Français]

Maisons de verre / Louise Penny; traduit de l'anglais (Canada) par Lori Saint-Martin et Paul Gagné.

(Armand Gamache enquête; 13)

Traduction de : Glass houses.

ISBN 978-2-89077-794-1

I. Saint-Martin, Lori, traducteur. II. Gagné, Paul, traducteur. III. Titre. IV. Titre : Glass houses. Français. V. Collection : Penny, Louise. Armand Gamache enquête; 13.

PS8631.E572G5214 2018 C813'.6 C2018-940853-7

PS9631.E572G5214 2018

Les personnages et les situations de ce roman – outre ceux qui appartiennent clairement au domaine public – sont fictifs, et toute ressemblance avec des personnes vivantes ou décédées serait purement fortuite.

COUVERTURE

Photo : © Anne Costello / Arcangel Images

Conception graphique : Antoine Fortin

INTÉRIEUR

Mise en pages : Michel Fleury

Titre original : Glass Houses

Éditeur original : Minotaur Books

Œuvres citées :

Extrait de « Song for Pete », poème de Marylyn Plessner publié dans *Vapour Trails*, traduction de Lori Saint-Martin et Paul Gagné.

Extrait de *Henry VIII* de William Shakespeare, traduction de François-Victor Hugo.

Extrait de « Little Gidding », poème de T. S. Eliot publié dans *Quatre quatuors*, traduction de Pierre Leyris.

Extrait de « L'attente », poème de Margaret Atwood publié dans *Matin dans la maison incendiée*, traduction de Marie Évangéline Arsenault. Reproduit avec l'aimable autorisation des Écrits des Forges.

ISBN 978-2-89077-794-1

Dépôt légal : 3e trimestre 2018

Imprimé au Canada sur papier Enviro 100 % postconsommation

Louise Penny

MAISONS DE VERRE

Traduit de l'anglais (Canada)
par Lori Saint-Martin et Paul Gagné

Flammarion

À Lise Desrosiers, que j'ai trouvée dans mon jardin
et qui vit maintenant dans mon cœur

1

— Votre nom, je vous prie ?

— Armand Gamache.

— Et vous êtes le chef de la Sûreté du Québec ?

— Le directeur général, oui.

Gamache se tenait bien droit sur la chaise en bois. Il faisait chaud. En ce matin de juillet, la chaleur était même étouffante. Seulement dix heures et déjà Gamache pouvait goûter sa transpiration sur sa lèvre supérieure. La journée commençait à peine.

La barre des témoins n'était pas son endroit de prédilection. Et témoigner était loin d'être son occupation préférée. Témoigner contre un autre être humain. Il ne lui était arrivé d'en tirer de la satisfaction, voire du plaisir, qu'en de très rares occasions. Le cas présent n'en faisait pas partie.

Inconfortablement assis sur la chaise dure et dûment assermenté, Armand Gamache s'avoua que, malgré sa foi dans le droit et toute une carrière au sein du système judiciaire, c'était d'abord et avant tout à sa conscience qu'il devait rendre des comptes.

Et elle se révélait un juge impitoyable.

— C'est aussi vous qui avez procédé à l'arrestation, si je ne m'abuse ?

— Oui.

— N'est-il pas un peu inhabituel que le directeur général arrête lui-même un suspect ?

— Comme vous le savez, j'occupe ce poste depuis peu. Pour moi, tout est donc inhabituel. Disons que l'affaire qui nous préoccupe ne m'a pas vraiment laissé le choix.

Le procureur de la Couronne sourit. Comme il tournait le dos au reste du tribunal et au jury, personne ne le vit. Sauf peut-être la juge, à qui presque rien n'échappait.

Et le sourire qu'aperçut la juge Corriveau n'avait rien de plaisant. On aurait plutôt dit un rictus de mépris. Elle s'en étonna : en principe, le procureur et le directeur général étaient des alliés.

Il ne s'ensuivait pas nécessairement, ainsi qu'elle le savait très bien, que les deux hommes s'aimaient, ni même qu'ils se respectaient. Elle-même avait des collègues pour qui elle n'avait aucun respect, même si, a priori, jamais elle ne les aurait regardés avec une telle expression.

Pendant qu'elle les examinait, Gamache l'avait examinée, elle. Dans l'espoir de deviner ses pensées.

La désignation du juge revêtait une importance capitale. Le résultat du procès en dépendait. Dans le cas présent plus que jamais. En plus de l'interprétation des lois, l'atmosphère dans la salle d'audience était déterminante. Le juge serait-il strict ? Quelle marge de manœuvre accorderait-il aux parties en présence ?

Le juge était-il alerte ? En semi-retraite ? Attendait-il impatiemment l'heure de l'apéritif ? Était-il moins soucieux de s'imprégner des tenants et aboutissants de l'affaire que de s'imbiber d'alcool ?

Pas cette fois.

Maureen Corriveau venait juste de faire son entrée dans la magistrature. C'était, savait pertinemment Gamache, la première affaire de meurtre qu'elle traitait. Il avait de la compassion pour elle. Elle ne pouvait pas se douter du sale tour que le hasard lui avait joué. Qu'elle allait se retrouver avec un tas de désagréments sur les bras.

C'était une femme d'âge mûr qui ne craignait pas de laisser voir ses cheveux gris. Peut-être pour afficher son autorité ou sa maturité. Désormais, elle n'avait besoin d'impressionner personne. Elle avait été une plaideuse redoutable, associée à un cabinet d'avocats de Montréal. Elle avait été blonde. Avant son ascension. Avant de devenir juge.

De sauter sans parachute, en somme.

La juge Corriveau soutint le regard de Gamache. Elle avait des yeux incisifs. Intelligents. Il se demanda néanmoins ce qu'elle voyait vraiment. Et ce qui lui échappait.

La juge Corriveau semblait à l'aise. Mais il ne fallait rien en conclure. Sans doute Gamache donnait-il la même impression.

Il balaya des yeux la salle d'audience du palais de justice du Vieux-Montréal. Elle avait beau être bondée, la plupart de ceux qui auraient pu s'y trouver avaient choisi de rester à la maison. Certains, comme Myrna, Clara et Reine-Marie, seraient appelés à témoigner et ne viendraient que quand on les convoquerait. D'autres villageois – Olivier, Gabri et Ruth – refusaient obstinément de quitter Three Pines pour venir dans la ville étouffante afin de revivre cette tragédie.

En revanche, l'adjoint de Gamache, Jean-Guy Beauvoir, était présent, au même titre que l'inspectrice-chef Isabelle Lacoste, qui dirigeait la section des homicides.

Ils seraient bientôt appelés à la barre des témoins. « À moins, se dit Gamache, qu'on n'en vienne jamais là. »

Il se tourna de nouveau vers le procureur de la Couronne, Barry Zalmanowitz. Au passage, il aperçut toutefois la juge Corriveau. Dépité, il la vit incliner la tête de façon presque imperceptible. Et elle plissa les yeux, tout aussi légèrement.

Qu'avait-elle vu dans ses yeux à lui ? La nouvelle juge avait-elle deviné le secret qu'il s'efforçait de cacher ? Qu'il devait cacher à tout prix ?

Le cas échéant, elle risquait de mal interpréter son expression. Elle conclurait qu'il n'était pas absolument convaincu de la culpabilité de l'accusée.

Armand Gamache n'avait aucun doute à ce sujet. Il savait qui avait tué. Simplement, il craignait un dérapage. La remise en liberté d'un assassin particulièrement retors.

Il vit le procureur de la Couronne se diriger d'un pas délibéré vers sa table et chausser ses lunettes avant de lire un bout de papier avec une grande application, d'un air un peu théâtral.

« Du papier vierge, songea Gamache. Ou encore une liste d'épicerie. Un accessoire de théâtre, presque à coup sûr. Un écran de fumée. Un éclat de miroir. »

Les procès, comme les messes, étaient d'abord et avant tout des spectacles. Gamache crut presque sentir le parfum de l'encens et entendre la sonnerie ténue et métallique d'une clochette.

Les membres du jury, que la chaleur ambiante n'avait pas encore flétris, suivaient les moindres gestes du procureur de la Couronne. C'était leur devoir. Cet homme n'était toutefois pas le personnage principal. Ce rôle revenait à un acteur qui restait dans les coulisses et ne prononcerait sans doute pas un mot.

Le procureur de la Couronne retira ses lunettes et Gamache entendit le léger bruissement de la robe de soie de la juge, qui avait peine à cacher son impatience. Les membres du jury étaient sous le charme, peut-être, mais pas elle. Et leur fascination ne durerait pas. Ils étaient trop futés.

— Si je comprends bien, l'accusée a fait des aveux, n'est-ce pas ? fit le procureur en regardant au-dessus de ses lunettes d'un air docte qui n'impressionna nullement le grand patron de la Sûreté.

— Nous avons obtenu des aveux, oui.

— Dans le cadre d'un interrogatoire, monsieur le directeur général ?

Gamache remarqua l'usage répété de son titre, comme si un personnage aussi auguste que lui ne risquait pas de commettre une erreur.

— Non. L'accusée est venue chez moi pour se confesser. De son plein gré.

— Objection, madame la juge !

Le procureur de la défense avait bondi. Avec un peu de retard, estima Gamache.

— La question n'est pas pertinente. L'accusée n'a jamais avoué le meurtre.

— En effet, concéda le procureur de la Couronne. La confession dont je parle ne concerne pas le meurtre. Mais elle a conduit directement au dépôt des accusations, n'est-ce pas, monsieur le directeur général ?

Gamache se tourna vers la juge Corriveau. Attendit qu'elle se prononce sur la validité de l'objection.

Elle hésita.

— Objection rejetée, trancha-t-elle. Vous pouvez répondre.

— L'accusée est venue librement, dit Gamache. Et oui, la confession a joué un rôle central dans la suite des procédures.

— Avez-vous été surpris par la visite de l'accusée à votre domicile ?

— Objection, Votre Honneur ! s'écria le procureur de la défense en se levant de nouveau. La question est subjective et sans pertinence. Quelle importance que M. Gamache ait été surpris ou non ?

— Objection retenue, déclara la juge. Veuillez ignorer la question.

Gamache n'avait eu aucune intention d'y répondre. La juge avait raison. C'était effectivement subjectif. La question manquait-elle de pertinence pour autant ? Là, il était moins sûr.

Avait-il été surpris ?

Bien sûr, il avait été étonné de trouver ce visiteur sur le perron de sa maison dans son petit village du Québec. Il avait d'abord eu du mal à savoir qui se cachait sous le lourd manteau et le capuchon. Homme ou femme ? Vieux ou jeune ? Gamache croyait encore entendre les grains de glace qui ricochaient contre ses murs, la froide pluie de novembre s'étant changée en grésil.

À cette seule évocation, il frissonna, malgré la chaleur de juillet.

Et pourtant, il avait bel et bien été surpris. Il ne l'attendait pas, cette visite.

Quant à la suite, « surpris » serait un euphémisme.

— Je n'ai aucune envie que ma première affaire de meurtre finisse en appel, dit la juge Corriveau, si bas que seul Gamache l'entendit.

— À mon avis, il est trop tard, Votre Honneur. Cette affaire a débuté devant un tribunal supérieur et va se dénouer de même.

La juge Corriveau se tortilla dans son fauteuil. Dans l'espoir de trouver une position confortable. Mais quelque chose avait changé. À la faveur de cet échange singulier et privé.

Elle avait l'habitude des mots, cryptiques et autres. Ce qui l'avait déstabilisée, c'était le regard de l'homme. Elle se demanda s'il en était conscient.

Sans savoir de quoi il s'agissait, la juge Corriveau se dit que le directeur général de la Sûreté n'aurait pas dû faire cette tête-là. À la barre des témoins. Dans le cadre d'un procès pour meurtre.

Maureen Corriveau ne connaissait pas bien Armand Gamache. En fait, elle le connaissait seulement de réputation. Même si, au fil des ans, ils s'étaient maintes fois croisés dans les couloirs du palais de justice.

Elle était toute disposée à ne pas l'aimer, cet homme. Un chasseur d'humains. Un type qui vivait de la mort. Qui, sans la donner, en profitait.

Sans meurtres, pas de Gamache.

Elle se souvint d'une rencontre fortuite, à l'époque où il était encore à la tête de la section des homicides, et elle, avocate de la défense. Ils s'étaient croisés dans le couloir et, là aussi, elle avait entrevu son regard. Vif, alerte, réfléchi. Et elle y avait décelé autre chose.

Puis, il était passé, la tête légèrement penchée pour mieux entendre son compagnon. Un homme plus jeune qu'elle savait être son adjoint. Un homme qui se trouvait en ce moment dans la salle d'audience.

Une très légère odeur de bois de santal et de rose s'était attardée dans l'air. Un parfum presque imperceptible.

En rentrant chez elle, Maureen Corriveau en avait parlé à sa femme.

— Je l'ai suivi et j'ai assisté à quelques minutes de l'audience pour l'entendre témoigner.

— Pourquoi ?

— Par curiosité. Je n'ai jamais été opposée à lui, mais je me suis dit que je devrais me préparer, au cas où. En plus, j'avais du temps à tuer.

— Et alors ? Il était comment ? Attends, laisse-moi deviner, fit Joan.

Elle poussa le bout de son nez d'un côté.

— Ouais, c'est c'gars-là qu'a buté le mec. Pourquoi qu'on perd not' temps avec un procès, bande de poltrons miteux ? Qu'on le pende haut et court !

— Incroyable ! s'écria Maureen. Tu étais donc là ? Tu as mis en plein dans le mille. On aurait dit Edward G. Robinson doublé à Paris.

Joan rit.

— Quand même, ni Jimmy Stewart ni Gregory Peck ne se sont hissés jusqu'à la tête de la section des homicides.

— Excellente observation. Il a plutôt paraphrasé la sœur Prejean.

Joan posa son livre.

— Pendant un procès ?

— Pendant son témoignage, oui.

Gamache était assis à la barre des témoins, posé, détendu, mais pas désinvolte. Il avait l'air distingué, même si, à première vue, on n'aurait pas dit qu'il était beau. Un homme imposant vêtu d'un costume bien taillé. Il se tenait droit, alerte. Respectueux.

Ses cheveux, presque entièrement gris, étaient fraîchement coupés. Il était rasé de près. Même du haut de la tribune, Maureen avait remarqué la profonde cicatrice sur sa tempe.

C'était alors qu'il avait prononcé les mots.

— *Aucun homme n'est aussi vil que la plus vile de ses actions.*

— Pourquoi a-t-il cité une bonne sœur qui défend les condamnés à mort ?

— C'était, je crois, sa façon d'implorer la clémence du tribunal.

— Hum, fit Joan, perdue dans ses réflexions. Évidemment, le contraire est aussi vrai : nul n'est aussi noble que sa plus belle action.

Et voilà que la juge Corriveau, arborant la robe de la magistrature, présidait un procès. Et s'efforçait de deviner les intentions du directeur général Gamache.

C'était la première fois qu'elle le voyait d'aussi près et pour une période aussi prolongée. La profonde cicatrice était toujours là, bien sûr, et elle y resterait à jamais. Comme si son travail l'avait marqué au fer blanc. De près, la juge distinguait les rides qui rayonnaient à partir de sa bouche. Et de ses yeux. Lignes de vie. Rides de rire, ainsi qu'elle le savait très bien. Elle avait les mêmes.

Un homme au sommet de sa carrière. Sûr de lui. En paix avec ce qu'il avait fait et ce qu'il lui restait à faire.

Mais dans ses yeux?

L'expression que Maureen Corriveau y avait surprise des années plus tôt s'était révélée si inattendue qu'elle avait suivi l'homme et avait écouté son témoignage.

C'était la bonté.

À présent, c'était autre chose. Les yeux de Gamache trahissaient l'inquiétude. « Pas le doute, ça non », songea-t-elle. Mais visiblement, il se faisait du souci.

Et voilà qu'elle s'en faisait à son tour, même si elle n'aurait su dire pourquoi.

Elle se retourna et ils se concentrèrent tous deux sur le procureur de la Couronne. Il triturait un stylo. Quand il fit mine de s'appuyer sur la table, la juge Corriveau lui jeta un regard si sévère qu'il se redressa aussitôt. Et posa l'objet.

— Laissez-moi reformuler la question, dit-il. À quand remontent vos premiers soupçons?

— Comme dans la plupart des affaires de meurtre, répondit Gamache, tout a débuté avant l'acte lui-même.

— Vous saviez donc qu'un meurtre allait être commis, avant même la mort de la victime?

— Non. Pas vraiment.

« Non? » s'interrogea Gamache. Cette question, il se la posait chaque jour depuis la découverte du cadavre. En réalité, il se demandait comment il avait pu ne pas savoir.

— Alors, je vous le redemande, monsieur le directeur général. À quel moment avez-vous su ?

La voix de Zalmanowitz trahissait un soupçon d'impatience.

— À l'instant où la silhouette en robe noire est apparue dans le parc du village.

La réponse provoqua une commotion dans la salle d'audience. Les journalistes, regroupés d'un côté, se penchèrent sur leurs ordinateurs. Gamache entendait le cliquetis des touches venant de l'autre bout de la salle. Code Morse des temps modernes, synonyme de nouvelles urgentes.

— Par « village », vous voulez dire Three Pines ? fit le procureur en se tournant vers les journalistes, comme si le fait que le procureur en chef connaisse le nom du village où vivait Gamache et où était morte la victime était un exploit. Au sud de Montréal, non loin de la frontière du Vermont, n'est-ce pas ?

— Oui.

— Je crois savoir que c'est plutôt petit comme endroit.

— Oui.

— Joli ? Voire paisible ?

Zalmanowitz avait réussi à ternir le mot « joli » et à conférer au mot « paisible » un aspect rébarbatif. Pourtant, Three Pines n'était ni terne ni repoussant.

Gamache hocha la tête.

— Oui. C'est très joli.

— Et très loin de tout.

Le procureur de la Couronne était parvenu à donner à l'expression « loin de tout » une connotation désagréable, comme si la civilisation s'érodait à mesure qu'on s'éloignait de la grande ville. « C'est peut-être la vérité », songea Gamache. Pourtant, il avait vu les fruits de ce qu'on considérait comme la civilisation et savait que les bêtes étaient aussi nombreuses dans les villes que dans les forêts.

— Plutôt hors des sentiers battus que loin de tout, expliqua Gamache. En général, on tombe sur Three Pines quand on s'est perdu. Ce n'est pas le genre d'endroit qu'on traverse en route vers une autre destination.

— Bref, c'est sur une route qui ne mène nulle part ?

Gamache faillit sourire. La remarque, qui se voulait insultante, n'était pas loin de la vérité.

Reine-Marie et lui avaient choisi de vivre à Three Pines avant tout parce que c'était joli et difficile à trouver. Un havre de paix, une sorte de zone tampon, où Gamache pouvait s'isoler de la cruauté et des épreuves du monde auxquelles il faisait face jour après jour. Le monde au-delà de la forêt.

Là, ils avaient découvert un chez-eux véritable. Y avaient fait leur nid. Au milieu des pins, des plantes vivaces, des boutiques du village et des villageois eux-mêmes. Qui étaient devenus des amis, puis des intimes.

Pour cette raison même, l'apparition de la créature sombre dans le parc du village, si joli et si tranquille, d'où elle avait chassé les enfants qui avaient l'habitude d'y jouer, avait été plus qu'une anomalie. Plus qu'une intrusion. Une profanation, en fait.

Gamache savait que son malaise avait débuté la veille. Au moment où la créature à la robe noire avait fait irruption dans le bistro, où se tenait la fête d'Halloween.

Mais il n'avait commencé à s'inquiéter pour de bon que le lendemain matin, quand, en jetant un coup d'œil par la fenêtre de sa chambre, il avait trouvé la créature au même endroit. Plantée dans le parc du village. Fixant le bistro.

Se contentant de le regarder fixement.

Maintenant, des mois plus tard, Armand Gamache dévisageait le procureur de la Couronne. Lui-même vêtu d'une robe noire. Puis il se tourna vers la table des avocats de la défense, arborant aussi la robe noire. Et enfin vers la juge, en robe noire.

Le regardant fixement. Lui.

« Pas moyen, songea Gamache, d'échapper aux silhouettes en robe noire. »

— Tout a débuté la veille, dit-il en révisant son témoignage. Lors de la fête d'Halloween.

— Tout le monde était déguisé ?

— Non. C'était facultatif.

— Et vous ?

Gamache foudroya l'homme du regard. La question, dénuée de la moindre pertinence, ne visait qu'à l'humilier.

— Nous avions décidé de nous représenter les uns les autres.

— Votre épouse et vous ? Vous étiez habillé en femme, monsieur le directeur général ?

— Pas exactement. Nous avons pigé des noms dans un chapeau. Je suis tombé sur Gabri Dubeau, qui exploite le gîte du village avec son partenaire, Olivier.

Avec la complicité d'Olivier, Armand avait emprunté un kimono et les pantoufles molletonnées rose vif qui distinguaient Gabri de ses semblables. Costume éminemment facile et confortable.

Reine-Marie, elle, avait personnifié Clara Morrow, leur voisine. Clara était une portraitiste immensément populaire, même si elle semblait passer le plus clair de son temps à se barbouiller de peinture.

Reine-Marie avait crêpé ses cheveux jusqu'à ce qu'ils se dressent sur sa tête et y avait niché des biscuits et un sandwich au beurre d'arachides. Puis elle s'était éclaboussée de peinture de la tête aux pieds.

Pour sa part, Clara incarnait sa meilleure amie, Myrna Landers. Ils avaient tous craint qu'elle débarque le visage maquillé en noir, même si Myrna avait déclaré qu'elle ne s'en offusquerait pas, à condition que Clara se peigne en noir de la tête aux pieds.

Clara ne s'était pas peinte elle-même, pour une fois. Elle avait plutôt enfilé un caftan fabriqué avec la jaquette de vieux livres.

Myrna était une psychologue à la retraite qui avait fait carrière à Montréal et qui, désormais, exploitait la librairie de livres neufs et d'occasion voisine du bistro. Selon Clara, les villageois s'inventaient des problèmes uniquement dans le but de consulter Myrna.

— Tu crois ? avait demandé Ruth, la vieille poète, en fusillant Clara du regard. Des problèmes, tu en as des tonnes. De quoi remplir un entrepôt. Un vrai monopole.

— Faux, riposta Clara.

— Ah bon? Tu as une énorme exposition solo qui s'annonce et, jusqu'ici, tu n'as fait que de la merde. Si ce n'est pas un problème, ça, je me demande bien ce que c'est.

— Je n'ai pas fait de la merde.

Aucun de ses amis n'avait jugé bon de la soutenir.

Gabri avait assisté à la fête dans la peau de Ruth. Il avait enfilé une perruque grise et maquillé son visage jusqu'à paraître un monstre de film d'horreur. Vêtu d'un chandail bouloché et mité, il trimballait un canard empaillé.

Pendant toute la soirée, il avait avalé du scotch et déclamé de la poésie.

La chaumière aux portes entrebâillées
Est déserte là-haut sur l'éminence –
Ni bruits de sabots ni jappements gais,
Et le cochon observe le silence.

— Ils ne sont pas de moi, ces vers, gros tas de merde, dit Ruth.

Vêtue d'un chandail bouloché et mité, elle trimballait un canard vivant.

— *Une petite tige là se tend*, poursuivit Gabri, *bannière qui oscille dans le vent.*

— Arrête, lança Ruth en se bouchant les oreilles. Tu vas occire ma muse.

— *Et je songe qu'à la belle saison*, persista Gabri, *elle deviendra un gros oignon.*

Il avait prononcé le dernier mot *oie-gnon.*

Même Ruth ne put se retenir de rire, tandis que, dans ses bras, Rose la cane marmottait:

— *Fuck, fuck, fuck.*

— J'y ai consacré toute la journée, dit Gabri. Finalement, ce n'est pas sorcier, la poésie.

Le procureur de la Couronne enchaîna:

— C'était donc le 31 octobre de l'année dernière.

— Non, le 1er novembre. À l'Halloween, nous sommes restés à la maison pour la distribution des bonbons. La fête se tient toujours le lendemain.

— Le 1er novembre, donc. Qui y a assisté, outre les villageois ?

— Matheo Bissonnette et sa femme, Léa Roux.

— Mme Roux, la politicienne. Une étoile montante au sein de son parti, je crois.

Derrière lui, Me Zalmanowitz entendit le crépitement des tablettes. Chant des sirènes. Preuve qu'il ferait les manchettes.

— Oui, dit Gamache.

— Des amis à vous ? Que vous hébergiez ?

Naturellement, le procureur de la Couronne connaissait la réponse à toutes ces questions. Il les posait pour le bénéfice de la juge et des jurés. Sans oublier les journalistes.

— Non, répondit Gamache. Je ne les connaissais pas bien. Ils étaient venus en compagnie d'amis à eux, Katie et Patrick Evans.

— Ah oui, bien sûr, les Evans.

Le procureur de la Couronne se tourna vers la table de la défense avant de revenir à Gamache.

— L'entrepreneur et son épouse architecte. Je crois savoir qu'ils construisent des maisons de verre. Des amis à vous ?

— De simples connaissances, corrigea Gamache d'une voix ferme.

Il n'avait pas particulièrement goûté l'insinuation.

— Bien sûr, concéda Zalmanowitz. Et que faisaient-ils au village ?

— Ils étaient là pour des retrouvailles. Ce sont des camarades de classe. Ils ont étudié ensemble à l'Université de Montréal.

— Ils ont tous une trentaine d'années, à présent ?

— Oui.

— Depuis combien de temps viennent-ils à Three Pines ?

— Quatre ans. Toujours la même semaine, vers la fin de l'été.

— Sauf cette année, où ils ont plutôt choisi la fin octobre.

— Oui.

— Drôle de moment pour une visite. Trop tard pour les couleurs d'automne, trop tôt pour le ski. C'est plutôt déprimant à cette période de l'année, non?

— Ils ont peut-être obtenu de meilleurs tarifs au gîte, risqua Gamache, serviable. C'est un très joli endroit.

Le matin même, en quittant Three Pines, Gamache avait vu Gabri, propriétaire du gîte, foncer vers lui avec un sac en papier kraft et un gobelet de voyage.

— Si vous devez mentionner le gîte, je vous serais reconnaissant de le qualifier de «splendide». Ou encore de «magnifique».

Il avait gesticulé derrière lui. Les termes n'avaient rien de mensonger. De l'autre côté du parc, la vieille auberge où les diligences faisaient autrefois étape, avec sa large galerie et ses pignons, était effectivement magnifique. En particulier l'été. Comme le reste du village, sa façade était ornée d'un jardin de vieilles plantes vivaces. Roses et lavandes, digitales aux longues tiges, phlox odorants.

— Évitez le mot «époustouflant», conseilla Gabri. Ça manque de naturel.

— Ce serait du plus mauvais effet, admit Gamache. Au fait, vous savez qu'il s'agit d'un procès pour meurtre?

— Bien sûr, dit Gabri en lui tendant le café et les croissants.

À présent, Gamache, plongé au cœur du procès, écoutait le procureur de la Couronne.

— Comment les camarades de classe sont-ils tombés sur Three Pines, la première fois? demanda Me Zalmanowitz. Ils s'étaient égarés?

— Non. Léa Roux et Mme Landers se connaissent depuis longtemps. Myrna a gardé Léa quand elle était petite. Léa et Matheo, après lui avoir rendu visite à quelques reprises, se sont attachés au village. Ils en ont parlé à leurs amis et ils en ont fait le lieu de leurs retrouvailles annuelles.

— Je vois. Léa Roux et son mari ont donc été les instigateurs, dit le procureur sur un ton qui laissait croire à un procédé louche. Avec la complicité de Mlle Landers.

— *M*^me^ Landers. Et il n'y pas eu d'« instigateurs ». C'étaient des retrouvailles parfaitement normales.

— Ah bon ? Les événements vous semblent parfaitement normaux ?

— Oui, jusqu'en novembre dernier.

Le procureur de la Couronne hocha la tête d'un air qui se voulait sagace, comme si les propos du directeur général Gamache le laissaient incrédule.

« C'est ridicule », songea la juge Corriveau. Elle constata cependant que les jurés buvaient ses paroles comme du petit-lait.

Et, une fois de plus, elle se demanda ce qui poussait le procureur à mettre en doute les propos de son propre témoin. Le patron de la Sûreté, pour l'amour du ciel.

La journée était de plus en plus chaude, la salle d'audience aussi. La juge toisa les vieux climatiseurs de guingois dans les fenêtres. Éteints, bien sûr, parce que trop bruyants. Et donc source de distraction.

Seulement, la chaleur ambiante devenait elle-même une source de distraction. Et il n'était pas encore midi.

— À quel moment en êtes-vous enfin venu à la conclusion que tout cela était peut-être anormal, monsieur le directeur général ? demanda Zalmanowitz.

Il avait eu soin de souligner une fois de plus le titre de Gamache. À présent, son ton sous-entendait une certaine incompétence chez son interlocuteur.

— Tout a débuté pendant la fête d'Halloween tenue au bistro, répondit Gamache en choisissant d'ignorer la provocation. Certains invités portaient un masque, même si, pour la plupart, ils étaient reconnaissables, surtout lorsqu'ils ouvraient la bouche. L'un d'eux détonnait. Il arborait une lourde robe noire qui descendait jusqu'au sol de même qu'un masque noir. Des gants et des bottes. Un capuchon remonté sur sa tête.

— Dark Vador, en somme.

Des rires fusèrent dans la tribune.

— C'est ce que nous avons d'abord cru. Mais il ne s'agissait pas d'un costume inspiré de *La guerre des étoiles*.

— Qui était-ce donc, à votre avis ?

— Reine-Marie… mon épouse, fit Gamache en se tournant vers les jurés pour préciser.

Ils hochèrent la tête.

— Reine-Marie s'est demandé s'il ne s'agissait pas du père dans le film *Amadeus*. Seulement, il portait un chapeau caractéristique. La personne en question n'avait qu'un capuchon. Myrna a cru reconnaître en elle un jésuite, mais on ne voyait pas de croix.

Il ne fallait pas non plus oublier son comportement. Pendant que les autres faisaient la fête, cette silhouette était restée parfaitement immobile.

Bientôt, les participants cessèrent de lui adresser la parole. De lui poser des questions sur son déguisement. De tenter de deviner qui elle personnifiait. Peu après, ils renoncèrent à s'approcher de la silhouette sombre et une sorte de vide se créa autour d'elle. On aurait dit qu'elle occupait son propre monde. Son propre univers. Où il n'y avait ni fête d'Halloween, ni fêtards, ni rires, ni amitié.

— Et vous, qu'avez-vous pensé ?

— Je me suis dit que c'était la Mort, déclara Armand Gamache.

Le silence se fit dans la salle d'audience.

— Et qu'avez-vous fait ?

— Rien.

— Ah bon ? La Mort débarque à l'improviste et le directeur général de la Sûreté, l'ex-inspecteur-chef de la section des homicides, ne réagit pas ?

— C'était une personne déguisée, répondit patiemment Gamache.

— C'est peut-être ce que vous vous êtes dit ce soir-là, répliqua le procureur de la Couronne. Quand avez-vous compris qu'il s'agissait bel et bien de la Mort ? Laissez-moi deviner. Lorsque vous avez eu le cadavre à vos pieds ?

2

Non. La silhouette de la fête d'Halloween avait été déconcertante, certes, mais c'était seulement le lendemain matin, au moment où il contemplait l'humide matinée de novembre par la fenêtre de la chambre à coucher, que Gamache avait songé que quelque chose de grave se préparait.

— Que regardes-tu, Armand ? demanda Reine-Marie en s'avançant vers lui au sortir de la douche.

Elle jeta à son tour un coup d'œil par la fenêtre et son visage s'affaissa.

— Que fabrique-t-il là ? fit-elle à voix basse.

Tous les fêtards étaient rentrés chez eux pour dormir, mais pas la silhouette au manteau foncé. Elle était restée derrière. Sur place. Et elle y était encore. Debout dans le parc du village. Avec sa robe en laine. Et son capuchon. Regardant fixement devant elle.

Bien que, de cet angle, il ne puisse s'en assurer, Gamache aurait parié que le masque était encore en place.

— Je ne sais pas, répondit-il.

Comme c'était un samedi, il enfila une tenue décontractée. Pantalon de velours, chemise et gros chandail d'automne. Novembre avait débuté, ainsi que la météo se chargeait de le leur rappeler.

L'aube était grise, comme souvent en novembre, après la vive lumière et les couleurs d'octobre.

Novembre était un mois de transition. Une sorte de purgatoire. Le souffle froid et humide entre l'agonie et la mort. Entre l'automne et le cœur de l'hiver.

Ce n'était le mois favori de personne.

Gamache mit ses bottes en caoutchouc et sortit. Leur berger allemand, Henri, et la petite créature appelée Gracie le regardèrent, éberlués. Ils n'avaient pas l'habitude d'être laissés derrière.

Il faisait plus froid que Gamache l'avait cru. Et encore plus froid que la veille.

Les mains gelées avant d'atteindre le parc, il regretta de ne pas avoir pris ses gants et son chapeau.

Gamache se planta devant la silhouette sombre.

Le masque était effectivement en place. On ne voyait de la créature que les yeux, eux-mêmes voilés par une sorte de gaze.

— Qui êtes-vous ? demanda Gamache.

Sa voix était calme, presque amicale. Comme s'il amorçait une conversation cordiale. Dans une situation parfaitement raisonnable.

Inutile de chercher la confrontation. Elle risquait de venir bien assez tôt.

La silhouette garda le silence. Elle ne se tenait pas au garde-à-vous. Son attitude dégageait moins de rigidité. Elle semblait sûre d'elle, possédait même un air d'autorité. Comme si, non contente d'occuper cet espace, elle en revendiquait la propriété.

Gamache, cependant, soupçonnait cette impression d'être attribuable à la robe et au silence plus qu'à l'homme lui-même.

Il avait souvent constaté que le silence était plus efficace que les mots. Si le but recherché était de déconcerter. Lui-même, toutefois, ne pouvait s'offrir le luxe du silence.

— Que faites-vous là ? demanda-t-il.

D'abord en français, puis en anglais.

Puis il attendit. Dix secondes. Vingt. Quarante-cinq.

Dans le bistro, Myrna et Gabri observaient la scène par la fenêtre à carreaux sertis de plomb.

Deux hommes qui se toisaient du regard.

— Parfait, fit Gabri. Armand va le faire déguerpir.

— Qui est-il? demanda Myrna. Il a assisté à votre réception, hier soir.

— Oui, mais je ne sais pas de qui il s'agit. Olivier non plus.

— Vous avez terminé? demanda Anton, plongeur et aide-serveur du matin.

Il tendit la main vers l'assiette de Myrna, qui ne contenait plus que des miettes. Mais, s'interrompant, il regarda dehors, comme les autres.

Myrna leva les yeux sur lui. Bien que relativement nouveau, il s'était rapidement intégré. Olivier l'avait engagé pour laver la vaisselle et débarrasser les tables, mais Anton ne faisait pas mystère de son ambition de devenir chef cuisiner de l'établissement.

— Il n'y a qu'un seul chef, confia un jour Anton à Myrna en achetant de vieux livres de recettes dans sa librairie. Olivier fait comme s'il y en avait une armée.

Myrna rit. C'était bien Olivier. Jouer les frimeurs auprès des autres, même de ceux qui le connaissaient trop bien pour se laisser duper.

— Tu as une spécialité? demanda-t-elle en faisant le total des achats sur sa vieille caisse enregistreuse.

— J'aime la cuisine canadienne.

Elle leva les yeux sur lui. Elle lui aurait donné entre trente et quarante ans. Il était trop vieux et trop ambitieux pour être aide-serveur. Il semblait instruit et il avait une mise soignée. Il était mince et athlétique. Ses cheveux brun foncé, courts sur les côtés et plus longs sur le dessus, où ils tombaient sur son front, lui donnaient un air juvénile.

Beau garçon, assurément. Avec l'ambition de devenir chef de cuisine.

Si seulement elle avait eu vingt ans de moins…

« Une fille a le droit de rêver. » Myrna ne s'en privait pas.

— La cuisine canadienne? De quoi s'agit-il?

— Exactement, répondit Anton en souriant. Personne ne le sait. Je pense qu'elle fait appel à tous les produits de la terre.

Des rivières aussi. Incroyable tout ce qu'on trouve ici. J'aime bien cueillir, glaner.

Il avait prononcé les mots avec un regard concupiscent, de la même façon qu'un voyeur aurait dit: « J'aime regarder. »

Myrna avait ri en rougissant légèrement. Elle lui avait réclamé un dollar pour les deux livres de cuisine.

À présent, Anton, penché au-dessus de leur table du bistro, regardait par la fenêtre.

— Qu'est-ce que c'est? demanda-t-il à voix basse.

— Tu étais là hier soir, non? fit Gabri.

— Si, mais j'ai passé la soirée dans la cuisine. Je n'en suis pas sorti une seule fois.

Myrna quitta le parc des yeux pour considérer le jeune homme. Alors qu'on fêtait joyeusement de l'autre côté des portes battantes, il avait passé tout son temps à laver les plats sales. Un parfait mélodrame victorien.

Comme s'il lisait dans ses pensées, Anton se tourna vers elle en souriant.

— Rien ne m'empêchait de venir jeter un coup d'œil, mais je ne suis pas trop porté sur les fêtes. Travailler en cuisine me suffit.

Myrna hocha la tête. Elle comprenait. Nous avons tous, ainsi qu'elle le savait très bien, un endroit où nous nous sentons non seulement à l'aise, mais aussi compétents. Pour elle, la librairie. Pour Olivier, le bistro. Pour Clara, son atelier.

Sarah, la boulangerie. Et Anton, la cuisine.

Parfois, ce confort se révélait illusoire. Vous emprisonnait au lieu de vous protéger.

— Que raconte-t-il? demanda Anton en s'assoyant et en désignant d'un geste Gamache et la silhouette à la robe sombre.

— Je peux vous être utile? demanda Armand. Vous voulez me parler de quelque chose?

Pas de réponse. Pas le moindre mouvement. Seulement la vapeur qui sortait de l'endroit où la bouche devait se trouver.

Preuve que la créature était vivante.

Les bouffées étaient régulières, comme le long et élégant panache de fumée que sème un train en marche.

— Je m'appelle Gamache. Armand Gamache.

Il laissa les mots en suspension.

— Je suis le directeur général de la Sûreté.

Les yeux de l'homme avaient-ils bougé, presque imperceptiblement ? Avait-il jeté un coup d'œil à Armand avant de se détourner ?

— Il fait froid, dit Armand en frottant ses mains glacées. Entrons. On peut prendre un café, peut-être des œufs et du bacon. J'habite juste là.

D'un geste, il désigna sa maison. Il se demanda s'il n'avait pas eu tort de se dévoiler ainsi, puis se dit que l'homme était sans doute déjà au courant. Il l'avait vu sortir de chez lui. Et d'ailleurs, ce n'était pas un secret.

Il attendit que la silhouette à la robe sombre réponde à son invitation en se demandant fugacement ce que penserait Reine-Marie de son nouvel ami.

Comme l'autre ne bronchait pas, Armand tendit la main, comme pour le prendre par le bras et l'entraîner avec lui.

Dans le bistro, les conversations s'interrompirent d'un coup. Le service du matin aussi.

Tous, les clients comme les serveurs, fixaient les deux hommes dans le parc du village.

— Il va emmener le type de force, dit Olivier en se joignant à eux.

Anton voulut se relever, mais Olivier lui fit signe de se rasseoir. Rien ne pressait.

Ils regardèrent Armand baisser la main, sans toucher l'homme.

Armand Gamache était lui-même parfaitement immobile. Et, pendant que la silhouette regardait le bistro, la librairie, la boulangerie et le magasin général de M. Béliveau, Gamache la fixait, elle.

— Prudence, murmura-t-il enfin.

Puis, se retournant, il rentra chez lui.

La silhouette était encore là dans l'après-midi.

Armand et Reine-Marie la croisèrent en se rendant chez Clara, de l'autre côté du parc.

Des douves invisibles s'étaient creusées autour de l'homme. Lentement, les villageois s'étaient risqués dehors pour vaquer à leurs occupations. Ils avaient toutefois soin de contourner la silhouette en décrivant un large cercle autour d'elle.

Aucun enfant ne jouait sur la pelouse et les gens se pressaient plus que d'habitude, en évitant de regarder la créature.

Au bout de sa laisse, Henri fit entendre un grognement bas et, les poils de son cou hérissés, il s'abrita derrière Armand. Ses énormes oreilles étaient rabattues vers l'avant et il les ramena sur sa tête large et, à la vérité, un peu vide.

Henri gardait tout ce qui comptait dans son cœur. Dans sa tête, il gardait surtout la pensée des biscuits.

Le berger eut toutefois assez de jugeote pour ne pas s'approcher de la silhouette.

Gracie, découverte dans une poubelle quelques mois plus tôt, en même temps que son frère, Leo, était également tenue en laisse.

Fascinée, elle fixait la silhouette en refusant obstinément d'avancer. Reine-Marie dut la prendre dans ses bras.

— Faudrait-il dire quelque chose ? demanda-t-elle.

— Laissons-le tranquille, répondit Armand. Il a peut-être besoin d'attention. On peut espérer qu'il s'en ira si on ne lui en accorde pas.

Si Armand choisissait d'ignorer la créature, soupçonna Reine-Marie, ce n'était pas pour cette raison. Il préférait sans doute qu'elle-même ne s'en approche pas. Et franchement, elle n'en avait aucune envie.

Toute la matinée, Reine-Marie s'était sentie attirée par la fenêtre. Elle avait fini par ne plus voir la créature comme un homme. Son humanité s'était en quelque sorte évanouie. Elle était devenue une « chose ». Sans plus rien d'humain.

— Entrez donc, dit Clara. Je constate que notre visiteur s'incruste.

Malgré son ton badin, elle était visiblement troublée. Comme eux tous.

— Vous avez une idée de qui il s'agit, Armand ?

Il secoua la tête.

— Aucune. Croyez bien que je le regrette. Mais je doute qu'il reste encore longtemps. C'est peut-être une plaisanterie.

— Sans doute.

Clara se tourna vers Reine-Marie.

— J'ai mis les nouvelles boîtes dans le salon. Je me suis dit que nous pourrions nous y installer pour en examiner le contenu.

« Nouvelles » n'était pas tout à fait le bon mot.

Clara aidait Reine-Marie à accomplir la tâche en apparence interminable qui consistait à évaluer les « archives » de la société historique. Il s'agissait en fait d'innombrables boîtes de photos, de documents et de vêtements. Recueillis, sur cent ans et plus, dans des greniers et des caves. Récupérés dans des ventes-débarras et des bazars organisés dans des sous-sols d'église.

Reine-Marie s'était portée volontaire pour y jeter un coup d'œil. C'était, en gros, un ramassis de cochonneries. Mais elle y prenait un plaisir fou. Reine-Marie avait été archiviste et bibliothécaire en chef à Bibliothèque et Archives nationales du Québec et, à l'instar de son mari, elle se passionnait pour l'histoire. Pour l'histoire du Québec en particulier.

— Vous dînez avec nous, Armand ? demanda Clara.

La soupe embaumait la cuisine.

— J'ai pris une baguette à la boulangerie, ajouta-t-elle.

— *No, thanks*. Je vais au bistro.

Il brandit le livre qu'il tenait à la main. Son rituel du samedi après-midi. Dîner, bière et lecture au bistro, devant le feu de foyer.

— Pas une de Jacqueline, au moins ? demanda Reine-Marie en montrant la baguette.

— Non. C'est Sarah qui l'a faite. Je m'en suis assurée. Mais j'ai acheté des brownies signés Jacqueline. C'est important? demanda Clara en détachant un bout de pain. Qu'une boulangère sache préparer la baguette, je veux dire.

— Ici? répondit Reine-Marie. C'est vital.

— Ouais, confirma Clara. C'est aussi mon avis. Pauvre Sarah. Elle veut céder la boulangerie à Jacqueline, mais j'ai des doutes...

— Les brownies suffisent peut-être, dit Armand. Pour ma part, je pense que je pourrais me résigner à les tartiner de brie.

Clara grimaça, puis, après un moment de réflexion, se ravisa. Pourquoi pas, au fond?

— Jacqueline est là depuis seulement quelques mois, souligna Reine-Marie. Elle va peut-être finir par prendre le tour de main.

— Selon Sarah, quand il s'agit de la baguette, on l'a ou on ne l'a pas, dit Clara. Une question de toucher, mais aussi de température des mains.

— Chaudes ou froides? demanda Armand.

— Je ne sais pas, avoua Clara. En ce qui me concerne, c'est déjà trop d'informations. Je préfère voir les baguettes comme le résultat d'un tour de magie et non d'un accident de naissance.

Elle posa le couteau à pain.

— La soupe est presque prête. Je vous montre ma dernière œuvre pendant qu'elle finit de chauffer?

Clara n'avait pas l'habitude d'inviter ses amis à voir ses tableaux, encore moins avant qu'ils soient achevés. Armand et Reine-Marie la suivirent à contrecœur jusqu'à son atelier en espérant qu'elle avait effectivement réalisé des progrès depuis la dernière fois.

En temps normal, ils auraient sauté sur l'occasion d'admirer les toiles de Clara, portraitiste d'exception. Mais dernièrement, ils voyaient bien que l'idée qu'elle se faisait d'une œuvre « achevée » n'avait rien à voir avec la leur.

Armand se demanda ce qu'elle voyait et qui leur échappait à eux.

L'atelier était plongé dans le noir. Seules les fenêtres laissaient filtrer la lumière du nord, rare en cette journée de novembre.

— Elles sont terminées, celles-là, dit Clara en désignant dans la pénombre des toiles appuyées contre le mur.

Elle alluma.

Reine-Marie eut beaucoup de mal à ne pas demander :

— Vous en êtes bien sûre ?

Certains portraits semblaient presque complets, mais les cheveux étaient seulement esquissés au crayon. Dans d'autres, les mains se résumaient à des taches, à des éclaboussures.

La plupart des sujets étaient reconnaissables. Myrna. Olivier.

Armand se dirigea vers Sarah, la boulangère, dont le portrait se prélassait contre le mur.

Le portrait était le plus complet de la série. Le visage ridé de Sarah était empreint du désir de rendre service qu'Armand reconnut sans mal. Un air digne, presque détaché. En même temps, Clara avait réussi à saisir la vulnérabilité de la boulangère. Elle semblait craindre que le spectateur lui réclame un article qui lui manquait.

Oui, ses mains, son attitude et son visage étaient bien réussis. Et pourtant… Sa blouse était bâclée, dépourvue du moindre détail. Comme si Clara avait perdu tout intérêt pour son travail.

Gracie et Leo, issus de la même portée, se bousculaient sur le sol en béton, et Reine-Marie se pencha pour les flatter.

— Qu'est-ce que c'est ?

En entendant la voix ronchonneuse, tous se crispèrent.

Plantée là, Ruth, Rose dans ses bras, montrait l'intérieur de l'atelier.

— Petit Jésus, c'est affreux, lança la vieille poète. Quel gâchis ! Plus laid que ça, tu meurs.

— Ruth, fit Reine-Marie. Vous savez mieux que quiconque que l'art est une quête.

— Et on ne trouve pas toujours. Blague à part, qu'est-ce que c'est ?

— C'est ce qu'on appelle « art », dit Armand. Personne ne vous oblige à aimer ça.

— Art ? fit Ruth, incrédule. Pas de farce ? Viens, ici, Art, ajouta-t-elle en se penchant. Ici, tout de suite.

Les autres s'interrogèrent du regard. Ce comportement était bizarre, même pour la vieille Ruth, à moitié démente.

Puis Clara éclata de rire.

— Elle veut parler de Gracie.

Elle montra du doigt la petite créature qui se roulait sur le sol en compagnie de Leo.

Bien qu'il ait été trouvé au milieu des ordures en même temps que Gracie, Leo, en grandissant, devenait un très beau chien. Doré, avec des poils ras sur son corps élancé et un peu plus longs autour de son cou. Grand et un tantinet dégingandé pour le moment, mais déjà pourvu d'un maintien royal.

On ne pouvait en dire autant de Gracie. C'était, pour présenter les choses crûment, l'avorton de la nichée. Littéralement. Il était même permis de douter qu'elle appartienne à l'espèce canine.

Personne ne savait avec certitude pourquoi Reine-Marie l'avait recueillie, quelques mois plus tôt. Le passage du temps ne les avait pas éclairés davantage.

C'était une créature imberbe, hormis quelques touffes de poils de couleurs différentes, disséminés çà et là. Une oreille dressée, l'autre pendante. Sa tête donnait l'impression de grandir à vue d'œil, tandis que le reste de son corps croissait très peu. Certains jours, Reine-Marie se disait même que Gracie avait rapetissé.

Ses yeux, en revanche, étaient vifs. Et elle semblait consciente d'avoir été sauvée. Elle vouait à Reine-Marie une adoration sans bornes.

— Ici, Art, répéta Ruth en se relevant. Laid et stupide pardessus le marché. Ça ne répond même pas à l'appel de son nom.

— Gracie, dit Armand. Elle s'appelle Gracie.

— Alors pourquoi avoir dit qu'elle s'appelait « Art », pour l'amour du ciel ?

Elle le foudroyait du regard, comme si c'était lui qui était atteint de démence.

Ils retournèrent à la cuisine, où Clara touilla la soupe et où Armand, après avoir embrassé Reine-Marie, se dirigea vers la porte.

— Pas si vite, Tintin, ordonna Ruth. Vous n'avez encore rien dit au sujet de la chose qui traîne au milieu du village. Je vous ai vu lui parler. Qu'est-ce qu'elle a dit ?

— Rien.

— Rien ?

Manifestement, l'idée même du silence était totalement étrangère à Ruth.

— Qu'est-ce qu'il fait encore là, cet homme ? demanda Clara en renonçant à feindre l'indifférence. Que veut-il ? A-t-il passé la nuit debout à cet endroit ? Vous ne pourriez pas faire quelque chose ?

— Pourquoi le ciel est-il bleu ? répliqua Ruth. La pizza est-elle vraiment italienne ? As-tu déjà mangé un crayon de cire ?

Ils la dévisagèrent.

— Quoi ? Je pensais qu'on jouait à poser des questions stupides. Pour ce que ça vaut, les réponses aux tiennes sont : aucune idée, aucune idée et Edmonton.

— Le type porte un masque, dit Clara à Armand en choisissant d'ignorer Ruth. Ce n'est pas bien. Il ne va pas bien. Dans sa tête, je veux dire.

Elle fit tourner son index près de sa tempe.

— Je ne peux rien faire, dit Armand. Au Québec, il n'est pas illégal de se couvrir le visage.

— Il n'arbore pas la burqa, dit Clara.

— Pour l'amour du ciel, s'écria Ruth, où est le problème ? Vous n'avez pas vu *Le fantôme de l'Opéra* ? Il risque de se mettre à chanter d'un instant à l'autre. Et nous serons aux premières loges.

— Tu ne le prends pas au sérieux ? fit Clara.

— Si, bien sûr. Mais je n'ai pas peur. Ce qui m'effraie, c'est l'ignorance.

— Pardon ? demanda Clara.

— L'ignorance, répéta Ruth en ne tenant aucun compte du ton de mise en garde de l'artiste peintre. Toi, tu te sens menacée par tout ce qui est différent, par tout ce que tu ne comprends pas.

— Tandis que toi, tu es la figure emblématique de la tolérance, peut-être ?

— Voyons donc, fit Ruth. Menaçant et effrayant ne sont pas synonymes. Il fait peur, je te l'accorde. Mais il n'a rien fait de mal, à ce que je sache. S'il avait de mauvaises intentions, il serait sûrement déjà passé à l'acte.

Ruth se tourna vers Gamache comme pour chercher son appui, mais il garda le silence.

— Un type revêt un déguisement d'Halloween, une simple plaisanterie, poursuivit-elle. En plein jour. Et vous vous mettez à trembler comme des feuilles. Peuh. Vous auriez fait belle figure à Salem.

— Tu l'as vu de plus près que nous, dit Reine-Marie à son époux. De quoi s'agit-il, à ton avis ?

Il baissa les yeux sur les chiens, entremêlés sur le sol, tout contre Henri qui ronflait et grommelait dans son sommeil. Il était plus d'une fois arrivé à Armand d'envier le berger allemand. Jusqu'à ce qu'on dépose ses croquettes à côté de son bol d'eau. L'envie se dissipait immédiatement.

— Peu importe ce que je pense, dit-il. Je suis sûr qu'il sera bientôt parti.

— Ne nous traitez pas de haut, dit Clara en esquissant un sourire qui eut pour effet d'adoucir légèrement son ton. Je vous ai tout montré, ajouta-t-elle en désignant son atelier d'un geste. À votre tour de lâcher le morceau.

— Simple impression, dit-il. Sans aucune valeur. Je ne sais pas qui est cet homme ni ce qu'il veut.

— Armand, dit Clara d'un ton sévère.

Il se laissa fléchir.

— La Mort, dit-il en jetant un coup d'œil à Reine-Marie. Voilà à quoi j'ai songé.

— La Faucheuse ? gloussa Ruth. Elle vous a montré avec son doigt crochu ?

Elle désigna Armand du bout de son propre doigt osseux.

— Je ne dis pas qu'il s'agit vraiment de la Mort, de la Mort à proprement parler, expliqua Armand. Mais je pense que la personne qui porte un tel déguisement souhaite que nous fassions le rapprochement. Elle veut nous flanquer la frousse.

— Hum, fit Clara.

— Vous vous trompez, dit Ruth. La Mort ne ressemble pas du tout à ça.

— Qu'est-ce que tu en sais, toi ? demanda Clara.

— Nous sommes de vieux amis, l'ange de la mort et moi. Il me rend visite tous les soirs, ou presque. Nous bavardons dans la cuisine. Il s'appelle Michel.

— L'archange ? fit Reine-Marie.

— Oui. Tout le monde s'imagine la Mort sous les traits d'une créature horrible, mais, dans la Bible, c'est Michel qui visite les mourants et qui, lorsque leur dernière heure est venue, leur vient en aide. Il est magnifique, avec des ailes qu'il replie sur son dos pour ne pas renverser les meubles.

— Pas si vite, répliqua Reine-Marie. L'archange Michel vous rend visite ?

— Pas si vite, répéta Clara. Tu lis la Bible ?

— Je lis tout, lança Ruth à Clara avant de se tourner vers Reine-Marie. Il vient, en effet. Mais il ne reste pas longtemps. Il a beaucoup de travail. Il passe prendre un verre et me faire part des derniers ragots à propos des anges. Ce Raphaël, c'est un sacré numéro. Un vieux type aigri, méchant.

— Hum, fit l'un d'eux.

— Et vous, que lui racontez-vous ? demanda Armand.

— Je t'en prie, Armand, dit Reine-Marie pour l'avertir de ne pas provoquer la vieille femme.

Mais telle n'était pas son intention. Il était sincèrement curieux.

— Je lui parle de vous. Je lui indique vos maisons et je lui fais quelques suggestions. Parfois, je lui récite un poème : *De l'école publique à l'enfer privé / de la mascarade familiale*, cita-t-elle en inclinant la tête vers le plafond à cause de l'effort de mémoire exigé, *où un garçon à vélo peut-il aller / quand le droit chemin se sépare ?*

Pendant un moment, ils regardèrent devant eux, le souffle coupé par les paroles qu'ils venaient d'entendre.

— C'est de toi ?

Ruth hocha la tête et sourit.

— Je sais très bien que l'art est une quête. Franchement, Michel ne m'est pas d'une grande utilité. Il préfère les limericks.

Armand laissa fuser un rire involontaire.

— Puis il repart avant l'aube, dit Ruth.

— En te laissant derrière ? s'étonna Clara. C'est insensé.

— C'est un pensez-y bien, murmura Reine-Marie.

— Mon heure n'est pas venue. Loin de là. Il se plaît en ma compagnie parce que je n'ai pas peur.

— Nous avons tous peur de quelque chose, dit Armand.

— Je n'ai pas peur de la Mort, précisa Ruth.

— Mais je me demande si la Mort a peur d'elle, dit Clara.

— Donnez-m'en deux, dit Katie Evans en montrant les brownies au chocolat avec des guimauves fondues sur le dessus.

Ils étaient identiques à ceux dont elle gardait le souvenir de ses années de jeunesse.

— Et pour vous, madame ?

Jacqueline s'était tournée vers l'autre femme, Léa Roux.

Elle l'avait reconnue, mais c'était la norme. Députée à l'Assemblée nationale, Léa faisait souvent la manchette. Dans les talk-shows de toute la province, on l'interrogeait, en anglais et en français, sur ses opinions politiques. Elle était éloquente, mais pas prétentieuse. Drôle, mais pas sarcastique. Chaleureuse, mais pas mièvre. Bref, elle était la coqueluche des médias.

Et voilà qu'elle était là. Dans la boulangerie. En chair et en os.

En chair, au propre comme au figuré. Disons qu'elle était plus grande que grosse. Et qu'elle ne passait pas inaperçue. Au point d'éclipser la minuscule boulangère. Mais si ces femmes étaient dotées d'une forte présence, Jacqueline, elle, avait préparé les pâtisseries. En ce moment, elle exerçait, soupçonnait-elle, un certain pouvoir.

— Je pense, dit Léa en étudiant les gâteries dans la vitrine, que je vais prendre une tartelette au citron et un millefeuille.

— C'est bizarre, tout de même, dit Katie en s'avançant vers Sarah, la propriétaire du commerce, qui, en ce moment, s'employait à regarnir les tablettes de biscottis.

Inutile de demander à Katie ce qu'elle entendait par ces mots.

Sarah essuya ses mains sur son tablier et hocha la tête.

— Je donnerais cher pour qu'il s'en aille, dit-elle.

— Quelqu'un sait de qui il s'agit ? demanda Léa, d'abord à Sarah, qui secoua la tête, puis à Jacqueline, qui l'imita avant de détourner les yeux.

— C'est troublant, dit Sarah. Je me demande pourquoi personne n'intervient, pourquoi Armand ne fait rien.

— Je ne vois pas de solution. Même M. Gamache a les mains liées.

Léa Roux avait siégé au comité qui avait confirmé la nomination de Gamache à la tête de la Sûreté. Elle avait avoué le connaître un peu. Ils s'étaient rencontrés à quelques reprises.

Dans les faits, presque tous les membres du comité bipartisan connaissaient Armand Gamache. Membre éminent de la Sûreté pendant des années, il avait mis au jour le scandale de corruption.

Il y avait eu peu de discussions et encore moins de débats.

Deux mois plus tôt, Armand avait donc été assermenté à titre de directeur général de la plus puissante force de police du Québec. Peut-être même du Canada.

Malgré tout son pouvoir, Armand, ainsi que le savait Léa Roux, ne pouvait absolument rien faire à propos de la créature qui avait élu domicile dans le parc du village.

— Vous savez que vous pouvez commander les mêmes au bistro, dit Sarah en montrant les petites boîtes au moment où les deux femmes sortaient. Nous fournissons Olivier et Gabri.

— *Thanks*, dit Katie. Nous les emmenons à la librairie pour les partager avec Myrna.

— Elle raffole des brownies, dit Sarah. Depuis l'arrivée de Jacqueline, ils remportent un vif succès.

Elle posa sur la femme nettement plus jeune un regard de fierté proprement maternelle.

À l'exception notoire du problème des baguettes, l'arrivée de Jacqueline avait exaucé toutes les prières de Sarah. À près de soixante-dix ans, elle se levait encore tous les jours à cinq heures pour faire le pain et passait la journée debout. C'était trop, désormais.

Fermer la boulangerie était exclu. Et elle ne souhaitait pas prendre une retraite complète. Tout ce qu'elle voulait, c'était céder l'exploitation quotidienne du commerce.

Et, trois mois plus tôt, Jacqueline était débarquée.

Si seulement elle pouvait préparer des baguettes convenables…

— Hum, ça m'a l'air délicieux, fit Myrna en versant le thé, tandis que Léa déballait les pâtisseries.

Elles prirent place autour du poêle à bois de la librairie, sur le canapé et dans les fauteuils disposés dans la fenêtre en saillie. De là, elles pouvaient observer la silhouette.

Après en avoir discuté vainement pendant quelques minutes, elles s'intéressèrent au plus récent projet de Katie. Une maison de verre aux îles de la Madeleine.

— Ah bon ? s'écria Myrna, dont la surprise fut tempérée par une grosse bouchée de brownie. Aux Îles ?

— Oui. Il y a pas mal d'argent, là-bas. L'industrie du homard est florissante.

Léa plissa le front sans rien dire.

Un autre produit engendrait de la richesse là où, autrefois, sévissait une pauvreté laborieuse.

— Y construire une maison de verre doit représenter un sacré défi, dit Myrna.

Pendant la demi-heure suivante, elles parlèrent conditions météorologiques, géographie, conception et chez-soi. La notion de « chez-soi » par rapport à celle de « maison » fascinait Myrna, qui écoutait les deux jeunes femmes avec admiration.

Elle s'intéressait à Katie, qu'elle aimait bien. Mais elle se sentait surtout liée à Léa, dont elle avait été la gardienne, des années auparavant.

À l'époque, Myrna, âgée de vingt-six ans, venait tout juste de décrocher son diplôme et travaillait d'arrache-pied un peu partout pour rembourser ses dettes d'études. Léa, elle, avait six ans. Minuscule, elle tenait de la gerbille. Ses parents étaient en instance de divorce, et Léa, enfant unique, était si terrorisée, si paralysée par l'incertitude, qu'elle ne mettait pratiquement plus le nez dehors.

— Tu devrais rencontrer Anton, dit Myrna en regardant avec satisfaction Léa dévorer ses gâteaux.

— Anton ?

— Il lave la vaisselle pour Olivier.

— Olivier a nommé son lave-vaisselle ? s'étonna Katie avec un sourire. Le mien s'appelle Bosch.

— Ah bon ? fit Léa. Le mien, c'est Gustav. Un sacré cochon…

— Ha ! ha ! Tordant, dit Myrna. Anton est une personne en chair et en os, comme vous le savez très bien. Il veut devenir chef. Il a pour but d'élaborer une cuisine fondée uniquement sur des produits de la région.

— Les arbres, dit Katie. Les herbes.

— Les anglophones, ajouta Léa. Miam. J'aimerais bien faire sa connaissance. Je pense qu'il existe des programmes pour ce genre de projet.

— Désolée, dit Myrna. On doit te solliciter sans arrêt.

— Donner un coup de main, c'est mon travail, dit Léa. Et s'il y a un repas gratuit à la clé, tant mieux.

— Parfait. Ce soir, ça te convient ?

— Impossible. Nous allons souper à Knowlton. Mais on arrangera quelque chose avant notre départ.

— Quand ça ?

— Dans deux ou trois jours, lança Katie.

« Réponse curieusement vague, songea Myrna, pour des femmes dont l'emploi du temps était sans doute réglé au quart de tour. »

Une fois les derniers clients partis et les biscuits au four, Jacqueline régla la minuterie.

— Vous permettez que je…

— Oui, vas-y, répondit Sarah.

Jacqueline n'eut pas besoin de préciser où elle allait. Sarah était au courant. Et lui souhaita mentalement bonne chance. Si le plongeur et elle se mariaient et que lui devenait chef, Jacqueline resterait à Three Pines.

Sarah n'était pas fière de caresser des pensées aussi égoïstes, mais, au moins, elle ne voulait pas de mal à Jacqueline. Après tout, épouser Anton, ce ne serait pas exactement le goulag.

À condition qu'Anton partage les sentiments de Jacqueline. « Si seulement elle maîtrisait l'art de la baguette, songea Sarah en frottant les comptoirs. Oui. Ce serait peut-être la clé. »

Dans le monde selon Sarah, une bonne baguette était en même temps une baguette magique, capable de régler tous les problèmes.

Jacqueline fonça vers la cuisine du bistro, tout près. C'était le milieu de l'après-midi. On s'affairait aux préparatifs du service du soir, mais, pour le plongeur, c'était une période d'accalmie relative.

— J'allais justement te faire une petite visite, dit Anton. Tu as vu ?

— Difficile de faire autrement.

Elle l'embrassa sur les joues et il lui rendit la politesse, mais exactement comme il l'aurait fait pour Sarah.

— Faudrait-il dire quelque chose ? demanda Jacqueline.

— Quoi, au juste ? demanda-t-il en s'efforçant de ne pas hausser le ton. À qui ?

— À M. Gamache, bien sûr, répondit-elle.

— Non, répliqua Anton avec fermeté. Promets-moi de n'en rien faire. Nous ne savons pas ce que…

— Nous en avons quand même une bonne idée.

— Mais le fait est que nous ne savons rien, dit-il tout bas en voyant que le chef regardait de son côté. Il va finir par s'en aller.

Jacqueline avait ses propres raisons de se faire du souci, mais, dans l'immédiat, elle fut surtout préoccupée par la réaction d'Anton.

Dans le bistro, Armand lisait.

Il sentait des regards peser sur lui. Tous porteurs du même message.

« Faites quelque chose à propos de la chose dans le parc du village. »

« Faites qu'elle disparaisse. »

À quoi bon avoir le directeur général de la Sûreté comme voisin s'il se montrait incapable de les protéger ?

Il croisa les jambes et écouta le murmure du feu de bois. Il éprouva sa chaleur, huma la fumée des bûches d'érable et sentit les regards que ses voisins dardaient sur lui.

Même si un fauteuil confortable était libre devant l'âtre, il s'était installé près de la fenêtre. D'où il pouvait observer la chose.

À l'exemple de Reine-Marie, Armand se rendit compte que, au fil de la journée, il avait lentement cessé de concevoir la silhouette comme un « il ». Elle était devenue une chose neutre, au sexe indistinct. « Ça. »

Et Gamache, plus qu'eux tous, était conscient du danger que revêtait un tel glissement. Celui qui consistait à déshumaniser quelqu'un. Aussi bizarre son comportement soit-il, c'était une personne qui se cachait sous cette robe.

Ses propres réactions l'intriguaient. Il désirait le départ de la chose. Il avait envie de sortir et de l'arrêter. Cette chose. Ou plutôt cet homme.

Pour quel motif ?

Il troublait sa paix personnelle.

Inutile de répéter que l'homme ne représentait aucun danger. Gamache n'en savait rien, au fond. Ce qu'il savait, en revanche, c'est qu'il était impuissant. En un sens, son statut de directeur général de la Sûreté le condamnait à l'inaction.

Reine-Marie s'était tenue à ses côtés pendant son assermentation. Gamache arborait sa tenue de cérémonie, avec les épaulettes, le ceinturon et le galon dorés. Et les médailles qu'il portait à contrecœur. Chacune commémorant un événement qu'il regrettait. Mais qui avait quand même eu lieu.

Il était le portrait même de la résolution, de la détermination.

Son fils et sa fille l'observaient. Ses petits-enfants aussi, au moment où, la main levée, il avait juré de faire respecter la devise de la Sûreté : *Service, intégrité, justice.*

Leurs amis et leurs voisins étaient eux aussi présents dans la grande salle de l'Assemblée nationale.

Jean-Guy Beauvoir, son adjoint de longue date devenu son gendre, tenait son propre fils dans ses bras. Et observait.

Gamache lui avait proposé de faire partie de la direction générale. Une fois de plus à titre d'adjoint.

— Népotisme ? avait demandé Beauvoir. Une grande tradition québécoise.

— Tu sais quelle importance j'attache à la tradition, avait répondu Gamache. Mais tu m'obliges à reconnaître que tu es la personne la plus qualifiée. Et le comité d'éthique est d'accord.

— Vous vous placez dans une situation délicate.

— En effet. Penser que la Sûreté est désormais une méritocratie. Alors…

— Évite de tout foutre en l'air ?

— J'allais te rappeler de ne pas oublier les croissants, mais oui, ça aussi.

Et Jean-Guy avait dit oui. Et avait vu le directeur général Gamache serrer la main du juge en chef du Québec, puis se tourner face à la salle bondée.

Il était désormais à la tête d'une force composée de milliers de femmes et d'hommes chargés de protéger la province qu'il aimait. Des citoyens en qui il voyait non pas des victimes ou des menaces, mais bien des frères et des sœurs. Des égaux qu'il fallait respecter et défendre. Et parfois appréhender.

— Apparemment, confia-t-il à Myrna à l'occasion d'une de leurs discrètes conversations, le travail du directeur général ne se limite pas à assister à des cocktails et à manger dans des clubs privés.

En fait, il avait consacré ses premiers mois à la tenue d'intenses réunions avec les directeurs des divers services, à se familiariser avec les dossiers concernant le crime organisé, le trafic de stupéfiants, les homicides, la cybercriminalité, le blanchiment d'argent, les incendies criminels et une bonne douzaine d'autres domaines.

Il lui était vite apparu que la criminalité était encore plus endémique qu'il l'avait imaginé. Et que la situation s'aggravait. À l'origine de ce chaos se trouvait le trafic de stupéfiants.

Les cartels.

La majorité des autres maux en émanaient. Les meurtres, les agressions. Le blanchiment d'argent. L'extorsion.

Les cambriolages. Les agressions sexuelles. Les actes de violence insensés commis par de jeunes femmes et hommes aux abois. Les quartiers défavorisés des villes étaient déjà infectés. Mais le crime étendait partout ses tentacules. La pourriture gagnait les campagnes.

Gamache savait que le problème grandissait, mais il ne s'était pas douté de son ampleur.

Jusque-là.

Le directeur général Gamache passait ses journées dans la fange, la profanation, la tragédie, la terreur. Puis il rentrait chez lui. À Three Pines. Son sanctuaire. Où il s'assoyait au bistro avec ses amis ou dans l'intimité de son salon avec Reine-Marie. Henri et la drôle de petite Gracie à leurs pieds. Sains et saufs.

Jusqu'à ce que la chose sombre se manifeste. Et refuse de disparaître.

— Vous lui avez parlé de nouveau ? demanda le procureur de la Couronne.

— Pour lui dire quoi? répondit le directeur général Gamache, à la barre des témoins.

De sa place, il voyait des personnes assises dans la tribune s'éventer avec des feuilles de papier pour créer une brise, même infime, dans la chaleur étouffante.

— Vous auriez pu lui demander ce qu'il fabriquait là, par exemple.

— C'était déjà fait. Dans toute autre circonstance, vous me demanderiez de quel droit, à titre d'officier de police, je me serais permis de harceler un citoyen qui se tenait debout dans un parc, sans déranger personne.

— Un citoyen masqué, précisa le procureur.

— Je vous répète qu'il n'est pas interdit de porter un masque. Bizarre ? Sans contredit. Et je ne vais pas vous raconter que j'étais enchanté par cette situation. Je ne l'étais pas. Mais je n'y pouvais rien.

Quelques murmures parcoururent la salle. Certains d'assentiment. D'autres suggérant une dissension. La conviction que, à coup sûr, le directeur général de la Sûreté aurait dû intervenir.

Dans ces grommellements, Gamache reconnut une forme de désapprobation qui lui parut compréhensible. Mais ils se trouvaient dans une salle d'audience, tous conscients des événements survenus entre-temps.

Et pourtant, il savait qu'il n'aurait pu prévenir le drame.

Difficile de retenir la Mort, une fois que le Cavalier a quitté les écuries.

— Qu'avez-vous fait, ce soir-là ?

— Nous avons mangé, nous avons regardé la télévision, puis Mme Gamache est montée se coucher.

— Et vous ?

— Je me suis servi du café et je suis allé dans mon bureau.

— Pour travailler ?

— Je n'ai pas allumé. Je me suis assis dans le noir et j'ai regardé.

Une silhouette sombre en observait une autre.

Pendant qu'il était là, Gamache eut la sensation que quelque chose avait changé.

La silhouette sombre avait bougé, s'était déplacée légèrement.

Et, à présent, l'observait, lui.

— Combien de temps êtes-vous resté là ?

— Une heure, peut-être davantage. Je n'y voyais presque rien. Une silhouette sombre dans l'obscurité. Quand j'ai emmené les chiens faire une dernière promenade, l'homme avait disparu.

— Il a donc pu s'éclipser à n'importe quel moment ? Peu de temps après que vous vous êtes assis, même ? Vous ne l'avez pas vu s'esquiver ?

— Non.

— Se peut-il que vous ayez somnolé ?

— C'est possible, oui, mais j'ai l'habitude de la surveillance.

— L'habitude d'épier autrui. C'est une chose que vous aviez en commun, lui et vous, déclara Zalmanowitz.

Pris par surprise, le directeur général Gamache haussa les sourcils, mais il hocha la tête.

— Oui, je suppose.

— Et le lendemain matin ?

— Il était de retour.

3

La juge Corriveau décida que le moment était venu d'arrêter pour le dîner.

Le directeur général serait à la barre des témoins pendant des jours. Interrogé, puis contre-interrogé.

La salle d'audience était suffocante. En sortant, la juge demanda au gardien de sécurité d'allumer la climatisation, au moins durant la pause.

En prenant place sur le banc afin de présider son premier procès pour homicide, ce matin-là, Maureen Corriveau s'était félicitée d'être tombée sur une affaire relativement simple. Elle n'en était plus si certaine.

Non pas qu'elle ait de la difficulté à en suivre les aspects juridiques. C'était un jeu d'enfant. L'apparition de la silhouette à la robe sombre dans le village était étrange, certes, mais les articles de loi concernés n'avaient rien d'alambiqué.

Si elle suait à grosses gouttes, c'était moins en raison de la chaleur insupportable que de l'inexplicable antagonisme qui s'était rapidement formé entre le procureur de la Couronne et son témoin.

Et quel témoin ! Le policier qui avait procédé à l'arrestation n'était pas le premier venu. Rien de moins que le grand patron de la foutue Sûreté !

Le procureur de la Couronne, non content de lui marcher sur les pieds, les lui cassait carrément. Et M. Gamache n'était pas amusé.

Elle n'avait pas d'expérience comme magistrate, mais, avec son passé d'avocate de la défense, elle était une juge chevronnée des actions et des réactions de ses semblables. Et de la nature humaine.

Quelque chose se tramait dans sa salle d'audience, et la juge était résolue à tirer les choses au clair.

— Je me trompe ou ce procès est mal engagé? demanda Jean-Guy Beauvoir en rejoignant son patron dans le couloir du palais de justice.

— Pas du tout, répondit Gamache en s'épongeant le visage avec son mouchoir. Tout est parfait.

Beauvoir s'esclaffa.

— Votre façon de dire que c'est de la merde?

— Exactement. Où est Isabelle?

— Déjà partie, répondit Beauvoir. Pour tout mettre en place au bureau.

— Bien.

Isabelle Lacoste dirigeait la section des homicides, poste pour lequel Gamache l'avait personnellement choisie juste avant son propre départ. L'annonce de sa nomination avait été accueillie par des grommellements et des accusations de favoritisme.

L'histoire était connue de tous. Gamache avait embauché Lacoste quelques années plus tôt, au moment où la Sûreté s'apprêtait à la remercier. Parce qu'elle était différente. Parce que, sur les scènes de crime, elle ne fanfaronnait pas comme ses collègues. Parce qu'elle tentait de comprendre les suspects au lieu de se contenter de les briser.

Parce qu'elle s'était agenouillée à côté du cadavre tout frais d'une femme et lui avait promis, à portée de voix d'autres agents, de l'aider à trouver la paix.

Lacoste avait été ridiculisée, clouée au pilori, subtilement châtiée et enfin convoquée dans le bureau de son superviseur, où elle s'était trouvée en face de l'inspecteur-chef Gamache. Ayant entendu parler de la jeune et bizarre agente dont tout le monde se moquait, il était venu à sa rencontre.

Au lieu de la renvoyer, Gamache l'avait prise sous son aile et intégrée dans le plus prestigieux service de la Sûreté du Québec. Au grand dam de ses anciens collègues.

Et leur rancœur n'avait fait que s'accroître à mesure qu'elle avait gravi les échelons pour enfin accéder au poste d'inspectrice-chef. Au lieu de répondre à ces critiques, comme le lui recommandaient certains membres de la section, Lacoste s'était contentée de faire son travail.

Et ce travail, ainsi qu'elle le savait sans la moindre ambiguïté, était simple, mais pas facile pour autant.

Trouver des meurtriers.

Le reste n'était que du vent.

Sa journée de travail terminée, l'inspectrice-chef Lacoste rentrait auprès de son mari et de ses jeunes enfants. Son travail, cependant, ne la quittait jamais, et elle se faisait sans cesse du souci pour les victimes à cause des tueurs toujours en liberté. De la même façon que sa famille l'accompagnait toujours dans son travail. Elle s'inquiétait du genre de collectivité et de société que ses enfants découvriraient en quittant le giron familial.

— Je viens de recevoir un texto, dit Beauvoir. Isabelle a réuni tout le monde dans la salle de conférence. Elle a commandé des sandwichs.

Il sembla accorder une importance égale aux deux renseignements.

— Merci, dit Gamache.

Les couloirs étaient encombrés de greffiers, de témoins et de spectateurs, à mesure que les salles d'audience se vidaient pour la pause de midi.

De temps à autre surgissait une silhouette vêtue d'une robe noire.

Des avocats, savait Gamache. Ou encore des juges pressés de casser la croûte.

Cette vision, pourtant familière, le faisait sursauter.

L'inspecteur Beauvoir ne revint pas sur le témoignage de la matinée. L'air d'efficacité figée sur le visage de son patron était un baromètre suffisant.

Le directeur général Gamache avait monté sa garde. Une sorte de mur de civilité que même son gendre était impuissant à pénétrer.

Beauvoir savait exactement ce qui se cachait derrière ce mur et cherchait à s'échapper à coups de griffes. Il savait aussi que le procureur de la Couronne ne tenait pas à ce que cette chose s'évade.

D'un pas rapide, ils marchèrent sur les pavés familiers du Vieux-Montréal, suivant un trajet maintes fois accompli entre leur bureau et le palais de justice. Longèrent les restaurants au plafond bas et aux poutres apparentes, pris d'assaut par les dîneurs.

Jean-Guy leva les yeux sans ralentir.

Droit devant, le quartier général de la Sûreté émergeait de la vieille ville. La dominait.

Ce n'était pas, se dit Beauvoir, un immeuble attrayant. Mais il était fonctionnel. Et, au moins, climatisé.

Les deux hommes quittèrent la rue étroite et passèrent devant la basilique Notre-Dame en se faufilant parmi les touristes qui se photographiaient sur la place.

En regardant ces clichés dans les années à venir, ils verraient une structure magnifique et un tas de personnes en short ou en robe bain de soleil qui se fanaient à cause de la chaleur accablante, tandis que le soleil dardait ses rayons sur les pavés.

En entrant dans le quartier général de la Sûreté, ils furent frappés par l'air climatisé. Loin de leur sembler agréable, bonne et rafraîchissante, la sensation leur fit plutôt l'effet d'une boule de neige reçue en plein visage.

Les agents en faction dans le hall saluèrent le patron et les deux hommes s'engouffrèrent dans l'ascenseur. En arrivant tout en haut, ils étaient en nage. Paradoxalement, la climatisation avait ouvert les vannes de la sudation.

Gamache et Beauvoir entrèrent dans le bureau du patron, avec son mur de verre surplombant Montréal. De là, on distinguait, au-delà du Saint-Laurent, les plaines fertiles et les montagnes à l'horizon. Et, plus loin encore, le Vermont.

La porte des États-Unis.

Pendant un moment, Gamache contempla le mur formé par les montagnes. Plus poreux qu'on aurait pu le penser.

Puis, ouvrant un tiroir, il proposa à Beauvoir une chemise propre et sèche. Celui-ci refusa.

— Merci, mais ça va. Je n'étais pas à la barre des témoins, dit-il en se dirigeant vers la porte. Je serai dans la salle de conférence.

Gamache se changea vite et alla rejoindre Beauvoir, Lacoste et les autres.

Ils se levèrent à son entrée, mais il leur fit signe de se rasseoir avant de prendre place sur sa propre chaise.

— Dites-moi ce que vous savez.

Pendant la demi-heure suivante, il écouta en hochant parfois la tête. Posa peu de questions. Assimila tout.

Ces femmes et ces hommes, membres de divers services, avaient été choisis un à un. Une équipe triée sur le volet. Et ils en étaient conscients.

C'était une ère nouvelle. Une nouvelle Sûreté. Gamache savait ne pas avoir pour tâche de préserver le statu quo. Non plus que de réparer les pots cassés.

Son travail consistait plutôt à repartir de zéro. Si la mémoire et l'expérience organisationnelles revêtaient une grande importance, il était plus urgent encore d'établir de solides fondations.

Les officiers réunis dans cette pièce formaient les assises sur lesquelles s'érigerait la nouvelle Sûreté du Québec. Forte. Transparente. Imputable. Décente.

À titre d'architecte de cette transformation, Gamache était beaucoup plus engagé que ses prédécesseurs, dont certains avaient alimenté la corruption d'autrefois, tandis que d'autres avaient simplement laissé faire, par distraction. Ou par crainte d'intervenir.

Gamache, lui, veillait au grain. Et il comptait sur ses officiers supérieurs pour faire de même.

Et il les incitait à poser des questions, sans peur. À le questionner, lui. Sur les projets. À se remettre en question, eux-mêmes et entre collègues. Et, de fait, plusieurs ne s'étaient pas gênés pour contester le nouveau patron, avec férocité, lorsque celui-ci, peu après être entré en fonction et avoir épluché leurs dossiers et leurs états des lieux, les avait mis en face de la réalité.

— La situation se détériore, avait-il diagnostiqué. Considérablement.

C'était presque un an plus tôt. Dans la même salle de conférence.

Pendant qu'il expliquait ce qu'il entendait par « considérablement », les officiers l'avaient dévisagé. Certains étaient plongés dans l'incompréhension. D'autres suivaient parfaitement. Leurs visages étaient passés de l'incrédulité à l'ahurissement.

Gamache avait écouté leurs protestations, leurs arguments. Puis il avait dit une chose qu'il aurait préféré garder pour lui-même. Il ne voulait miner ni leur confiance ni leur énergie. Et encore moins leur engagement.

De toute évidence, cependant, ils avaient besoin de savoir. Ils avaient le droit de savoir.

— Nous avons perdu.

Ils le regardèrent d'un air ahuri. Puis certains, ayant mieux suivi son rapport, blêmirent.

— Nous avons perdu, répéta-t-il d'un ton égal.

Calme. Sûr de lui.

— Il y a longtemps que la guerre contre la drogue a été perdue. En soi, cette déconvenue a été néfaste. Aujourd'hui, nous faisons face aux conséquences de cette défaite. Si les drogues circulent librement, nous perdons le contrôle de la criminalité. Nous n'en sommes pas encore là. Mais ce jour viendra. Au rythme où vont les choses, au rythme où elles se détériorent, nous serons complètement dépassés par les événements d'ici quelques années.

Ils discutèrent, bien sûr. Refusant de voir la réalité en face. De l'accepter. Après avoir compilé toutes les données, tout synthétisé, il avait eu la même réaction. Par le passé, les divers services s'étaient livré une vive concurrence, avaient jalousement défendu leur territoire. S'étaient montrés réticents à l'idée de partager leurs informations, leurs données. En particulier celles qui risquaient de les faire voir sous un jour défavorable.

Gamache eut le sentiment qu'il était le premier à regrouper tous les éléments. À dresser un portrait d'ensemble.

Il se demanda si le capitaine d'un grand navire, seul à savoir que le naufrage était inévitable, éprouvait la même sensation. Aux yeux des autres, tout semblait pourtant aller pour le mieux. Comme toujours.

Lui était conscient de la montée des eaux froides, invisibles.

Au début, il avait lui-même été dans le déni. Il avait inlassablement revu les dossiers. Les chiffres. Les projections.

Et puis, un matin du début de l'automne, chez lui, à Three Pines, il avait posé la main à plat sur le dernier dossier, s'était levé de son fauteuil devant l'âtre et était sorti se promener.

Seul. Sans Reine-Marie. Sans Gracie. Sans Henri, qui était resté près de la porte, perplexe et vexé. Sa balle dans la gueule.

Gamache avait marché, marché longtemps. Il s'était assis sur le banc dominant le village et avait contemplé la vallée. Les forêts. Les montagnes, dont certaines se trouvaient au Québec. D'autres au Vermont.

La limite, la frontière invisible.

Puis il avait baissé la tête. L'avait enfouie entre ses mains. Et il l'y avait laissée pour faire écran au reste du monde. Au constat auquel il en était venu.

Puis il s'était relevé et avait marché encore. Pendant des heures.

Il avait cherché une solution.

Exiger un budget plus généreux ? Embaucher plus d'agents ? Jeter encore plus de ressources dans la gueule de la crise ?

La situation ne pouvait tout de même pas être insoluble. Sans issue.

Il ne s'était arrêté qu'au moment où il s'était retrouvé lui-même. L'Armand au bord de la route tranquille, au milieu de nulle part, en attente. Au carrefour de la vérité et des vœux pieux.

Là où le droit chemin se séparait.

Il en eut alors la révélation. Ils sombraient. Pas uniquement la Sûreté, mais la province tout entière. Et pas uniquement sa génération. Mais aussi la suivante. Et celle d'après. Ses petits-enfants.

Lui baignait dans le crime jusqu'au cou. Eux seraient submergés.

Et il eut une autre révélation. Une certitude dont il se serait volontiers passé, mais qu'il ne pouvait réfuter.

Il n'y avait rien à faire. Ils avaient atteint et franchi le point de non-retour. Sans le moindre radeau de sauvetage en vue. Conséquence de décennies de corruption au sein du gouvernement et des forces de police.

— Alors que fait-on? avait demandé un officier, parmi les plus âgés assis autour de la table. On renonce?

— Non. Je n'ai pas de solution. Pas encore. Donc, nous nous concentrons, nous faisons notre travail, nous communiquons. Nous recueillons de l'information et nous la diffusons.

Il les regarda tour à tour, d'un air sévère.

— Et nous nous efforçons de mettre au point des solutions novatrices. N'hésitez pas à me faire part de vos idées. Aussi déjantées puissent-elles vous paraître.

En quittant cette pièce, il n'avait pas senti le désespoir l'envahir. Du moins pas encore. Pas tout à fait la panique, mais presque.

Et voilà que, des mois plus tard, ils étaient de retour dans la même pièce.

À l'époque, le portrait était pour le moins peu réjouissant. À présent, ils étaient près, vraiment tout près de leur première grande victoire.

Tout dépendait de l'issue du procès. Du résultat, certes, mais aussi du déroulement de celui-ci.

Paradoxalement, tout avait semblé dans l'ordre quand l'anarchie était à son comble. Le Québec, la Sûreté fonctionnaient normalement.

À présent qu'il y avait une lueur d'espoir, on assistait à une forme de dérapage.

Dernièrement, des politiciens influents et des médias d'information avaient commencé à relever ce qui pouvait être perçu comme des tours de passe-passe de la part du directeur général de la Sûreté.

Le nombre d'arrestations était en hausse. Et, pendant un moment, des politiciens et leurs électeurs s'en étaient ouvertement réjouis.

Jusqu'à ce qu'une émission de Radio-Canada, *Enquête*, conclue que les arrestations en question visaient presque exclusivement la petite et moyenne criminalité.

— J'attends vos explications, avait lancé le premier ministre du Québec au directeur général Gamache, convoqué à son bureau de Québec après la diffusion de l'émission.

Le premier ministre avait bruyamment laissé tomber un épais dossier sur sa table de travail. Du fond de la pièce, Gamache n'eut aucun mal à voir de quoi il s'agissait.

Une sortie d'imprimante du plus récent rapport mensuel des activités de la Sûreté.

— J'ai vérifié. Les maudits journalistes d'*Enquête* ont raison, Armand. On procède à plus d'arrestations, et vous réussissez encore à appréhender des meurtriers, Dieu merci, mais le reste ? Depuis votre entrée en fonction, aucun autre de vos services n'a une arrestation majeure à son actif. Pas de membre des groupes de motards, pas de représentant du crime organisé. Pas de trafiquant de drogue ni même de saisie. Des petits trafiquants, rien de plus. Vous voulez bien me dire à quoi diable vous jouez, là-bas ?

— Vous, mieux que quiconque, devriez savoir que les statistiques ne sont pas le reflet fidèle de la réalité, répondit Gamache en désignant le document d'un geste de la tête.

— Vous voulez dire que ceci, rétorqua le premier ministre en posant la main sur le dossier, n'est qu'un tissu de mensonges?

— Non. Je veux dire que le document ne rend compte que d'une partie de la vérité.

— Vous êtes candidat à un poste électif? s'écria le premier ministre. Depuis quand parlez-vous en paraboles? Je ne vous ai jamais vu aussi évasif.

Il foudroya des yeux Gamache, qui soutint son regard.

— Qu'est-ce que vous mijotez, Armand? Doux Jésus, ne me dites pas que c'est *Enquête* qui a raison.

Pendant l'émission, on avait laissé entendre, sans jamais franchir la limite de la diffamation, que Gamache était incompétent, voire, à l'exemple de ses prédécesseurs, à la solde du crime organisé.

— Non, répondit Gamache. Je conçois qu'on ait pu en venir à cette conclusion ou du moins à avoir ces soupçons, mais *Enquête* se trompe.

— De quoi s'agit-il, alors? Répondez, je vous en supplie. Donnez-moi quelque chose. N'importe quoi. Tout sauf cette merde.

Il repoussa le dossier, si violemment que les feuilles tombèrent en cascade sur le sol.

— Vous faites miroiter des arrestations, mais, au fond, il s'agit de trucs mineurs. Et les maudits journalistes d'*Enquête* ont découvert le pot aux roses.

— Nous arrêtons des meurtriers, dit Gamache.

— Toutes mes félicitations, lança le premier ministre.

Les deux hommes se connaissaient depuis longtemps. Depuis l'époque où Gamache était agent subalterne et où le premier ministre effectuait un stage au bureau d'aide juridique.

— On raconte que vous êtes le pire directeur général depuis des lustres. Ce n'est pas peu dire.

— Non, en effet, convint Gamache. Mais croyez-moi, j'agis. Je vous assure.

Le premier ministre sonda le regard de son interlocuteur, à la recherche de signes d'un mensonge.

Gamache se pencha et ramassa le rapport. Il le rendit au premier ministre, qui tint la liasse, où figuraient plus de statistiques que d'actions concrètes.

— Les membres de mon parti rôdent comme des requins. Ils détectent l'odeur du sang. Le vôtre ou le mien. Ils ne font pas la différence. Ils exigent de l'action ou encore un sacrifice. Vous devez faire quelque chose, Armand. Donnez-leur ce qu'ils réclament. Ce qu'ils méritent. Une arrestation de premier plan.

— Je fais mon travail.

— C'est..., commença le premier ministre en posant de nouveau la main, avec une douceur inattendue, sur les pages récupérées par terre. C'est insuffisant. On est loin du compte. S'il vous plaît. Je vous en supplie.

— Et moi, je vous supplie de me faire confiance, répondit Armand tout bas. Vous devez m'aider à franchir la ligne d'arrivée.

— C'est-à-dire? chuchota à son tour le premier ministre.

— Vous savez parfaitement de quoi je veux parler.

Et le premier ministre, qui aimait le Québec mais aussi le pouvoir, blêmit. Sachant qu'il devrait peut-être renoncer à l'un pour préserver l'autre.

Armand Gamache examina l'homme bon assis face à lui et se demanda lequel d'entre eux survivrait aux mois, aux semaines, voire aux jours à venir. Quand éclateraient les feux d'artifice de la Saint-Jean, à la fin juin, lequel d'entre eux verrait le ciel s'illuminer?

Lequel d'entre eux serait le dernier debout?

Le directeur général Gamache, rentré à Montréal en train, avait fait à pied le trajet entre la gare et son bureau en passant par la vieille ville. Quelques têtes s'étaient retournées sur son passage: on avait reconnu en lui la «vedette» de l'émission de télévision, hélas très populaire, diffusée la veille.

Peut-être aussi les passants s'étaient-ils souvenus d'une de ses anciennes apparitions dans les médias.

Avant de devenir le grand patron de la Sûreté, Armand Gamache avait été le policier le plus en vue de tout le Québec.

Les regards empreints de reconnaissance et même de respect d'autrefois étaient désormais teintés, entachés de méfiance. Voire d'amusement. Il était en voie de devenir la risée générale.

Derrière ces regards, Armand Gamache, lui, distinguait la ligne d'arrivée.

C'était à la mi-juin. Un mois plus tôt, presque jour pour jour. Gamache consulta l'horloge et se leva.

— C'est l'heure.

— Ça se passe comment, patron? demanda Madeleine Toussaint, directrice de la section des crimes majeurs.

— Comme prévu.

— Si mal que ça?

Gamache sourit.

— Si bien que ça, plutôt.

Leurs regards se croisèrent et elle hocha la tête.

— Vous avez reçu le rapport de l'informateur des îles de la Madeleine? demanda-t-il en essayant de ne pas sembler trop optimiste.

Ou désespéré?

Elle y avait fait allusion au cours de la réunion. On avait manifesté de l'intérêt, mais rien d'inhabituel. Seule une poignée de participants avait compris l'importance de ce rapport.

— Aurez-vous des nouvelles quand nous nous réunirons en fin de journée? demanda Beauvoir.

— Je l'espère. Tout dépend du déroulement du procès, n'est-ce pas?

Gamache hocha la tête. Oui. Absolument.

Lorsque la directrice Toussaint eut regagné son bureau, l'inspectrice-chef et Beauvoir restèrent avec Gamache.

— À propos du procès, dit-elle en réunissant ses documents, je ne me souviens pas d'avoir vu un procureur s'en prendre de cette façon à son propre témoin. La juge non plus, d'ailleurs. Elle a beau être nouvelle, elle ne doit pas être sous-estimée.

— Non, répondit Gamache, à qui l'expression agacée de la magistrate n'avait pas échappé.

Ils arrivèrent au bout du couloir au moment où s'ouvraient les portes de l'ascenseur. Lacoste descendit à son étage.

— Bonne chance, dit-elle.

— Pareillement, répondit-il.

— On y est presque, patron, ajouta Isabelle au moment où les portes se refermaient.

« Presque », songea Gamache, qui n'ignorait pas que la plupart des accidents se produisent à proximité de la maison.

— Monsieur le directeur général Gamache, vous avez déclaré ce matin que, dès le lendemain, la silhouette était de retour dans le parc du village. Qu'avez-vous alors ressenti ?

— Objection ! En quoi est-ce pertinent ?

La juge Corriveau réfléchit un instant.

— Vous pouvez répondre. Le procès concerne les faits, mais les sentiments en font partie.

À son tour, le directeur général Gamache réfléchit avant de répondre.

— J'étais en colère. La paix de notre village était troublée. Nos vies étaient bouleversées.

— Et pourtant, vous êtes resté là, les bras croisés.

— En effet. Mais vous m'avez demandé ce que j'avais ressenti et je vous ai répondu.

— Vous aviez peur de lui ?

— Peut-être un peu. Nos mythes sont profondément enracinés en nous. Il ressemblait à la Mort. Rationnellement, je savais bien qu'il n'était pas la Mort, mais, à l'intérieur, je frissonnais. C'était – il chercha le mot juste – instinctif.

— Et pourtant, vous n'avez rien fait.

— Comme je vous l'ai dit avant la pause, je ne pouvais que lui parler. J'aurais agi, si j'avais pu.

— Ah bon ? Il est permis d'en douter, à la lumière du rendement récent de la Sûreté.

Des rires francs fusèrent dans la salle.

— Assez ! lança la juge Corriveau. Approchez-vous.

Le procureur de la Couronne obéit.

— Je vous interdis de traiter les gens de cette façon dans mon tribunal, vous m'entendez ? Vous manquez de respect à vous-même, à votre fonction et à la cour. Présentez vos excuses au directeur général.

— Pardon, fit le procureur de la Couronne avant de se tourner vers Gamache. Toutes mes excuses. Je me suis laissé emporter par la stupéfaction.

La juge poussa un léger soupir en signe d'exaspération, mais décida de ne pas en rajouter.

— Merci. J'accepte vos excuses, dit Gamache.

Quand même, il posa sur le procureur un regard si perçant que l'homme recula d'un pas. Le geste et la réaction n'échappèrent ni aux jurés ni aux spectateurs.

Dans la tribune, Beauvoir hocha la tête d'un air approbateur.

— Vous lui avez donc de nouveau adressé la parole, le lendemain matin ? fit Zalmanowitz. Que lui avez-vous dit ?

— Je lui ai une fois de plus recommandé de se méfier.

— Pas de vous, de toute évidence, dit le procureur.

— Non. De la personne qu'il avait ciblée.

— Vous ne croyiez donc plus à une simple plaisanterie ?

— S'il s'était agi d'une blague, je ne crois pas qu'il serait revenu. Sa première apparition avait flanqué la frousse à tout le village. S'il avait voulu simplement s'amuser ou se venger de quelque chose, il en serait resté là. Non, c'était plus profond. Il était plus engagé. Il poursuivait un objectif.

— Vous le soupçonniez donc d'être animé de mauvaises intentions ? demanda le procureur.

La question était complexe et le directeur général Gamache prit le temps d'y réfléchir. Il secoua lentement la tête.

— Je n'avais aucune idée de ses intentions. Elles semblaient mauvaises, à première vue. Il faisait exprès de se montrer menaçant. Mais projetait-il un acte violent pour autant ? Si c'était le cas, pourquoi prévenir la victime éventuelle ? Pourquoi s'affubler d'un tel accoutrement? Pourquoi ne pas simplement passer à l'acte à la faveur de la nuit? Blesser, voire tuer la cible? Pourquoi rester planté là, à la vue de tous?

Gamache regardait droit devant lui, perdu dans ses pensées.

Le procureur de la Couronne semblait décontenancé. Il faut dire qu'on n'avait pas l'habitude de voir des témoins réfléchir. Ceux-ci, en général, fournissaient des réponses véridiques apprises par cœur ou proféraient des mensonges longuement mûris.

Mais il leur arrivait rarement de penser.

— Naturellement, il existe toutes sortes de façons de causer du tort à ses semblables, n'est-ce pas? dit Gamache, pour lui-même tout autant que pour le procureur.

— Quelle qu'ait été son intention de départ, dit Me Zalmanowitz, elle a conduit à un meurtre.

À ce moment, Gamache se concentra, mais pas sur l'avocat de la Couronne. En se tournant plutôt vers la table de la défense, il dit:

— Oui, c'est exact.

« Peut-être, songea-t-il sans l'exprimer à haute voix, ne lui avait-il pas suffi de tuer. Peut-être avait-il eu le projet de terrifier d'abord. À l'exemple des Écossais qui marchaient au combat au son de leurs cornemuses grinçantes et des Maoris avec leurs hakas. »

« C'est la mort. C'est la mort », scandent-ils. Afin de terroriser, de pétrifier.

La chose sombre n'était pas une mise en garde: c'était une prophétie.

— Vous avez pris une photo, je crois, dit le procureur qui, en s'avançant devant les jurés, se glissa entre Gamache et l'accusée. Rompant volontairement le contact.

— Oui, dit Gamache en se tournant à nouveau vers le procureur. Je l'ai envoyée à mon adjoint, l'inspecteur Beauvoir.

Le procureur de la Couronne se tourna vers le greffier.

— Pièce à conviction A.

Une image apparut sur l'écran géant.

Si le procureur de la Couronne escomptait un « ah » de stupeur de la part des spectateurs qui découvrirent la photo, il en fut quitte pour une déception.

Derrière lui régnait un silence complet et absolu, comme si la tribune avait disparu. En fait, le silence était si total qu'il se tourna pour s'assurer qu'il n'était pas seul dans la salle.

Tous, ils regardaient l'image, interloqués. Certains étaient bouche bée.

Sur l'écran apparaissait un petit village paisible. Dépouillés de leurs feuilles, les arbres avaient l'air de squelettes. Trois énormes pins dominaient les lieux.

Faisant un vif contraste avec la journée claire et ensoleillée qu'on voyait de l'autre côté des fenêtres de la salle d'audience, le ciel, sur la photo, était couvert. Le temps était gris et humide. Les maisons en pierres des champs, en bardeaux et en briques roses, avec leurs fenêtres gaiement éclairées, n'en semblaient que plus invitantes.

Image d'une paix profonde. Voire d'un sanctuaire. En puissance, mais pas en réalité.

Car au centre de la photo figurait un trou noir. Comme si on avait arraché quelque chose à l'image. Et au monde.

Derrière le procureur de la Couronne se fit entendre un soupir. Long, soutenu, comme si la vie avait d'un coup quitté la salle d'audience.

Ils voyaient presque tous la chose sombre pour la première fois.

4

— Et maintenant ? fit Matheo Bissonnette en quittant la fenêtre des yeux pour se tourner vers Léa.

Après avoir déjeuné au gîte, ils étaient assis devant le foyer du salon.

Malgré le chandail qu'il portait et le feu qui ronflait dans l'âtre, il frissonnait.

— Il vient tout juste de prendre la chose en photo, dit Matheo. En attendant davantage, nous risquons de mal paraître.

— De paraître encore plus mal, tu veux dire ? corrigea Léa.

— Nous aurions dû parler hier, déclara Patrick, dont la voix, normalement geignarde, sembla en cet instant presque infantile. Ils vont se demander pourquoi nous ne l'avons pas fait.

— Bon, dit Matheo en s'efforçant au calme. Alors nous sommes bien d'accord ? C'est le moment ?

Ce qui l'avait irrité, c'était moins les propos de Patrick que sa façon de s'exprimer. Il avait toujours été le maillon faible de leur groupe, et pourtant, il avait toujours gain de cause. Peut-être souhaitaient-ils simplement la fin des jérémiades, songea Matheo. Comme des clous qui grattent un tableau noir. Chaque fois, ils capitulaient.

Et, avec le temps, les choses allaient de mal en pis. Désormais, Matheo avait envie non seulement d'engueuler Patrick, mais aussi de lui mettre son pied au cul.

— Où est Katie ? demanda Gabri en leur apportant du café frais dans une cafetière à piston.

— Il y a une maison de verre dans les environs, répondit Patrick. Pas un modèle classique comme les nôtres, mais digne d'intérêt quand même. Elle a tenu à la voir. Nous pourrons peut-être nous en inspirer pour celle des îles de la Madeleine.

Gabri, qui avait posé la question uniquement par politesse, retourna en cuisine, totalement indifférent.

Matheo quitta des yeux sa femme, Léa, pour se tourner vers son ami Patrick. Ils avaient tous deux le même âge que lui, trente-trois ans, mais, à ses yeux, ils semblaient nettement plus vieux. Les rides. Les cheveux grisonnants. En avait-il toujours été ainsi, ou ces signes étaient-ils apparus en même temps que la robe et le masque ?

Léa, grande et svelte comme une baguette de saule quand ils s'étaient rencontrés à l'université, était à présent moins élancée. Désormais, elle ressemblait davantage à un érable. Ronde. Solide. Elle lui plaisait ainsi. Plus substantielle. Moins susceptible de ployer.

Ils avaient deux enfants, restés à la maison en compagnie des parents de Léa. En rentrant, Patrick aurait l'impression de pénétrer dans l'antre d'un furet. Soumis à la douteuse influence de la mère de Léa, les enfants seraient retournés à l'état sauvage.

Force lui était d'admettre, d'ailleurs, qu'il ne leur en fallait pas beaucoup.

— Gamache est au bistro avec sa femme. Tout le monde va nous entendre. Nous devrions peut-être attendre, dit Patrick.

— Au contraire, dit Léa en se levant. Il faut que les autres nous entendent. N'est-ce pas le but de la manœuvre ?

Les amis évitaient de se regarder. Évitaient aussi de contempler les flammes hypnotiques de l'âtre. Ils avaient les yeux tournés vers la fenêtre du gîte. Le parc du village. Désert. Hormis…

— Pourquoi ne resterais-tu pas ici ? proposa Léa à Patrick. Nous irons, nous deux.

Patrick hocha la tête. Il avait pris un coup de froid, la veille, et ses os s'en ressentaient encore. Il rapprocha son fauteuil du feu et se servit une tasse de café chaud et fort.

Armand Gamache ne contemplait pas les flammes hypnotiques de l'âtre. Il regardait par la fenêtre à carreaux sertis de plomb, avec ses défauts et ses légères distorsions. La froide journée de novembre et la chose au centre du parc du village.

On semblait l'avoir coiffée d'une cloche de verre, du genre de celle qu'on posait sur les animaux morts et naturalisés. La silhouette à la robe sombre était complètement seule, isolée, tandis que, autour d'elle, les villageois vaquaient à leurs occupations. Leurs mouvements circonscrits, dictés par la chose sombre.

Les villageois repoussés d'un côté par elle. De mauvais poil. Lui lançant des regards mauvais avant de se détourner.

Gamache vit Léa Roux et son mari, Matheo Bissonnette, sortir du gîte et marcher d'un pas rapide dans la froide matinée. Leurs souffles formaient de petits nuages.

À leur entrée, ils créèrent une légère commotion en se frottant les mains et les bras. Ils n'étaient pas adéquatement vêtus. De toute évidence, ils n'avaient pas prévu un froid aussi intense. Pourtant, on était en novembre.

— Bonjour, dit Léa en s'avançant vers la table des Gamache.

Armand se leva, tandis que Reine-Marie hocha la tête en souriant.

— Vous permettez ? fit Matheo.

— Je vous en prie, répondit Reine-Marie en désignant les chaises libres.

— En fait, dit Léa, un peu gênée, je me demandais si Myrna nous autoriserait à discuter dans sa librairie. Ça vous ennuierait beaucoup ?

Armand consulta Reine-Marie du regard. La suggestion les avait pris de court. Celle-ci se leva.

— Si Myrna n'y voit pas d'inconvénient, dit-elle. À moins que…

D'un geste, elle désigna Armand. Peut-être préféraient-ils s'entretenir avec lui seul. Elle avait l'habitude. Parfois, des gens voulaient se confier à un policier loin des oreilles indiscrètes de madame son épouse.

— Non, non! se récria Léa. Venez, je vous en prie. Nous aimerions que vous entendiez ce que nous avons à dire. Ce serait bien. Savoir ce que vous en pensez...

Curieux, les Gamache saisirent leurs tasses de café et suivirent Léa et Matheo jusqu'à la librairie.

Myrna se déclara tout à fait d'accord.

— C'est une matinée tranquille, admit-elle. Tout indique que la présence de la Mort au milieu du village est mauvaise pour les affaires. J'ai l'intention de me plaindre à la Chambre de commerce.

— Reste, dit Léa. Nous aimerions aussi connaître ton opinion, n'est-ce pas, Matheo?

C'était une question rhétorique. Bien que visiblement moins convaincu, ce dernier se ressaisit vite et acquiesça d'un geste de la tête.

— À quel sujet? demanda Myrna.

Léa leur fit signe de s'asseoir sur le canapé et dans les fauteuils, comme si elle était chez elle. Au lieu de s'en offusquer, Myrna se réjouit de voir Léa si à son aise. D'ailleurs, l'initiative n'avait rien eu d'importun. Léa s'était montrée plus agréable qu'autoritaire.

Lorsqu'ils furent installés, Matheo posa une pile de documents sur la table en pin.

Gamache jeta un coup d'œil aux pages, pour la plupart des articles de journaux espagnols, écrits dans cette langue.

— Vous pouvez nous dire de quoi il s'agit?

— Toutes mes excuses, dit Matheo. Je voulais mettre celui-ci sur le dessus.

Rose et reconnaissable entre tous. Le *Financial Times.*

L'article vedette portait sa signature. *Matheo Bissonnette.* Gamache remarqua la date.

Dix-huit mois plus tôt.

Une photographie accompagnait l'article. On y voyait un homme en haut-de-forme et queue-de-pie armé d'une mallette sur laquelle des mots étaient écrits. L'homme avait l'air à la fois soigné et miteux.

Gamache chaussa ses lunettes et se pencha sur la photo en même temps que Reine-Marie et Myrna.

— Que dit la mallette ? demanda Myrna.

— *Cobrador del frac*, répondit Matheo. Agent de recouvrement.

Gamache, qui lisait l'article, s'interrompit et regarda au-dessus de ses lunettes de lecture en demi-lune.

— Je vous écoute.

— Mes parents habitent à Madrid. Il y a environ un an et demi, mon père m'a envoyé cet article par courriel, expliqua-t-il en tirant de la pile un article provenant d'un autre quotidien. Il est toujours à l'affût de sujets susceptibles de m'intéresser. Je suis journaliste indépendant, comme vous le savez.

Gamache hocha la tête, son attention accaparée par l'article espagnol, où figurait une autre photo de l'agent de recouvrement en haut-de-forme et queue-de-pie.

— J'ai fait des démarches auprès de divers journaux et le *Financial Times* m'a acheté l'histoire. Je me suis donc rendu en Espagne pour faire des recherches. Le *cobrador del frac* est un phénomène typiquement espagnol qui, avec la crise financière, a pris beaucoup d'ampleur.

— Cet homme est agent de recouvrement ? demanda Reine-Marie.

— Oui.

— En tout cas, ils ont plus d'allure que leurs homologues nord-américains, commenta Myrna.

— Les apparences sont trompeuses, dit Matheo. Ils ne sont ni civilisés ni gentils. Il s'agit plus d'un déguisement que d'un costume.

— Que cherchent-ils à déguiser, au juste ? demanda Gamache.

— Ce qu'ils recouvrent, expliqua Matheo. Ici, une agence de recouvrement saisira une voiture, une maison ou une pièce de mobilier. Un *cobrador del frac* saisit tout autre chose.

— Quoi donc ? fit Armand.

— Votre réputation. Votre bon renom.

— Comment s'y prend-t-il ? demanda Reine-Marie.

— Il est chargé de suivre le débiteur. Il se tient à bonne distance, sans jamais lui adresser la parole, mais sans le quitter non plus.

— Jamais ? s'étonna-t-elle, tandis qu'Armand écoutait, les sourcils froncés en signe de malaise.

— Jamais, confirma Léa. Il reste planté devant votre porte, vous suit jusqu'à votre travail. Là aussi, il se tient devant la porte. Vous vous rendez au restaurant ou dans une réception ? Il est là.

— Mais pourquoi ? demanda Reine-Marie. Il y a sûrement des moyens plus faciles de récupérer une mauvaise créance. Une mise en demeure ? Les tribunaux ?

— Ces démarches prennent beaucoup de temps. Et, depuis la crise économique, les tribunaux espagnols croulent sous les requêtes, expliqua Matheo. Les créanciers risquent d'attendre pendant des années et, dans bien des cas, de ne jamais toucher un sou. Certaines personnes ont commis des actes horribles, dépossédé des clients, des associés et des conjoints de tous leurs avoirs, conscientes qu'elles avaient d'excellentes chances de s'en tirer. Les escroqueries proliféraient. Jusqu'au jour où quelqu'un s'est souvenu…

Il jeta un coup d'œil à la photo. Un homme en haut-de-forme et queue-de-pie. C'est alors seulement que les Gamache remarquèrent l'homme qui, loin devant, fendait la foule, pressé d'avancer, mais regardant par-dessus son épaule. L'air terrifié.

Et le *cobrador del frac* le suivait. Le visage rigide, inexpressif. Impitoyable.

La foule se séparait pour le laisser passer.

— Il fait honte aux débiteurs, poursuivit Matheo. C'est terrible. Au début, ça semble drôle, puis on a des frissons dans le dos. Récemment, je me trouvais dans un restaurant madrilène en compagnie de mes parents. Un établissement très chic. Serviettes en tissu et argenterie. Atmosphère feutrée. Le genre d'endroit où on brasse de grosses affaires en toute discrétion. Et un *cobrador* juste devant. Tour à tour, le maître d'hôtel et le propriétaire sont sortis dans l'intention de le chasser. Ils sont allés jusqu'à le bousculer. Il n'a pas bronché. Sa mallette à la main, il regardait l'intérieur du restaurant.

— Vous saviez qui il visait ? demanda Reine-Marie.

— Pas au début, mais l'homme a fini par se trahir. Troublé, furieux, il est sorti pour engueuler le *cobrador*. Celui-ci est resté imperturbable. Quand l'homme est parti en trombe, l'autre l'a suivi tranquillement. Je ne peux pas vous expliquer exactement pourquoi, mais c'était terrifiant. Pour un peu, j'aurais eu pitié de cet homme.

— Il ne faut pas, dit Léa. Ils n'ont que ce qu'ils méritent, ces types. On n'a recours au *cobrador del frac* que dans les cas les plus extrêmes. Il faut qu'une personne ait fait quelque chose de grave pour qu'on lui en colle un sur le dos.

— N'importe qui peut en engager un ? demanda Myrna. S'assure-t-on de la légitimité de la créance ? Il s'agit peut-être seulement d'humilier un ennemi.

— La société exerce un filtrage, expliqua Matheo. Je suis certain qu'il y a des abus, mais, en gros, les personnes suivies par un *cobrador* le sont pour de bonnes raisons.

— Armand ? demanda Reine-Marie.

Il secouait la tête, les yeux plissés.

— On dirait plutôt une milice privée, des gens qui décident de se faire eux-mêmes justice. De condamner quelqu'un.

— Il n'y a pas de violence, dit Léa.

— Bien sûr que si, dit Gamache en posant l'index sur le visage de l'homme effrayé. Elle n'est pas de nature physique, voilà tout.

Matheo hochait la tête.

— En tout cas, précisa-t-il, c'est très efficace. Les débiteurs paient presque toujours, et rapidement. N'oubliez pas qu'on ne cible jamais d'innocents. C'est toujours le dernier recours, jamais le premier. Une mesure à laquelle on se résout quand tout le reste a échoué.

— Envisagez-vous d'introduire le *cobrador del frac* au Québec ? demanda Gamache en regardant Matheo en face. Vous voulez savoir si ce serait permis par la loi ?

Léa et Matheo se dévisagèrent, puis celui-ci éclata de rire.

— Dieu du ciel, loin de moi cette idée ! Si je vous ai montré ces documents, c'est parce que Léa et moi pensons que nous avons affaire, dit-il en montrant la fenêtre, à un *cobrador del frac*.

— Un agent de recouvrement ? s'étonna Gamache en éprouvant un léger frisson.

Semblable à celui qui précède un tremblement de terre.

Le regard avide, Léa promenait les yeux d'Armand à Reine-Marie à Myrna, et retour. Les examinait de près, au cas où ils oseraient laisser paraître le moindre signe d'amusement. D'acquiescement. De n'importe quoi d'autre. Ils étaient pour l'essentiel inexpressifs. Leur visage aussi vide que celui de la chose dans le parc du village.

Armand se cala sur sa chaise et ouvrit la bouche, puis la referma, tandis que Reine-Marie se tournait vers Myrna.

Enfin, Armand se pencha vers Matheo, qui à son tour s'inclina vers lui.

— Vous vous rendez compte que cette… que cela, commença-t-il en indiquant le parc d'un geste de la tête, ne ressemble pas du tout à ceci.

Il désigna la photo du menton.

— Bien sûr, convint Matheo. Mais, pendant mes recherches, j'ai entendu des rumeurs au sujet d'une autre coutume. Plus ancienne. Vieille de plusieurs siècles, en fait.

Il jeta à son tour un coup d'œil par la fenêtre, puis il se détourna, comme s'il craignait de regarder trop longtemps cette chose.

— L'ancêtre du *cobrador* actuel. J'ai entendu murmurer que la chose existait toujours, dans des villages isolés. Dans les montagnes. Je n'ai pu ni en dénicher un, ni trouver une seule personne qui admette en avoir engagé un.

— Et qu'a donc de particulier ce *cobrador* originel ? demanda Reine-Marie.

— C'est un agent de recouvrement, mais, dans ce cas, il s'agit d'une dette différente.

— Vous parlez de son importance ? fit Gamache.

— De sa nature. L'une est financière, souvent exorbitante, répondit Matheo en jetant un coup d'œil à la photo posée sur la table.

— L'autre est morale, précisa Léa.

Matheo hocha la tête.

— Un vieil homme à qui j'ai parlé, dans un village des environs de Grenade, m'a dit que, enfant, il en avait vu un, une fois, mais seulement de loin. Il suivait une vieille femme. Ils ont disparu à un carrefour et mon informateur ne les a plus jamais revus. Il m'a refusé une interview officielle, mais il m'a montré ceci.

De sa poche, Matheo tira la photocopie floue d'une photo floue.

— Il a pris cette photo avec son appareil bon marché.

Une image à gros grains en noir et blanc.

On y voyait une étroite rue en pente et des murs de pierre qui bordaient de près la chaussée. Il y avait un cheval et une charrette. Et, au loin, à un carrefour, autre chose.

Gamache remit ses lunettes et approcha le papier de son nez, au point de le toucher presque. Puis il le baissa et le tendit à Reine-Marie.

Il retira ses lunettes lentement, en replia les branches. Sans quitter Matheo des yeux.

La photo montrait une silhouette portant des robes et un masque. Un capuchon relevé. Et, devant la silhouette sombre, une tache grise. Un spectre gris qui s'éloignait en toute hâte.

— La photo a été prise vers la fin de la guerre civile espagnole, expliqua Matheo. Il me coûte de l'admettre, mais…

Aucun doute possible. Sur cette photo, vieille de presque un siècle, figurait la chose qui se dressait en ce moment même au centre de Three Pines.

— Et vous y avez cru, monsieur le directeur général ? demanda le procureur de la Couronne.

Dans la bouche de cet homme, le titre de Gamache faisait désormais l'effet d'une moquerie plus que d'une marque de respect.

— À l'époque, je ne savais trop que penser. Ça me paraissait extraordinaire et, franchement, incroyable. Qu'une sorte d'antique agent de recouvrement espagnol fasse irruption dans un petit village du Québec... Je n'y aurais pas cru si je ne l'avais pas vu de mes yeux. La photo et la chose en chair et en os.

— Je crois comprendre que vous avez gardé le document que vous a montré Matheo Bissonnette.

— Une copie, oui.

Le procureur se tourna vers le greffier.

— Pièce à conviction B.

La photo de Three Pines, prise par une froide matinée de novembre, fut remplacée par une autre qui, à première vue, ressemblait à un test de Rorschach. Des taches noires et grises, des bordures floues, fondues.

Puis, par coalescence, une image apparut.

— C'est elle ?

— C'est elle, confirma Gamache.

— Et c'est ce qui se trouvait dans le parc de votre village ?

Gamache fixa l'image de l'agent de recouvrement des dettes morales et éprouva le même frisson.

— Oui.

5

Jacqueline pétrissait la pâte, penchée sur elle. À la fois douce et ferme sous ses paumes. C'était un travail méditatif et sensuel, avec un balancement doux d'avant en arrière, d'avant en arrière.

Les yeux clos.

Elle pétrissait, se balançait. Pétrissait, se balançait.

D'autres mains, plus vieilles, plus froides et plus dodues, se posèrent sur les siennes.

— Je pense que ça suffit, ma belle, dit Sarah.

— Oui, madame.

Jacqueline rougit en constatant qu'elle avait une fois de plus trop travaillé la pâte des baguettes.

Si elle ne maîtrisait pas cet art, elle perdrait sûrement son emploi. Vous aviez beau réaliser des brownies, des tartes et des millefeuilles impeccables, la baguette, dans une petite boulangerie du Québec, était essentielle. Incapable d'en préparer, vous étiez inutile. Bien à contrecœur, Sarah serait obligée de la renvoyer.

C'était là que tout se jouerait. Et voilà qu'elle compromettait ses chances.

— Tu finiras par y arriver, dit Sarah d'une voix rassurante. Pourquoi ne terminerais-tu pas tes petits fours ? Mme Morrow en a commandé deux douzaines. Elle prétend qu'elle a des invités, mais…

Sarah éclata de rire. D'un rire vif, franc. Antidote aux craintes de Jacqueline.

Elle se demanda si, à côté, Anton cuisinait. Mettait au point un plat capable d'impressionner Olivier. De convaincre le propriétaire du bistro de l'élever au rang de chef. De sous-chef. Ou même de chef de partie.

Tout sauf plongeur.

Mais elle se doutait bien qu'il n'avait pas le cœur à cuisiner. Pas depuis l'arrivée de la silhouette à la robe sombre.

Même si elle vivait jusqu'à cent ans, jamais Jacqueline n'oublierait l'expression d'Anton quand ils avaient discuté de la chose dans le parc du village. Quand elle avait proposé d'en toucher un mot à Gamache. De dire à l'officier de la Sûreté qu'ils savaient l'un et l'autre de quoi il s'agissait.

— Ça va ? demanda Sarah.

— J'avais la tête ailleurs, répondit Jacqueline.

— C'est peut-être ça, le problème. Quand tu prépares des baguettes, vide ton esprit. Ouvre-le. Tu serais surprise par toutes les beautés qui apparaissent quand on laisse son esprit partir à la dérive.

— Quand on perd la boule, vous voulez dire ? fit Jacqueline.

Sarah la dévisagea un moment avant de s'esclaffer de nouveau.

Il était rare que la jeune femme grave, presque morose, fasse une plaisanterie.

« Peut-être n'est-elle pas si sérieuse, en fin de compte », se dit Sarah.

Elle observait des lueurs de quasi-légèreté chez la jeune femme. Pas si jeune que cela, à bien y penser. Jeune par rapport à Sarah, certes, mais l'apprentie devait bien avoir près de trente-cinq ans.

Quand même, l'art de la boulange… On ne s'améliorait qu'avec l'âge. À force de patience.

— Ce qui est sûr, c'est qu'il faut avoir perdu la boule pour exploiter une boulangerie, acquiesça Sarah. Si tu as besoin d'aide, ma belle, demande à tante Sarah.

Et Sarah alla jeter un coup d'œil aux tartes dans le four.

Jacqueline ne put s'empêcher de sourire.

Sarah n'était pas sa vraie tante, bien sûr. C'était une sorte de jeu entre la vieille femme et sa cadette. Une plaisanterie, mais pas tout à fait. Elles s'étaient toutes deux rendu compte que l'idée de faire partie de la même famille leur plaisait.

Aucune ombre dans ce rire, dans cet instant. Mais alors la fine bruine du rire se dissipa et l'ombre réapparut.

Jacqueline pensa à Anton.

Tante ou pas, Sarah finirait par la flanquer à la porte si elle n'apprenait pas à faire les baguettes. Trouverait quelqu'un d'autre.

Et alors elle perdrait Anton.

Jacqueline jeta sa pâte trop travaillée et recommença. Sa quatrième tentative de la journée, et il n'était pas encore midi.

Armand et Reine-Marie étaient rentrés à la maison.

Dans le salon, elle exhumait le contenu d'une boîte venue des archives.

Armand avait numérisé la photocopie qu'il avait faite du *cobrador* originel pour l'envoyer à Jean-Guy. Il avait reçu une réponse légèrement impertinente. Avait-il du temps à perdre? Était-il ivre?

Gamache avait téléphoné. Sa fille, Annie, avait décroché. Elle tendit le combiné à Jean-Guy.

— C'est quoi, ces photos bizarres, patron? demanda-t-il.

Gamache entendait des bruits de mastication et imagina son gendre en train de dévorer un immense sandwich, à la façon de Dagwood, le héros des bandes dessinées *Blondie*. Allusion qui aurait du reste échappé complètement à l'homme plus jeune.

Dès qu'il eut terminé d'expliquer, Jean-Guy, dont la bouche n'était plus encombrée de nourriture, dit:

— Je vous rappelle tout de suite.

Et Gamache sut qu'il tiendrait parole.

Il avait connu Jean-Guy bien avant qu'il devienne son gendre, lui qui avait recruté l'agent Beauvoir, coincé dans un emploi sans avenir de surveillant d'une cage de pièces à conviction. Il avait pris sous son aile un jeune homme dont personne ne voulait et, à la surprise générale, il en avait fait un inspecteur de la section des homicides.

Pour Gamache, c'était tout naturel. Il avait à peine eu à y penser.

Chef et agent. Patron et protégé. Tête et cœur. Désormais beau-père et gendre. Père et fils.

Ils avaient été unis, soudés l'un à l'autre, pour cette vie et bien davantage.

Un soir, après un souper chez Clara, ils s'étaient mis à parler de la vie. De la mort. Et de la vie dans l'au-delà.

— Il existe une théorie, bouddhiste ou taoïste, je ne sais plus, dit Myrna, selon laquelle certaines personnes sont appelées à se retrouver à répétition, dans différentes vies.

— Je pense qu'on dit « ridicul-iste », déclara Ruth.

— Toujours la même douzaine de personnes, enchaîna Myrna sans se laisser arrêter par le dos d'âne verbal que constituait la vieille poète, mais dans des rapports différents. Dans cette vie, vous êtes conjoints, dit-elle en regardant Gabri et Olivier, mais dans une autre vous étiez frères, mari et femme ou père et fils.

— Pas si vite, fit Gabri. Tu veux dire qu'Olivier a peut-être été mon père, autrefois ?

— Ou ta mère.

Les deux hommes grimacèrent.

— Nous changeons de rôle, dit Myrna, mais l'amour demeure. Absolu et infini.

— *Fuck that*, dit Ruth en caressant Rose.

— *Fuck, fuck, fuck*, acquiesça la cane.

La ressemblance entre Ruth et Rose était de plus en plus frappante. Elles avaient toutes deux le cou rachitique. La tête blanche. Des yeux de fouine. Une démarche dandinante. Un vocabulaire semblable.

Seule la canne de Ruth la distinguait de sa cane.

Armand avait jeté un coup d'œil à Reine-Marie, dont le visage scintillait dans la lueur du feu de bois. Elle tendait l'oreille en souriant, assimilait tout.

Si Myrna disait vrai, il connaissait tous ces gens avant de les avoir rencontrés. D'où l'attraction presque immédiate qu'ils avaient exercée sur lui, autant eux que le village. La confiance et le confort qu'il ressentait parmi eux. Y compris cette vieille folle de Ruth. Avec son double. La cane qui avait peut-être été sa fille dans une autre vie.

Ou vice versa.

Mais Reine-Marie... Sa fille, sa mère ou son frère ?

Non.

Elle avait toujours été sa femme. Il l'avait su dès l'instant où il avait posé les yeux sur elle. Il l'avait reconnue, sur-le-champ.

Au fil des époques. Au fil des vies. Les autres relations changeaient, évoluaient, se métamorphosaient, mais son amour pour Reine-Marie était absolu et éternel.

Elle était sa femme. Et il était son mari. Pour toujours.

Jean-Guy, c'était une autre paire de manches. Depuis longtemps déjà, Armand sentait quelque chose d'ancien dans leurs rapports. Une vieille camaraderie. Un lien qui les avait fortifiés sans les contraindre. Reine-Marie observait le même phénomène. D'où la seule condition qu'elle avait imposée à l'accession d'Armand au poste de premier policier du Québec.

Jean-Guy Beauvoir devait le rejoindre. Comme il le faisait depuis des lustres.

Et Armand, en mûrissant ces idées, avait attendu la réponse de Jean-Guy, de la même façon que, en ce moment, il regardait une créature qui semblait elle aussi avoir accompli un voyage dans le temps.

« L'amour nous suit dans une succession d'existences, songea-t-il. La haine en fait-elle autant ? »

— Anton ?

Pas de réponse.

— Anton !

Olivier ferma l'eau. La mousse, débordant de l'évier, descendait en cascade jusqu'au sol.

— On nous a commandé la soupe du jour ! s'écria Olivier. Et il nous faut des poêlons. Ça va ?

— Désolé, patron. Je réfléchissais.

Anton se demanda si Olivier ou l'un des autres se doutait de ce qui était apparu dans le joli parc du village.

— Je t'en prie, fit Olivier en lui faisant signe d'accélérer. Quand tu auras terminé, tu veux bien apporter deux bols de soupe à la trois ?

— Oui.

Il lava les poêlons, les essuya rapidement et les apporta au chef. Puis, armé d'une louche, il remplit deux bols de soupe au céleri-rave et aux coings, qu'il parsema d'un peu de crème fraîche et d'aneth avant de les apporter à la table trois.

— Merci, dit la femme.

— Je vous en prie, madame, répondit Anton en lui jetant un coup d'œil poli avant de tourner son regard vers la fenêtre.

Il eut la vague impression de la connaître, cette femme. Il l'avait déjà vue. Une visiteuse et non une villageoise. Mais il n'avait d'yeux que pour le parc.

Sous ses yeux, la chose bougea, très, très légèrement. De quelques millimètres.

Elle s'était avancée vers lui.

— Elle vient de bouger, non ? demanda Reine-Marie.

Entrée dans la bibliothèque à la recherche d'un livre, elle était campée derrière le fauteuil d'Armand, face à la fenêtre.

— À peine, répondit Armand. Mais je crois que oui. À moins que sa robe ait été soulevée par la brise.

Ils savaient l'un et l'autre que la créature sombre avait bougé. Un peu. Presque imperceptiblement, sauf aux yeux de ceux qui l'observaient depuis longtemps.

La chose s'était tournée, légèrement. Vers le bistro.

— Saviez-vous, à ce moment, qui la chose regardait ? demanda le procureur de la Couronne.

— Non. Il y avait au moins une douzaine de candidats possibles. Peut-être davantage.

— Mais il s'agissait vraisemblablement d'une des personnes attablées devant la fenêtre, non ?

— Objection ! Influence le témoin.

— Objection retenue.

— Et ensuite ? demanda le procureur.

6

— À qui d'autre avez-vous fait part de votre théorie concernant le *cobrador*? demanda Armand à Matheo.

C'était le début de l'après-midi et les visiteurs avaient invité quelques villageois à prendre le thé au gîte. Gamache avait entraîné le journaliste dans un coin.

— À personne. J'ai préféré voir ce que vous en pensiez.

— Bon. Que ça reste entre nous, alors.

— Pourquoi?

— Sans raison. Mieux vaut tout confirmer avant que la machine à rumeurs s'emballe.

— J'ai déjà tout vérifié, moi, répondit Matheo, légèrement contrarié. Je vous l'ai dit.

— Hélas, monsieur, votre parole, au même titre que la mienne, doit être vérifiée.

— Comment comptez-vous vous y prendre?

— Un de mes agents s'en occupe. J'ai numérisé la photo. Nous saurons bientôt à quoi nous en tenir. Ensuite, nous pourrons parler.

— Bien.

— Je vous remercie.

— Grouille-toi! lança Ruth, assise sur le canapé. Je suis en panne sèche.

— La dernière fois que tu as été en panne sèche, c'était en 1968, répondit Gabri en lui servant un scotch dans une tasse en porcelaine fine.

— L'année de l'élection de Nixon, dit Ruth. De quoi dessoûler, en effet.

— Vous aviez remarqué que la chose est couverte d'oiseaux ? demanda Clara.

— On dirait une statue, affirma Reine-Marie.

— J'espère qu'ils lui chieront dessus, dit Matheo.

Avec des moineaux perchés sur sa tête et ses épaules, la silhouette à la robe sombre aurait dû produire un effet comique, et pourtant la présence des oiseaux ne faisait qu'accentuer l'impression macabre. On l'aurait prise pour une statue de marbre noir dans un cimetière.

— Ça va ? demanda Reine-Marie.

Comme les autres, Armand avait les yeux rivés sur le parc du village. Il était entré dans une sorte de transe.

— Je viens d'avoir une drôle de sensation, chuchota-t-il. Pendant un moment, je me suis demandé si nous ne faisions pas fausse route, s'il n'était pas là pour nous aider plutôt que pour faire du mal.

— Vous ne seriez pas le premier à croire aux vertus héroïques du *cobrador*, dit Matheo qui, debout près d'eux, avait tout entendu. À voir en lui une sorte de Robin des Bois. Un redresseur de torts. Mais, ajouta-t-il en inclinant la tête vers la fenêtre, nous avons ici affaire à tout autre chose. Ça sent la pourriture à plein nez.

— C'est plutôt l'odeur du fumier, précisa Gabri en resservant Matheo de vin. M. Legault en épand dans ses champs.

Il prit une inspiration, profonde et satisfaite.

— Ahhh ! Le parfum de la merde… Comment avez-vous dit, déjà ? Un *cobrador* ?

— Un simple mot, dit Matheo. Un surnom.

Il s'éloigna avant que Gabri puisse lui poser d'autres questions.

— Il a donné un surnom à la chose ? s'étonna Gabri à l'intention des Gamache.

Armand haussa les épaules et observa Matheo, qui conversait à présent avec Clara. Avait-il fait exprès de donner à la chose le nom de *cobrador*, devant Gabri par-dessus le marché ? Tout de suite après que Gamache lui eut demandé de garder l'information pour lui.

Bévue ? Erreur volontaire, stratégique ?

— Où est Katie ? demanda Myrna.

— Elle était là il y a un instant, répondit Patrick en regardant autour de lui.

— Elle a dit qu'elle ferait un saut à la microbrasserie de Sutton pour racheter de la bière, dit Léa en soulevant son verre. Preuve que Dieu nous aime et veut que nous soyons heureux. Benjamin Franklin.

Gamache jeta un coup d'œil à Léa Roux en se demandant si, dans un avenir pas si lointain, il avait des chances de travailler sous ses ordres. La prochaine première ministre du Québec.

Gabri, qui, armé de la bouteille de scotch, suivait Ruth, à la façon d'un domestique victorien, lança :

— J'ai horreur de la bière. Je refuse d'en avoir chez moi. De quoi démolir votre standing.

— Le canard ne compromet pas votre standing ? demanda Patrick en lançant un regard torve à Rose.

— Nous faisons des exceptions, expliqua Gabri. La cane et la folle à la canne font partie de la famille.

— En fait, nous aimons bien avoir Ruth et Rose parmi nous, ajouta Clara. Par comparaison, nous avons l'air sains d'esprit.

— Euh…, commença Léa.

— Maisons de verre, dit Ruth en serrant Rose contre elle et en foudroyant Léa du regard.

Distraitement, elle avait posé une main aux veines saillantes sur les ailes de Rose, repliées sur son dos. On aurait dit un très petit archange. Ou un archidémon.

Léa prit une inspiration et sourit.

— Vous avez raison. Toutes mes excuses.

— Et vous vous fourrez le doigt dans l'œil jusqu'au coude.

— Pardon ?

— Benjamin Franklin n'a rien dit de tel à propos de la bière.

— Qui était-ce, alors ? demanda Myrna.

— Franklin.

— Mais vous venez de dire que…, commença Patrick.

— Ce n'était pas à propos de la bière. Il parlait du vin, dans une lettre à un ami. La citation a été détournée par des gens qui voulaient présenter l'intellectuel et le diplomate comme un homme du peuple. Un amateur de bière plutôt que de vin. On reconnaît bien là la politique, non ? ajouta Ruth en se tournant vers Léa. Tout n'est qu'illusion.

— À qui le dites-vous, fit Léa, qui buvait de la bière, en trinquant avec la vieille femme.

Toute trace d'amusement était toutefois disparue de son regard.

« Oui, songea Gamache, qui, sans le boire, tenait à la main le verre de scotch que lui avait servi Gabri, les apparences sont décidément trompeuses. »

— Vous le reconnaissez ? fit Reine-Marie.

Nul besoin de demander de quoi elle parlait.

— Eh bien, comme il est planté là depuis plus d'une journée, je dirais que oui, répondit Clara.

— Non, regardez de plus près.

En silence, ils contemplèrent la silhouette à la robe sombre, seule en cette froide journée de novembre.

Le calme semblait s'étendre au-delà de la pièce. Au-delà du gîte. Envelopper le village tout entier. Comme si la cloche de verre grandissait. Accaparait une part de plus en plus grande de Three Pines.

Deux jours plus tôt, des enfants jouaient, riaient et criaient dans le parc du village. À présent, il n'y avait plus rien. Plus de tumulte. Plus de mouvements. Même les oiseaux perchés sur les épaules de la chose étaient immobiles. On aurait dit que, en la touchant, ils s'étaient pétrifiés.

— Il me fait penser à saint François d'Assise, dit Clara.

— C'est en plein ce que je me disais, renchérit Reine-Marie. Tous ces oiseaux.

— Ne vous y trompez pas, dit Léa. On n'a pas affaire à un saint.

— Vous avez interrogé l'archange Michel à propos de notre visiteur ? demanda Gamache.

Reine-Marie se tourna vers lui, surprise par la question. Et curieuse d'entendre la réponse.

Personne ne croyait que l'archange visitait la vieille poète complètement maboule. Pas vraiment. En fait, personne ne croyait qu'elle-même y croyait. Pas vraiment.

Et pourtant, leur curiosité était piquée.

— Oui.

— Et ?

À ce moment précis, une voiture apparut au sommet de la côte qui descendait vers Three Pines.

— C'est peut-être Katie, dit Patrick. Non. Ce n'est pas notre voiture.

Le véhicule s'arrêta à la hauteur de la créature. Les oiseaux de pierre s'envolèrent, mais pas la silhouette à la robe sombre.

Enfin, la voiture se remit en marche.

C'était Jean-Guy. Il avait des nouvelles.

— Qu'avait donc découvert l'inspecteur Beauvoir ? demanda le procureur de la Couronne.

La journée tirait à sa fin et il insistait, pressait le directeur général. Il tenait à ce que cette information soit révélée avant que la juge mette un terme aux travaux du jour.

Tenait à ce que l'information soit la dernière chose qu'entendraient les jurés avant de se diriger vers les terrasses et les brasseries, en ce torride après-midi d'été.

Le procureur fit signe au greffier.

— Remettez la pièce à conviction A, s'il vous plaît.

Retour au village avec la marque noire au centre. Cette fois, au lieu du silence ou d'un long soupir, on entendit un murmure de reconnaissance, peut-être même d'excitation.

Le choc initial s'était mué en familiarité, en titillation. La panique était passée. Ils se sentaient presque à l'aise en compagnie de la chose, fiers d'avoir si vite pris l'habitude de fréquenter un phénomène aussi bizarre.

Bien sûr, il s'agissait d'une photo. Rien à voir avec la vraie chose.

Et leur courage était factice. Rien à voir avec la vraie chose non plus.

S'habituer à pareille créature, même en photo, c'était une erreur, savait Gamache, qui les soupçonnait de le savoir, eux aussi.

— Et alors ? fit le procureur en continuant d'aiguillonner Gamache.

Si ce dernier était d'accord pour avancer vite, il savait aussi, lui qui avait si souvent témoigné devant cette haute cour, qu'on commettait une grossière erreur en précipitant les choses et en laissant des questions sans réponse. En laissant des trous par où la défense ne manquerait pas de s'engouffrer, par où un coupable risquerait de s'évader.

Armand Gamache dut pratiquer l'art de la précision et de la rapidité. De la haute voltige.

Or même le procureur de la Couronne ne comprenait pas tous les aspects de l'affaire. Et il ne fallait pas qu'il les comprenne.

— L'inspecteur Beauvoir a consacré son samedi à des recherches sur le *cobrador del frac*. Quand il a jugé disposer d'informations suffisantes, il a fait le trajet jusqu'à Three Pines.

— Pourquoi est-il venu en personne, au lieu d'avoir recours au téléphone ou au courrier électronique ?

— Il a tenu à voir par lui-même. Pour être bien sûr. Il ne disposait que de la photo que je lui avais fait suivre. Il fallait qu'il voie la chose en personne.

Ce que Gamache tut, en revanche, c'est que Jean-Guy avait senti le besoin de lui communiquer l'information en face. Pour jauger sa réaction.

— Et ?

— Que savez-vous, au juste, patron ?

Ils étaient assis dans le salon des Gamache, à Three Pines. Jean-Guy, Reine-Marie et lui.

— Seulement ce que nous a raconté Bissonnette et que je t'ai communiqué, répondit Armand. Sur le *cobrador del frac*.

— L'agent de recouvrement, traduisit Beauvoir. Oui, mais pas celui des débuts.

Il posa son chocolat chaud et prit un dossier dans sa sacoche. Il en tira quelques pages, surtout des photographies, qu'il étendit sur la table basse en les réorganisant légèrement. On aurait dit un charlatan faisant un tour de passe-passe avec des gobelets.

Quand il eut terminé, les Gamache avaient devant eux des photos disposées en éventail.

— Voici, dit Beauvoir en saisissant celle qui se trouvait à l'extérieur, le *cobrador del frac*.

C'était l'image désormais familière d'un homme en haut-de-forme et queue-de-pie. Gants blancs. Mallette portant les mots *Cobrador del frac* en gros caractères.

— Mais voici ce que je tenais à vous faire voir, dit Jean-Guy en rapprochant d'eux la première photo de la série.

— Celle-ci a été prise en 1841. Dans un village des Pyrénées. C'est l'une des plus anciennes photos connues. Un daguerréotype.

L'image était grise, floue. Elle montrait une étroite rue pavée sinuant entre des immeubles aux murs de pierres taillées grossièrement. On distinguait des montagnes au loin.

— On ne voit pas les gens et les animaux, expliqua Beauvoir. La pellicule devait être exposée pendant dix minutes. Tout ce qui bougeait pendant cette période disparaissait.

Armand mit ses lunettes et se pencha sur la photo. De plus en plus immobile. Si M. Daguerre l'avait photographié, Armand Gamache aurait été bien visible.

Il regarda ensuite Jean-Guy au-dessus des verres de ses lunettes.

Et Beauvoir hocha la tête.

— C'est ce qu'on appelle un *cobrador*, murmura presque Jean-Guy. Le *del frac* a été ajouté plus tard par un as du marketing. C'est la vraie chose. L'originel.

Reine-Marie se pencha davantage. Elle voyait les immeubles, la rue, le paysage en arrière-plan. Mais rien de plus. Ses yeux parcouraient la photo, la balayaient rapidement.

Elle ne vit la chose qu'en ralentissant le mouvement.

La chose monta vers elle, émergeant de l'image. Lentement. La résolution se précisa. Se fit de plus en plus claire.

De plus en plus sombre.

Jusqu'à ce que l'image devienne facilement reconnaissable.

Contre un des murs se tenait un homme. Si immobile qu'il avait été capturé malgré un temps d'exposition d'au moins dix minutes. Lui, à l'exclusion de tous les autres.

Les autres créatures vivantes – chevaux, chiens, chats, humains – avaient disparu, comme si elles avaient abandonné leur village. N'y restait que la chose avec sa cape foncée et son capuchon, son visage noir et inexpressif.

On aurait dit une de ces horribles images prises à la suite du bombardement d'Hiroshima : des personnes vaporisées dont l'essence avait été burinée dans un mur. Une ombre permanente. Mais qui n'avait plus rien d'humain.

Là, dans ce petit village espagnol, se tenait une ombre. Ni colère, ni chagrin, ni joie, ni pitié, ni triomphe. Pas de jugement. Le verdict avait déjà été rendu.

Un agent de recouvrement. Venu recouvrer.

— Il n'y a pas longtemps qu'on a remarqué cette image. C'était dans le cadre d'une exposition des œuvres de Louis Daguerre, expliqua Beauvoir. Et celle-ci, ajouta-t-il en montrant la photo suivante, légèrement plus nette, date des années 1920. Et en voici une de 1945. Prise la semaine suivant la fin de la guerre en Europe.

Y figurait une silhouette vêtue d'une longue robe devant laquelle un homme d'âge mûr protestait avec véhémence sous le regard des badauds.

— L'homme a été entraîné et pendu comme collaborateur, dit Jean-Guy. Il avait dénoncé des amis et des voisins. Il proposait à des Juifs de les cacher, puis les donnait aux nazis en échange de faveurs.

En voyant la terreur que trahissait le visage de l'homme, ses joues creuses et mal rasées, ses yeux suppliants, ses cheveux en bataille et ses habits débraillés, ils eurent peine à ne pas le prendre en pitié. Puis ils pensèrent à ses victimes. Aux hommes et aux femmes, aux garçons et aux filles qui étaient morts. Par sa faute.

Le *cobrador* l'avait trouvé. Et l'avait suivi. L'avait traqué. Jusqu'à ce que mort s'ensuive.

— C'est le *cobrador* qui l'a pendu ? demanda Reine-Marie.

— Non. Il n'a fait que le montrer du doigt, répondit Jean-Guy. Les autres ont pris la relève.

« Un doigt crochu », songea Armand. Ruth avait peut-être raison, au fond.

— Après la guerre, on a assisté à une recrudescence des observations de *cobradors* en Espagne, poursuivit Jean-Guy, puis plus rien pendant un long moment.

— Matheo a dit qu'il avait été incapable de trouver une seule personne ayant vu un des *cobradors* originels, dit Armand. Et il n'a pas mis la main sur ces photos.

— C'est sans doute parce qu'il n'a pas beaucoup cherché, dit Reine-Marie. D'après mon expérience aux Archives nationales, les journalistes indépendants sont astreints à des échéanciers très serrés et limitent leurs recherches à l'essentiel. Son article portait sur la version moderne des *cobradors*. Pas sur ceux de la première époque.

— Tu as sans doute raison, dit Armand.

— Mais on note quelques manifestations récentes, dit Jean-Guy. Du *cobrador* à l'ancienne.

— Comme ici, dit Reine-Marie.

Le *cobrador* de l'Ancien Monde avait fait le voyage jusque dans le Nouveau. Leur monde. Ils pouvaient presque sentir l'odeur de la décomposition. De la pourriture. Même si Gamache commençait à se demander si cette puanteur émanait du *cobrador*. Si ce n'était pas plutôt celle d'une autre personne. Tout près. Celle pour qui la créature était venue.

— Cette pratique remonte donc au dix-neuvième siècle, fit Reine-Marie en examinant de nouveau le daguerréotype. Je me demande bien pourquoi.

— Non, répondit Beauvoir. Non, non, non. Oubliez le dix-neuvième siècle. Elle date plutôt du quatorzième.

— Elle a plus de sept cents ans ?

— Oui. Vous avez un atlas, sûrement ?

Armand se dirigea vers l'une des bibliothèques du salon et en revint avec un ouvrage volumineux.

Il y a une île, entre l'Espagne et le Maroc, expliqua Beauvoir en feuilletant le livre jusqu'à la page qu'il cherchait. Elle a pour nom Cobrador.

Gamache se pencha.

— Je ne vois pas le mot « Cobrador ».

— Non, le nom a changé. Mais c'était celui que l'île portait, à l'époque. On y envoyait les victimes de la peste. Les pestiférés, mais aussi les lépreux, les fous et les bébés nés avec des difformités. Les inquisiteurs y déportaient les femmes soupçonnées de sorcellerie. Être expédié sur l'Isla del Cobrador, c'était pire que d'être brûlé sur le bûcher, supplice qui avait l'avantage de ne durer que quelques minutes. Ces personnes étaient condamnées par l'Église pour l'éternité. Cet endroit, dit Jean-Guy en indiquant l'île représentée dans l'atlas, était l'enfer.

Gamache fronça les sourcils.

— Sauf que…

Jean-Guy hocha la tête.

— Sauf que certains ne se donnaient pas la peine de lire les petits caractères. Inopportunément, les déportés ne mouraient pas tous. L'Église et les autorités tenaient pour acquis qu'ils succomberaient à la peste ou qu'ils s'entretueraient. C'est arrivé, bien sûr. Mais il y a eu d'autres développements. À l'instigation des femmes. Certaines se sont mises à soigner les bébés. Elles les ont guéris. Les ont élevés.

— Les sorcières ont accompli une *mitsva*, dit Armand.

— De quoi affoler les inquisiteurs, ajouta Reine-Marie.

— Les querelles intestines ont pris fin et les insulaires ont commencé à s'entraider, dit Jean-Guy. Ils ont construit des maisons, cultivé les champs. Loin de la fange des villes, de nombreux pestiférés ont recouvré la santé.

— C'est remarquable, dit Armand. Magnifique, en fait. Unique. Mais quel est le rapport avec le *cobrador* ?

Il désigna l'extérieur d'un geste.

La chose était là depuis presque quarante-huit heures, et les villageois, loin de s'habituer à sa présence, se montraient de plus en plus stressés. Les nerfs étaient à fleur de peau. Des querelles éclataient. On entendait des amis de longue date se disputer au bistro. Pour des vétilles.

On aurait sans doute pu imputer ces sautes d'humeur au fait qu'ils n'avaient pas vu le soleil depuis des jours. Des semaines, semblait-il. Autant dire une éternité. Le ciel de novembre demeurait nuageux. De loin en loin, il en tombait de la pluie, du grésil. Précipitations qui donnaient l'impression de traverser les vêtements et la peau pour s'accumuler dans les os.

Le cœur du problème se trouvait cependant dans les herbes mourantes du parc du village.

Loin, très loin d'une île espagnole du quatorzième siècle. Loin de la maison.

La cloche de verre s'élargissait de nouveau, le monde du *cobrador* prenait de l'expansion, son domaine grandissait, tandis que le leur semblait se recroqueviller.

Armand se demanda combien de temps il leur restait avant que quelque chose de tragique se produise.

— Certains parmi les plus forts ont regagné le continent, continua Jean-Guy. Défigurés par la maladie, ils portaient des masques et des gants. Et de longs manteaux avec un capuchon.

— Pourquoi sont-ils rentrés ? demanda Reine-Marie.

— Pour se venger, répondit Gamache.

Ce désir était, il le savait, un puissant moteur. Qui, souvent, prenait le pas sur la raison.

— C'est aussi ce que j'ai cru, dit Jean-Guy en se tournant vers lui. Mais non. Ils sont partis à la recherche de ceux qui les avaient condamnés, maudits. Des prêtres et des hommes d'Église de haut rang, pour la plupart. Des magistrats. Et même des princes. Fait incroyable, quand ils les ont trouvés, ils n'ont rien fait. Ils se sont contentés de les suivre. Ce qui, naturellement, s'est révélé d'une redoutable efficacité.

— Et ? demanda Gamache.

— Je pense que vous savez. Je pense qu'ils savaient, répondit Beauvoir.

Il n'eut pas besoin de consulter ses notes. Jamais il n'oublierait ce qu'il avait appris.

Les premiers avaient été battus à mort par des foules en colère, qui voyaient en eux l'incarnation de la peste. Mais quand l'un mourait, un autre prenait sa place. Petit à petit, les gens se sont rendu compte que les robes noires ne faisaient de mal à personne. Apparemment, on allait jusqu'à leur reconnaître une forme de dignité. Même au moment de mourir, ces personnes restaient parfaitement immobiles. Elles n'essayaient pas de se défendre. Elles ne ripostaient jamais. Elles se contentaient de fixer la personne qu'elles avaient suivie jusqu'à ce qu'on les terrasse.

Se tortillant dans son fauteuil, Gamache, par-dessus son épaule, jeta un coup d'œil au parc.

Un tel dévouement était admirable. Mais peut-être aussi dément.

— Les prêtres et les autorités ne pouvaient pas tolérer une telle pratique, dit Beauvoir. Ils ont fini par comprendre qui étaient ces gens, d'où ils venaient. Ils ont dépêché des soldats sur la Isla del Cobrador et tous les insulaires – hommes, femmes et enfants – ont été massacrés.

Gamache inspira à fond. Malgré le temps et la distance, il sentait l'indignation, la douleur de ces gens.

— Lorsque la population a appris la nouvelle, il y a eu un tollé, un sacré merdier, dit Beauvoir.

Gamache posa les yeux sur les documents, relativement certain qu'on n'avait pas utilisé le mot « merdier », à l'époque.

— Les silhouettes à la robe sombre sont entrées dans la mythologie, dit Jean-Guy. On leur a donné le nom de *cobradors*, en référence à l'île. Mais il faut dire que, à l'époque, l'Europe tout entière était dans la merde. Par comparaison, cette histoire, c'était de la petite bière. On les a vite oubliés.

— Mais ils n'ont pas disparu complètement, dit Reine-Marie.

— Non. Tout indique que certains habitants de l'Isla del Cobrador ont survécu. Quelques-uns ont fui. On dit qu'ils ont bénéficié de l'aide de soldats qui hésitaient à suivre les ordres. De loin en loin, on en apercevait un, surtout dans des villages de montagne.

— Et ils ont continué de suivre les auteurs de crimes horribles ? demanda Gamache. De crimes impunis ?

— Tout indique que oui.

— Et c'est ainsi que le *cobrador* est devenu agent de recouvrement.

— Non, justement, il s'agit d'une interprétation moderne. *Cobrador* se traduit par « collecteur ». Il est vrai que cette dimension est présente chez eux. La dette. Mais, dans les villages, ils sont devenus quelque chose de plus. Une conscience morale.

Selon l'horloge du tribunal, il passait dix-sept heures.

Dans toutes les autres salles d'audience, on avait remis les travaux jusqu'au lendemain. Dans les couloirs, on entendait des pas, des chuchotements et parfois des gens qui s'interpelaient. Des avocats qui s'étaient entre-déchirés quelques minutes plus tôt s'invitaient à aller prendre un verre à la terrasse de la brasserie la plus proche.

On manquait d'air dans la salle d'audience. Il y régnait une chaleur accablante. Tous avaient hâte de sortir respirer de l'air frais et profiter du soleil. D'échapper à l'atmosphère et au récit de plus en plus oppressant.

Mais il restait une question à poser, une réponse à attendre.

— Monsieur le directeur général…

Pour une fois, le procureur de la défense n'avait semblé ni pompeux ni imbu de sa propre importance. Pour la première fois de la journée, il ne semblait ni faire d'effets de toge ni jouer la comédie. Sa voix était posée, grave.

— Les informations recueillies par l'inspecteur Beauvoir sur le *cobrador* vous ont-elles conduit à une conclusion ?

— Oui.

— Laquelle ?

— Qu'un des villageois avait commis un crime si horrible qu'une conscience morale avait été convoquée.

7

— Tu ne rentres pas ce soir ? demanda Reine-Marie à Armand au téléphone.

— J'ai bien peur que non. Je vais passer la nuit dans notre appartement de Montréal. J'ai trop à faire. Sans compter que le tribunal reprend ses travaux de bonne heure, demain matin.

— Tu veux que je vienne ? Je pourrais t'apporter quelque chose du bistro.

— Non. Pas la peine. Je ne serais pas d'un commerce très agréable. Et j'ai du travail.

— Le procès ?

— Oui.

— Et les choses se passent comme tu veux ?

Armand se massa le front en réfléchissant à la question.

— Difficile à dire. Tant d'éléments doivent s'arrimer à la perfection… Entre règlement et dérèglement, la ligne de démarcation est mince.

Reine-Marie l'avait déjà vu se faire du souci à propos d'autres procès, de la comparution de certains témoins en particulier. Dans ce cas précis, lui seul, jusque-là, avait été appelé à la barre des témoins. D'où lui venait donc cette inquiétude ?

— Tu obtiendras une condamnation ?

— Oui.

Réponse trop rapide, trop catégorique pour un homme en général posé et réfléchi.

— Et pour le souper ? demanda-t-elle.

— Je vais prendre quelque chose ici, au bureau.

— Seul ?

Par la porte entrebâillée, Armand jeta un coup d'œil à la salle de conférence, où Jean-Guy, Isabelle et les autres officiers étaient penchés sur des cartes. Des tasses de café et des plateaux de sandwichs pris à la brasserie du coin encombraient la longue table, aux côtés des bouteilles d'eau, des ordinateurs portatifs et de la paperasse. Il aperçut, en toile de fond, les lumières de Montréal.

— Oui.

Le directeur général Gamache rejoignit les membres de l'équipe, chaussa ses lunettes et se pencha à son tour sur la grande carte du Québec.

On avait posé sur elle des transparents. Chacun avec des couleurs, des motifs différents.

Des traits vigoureux. Du rouge, du bleu, du vert. Du feutre noir. « Mais, se dit Gamache, pas feutrés pour autant. »

Seules, les lignes de couleurs vives tracées sur les transparents ne voulaient rien dire. Une fois superposées, puis placées sur la carte du Québec, elles se fusionnaient. Un non-initié y aurait sans doute vu le plan d'un métro. Un métro gigantesque et un circuit extrêmement passant.

Il n'aurait pas été loin de la vérité.

C'était effectivement la carte d'un monde souterrain.

Des lignes serpentaient le long du fleuve Saint-Laurent. D'autres descendaient du nord. Bon nombre d'entre elles essaimaient à partir de Montréal et de Québec. Mais toutes convergeaient vers la frontière des États-Unis.

La directrice Toussaint, nouvelle patronne de la section des crimes majeurs, prit un marqueur bleu dans la tasse posée sur la table.

Cette forme de cartographie, aux yeux des plus jeunes membres du cercle rapproché, équivalait à travailler avec un marteau et un ciseau. Ils avaient l'habitude des ordinateurs portatifs et d'outils plus précis, plus puissants.

Mais la carte et les transparents avaient un avantage non négligeable : aucun pirate informatique ne pouvait y accéder par effraction. Et séparément, ces documents ne voulaient rien dire.

C'était d'une importance vitale.

— Voici les plus récentes informations, dit Madeleine Toussaint. Selon notre informateur aux îles de la Madeleine, une nouvelle livraison est arrivée il y a deux jours, à bord d'un navire venu de Chine.

— Deux jours ? s'étonna un agent. Pourquoi cette information a-t-elle mis tout ce temps à remonter jusqu'à nous ?

— Nous avons de la chance d'avoir été mis au courant, dit Toussaint. Nous savons ce qui risque d'arriver si notre informateur est démasqué. Lui le premier, d'ailleurs.

Elle appuya avec le marqueur jusqu'à ce qu'un point bleu apparaisse sur les îles isolées au milieu du golfe du Saint-Laurent.

— Quelle quantité ? demanda Beauvoir.

— Quatre-vingts kilos.

Ils la dévisagèrent en silence.

— De fentanyl ? fit Lacoste.

— Oui, confirma Toussaint en soulevant le marqueur.

Bleu pour fentanyl.

Ils échangèrent un regard. Quatre-vingts kilos.

La plus importante cargaison jamais reçue en Amérique du Nord. Par près du double. Eux, en tout cas, n'avaient jamais eu vent d'une cargaison plus imposante.

Les cartels étaient de plus en plus audacieux.

Et pourquoi pas ? Rien ni personne ne leur mettait des bâtons dans les roues.

Tous les policiers réunis dans cette salle se tournèrent vers le directeur général Gamache, qui fixait le minuscule archipel flottant dans l'eau salée, entre la Gaspésie et Terre-Neuve. On aurait du mal à trouver un plus bel endroit. Et un endroit plus indiqué pour le trafic de stupéfiants.

Un lieu balayé par les vents, isolé, peu peuplé. Et pourtant situé sur l'une des plus importantes routes commerciales empruntées par des cargos du monde entier.

Porte d'entrée pour le Québec. Et pour le Canada. Une porte de service, en quelque sorte. Une porte tournante. Plus ou moins ignorée par les autorités, qui se concentraient sur les ports principaux, aériens et maritimes.

Les îles de la Madeleine, minuscules et belles à pleurer, étaient idéalement situées.

Et ensuite ?

Gamache étudia les lignes bien nettes tracées à l'aide de marqueurs de couleurs différentes. Si elles émanaient des différentes régions du Québec, elles aboutissaient toutes au même endroit.

La frontière.

Les États-Unis.

Presque toutes les lignes, quelle que soit leur couleur, convergeaient vers un village minuscule qui ne figurait même pas sur les cartes. Three Pines. Gamache dut l'inscrire au crayon à mine.

Three Pines. Oblitéré par les traits de couleur qui indiquaient la frontière.

Des drogues inondaient les États-Unis en passant par cette brèche dans la frontière et l'argent accomplissait le même trajet en sens inverse.

Des tonnes de cocaïne, de méthamphétamines et d'héroïne traversaient la frontière à cet endroit. Depuis des années.

En assumant la direction de la Sûreté, Gamache avait pris conscience de l'importance du problème des stupéfiants au Québec, à la fois comme marché et comme plaque tournante. Mais il avait aussi compris autre chose. Seule une petite partie des produits trafiqués passait par les voies traditionnelles.

Par où le reste transitait-il ?

Armand Gamache, nouveau patron de la Sûreté du Québec, avait chargé des équipes d'analyser les drogues qu'on synthétisait au Québec et celles qu'on importait. Celles qu'on consommait sur place et celles qu'on destinait au marché de l'exportation, plus lucratif.

Il monta des équipes de toutes pièces. À cette fin, on recruta des scientifiques, des hackers, des ex-détenus, des informateurs, des spécialistes de la marine et de l'aviation, des agents infiltrés dans des bandes de motards, des débardeurs, des représentants syndicaux, des emballeurs et même des professionnels du marketing. Chaque équipe formait une petite cellule chargée de régler un problème particulier.

De la même façon que la drogue transitait par un point unique, l'information était canalisée par un seul homme.

Le directeur général Gamache.

Il fallait porter un coup fatal aux trafiquants. Pas une série de petits irritants, mais, au contraire, une attaque violente, rapide, décisive. En plein cœur.

Après presque une année d'enquêtes poussées, les lignes tracées sur les transparents avaient crû. S'étaient entrecoupées. Entremêlées. Et un motif était apparu.

Pourtant, le directeur général Gamache n'était pas intervenu.

Malgré les supplications de quelques-uns de ses officiers supérieurs, Armand Gamache attendit, attendit encore. Prit sur ses épaules le poids des critiques, privées, professionnelles et politiques, de la part de citoyens et de collègues qui ne voyaient qu'une chose : la recrudescence de la criminalité et l'inaction de la Sûreté.

Enfin, l'équipe avait découvert ce qu'elle cherchait. La personne à la tête de toute cette activité.

Cette percée, on la devait à la collaboration, à l'intelligence et au courage des agents et des informateurs clandestins.

Et à l'apparition d'une silhouette sombre dans le parc d'un village martelé par le grésil.

Rares étaient ceux qui savaient que tel avait été le point de bascule, et Gamache tenait à garder le secret.

Les officiers regardaient le directeur général Gamache. Attendaient qu'il dise quelque chose. Qu'il fasse quelque chose.

À l'aide du marqueur bleu vif, la directrice Toussaint fit un trait sur le transparent. À partir du port des îles de la Madeleine, une ligne qui contournait la péninsule gaspésienne. Le marqueur grinça en suivant avec lenteur le majestueux Saint-Laurent. Pour ensuite entrer dans les terres. Descendre, toujours plus bas.

Jusqu'à ce que le trait bleu atteigne la frontière.

Où la main de Toussaint s'arrêta.

Elle se tourna vers Gamache. Qui observait la carte. Et la marque.

Il leva les yeux au-dessus de ses lunettes. Fixa, derrière ses officiers, le mur et le schéma.

Une carte d'un autre genre. Elle indiquait la circulation non pas des drogues, de l'argent et de la violence, mais bien celle du pouvoir.

Des photographies étaient fixées au mur. Des photos d'identité, dans certains cas, mais surtout des images prises clandestinement, à l'aide d'objectifs puissants.

Des hommes et des femmes surpris dans leur train-train quotidien. À première vue normaux. De l'extérieur. Leur peau refermée sur leur vide intérieur.

Et, au sommet, là où convergeaient toutes les images et toutes les lignes, une silhouette sombre. Sans photo.

Sans visage. Sans traits. Pas tout à fait humaine.

Armand Gamache savait de qui il s'agissait. Aurait pu placer un visage à cet endroit. Mais il avait préféré s'en abstenir. Au cas où. Il contempla un moment cette forme sombre, inexpressive, puis il se tourna vers la directrice Toussaint. Et hocha la tête.

Elle hésita, peut-être pour lui donner le temps de se raviser.

Un silence absolu régnait dans la pièce.

— Vous ne pouvez pas, dit-elle. Quatre-vingts kilos, monsieur. La drogue est peut-être déjà en route. Je n'ai rien reçu d'autre de la part de notre informateur. Laissez-nous au moins déployer des effectifs.

Le directeur général Gamache lui prit le marqueur bleu et, sans la moindre hésitation, traça une dernière ligne.

Un trait en travers de la frontière, tandis que les opioïdes en provenance du Québec entraient à flots aux États-Unis.

Armand Gamache mit le bouchon sur le marqueur, qui produisit un clic sonore, leva les yeux sur les visages de ses officiers les plus fidèles et trouva sur chacun une seule et même expression.

La consternation.

— Vous devez les arrêter, déclara Toussaint d'une voix stridente qu'elle eut du mal à maîtriser. Vous ne devez pas laisser cette drogue traverser la frontière. Quatre-vingts kilos, répéta-t-elle, son indignation menaçant une fois de plus d'exploser. Si vous ne...

Gamache restait parfaitement droit.

— Poursuivez, je vous prie.

Elle se tut.

Il parcourut les autres visages du regard. Inutile de demander qui partageait l'avis de la directrice. De toute évidence, c'était l'opinion majoritaire.

Mais pas obligatoirement la bonne.

— Nous maintenons le cap, dit-il. Au début de cette opération, il y a presque un an, j'ai mis cartes sur table. Nous avons un plan et nous nous y tenons.

— Sans égard aux conséquences ? demanda un autre officier. Bien sûr, nous avons un plan. Mais nous devons aussi nous adapter aux circonstances. Les données changent. Il serait bête de poursuivre un plan pour la simple raison que nous en avons un.

Gamache haussa les sourcils, sans rien dire.

— Désolé, patron, fit l'officier. Je ne voulais pas dire « bête ».

— Je sais très bien ce que vous vouliez dire, répliqua Gamache. Le plan a été élaboré avant que nous ayons toutes les données en main.

L'officier hocha la tête.

— Il a été conçu dans un environnement stérile, clinique, logique.

Nouveaux hochements de tête.

— À quoi bon obliger des agents à risquer leur vie pour obtenir ces informations, lança un autre officier en désignant la carte, si notre but n'est pas d'intervenir ?

— Nous intervenons, répondit Gamache. Mais pas comme les cartels s'y attendent. Je voudrais l'intercepter, ce chargement, croyez-moi sur parole. Seulement, cette opération s'inscrit dans le long terme. Nous tenons bon. D'accord ?

Il les regarda à tour de rôle. Ces femmes et ces hommes qu'il avait lui-même choisis. Non pas parce qu'ils étaient dociles, mais bien parce qu'ils étaient intelligents, expérimentés, ingénieux et créatifs. Et parce qu'ils avaient le courage de dire ce qu'ils pensaient.

Ils ne s'en étaient pas privés. C'était son tour, à présent.

Il prit le temps de réfléchir.

— Lorsque nous lançons un raid, que des balles volent dans tous les sens et que le chaos est imminent, que faisons-nous ?

Il les dévisagea tour à tour. Tous, ils s'étaient trouvés dans de telles situations. Gamache aussi.

— Nous restons calmes et nous gardons notre sang-froid. Nous nous concentrons. Nous ne nous laissons pas distraire.

— Distraire ? fit Toussaint. À vous entendre, on dirait un simple bruit de fond.

— Je ne banalise ni l'importance de la livraison, ni la décision, ni les conséquences, madame la directrice.

Il jeta un bref coup d'œil au schéma fixé au mur. Attiré par la forme sombre.

— Ne perdez jamais de vue le but poursuivi, dit-il en se tournant de nouveau vers ses subordonnés. Jamais.

Il leur laissa le temps d'absorber le mot.

— Jamais.

Ils se tortillèrent sur place, mais se tinrent un peu plus droit.

— Dans la même situation, tous les autres officiers ont abandonné leur stratégie, poursuivit Gamache. Ils ont renoncé. Pas parce qu'ils étaient faibles, mais bien parce qu'ils étaient conscients de la gravité des conséquences. Il fallait agir de toute urgence. Comme dans ce cas-ci.

Il posa son doigt sur la marque toute fraîche.

— Il y a urgence d'agir. Quatre-vingts kilos de fentanyl. Nous devons intervenir.

Ils hochèrent la tête.

— Mais nous ne pouvons pas intervenir.

Il prit une longue, une profonde inspiration en fixant les lumières de la ville derrière eux. Et, au-delà, les montagnes. La vallée. Et le village.

Et aussi l'objectif poursuivi.

Puis ses yeux et ses pensées regagnèrent la salle de conférence.

— Nous suivons la situation, dit le directeur général Gamache. De loin. Sans intervenir. Nous n'arrêtons pas le chargement. D'accord ?

D'accord. Ils acquiescèrent. À contrecœur, mais ils acquiescèrent.

Gamache se tourna vers la directrice Toussaint, qui avait gardé le silence, les yeux baissés sur la carte. Elle les leva sur le diagramme fixé au mur. Puis sur son supérieur.

— D'accord, patron.

Gamache hocha sèchement la tête, puis il s'adressa à son adjoint.

— Vous me suivez ?

De retour dans son bureau, la porte hermétiquement close, Gamache se tourna vers Beauvoir.

— Monsieur ? fit le cadet des deux.

— Tu es d'accord avec la directrice Toussaint.

Ce n'était pas une question.

— Je pense qu'il doit y avoir un moyen d'intercepter le chargement sans qu'ils se doutent que nous avons élucidé le mystère.

— Possible, en effet, admit Gamache.

— Nous avons saisi des chargements plus petits, dit Beauvoir, profitant de ce qu'il avait perçu comme une ouverture, un adoucissement de la position de son supérieur.

— C'est vrai. Mais la drogue était destinée aux canaux traditionnels, allait traverser la frontière à un endroit prévisible. Si les saisies cessaient d'un coup, les cartels flaireraient quelque chose. Ce chargement-ci est énorme et sans doute destiné au lieu dont, en ce qui les concerne, nous ignorons l'existence. S'ils projettent d'utiliser cette filière pour une telle quantité de fentanyl, c'est qu'ils sont persuadés qu'elle est sûre, Jean-Guy. Nous devons leur laisser croire qu'elle l'est effectivement.

— Vous n'êtes tout de même pas en train de dire que c'est une bonne nouvelle ?

— C'est en plein ce que nous espérions. Tu le sais très bien. Je me rends compte que c'est particulièrement difficile pour toi…

— Pourquoi en revient-on toujours à ça ? demanda Beauvoir.

— Parce que nos expériences personnelles sont indissociables de nos choix professionnels, répondit Gamache. Croire le contraire, c'est s'abuser soi-même. Nous devons l'admettre, analyser nos motivations et prendre des décisions rationnelles.

— Vous me jugez irrationnel ? C'est vous qui me reprochez tout le temps de ne pas me fier à mes instincts. Pas seulement à mes instincts, mais aussi à mon vécu. Non ?

Beauvoir criait presque.

— C'est une grossière erreur, ajouta-t-il, sa voix, en baissant, se changeant en grognement. Laisser entrer une telle quantité de fentanyl aux États-Unis pourrait affecter toute une génération. Vous voulez savoir pourquoi je me sens concerné ? Eh bien, voici. Vous n'avez jamais été toxicomane, vous. Vous n'avez aucune idée de ce que c'est. Les opioïdes ? Les drogues de synthèse ? Elles vous hantent, jusqu'à la moelle. Elles vous transforment. Font de vous un être ignoble. Tout le monde vous le répète : quatre-vingts kilos.

Il gesticula en direction de la porte et de la salle de conférence, en face.

— Ce qui va prendre le chemin de la frontière, ce n'est ni un poids ni un nombre. Il n'y a pas de limite aux souffrances qui se préparent. Une mort lente et misérable. Et pas uniquement pour les accros que vous vous apprêtez à créer. Pensez aussi à toutes les vies qui seront irrémédiablement gâchées. Combien de personnes aujourd'hui vivantes et en santé vont mourir ou commettre des meurtres, monsieur? À cause de votre décision « rationnelle » ?

— Tu as raison, répondit Gamache. Tu as parfaitement raison.

D'un geste, il désigna le coin salon de son bureau. Après un moment d'hésitation, comme s'il craignait de tomber dans un piège, Jean-Guy prit son fauteuil habituel et se percha avec raideur juste au bord.

Gamache se cala dans le sien dans l'espoir de trouver une position confortable. Y renonçant, il se pencha à son tour vers l'avant.

— Certains soutiennent que Winston Churchill avait eu vent du bombardement de la ville anglaise de Coventry par les Allemands, dit-il. Et qu'il n'a rien fait pour l'arrêter. Résultat? Des centaines de victimes, hommes, femmes et enfants.

Le visage crispé de Beauvoir s'affaissa. Mais il ne dit rien.

— Les Britanniques avaient percé à jour le code secret des Allemands, expliqua Gamache. En prévenant l'attaque, ils auraient révélé leur découverte. Coventry aurait été sauvé. Des centaines de vies auraient été épargnées. Mais les Allemands auraient modifié le code et les Alliés auraient été privés d'un énorme avantage.

— Combien de vies cette décision a-t-elle permis de préserver?

Terrible calcul.

Gamache ouvrit la bouche et la referma. Et contempla ses mains.

— Je ne sais pas.

Il soutint le regard ferme de Beauvoir.

— Certains laissent entendre que les Britanniques n'ont jamais exploité leur découverte, par crainte de perdre leur avantage.

— Vous voulez rire?

Non, de toute évidence.

— À quoi sert un avantage qu'on n'utilise pas ? demanda Beauvoir, plus ahuri que fâché. S'ils ont permis le bombardement de cette ville…

— Coventry.

— … qu'ont-ils encore toléré ?

Gamache secoua la tête.

— Bonne question. Quand dépense-t-on tout son argent ? Quand est-il stratégique de le faire ? Quand faut-il le thésauriser, faire l'avare ? Plus longtemps on l'a en sa possession, plus il devient difficile de s'en départir. Suppose que tu as un seul coup de feu à tirer, Jean-Guy. Quand appuies-tu sur la détente ? Comment sais-tu que le moment est venu ?

— Parfois, quand on se décide enfin, il est trop tard. On a attendu trop longtemps, dit Beauvoir. La somme des torts causés dépasse celle des avantages escomptés.

Pendant qu'il regardait le directeur général Gamache, qui se débattait avec la question, Jean-Guy sentit sa fureur se dissiper.

— Des gens vont mourir, Jean-Guy, quand le fentanyl gagnera les rues. Des jeunes. Des vieux, peut-être même des enfants. Ce sera une véritable tempête de feu.

Gamache se souvint de la visite à Coventry qu'il avait faite avec Reine-Marie, des années après le bombardement. La ville avait été reconstruite, mais on avait conservé la coquille vide de la cathédrale. Elle avait désormais valeur de symbole.

Reine-Marie et lui s'étaient tenus longuement devant l'autel de la cathédrale en ruine.

Quelques jours après le bombardement, quelqu'un avait gravé dans un des murs les mots suivants :

Father Forgive.

Pardonner à qui, au juste ? À la Luftwaffe ? À Goering, qui avait lancé les bombardiers, ou à Churchill, qui avait choisi de ne pas les arrêter ?

Les dirigeants britanniques, bien à l'abri dans leurs maisons, leurs bureaux et leurs bunkers, à des centaines de kilomètres de là, avaient-ils fait preuve de courage ou commis une terrible erreur de jugement ?

De la même manière que Gamache était en sécurité, au-dessus des rues de Montréal. Loin de la tempête de feu qu'il s'apprêtait à déclencher. Saint Michel, se rappela-t-il. La cathédrale de Coventry avait été consacrée à l'archange. Le doux, celui qui veillait sur les âmes des mourants.

Jetant un coup d'œil à son index, il eut la surprise d'y découvrir un trait bleu vif. Comme si les quatre-vingts kilos de fentanyl, pendant leur trajet vers le sud, risquaient de le traverser de part en part.

Armand Gamache était à cheval sur la route entre les îles de la Madeleine et la frontière des États-Unis. Un circuit qui passait par un petit village insignifiant, niché au creux d'une vallée.

Il avait, en ce moment, le pouvoir de tout arrêter.

Gamache se rendait compte qu'il serait marqué jusqu'à la fin de ses jours par la décision qu'il prenait en cette soirée.

— Vous ne pouvez donc rien faire ? demanda Jean-Guy d'une voix étouffée.

Gamache garda le silence.

— Alerter discrètement la DEA aux États-Unis ? Prévenir l'agence ? proposa Jean-Guy.

Il savait pourtant que non.

La mâchoire serrée, Gamache déglutit, mais il ne dit rien. De ses yeux brun foncé, il fixait son adjoint. Son gendre.

— À ton avis, combien de temps le fentanyl mettra-t-il à atteindre la frontière ? demanda Gamache.

— À supposer que le chargement parte tout de suite ? Il devrait la franchir demain soir. Peut-être avant. Il est peut-être déjà en mouvement.

Gamache hocha la tête.

— On a sans doute encore le temps de l'intercepter, dit Beauvoir.

Bref, se rendit-il compte, Gamache avait encore le temps de changer d'avis.

Mais l'inspecteur comprenait aussi que cela ne se produirait pas. Au fond de lui-même, Jean-Guy Beauvoir savait qu'il ne fallait pas le permettre.

Le fentanyl devait traverser la frontière. Le secret devait être préservé à tout prix.

On s'en servirait plus tard. Pour porter le coup de grâce.

Armand Gamache hocha la tête et, se levant, s'avança vers la porte. Et il se demanda, en quittant son bureau pour rejoindre le pied-à-terre que Reine-Marie et lui s'étaient procuré à Montréal, si une silhouette noire allait se détacher de l'ombre pour lui emboîter le pas.

Dans l'intention de recouvrer une dette que le directeur général Gamache était certain de ne jamais pouvoir rembourser.

Tout ce qu'il pouvait espérer, c'était le pardon.

8

— Je croyais que ce serait un procès rapide, dit Joan, la femme de la juge Corriveau. Tu crois que tu pourras te libérer, ce week-end?

Maureen Corriveau gémit.

— Je ne sais pas. On peut annuler la réservation, au besoin?

— Je vais téléphoner à l'auberge. Ne t'en fais pas. Il y aura d'autres week-ends. Le Vermont ne va pas bouger.

Maureen saisit un bout de toast, embrassa Joan et chuchota:

— Merci.

— Vas-y et joue gentiment.

— C'est mon carré de sable. Rien ne m'oblige à être gentille.

Elle jeta un coup d'œil dehors. À peine sept heures du matin, et déjà le soleil tapait dur.

En s'assoyant dans sa voiture, elle poussa un cri strident et souleva ses fesses du siège brûlant.

— Merde, merde, fit-elle en mettant l'air climatisé et en se rassoyant avec précaution.

Voyant la chaleur déformer l'air au-dessus du capot, elle se demanda combien il ferait dans la salle d'audience.

Mais la juge Corriveau savait que, même sans la canicule, l'atmosphère serait suffocante.

— Debout, entendit-elle.

Le gardien de sécurité ouvrit la porte et la juge Corriveau en franchit le seuil.

Son entrée fut saluée par le tohu-bohu de personnes qui se lèvent. Puis elles s'assirent en même temps qu'elle.

Toutes avaient l'air débraillé. Déjà.

Elle fit un signe au procureur de la Couronne, qui convoqua de nouveau son témoin de la veille.

Tandis que le directeur général Gamache s'approchait de la barre des témoins, la juge Corriveau remarqua son air posé et son costume sur mesure qui, à la fin de la journée, risquait d'avoir moins fière allure.

On avait éteint la climatisation et déjà la pièce était étouffante.

Elle décela aussi, pendant qu'il prenait place, un très léger parfum de bois de santal.

L'odeur subtile l'accompagna un moment avant de se dissiper. La juge Corriveau tourna ensuite son attention vers l'accusée, qui observait le directeur général.

Ses yeux perçants semblaient lancer un appel. Destiné à Gamache.

C'était un regard intense. Dans la salle d'audience, seules deux personnes le voyaient. Elle-même et le directeur général.

Que demandait donc l'accusée? La clémence? Non, son sort n'était plus du ressort de Gamache.

L'accusée attendait quelque chose de la part du policier. En avait désespérément besoin.

Le pardon? Une fois de plus, ce n'était pas du ressort du directeur général.

À ce stade-ci, que pouvait donc offrir à l'accusée cet homme, qui l'avait lui-même arrêtée?

Seulement une chose, savait la juge Corriveau.

Son silence.

Il pouvait garder un secret.

Le regard de la juge Corriveau passa de l'accusée au directeur général. Elle se demanda s'ils avaient conclu un marché. Un pacte dont elle-même n'aurait pas été informée.

Une fois de plus, on projeta à l'écran la photo du *cobrador* campé dans le parc du village. Elle y resterait, jusqu'à la fin du procès.

La chose donnait l'impression de les observer, eux.

— Je vous rappelle que vous êtes toujours sous serment, monsieur le directeur général, dit-elle.

— Entendu, Votre Honneur.

— Bon, commença le procureur de la Couronne. Hier après-midi, avant l'ajournement, vous nous avez dit que vous en étiez venu à la conclusion qu'un habitant de votre village avait commis un crime si horrible que cette chose – l'homme montra du doigt le *cobrador* – avait été convoquée. De qui s'agissait-il, à votre avis ?

— Franchement, je n'en avais aucune idée.

— Je sais très bien que vous n'en saviez rien. Je vous ai demandé votre avis sur la question. Vous aviez des soupçons ?

— Objection ! lança l'avocat de la défense.

La juge Corriveau lui donna raison, mais à regret. Elle aurait aimé entendre la réponse.

— Une conscience morale ? fit Ruth.

Derrière elle, en cette misérable soirée de novembre, une pluie froide cinglait la fenêtre. Ni tout à fait liquide, ni tout à fait solide, elle glissait sur la vitre.

— C'est donc ça, poursuivit Ruth. Je me demande pour qui il est venu.

Elle les examina tour à tour, du fond d'un des fauteuils du salon des Gamache. Elle n'avait aucune chance de s'en extirper sans aide. C'est ainsi que ses voisins la préféraient : confortable et confinée.

Rose, perchée sur ses genoux, tournait la tête vers la personne qui parlait. À la façon d'un canard possédé.

— Qui a fait ça ? demanda Olivier, debout dans la porte entre la cuisine et le salon.

Il tenait une baguette à la main.

— Jacqueline, répondit Clara. Désolée. C'est tout ce qui restait. Elle ne s'est pas améliorée ?

De l'autre main, Olivier souleva le couteau à pain, dont les dents étaient tordues. Il se dirigea vers la porte de derrière et l'ouvrit pour lancer le bâton de pain dans la cour. Au moins, un castor pourrait s'en servir pour s'aiguiser les dents. En même temps, Olivier se dit qu'il resterait là jusqu'au jour où un archéologue du futur le découvrirait. Il deviendrait l'égal de Stonehenge. Un mystère.

Myrna se leva et, son verre de vin rouge à la main, se dirigea vers la fenêtre, d'où elle contempla le crépuscule.

— *Une paix supérieure à toutes les dignités terrestres*, cita-t-elle.

Puis elle se tourna pour faire face à la pièce.

— *Une calme et tranquille conscience.*

— Shakespeare, dit Reine-Marie. Mais pour la paix, il faudra repasser.

— Parce que nous n'en sommes pas encore là, dit Myrna. Cette chose est ici parce qu'un des villageois n'a pas la conscience tranquille.

— C'est seulement un homme avec un déguisement, dit Armand. Il joue un jeu psychologique avec quelqu'un.

— Mais pas nous, dit Gabri.

— Ah bon ? lança Ruth. Pas nous ? Nous sommes immunisés, peut-être ? Ta conscience est calme et tranquille ?

Gabri se tortilla.

— Qui a la conscience calme et tranquille, au fond ? demanda Ruth en les dévisageant tour à tour.

Son regard s'arrêta sur Armand.

À cet instant, celui-ci se retrouva devant la porte qu'il gardait fermée, au creux de sa mémoire.

Il allongea le bras. Sa main tremblait légèrement.

Il ouvrit.

La porte n'était pas verrouillée. Dieu sait pourtant que ce n'était pas faute d'avoir essayé. Elle s'ouvrait parfois toute seule, révélant ce qui se cachait derrière.

Rien à voir avec une honte fétide, sordide.

Devant lui se trouvait un jeune homme, à peine plus qu'un garçon. Souriant. Rempli d'espoir, de rires et d'une ambition modérée par la bonté. Mince, voire filiforme, de sorte que son uniforme de la Sûreté lui faisait comme un déguisement.

— Il finira par le remplir, avait dit l'inspecteur-chef Gamache à la mère du garçon lors d'une réception organisée en l'honneur des nouvelles recrues.

Sa prophétie ne s'était pas réalisée, bien sûr.

Le garçon était là, il souriait à Armand. Attendait les ordres de la journée. Avec une confiance aveugle.

Je vais te trouver. Tout ira bien.

La promesse n'avait pas été tenue, bien sûr.

« Va-t'en, aurait voulu dire Armand. Laisse-moi tranquille. Je regrette, mais ce qui est fait est fait. »

Ces mots, il ne les prononçait jamais. Et Armand Gamache savait que le jeune homme, s'il venait un jour à partir, lui manquerait. Pas la peine presque insupportable qu'il ressentait chaque fois que la porte s'ouvrait, évidemment, mais sa compagnie.

C'était un jeune homme unique.

Et Armand l'avait tué.

Une erreur involontaire. Une mauvaise décision prise durant une crise.

Rien de délibéré.

Mais quand même une erreur stupide. Évitable.

Si, en cet instant horrible, il avait tourné à droite plutôt qu'à gauche, le jeune homme serait en vie. Il serait marié. Sans doute avec des enfants, désormais.

Et que vos jours sur terre soient bons et longs.

Le vœu n'avait pas été exaucé, bien sûr.

La conscience d'Armand se dressa. Elle n'avait rien d'une chose sombre. C'était au contraire un jeune homme maigre qui ne l'avait jamais accusé de rien et se contentait de sourire.

Armand porta la main à sa tempe et suivit machinalement sa cicatrice. Telle la marque de Caïn.

Ruth, inclinant la tête, l'observait. Sachant, sans doute comme eux tous, à quoi il pensait en ce moment. À qui il pensait.

La vieille femme jeta un coup d'œil au verre de scotch qu'elle avait vidé, puis à Rose, comme si elle soupçonnait la cane d'en avoir sifflé le contenu.

Il y avait eu des précédents. Rose avait l'alcool mauvais. En réalité, elle avait un sale caractère, même sobre. Ruth se rendit compte qu'il était difficile de déterminer si un canard était ivre. Ou non.

— Il est peut-être là pour moi, dit Ruth. C'est plus vraisemblable, non ?

Elle sourit à Armand. Un peu comme le garçon lui avait souri. Il y avait de la tendresse dans ce sourire.

— Vous êtes au courant de certaines des choses que j'ai faites, dit-elle. Je les ai avouées et je me suis fait pardonner.

Clara se tourna vers Gabri et articula en silence :

— Pardonner ?

— Mais il y en a une que…

— Rien ne vous oblige à nous en parler, dit Reine-Marie en posant la main sur celle de Ruth.

— Et accepter que cette créature, poursuivit Ruth en brandissant son verre vide vers le parc, me suive jusqu'à la fin de mes jours ? Non, merci quand même.

— Vous croyez qu'elle est là pour vous ?

— Possible. Vous savez pourquoi nous nous sommes établis à Three Pines quand j'étais petite ?

— Ton père travaillait à la scierie, non ? fit Gabri.

— Oui. Mais vous savez pourquoi ? Il avait un bon emploi à Montréal. Canada Steamship Lines. Un travail qu'il adorait.

Ruth caressait Rose, qui penchait son cou élégant sous l'effet du plaisir ou de la stupeur éthylique.

La vieille poète prit une profonde inspiration, tel le plongeur de haut vol s'apprêtant à se lancer dans le vide.

— Je patinais sur la glace du mont Royal. On était fin mars. Ma mère m'avait interdit d'y aller, mais j'ai désobéi. Mon cousin m'accompagnait. Il ne voulait pas. Je l'ai forcé. Je suis une meneuse-née, que voulez-vous ?

Sans rien dire, les amis échangèrent des regards.

— Nous étions en retard pour le dîner et ma mère est venue à notre recherche. En nous voyant sur l'étang, elle a poussé un cri et je me suis dirigée vers le bord dans l'intention d'arriver la première et de tout mettre sur le dos de mon cousin. Je peux parfois être manipulatrice.

Nouveaux haussements de sourcils. Nouveau silence.

— Mon cousin ne l'avait pas encore vue et je pense que sa tuque avait étouffé le cri de ma mère. Sinon, c'était que j'étais particulièrement sensible à sa voix. Je l'entends encore.

La vieille femme inclina la tête. Tendit l'oreille.

— Vous devinez la suite, je suppose, dit-elle.

— Il est tombé sous la glace ? risqua doucement Reine-Marie.

— C'est moi qui suis tombée. La glace fond plus vite sur les bords. C'est quand on se croit en sécurité qu'on court les plus grands dangers. La glace s'est fendillée. Je me rappelle encore ce moment. J'étais comme en suspension. Je fixais ma mère, encore loin sur le sentier. Je me souviens de toutes les couleurs, de tous les arbres, du soleil sur la neige. De son expression. Puis je me suis retrouvée sous l'eau.

— Mon Dieu, Ruth, fit Gabri.

— L'eau était si froide qu'elle était chaude, vous comprenez ?

Elle balaya la pièce du regard. Ils avaient tous connu des journées à quarante sous zéro, le vent qui hurle, les joues qui brûlent dans le froid cinglant.

Mais être submergé dans une eau glacée qui vous ébouillante ?

— Que s'est-il passé ? demanda Gabri.

— Je suis morte, répondit-elle sèchement, soudainement ressuscitée. À quoi tu t'attendais, tête de nœud ?

— Que s'est-il passé, Ruth ? répéta Reine-Marie.

— Mon cousin s'est avancé pour m'aider et il est tombé à son tour. Ma mère n'a pu sauver qu'un de nous.

— Toi ? demanda Olivier en se préparant à encaisser une rebuffade caustique.

Qui ne vint jamais.

À la place, la vieille femme hocha la tête, les yeux perdus dans le lointain.

Elle prit une profonde inspiration.

— Elle ne m'a jamais pardonné. *Morte depuis longtemps et enterrée dans une autre ville, / ma mère n'en a pas encore fini avec moi*, fit-elle en citant un de ses propres poèmes. Je ne me suis jamais pardonné.

— Hélas, dit Armand.

Ruth hocha la tête. Rose hocha la tête.

— Nous avons dû venir ici. Loin des membres de la famille et des amis, qui m'en voulaient, lui en voulaient aussi à elle. D'avoir sauvé le mauvais enfant.

À côté, Olivier grogna et passa un bras autour des épaules osseuses de la vieille femme.

Ruth baissa la tête. Et s'efforça de mobiliser le courage de raconter la suite. Le dernier élément.

Elle fut incapable de parler. De la même façon qu'elle était incapable d'oublier.

— J'ai laissé tomber un ami parce qu'il m'avait avoué sa séropositivité, dit Gabri. J'étais jeune et effrayé.

— J'ai fait prescrire un médicament à une patiente, dit Myrna. Une jeune maman. Dépressive. Elle a mal réagi. Elle m'a téléphoné et je lui ai suggéré de venir me voir tôt le lendemain matin. Elle s'est tuée dans la nuit.

Clara lui prit la main.

— Je vous ai désobéi, dit Clara en regardant Armand, derrière Myrna. Ce jour-là, au village de pêcheurs, je suis partie vous chercher, Peter et vous. Vous m'aviez pourtant dit de ne pas le faire, et si je vous avais écouté…

Gabri lui prit la main.

— J'ai menti pour déposséder de vieilles personnes de leurs antiquités, dit Olivier. Je leur ai consenti une petite fraction de la valeur des objets. Je ne le fais plus. Mais ça m'est arrivé.

Il semblait étonné, comme s'il ne reconnaissait pas l'homme qu'il venait de décrire.

— On était au courant, mon beau, dit Ruth en lui tapotant la main. Tu es un trou de cul.

Olivier grogna en signe de quasi-amusement.

Une commotion, d'abord étouffée, s'éleva alors dans le parc du village. Des voix de plus en plus fortes. Puis des cris.

Les amis échangèrent des regards surpris. Armand avait bondi de son fauteuil. Ayant ouvert la porte, il constata de quoi il s'agissait.

Une foule s'était agglutinée dans le parc du village. Gamache ne vit que la tête du *cobrador*.

Il était encerclé.

Armand courut, suivi des autres, sauf Ruth, incapable de s'arracher du fauteuil.

— Vous n'allez tout de même pas me laisser ici !

Si, pourtant.

Et, une fois de plus, Ruth vit la main de sa mère dans l'eau glacée. Cherchant à tâtons. Désespérément. Avec effort.

Son cousin.

Mais c'est Ruth qui avait saisi la main tendue et jailli hors de l'eau. Non désirée.

Alors, celle qui reçoit le pardon et celle qui le donne se reverront-elles, / ou sera-t-il, comme toujours, trop tard ?

— Hélas, murmura-t-elle.

— Allez, viens, vieille chouette.

Clara, revenue sur ses pas, lui tendait la main. Ruth la fixa un moment avant de la saisir.

Et elle fut hissée vers la surface.

Elles coururent sur le sentier du parc du village.

9

— Espèce d'enculé! cria un villageois.

Debout au centre du cercle, il brandissait une barre de fer et semblait prêt à s'en servir.

— Arrêtez! cria Gamache qui, après s'être frayé un chemin dans la foule, s'immobilisa près de l'homme.

Il reconnut en lui un nouveau travailleur de la voirie employé par Billy Williams, mais il ignorait son nom.

L'homme n'entendit rien ou fit comme si, tant il était concentré sur sa cible. Le *cobrador*. Qui restait là. Sans bouger. Sans s'écarter. Sans reculer. Sans brandir les mains pour se défendre.

— Vas-y! hurla quelqu'un.

La foule s'était métamorphosée en gang déchaîné.

Armand était sorti de la maison sans chandail ni manteau. Il se tenait, sous le crachin froid, en bras de chemise. Autour du *cobrador* et de lui se trouvaient de jeunes parents. Des grands-parents. Des voisins. Des femmes et des hommes qu'il reconnaissait. Ces gens n'étaient ni des hooligans ni des fauteurs de troubles. Ils avaient toutefois été infectés par la peur. Déformés par elle.

Gamache s'approcha de l'homme par le flanc. Prudemment. Pénétra, petit à petit, dans la cloche de verre.

Il ne voulait surtout pas surprendre l'homme, le forcer à réagir. À se lancer sur le *cobrador*, si facile à atteindre.

— Fous le camp! cria l'homme au *cobrador*. Sinon, je te casse la gueule! Je le jure devant Dieu!

La foule l'encourageait et l'homme raffermit son emprise sur l'arme, qu'il leva un peu plus haut. C'était, constata Armand, un tisonnier.

L'objet, conçu pour déplacer des bûches dans l'âtre, avait un aspect menaçant. Il aurait facilement pu servir à tuer quelqu'un.

— Non, non, fit Gamache en s'avançant, d'un ton calme mais ferme. Ne faites pas ça.

Puis il perçut un mouvement du coin de l'œil. Quelqu'un d'autre fendait la foule.

C'était Léa Roux. Un instant plus tard, elle se campa entre l'homme et le *cobrador*.

L'agresseur, surpris, hésita.

Gamache se plaça promptement à côté de Léa, devant le *cobrador*.

L'homme brandit le tisonnier en l'agitant.

— Poussez-vous. Il n'a rien à faire ici.

— Pourquoi ? demanda Léa Roux. Il n'a rien fait de mal.

— Vous voulez rire ? lança un autre homme. Non mais regardez-le !

— Il terrorise mes enfants ! lança un troisième. Vous trouvez ça normal, vous ?

— À qui la faute ? répliqua Léa Roux en se tournant vers eux tous. Vous leur avez appris à avoir peur. Il n'a rien fait. Il est là depuis deux jours et aucun incident n'est survenu. Sauf ceci.

— Vous n'êtes même pas du village, riposta un homme. C'est chez nous, ici. Dégagez !

— Votre intention est de le battre à mort ? cria Léa en balayant la foule des yeux. Vous voulez que vos enfants jouent dans de l'herbe tachée de sang ?

— Mieux vaut le sien que le leur ! répliqua une femme, d'une voix qui manquait de force, de conviction.

— Dans ce cas, ils vont devoir jouer dans mon sang à moi aussi, dit Léa.

— Et dans le mien, ajouta Armand.

— Et dans le mien.

Une autre personne se détacha de la foule. C'était Anton, le plongeur. Visiblement effrayé, il prit place à côté d'Armand, face au gros homme armé du tisonnier.

Clara, Myrna, Gabri et Olivier se joignirent à eux. Ruth tendit Rose à un badaud et s'avança.

— On ne serait pas du mauvais bord, par hasard ? chuchota-t-elle à l'intention de Clara.

— Tais-toi et essaie d'avoir l'air résolu.

La vieille poète ne réussit qu'à avoir l'air dingue.

Armand fit un pas en avant et, la main tendue, réclama le tisonnier.

L'homme le brandit de nouveau.

Derrière lui, il entendit Reine-Marie murmurer :

— Armand.

Il resta là, la main devant lui. Fixant l'homme. Dont les yeux étaient rivés sur le *cobrador*.

Il baissa lentement son arme et Armand s'en saisit.

— S'il arrive quelque chose, vous serez le seul à blâmer ! cria une voix.

Le gang déchaîné, cependant, était redevenu une simple foule. Ses membres, bien que malheureux et insatisfaits, se laissèrent disperser facilement.

— Pas vous, lança Gamache en agrippant le bras de l'homme qui faisait mine de s'éloigner. Comment vous appelez-vous ?

— Paul Marchand.

— Eh bien, monsieur Marchand, commença Gamache en le palpant à la recherche d'autres armes, tandis qu'une voiture de la Sûreté s'engageait dans la côte du village, on peut dire que vous venez de vous compliquer la vie.

Armand sortit un petit sachet d'une des poches de Marchand. Il contenait deux comprimés.

Gamache les reconnut aussitôt.

— Où avez-vous trouvé ça ? demanda-t-il en brandissant l'objet.

— Ce sont mes médicaments.

— Du fentanyl.

— Absolument. Pour la douleur.

S'étant garés, des agents de la Sûreté traversaient prestement le parc.

Fonçaient vers le *cobrador*.

— De ce côté, fit Gamache. C'est pour celui-ci qu'on vous a appelés.

— Un instant, monsieur, répondit un agent en ignorant l'homme en bras de chemise, trempé par la pluie.

En matière de comportements bizarres, les agents de la Sûreté, dans le cas présent, avaient l'embarras du choix. À commencer par l'homme à la robe sombre et au masque.

— Non, j'insiste, dit Gamache d'un ton plus autoritaire.

Il faisait presque noir et les agents se tournèrent pour mieux voir à qui ils avaient affaire. Ils s'approchèrent, leur expression passant de l'exaspération à l'ahurissement.

— Merde, bredouilla l'un d'eux.

— Désolé, patron, dit le plus âgé des deux. Je ne vous avais pas reconnu.

— C'est excusable, dans les circonstances.

Gamache leur expliqua la situation.

— Qu'il passe la nuit au poste. Ayez-le à l'œil. Je ne sais pas s'il a pris un de ces comprimés, ajouta-t-il en tendant le sachet. Envoyez-les au labo.

Gamache regarda les agents emmener Marchand. Quelque chose l'avait fait disjoncter et Gamache se demanda si le sachet renfermait moins de comprimés qu'en début de soirée.

Ruth, avec Rose dans les bras, se tourna vers le *cobrador* et lui dit :

— Tu veux bien me laisser tranquille, maintenant ?

Avec les autres, elle retourna chez les Gamache en sachant très bien que la chose n'en ferait rien.

Avant de leur emboîter le pas, Armand, frissonnant dans le froid, s'avança vers le *cobrador* et lui dit quelques mots.

— Que lui as-tu dit ? demanda Reine-Marie, pendant qu'Armand enfilait des vêtements secs.

— Que je savais qu'il était un *cobrador*, une conscience morale. Je lui ai demandé pour qui il était venu.

— Qu'a-t-il répondu ?

— Rien.

— Une calme et tranquille conscience, dit-elle.

— Je lui ai aussi suggéré de quitter Three Pines. J'ai dit que ça suffisait. Que c'était allé trop loin. Que le village était habité par de bonnes personnes, mortes de peur. Et que la peur fait faire des choses terribles à des gens par ailleurs très corrects. Je lui ai demandé s'il souhaitait avoir de tels actes sur la conscience.

— Il ne va pas s'en aller, dit Reine-Marie.

— Non, acquiesça son mari. Il n'a pas terminé.

Il regarda par la fenêtre. Dans l'obscurité, le *cobrador* aurait pu passer pour un pin de plus. Un quatrième arbre. Un élément de leur vie, désormais permanent, dont les racines plongeaient au creux de leur petite collectivité.

Puis Gamache suivit le regard du *cobrador*. L'endroit qu'il avait gardé dans sa mire, sans sourciller, même quand on avait menacé de le rouer de coups. Peut-être même de le tuer.

Là, encadrée dans une fenêtre à meneaux, se découpait l'une des rares personnes à ne pas avoir foncé dans le parc du village. Pour défendre ou attaquer le *cobrador*.

Se détournant ensuite, Jacqueline se remit à son pétrissage.

10

— Vous lui avez ordonné de partir. C'est donc que vous vous doutiez du dénouement, dit le procureur de la Couronne. Il y avait même eu menace de mort.

— L'homme était furieux et il avait été provoqué, répondit le directeur général Gamache. Dans ces conditions, il nous arrive à tous de tenir des propos que nous regrettons.

— De la même façon qu'il arrive à certaines personnes de faire des choses qu'elles regrettent, répliqua le procureur. Mais ce qui est fait reste fait. Il aurait pu s'agir d'un homicide involontaire plutôt que d'un meurtre, mais un homme n'en aurait pas moins perdu la vie. Votre passage à la tête de la section des homicides vous l'aura sans doute appris.

— Oui, admit Gamache.

— Malgré tout, vous n'avez rien fait. Que vous fallait-il de plus ? Qu'attendiez-vous, au juste ?

Gamache étudia le visage du procureur, puis la foule qui encombrait la petite salle d'audience étouffante. Conscient de l'impression laissée par ces paroles. Conscient de l'impression qu'elles auraient sans doute produite sur lui.

Il n'aurait rien pu faire qui soit conforme à la loi. Ni même efficace.

Les événements de cette soirée de novembre prouvaient l'efficacité de la démarche du *cobrador*.

Le directeur général Gamache doutait que Marchand soit l'instigateur. Relativement nouveau au village, il n'avait rien eu à se reprocher jusque-là. Tout indiquait que quelqu'un avait approché l'homme. Lui avait suggéré, directement ou à force de manipulations, de s'en prendre au *cobrador*.

Gamache doutait que la mort de la Conscience ait été l'objectif poursuivi. Plus vraisemblablement, on avait voulu l'effrayer, la pousser à déguerpir. Après tout, qui aurait pu résister à la menace d'un tisonnier brandi par un fou furieux ?

Malgré le cliché, les morts ne sont pas silencieux. Ils racontent toutes sortes d'histoires. Tué, le *cobrador* aurait été démasqué, son identité révélée. Sans doute aurait-on compris pourquoi il était venu.

S'il s'était enfui, par contre, on n'aurait jamais su qui il était ni ce qu'il était venu faire à Three Pines.

Ni, surtout, pour qui il était là.

Gamache, toutefois, commençait à comprendre les raisons. Grâce à un minuscule sachet en plastique.

La peste.

Le plan avait échoué. La Conscience était restée sur place. Elle n'avait même pas bronché. Avait risqué la mort, tant sa cause lui tenait à cœur.

La Conscience savait quelque chose à propos du village. Et un de ses habitants était vivement secoué.

Pendant le procès, toutefois, pas un mot à ce sujet. Le procureur de la Couronne ne posait pas de questions et Armand Gamache ne fournissait aucune information de son propre chef.

— Maître Zalmanowitz, lança la juge au procureur, qui s'avança. M. Gamache n'est accusé de rien. Je vous prierais de bien vouloir mesurer vos propos.

— Oui, Votre Honneur.

Néanmoins, son expression montrait clairement que, à son avis, Gamache aurait dû être au banc des accusés plutôt que témoin de la Couronne.

Derrière la table de Zalmanowitz, les journalistes prenaient frénétiquement des notes.

Il existait, ainsi que la juge Corriveau le savait très bien, de multiples façons de subir un procès. Et différents types de tribunaux.

Le directeur général Gamache serait déclaré coupable.

Elle se tourna de nouveau vers le procureur de la Couronne. Ce crétin.

La juge Corriveau ne tentait même plus de réprimer ses pensées intimes. Elle s'efforçait cependant de ne pas les laisser transparaître dans ses interventions.

Là résidait le risque d'une annulation de procès. Dans cette éventualité, l'affaire aboutirait devant une instance supérieure.

— Qu'avez-vous pensé en voyant Léa Roux se porter à la défense du *cobrador*? demanda le procureur.

— Comment ne pas être étonné de voir quelqu'un s'interposer entre un homme brandissant un tisonnier et sa cible? Peu importe de qui il s'agit.

— Et pourtant, c'est ce que vous entendiez faire vous-même.

— J'ai été formé pour ce travail.

— Tiens, c'est vrai, j'oublie toujours.

La remarque provoqua une salve de rires entendus et un coup de marteau de la part de la juge Corriveau, qui aurait préféré taper sur la tête du procureur de la Couronne.

— Je connaissais Mme Roux, continua Gamache. Son ascension politique. Il s'agit d'une arène féroce, en particulier au Québec.

— Avez-vous cru à un truc publicitaire? À une forme d'opportunisme politique?

— Dans cette hypothèse, elle se serait plutôt rangée du côté de la foule en colère, non? Pour qui souhaite se faire élire, rien de mieux que la vindicte populaire. Si tel était son but, je doute qu'elle eût pris la défense de l'étranger, de l'intrus.

La repartie cloua le bec du procureur et Gamache entendit un petit gloussement au-dessus de lui, sur sa gauche.

— J'ai commencé par dire que je connaissais Mme Roux de réputation. En raison du poste que j'occupe, j'ai de fréquents contacts avec de hauts responsables du gouvernement, qu'ils soient élus ou nommés. On entend toutes sortes de rumeurs dans les couloirs de l'Assemblée nationale, dans les discussions qui précèdent le début des travaux des comités. Léa Roux avait la réputation d'être une femme redoutable, mais dotée de forts principes moraux. C'est un puissant amalgame. À l'Assemblée nationale, elle a présenté de nombreux projets de loi progressistes, souvent malgré l'opposition de son chef.

— Vous pensez donc qu'elle aurait fait passer ses principes avant sa carrière ?

— À première vue, oui.

Pourtant, les années de Gamache à la tête de la section des homicides lui avaient appris autre chose : les apparences sont souvent trompeuses.

— Vous avez été très courageuse, dit Clara quand ils furent enfin de retour chez les Gamache.

— Efficace, en tout cas, répliqua Léa Roux. Je n'arrive pas à y croire.

Elle avait les yeux exorbités et le visage brûlant, malgré le froid qu'elle venait d'affronter.

Reine-Marie avait invité Léa et Matheo à souper avec eux.

Après sa confrontation avec la foule en colère, Léa était grisée. Dopée à l'adrénaline. Sensation que Gamache connaissait très bien.

Le cœur qui bat à se rompre. Les efforts déployés pour maîtriser la frayeur. Rester sur ses positions. Le corps tendu, l'esprit bouillonnant.

Puis tout s'arrête. L'adrénaline, cependant, continue d'irriguer le corps, telle une drogue. Ils ressentaient tous les effets de ce phénomène, en cet instant, mais pas autant que Léa. La première à réagir.

— Dommage que Patrick et Katie ne puissent pas se joindre à nous, dit Reine-Marie en entraînant ses invités dans la cuisine. Je les ai vus partir en voiture, un peu plus tôt.

— Ils soupent au Relais de Knowlton, expliqua Léa. Soirée steak frites. Ils ont raté les réjouissances.

— Je ne crois pas que, dans les circonstances, Patrick aurait été d'un grand secours, dit Matheo. Toi ?

« C'était peut-être la vérité », estima Gamache, à qui la timidité de Patrick n'avait pas échappé.

Mais était-il nécessaire de médire d'un ami ? Peut-être aussi Patrick n'était-il pas un véritable ami. Ou ne l'était plus. Cette fois-ci, ils semblaient passer moins de temps ensemble qu'à l'occasion de leurs séjours précédents.

— Ça m'a l'air délicieux, dit Reine-Marie en servant le ragoût apporté par Olivier. Merci.

— De rien.

— Allez, crache le morceau, lança Gabri en s'emparant d'un des petits pains chauds qui remplaçaient la baguette. Ce n'est pas lui qui l'a préparé. C'est l'œuvre d'Anton.

— Le plongeur ? s'étonna Matheo en toisant le plat avec méfiance.

Le poulet était tendre, délicatement assaisonné. Le ragoût complexe. À la fois familier et exotique.

— Des produits qu'il cueille dans la forêt, expliqua Myrna. La nouvelle cuisine du Québec.

— Le plongeur ? répéta Matheo.

— Nous devons tous commencer quelque part, répliqua Myrna.

— Depuis combien de temps est-il là ? demanda Léa. Je ne me souviens pas de l'avoir vu la dernière fois.

— Dieu sait pourtant qu'il est difficile à oublier, dit Clara en songeant au jeune homme au corps souple, aux cheveux flottants et au sourire facile.

— Il est arrivé il y a environ deux mois, répondit Gabri. Jacqueline et lui travaillaient dans une résidence quelconque et ils ont perdu leur emploi en même temps.

— Vous voulez parler d'une résidence pour personnes âgées ? demanda Léa.

— Non, répondit Olivier. D'une résidence privée. Elle était la bonne d'enfants et lui le chef.

— Sacrée résidence, déclara Matheo.

— Vous aimez votre nouvel emploi, Armand ? demanda cette fois Léa.

— « Aimer » n'est peut-être pas le bon mot, dit Armand. J'essaie de ne pas me laisser dépasser par les événements. À mon tour de vous poser une question. Après votre élection, il y a plus ou moins deux ans, vous avez défendu un projet de loi auquel, si mes souvenirs sont bons, vous teniez beaucoup.

— C'est exact. La plupart des nouveaux élus ont des projets de loi auxquels ils sont très attachés. Et la plupart de ces projets sont battus.

— Le vôtre l'a été ? demanda Clara.

— Oui. Il visait à mettre un terme à l'encombrement des salles d'urgence.

— En fait, il concernait la lutte contre la drogue, dit Armand.

— Tiens, c'est vrai.

— J'ai lu le projet de loi avec soin, dit Armand. À l'époque, je dirigeais la section des homicides et, au Québec, un pourcentage très élevé des crimes et des meurtres est lié à la drogue.

— Qu'en avez-vous pensé ? demanda Léa.

— Il proposait des solutions créatives à un problème qui semble insoluble.

— Pourquoi n'a-t-il pas été adopté, alors ? demanda Gabri.

— Pour un certain nombre de raisons, dit Gamache.

Des officiers de la Sûreté qui acceptaient des pots-de-vin. La corruption au sein du gouvernement. Les cartels, de plus en plus puissants, qui dictaient l'ordre du jour.

Jamais il n'aurait tenu de tels propos devant ces gens. En revanche, il était prêt à aborder une des raisons.

— C'est peut-être sans importance, mais je crois me souvenir que le projet de loi était nommé d'après quelqu'un. J'oublie qui.

— Édouard, dit Léa. En quoi était-ce un problème ?

— On a pu croire qu'il s'agissait d'une croisade personnelle menée par une députée ambitieuse et non d'une solution globale à un grave problème de société.

— Plein de projets de loi portent le nom de quelqu'un, pourtant, rappela Clara.

— Absolument. Mais ceux qui sont adoptés bénéficient déjà de vastes appuis populaires. Leurs parrains ont fait le travail sur le terrain. Ils ont obtenu l'adhésion des médias, du public et de leurs collègues politiciens. Mais pas vous, dit-il en se tournant vers Léa.

— C'est vrai. Si la politique est un art, je faisais de la peinture au doigt.

— Qui était donc cet Édouard ? demanda Reine-Marie.

— Notre camarade de chambre à l'Université de Montréal, répondit Matheo.

— Nous étions amis, ajouta Léa. Il faisait partie de la bande.

— C'est un peu en dessous de la vérité, non ? fit Matheo.

Dans la faible lueur des chandelles, ils la virent rougir.

— Disons que j'avais un léger béguin pour lui, avoua Léa. C'était vrai pour nous tous. Même toi, si je ne m'abuse.

Matheo rit et se fendit d'un large sourire.

— Il était très séduisant.

— Que lui est-il arrivé ? demanda Myrna.

— Vous vous en doutez, non ? fit Matheo.

Le silence se fit.

— Il devait être jeune, dit enfin Clara.

— Il n'avait même pas vingt ans, confirma Léa. Il a sauté du haut du toit de la résidence étudiante. Quinze étages. Dopé à mort. C'était il y a longtemps.

— Pas si longtemps que ça, dit Matheo. Nous avons tous été très fiers quand le premier geste de Léa comme élue a été de présenter le projet de loi Édouard.

— Un échec.

— Au moins, vous avez tenté le coup, dit Gamache. Maintenant, vous en savez beaucoup plus sur la procédure parlementaire. Avez-vous songé à revenir à la charge ? Nous pourrions peut-être élaborer un projet de loi plus efficace.

— Volontiers, dit Léa.

Gamache attendit, puis se rassit. Perdu dans ses réflexions.

Léa Roux s'était montrée polie, même si, de toute évidence, elle n'avait aucune envie de collaborer avec le directeur général de la Sûreté pour mettre un terme au trafic de stupéfiants.

« Pourquoi cela ? » se demanda-t-il. Comment avait-elle pu oublier que son tout premier projet de loi, sa priorité, concernait Édouard ?

Les apparences, une fois de plus. La chose au centre du parc du village, par exemple. La vérité se cachait sous les apparences comme elle sous sa robe noire.

11

Au matin, la chose avait disparu.

Armand se trouvait sur le perron, avec son manteau, son chapeau et ses gants. Henri et la petite Gracie en laisse. Même si, de leur point de vue, c'était eux qui tenaient Armand en laisse.

Ils contemplèrent tous trois le village, enveloppé dans un brouillard matinal.

Armand balaya les environs des yeux. Les maisons, les jardins, les routes de terre qui convergeaient vers Three Pines, indiquant les points cardinaux.

Aucun mouvement. On entendait des chants d'oiseaux et quelques geais bleus s'étaient perchés sur le dossier du banc du parc.

— Allez, lança-t-il en détachant les chiens.

Henri et Gracie dévalèrent les marches et l'allée, coururent sur la route déserte qui menait au parc et se pourchassèrent autour des trois hauts pins.

Gracie courait en bondissant, un peu à la façon d'un lièvre.

« Elle n'est tout de même pas... », songea Armand en l'observant.

Certes, ses pattes arrière étaient plus grandes que ses pattes avant. Et ses oreilles s'allongeaient sans cesse.

Bref, la nature de Gracie restait un mystère. Une chose, en revanche, ne faisait aucun doute.

Peu importe ce qu'elle était, elle était à eux.

Sur la gauche, un léger mouvement attira l'attention d'Armand, qui se tourna de ce côté. Là, d'une fenêtre à l'étage, une grande silhouette vêtue d'une robe baissait les yeux sur lui.

Absolument concentré, Armand la fixa, le regard perçant. Le corps tendu.

Mais quand la silhouette, reculant d'un pas, entra dans la lumière, il constata qu'il s'agissait de Myrna.

Elle agita la main et, une minute plus tard, sortit avec un manteau en laine, une tuque à pompon rose vif et la plus grande tasse de café qu'il ait vue de sa vie. Un seau, en réalité.

— Notre ami est parti, dit-elle au milieu des bruits de succion que ses bottes en caoutchouc faisaient en s'extirpant de la vase, à chacun de ses pas.

— En effet.

— J'imagine que Paul Marchand lui a flanqué la trouille, en fin de compte.

— Je suppose que oui.

Il était soulagé. Et en même temps curieux. Pendant qu'ils arpentaient lentement le parc du village, il se demanda s'ils sauraient un jour ce qui avait motivé le *cobrador* à débarquer chez eux. Et pourquoi il avait disparu.

Le village tout entier semblait plus léger, plus gai. Le soleil tentait vaillamment de percer la brume froide.

Ils s'étaient presque habitués à le voir dans le parc, de la même façon qu'on s'habitue à l'odeur du fumier fraîchement épandu dans les champs. C'était nécessaire. Peut-être même bon. Mais pas agréable pour autant.

Et voilà que le *cobrador*, la Conscience, s'était volatilisé. La grande accusation qui pesait sur eux, au centre du village, avait été levée. Et leur petit village leur avait été rendu.

À côté de lui, Myrna prenait de longues et profondes inspirations, puis exhalait. Des bouffées de vapeur tiède montaient dans l'air frais matinal.

Armand sourit. Il éprouvait la même sensation. Celle d'être détendu pour la première fois depuis des jours.

— Vous pensez qu'il a eu ce qu'il était venu chercher? demanda-t-elle.

— Sûrement. Pourquoi serait-il parti, sinon ? J'imagine mal ce qui aurait pu le pousser à lever le camp brusquement, lui qui avait été prêt à risquer les coups de M. Marchand.

— Je me demande à quoi peut bien ressembler une réussite, pour un *cobrador*.

— Je me suis posé la même question, dit Armand. Pour le moderne, celui au haut-de-forme, c'est le remboursement de la dette. Il s'agit d'une opération financière. Cette dette-ci est d'une tout autre nature.

Myrna hocha la tête.

— Bon, d'accord. Ce que je veux vraiment savoir, c'est pour qui il est venu et ce que cette personne a fait. Ça me gêne, mais…

— Voilà qui est tout à fait contre nature, dit-il en souriant.

— Comment ? Vous aussi ?

— Un brin de curiosité, peut-être.

Ils marchèrent un moment en silence.

— Ce n'est pas une simple question de curiosité, Armand. Il y a autre chose. La Conscience est partie.

— C'est donc dire qu'il reste ici quelqu'un qui n'en a pas. Possible, en effet.

Ni l'un ni l'autre ne semblaient disposer à pousser plus loin. Ils souhaitaient tout simplement profiter de ce moment. De cette matinée de novembre particulièrement frisquette, avec la fumée des feux de bois dans l'air. Avec la douceur du soleil et la brume fraîche mêlées à l'odeur musquée et boueuse de la terre et au parfum suave des pins.

— *Et les enfants dans le pommier*, récita Myrna en regardant Henri et Gracie jouer parmi les pins, […] *perçus, à demi perçus dans le silence.*

— Hum, fit Armand.

Loin d'être irritants, les bruits de succion qu'elle faisait en marchant à côté de lui marquaient la cadence. À la façon d'un métronome apaisant.

— T. S. Eliot.

De plus en plus d'oiseaux réinvestissaient le parc. À présent, Henri et Gracie se roulaient dans l'herbe, la queue du petit animal frétillant furieusement, ses pattes minuscules faisant semblant de repousser son compagnon.

— « Little Gidding », confirma Myrna.

Armand mit un moment à comprendre qu'il s'agissait du titre du poème et non d'un commentaire sur les chiens.

— J'y suis allé, vous savez, dit-il.

— À Little Gidding ? demanda Myrna. C'est un lieu qui existe pour de vrai ? J'étais certaine qu'Eliot l'avait inventé de toutes pièces.

— Non. Ce n'est pas très loin de Cambridge. Hum…, répéta-t-il en souriant.

— Quoi ?

— Environ vingt-cinq personnes y vivent, dit-il. Bref, c'est un peu comme ici.

Ils firent quelques pas de plus dans le monde de la douceur.

Et toute chose sera bien / toute manière de chose sera bien, cita-t-il à son tour.

— Vous y croyez ? demanda Myrna.

Le poème, savait-elle, avait trait à la découverte de la paix et de la simplicité.

— Oui, répondit Armand.

— C'est Julienne de Norwich qui l'a dit en premier, vous savez, enchaîna Myrna. *Et toute chose sera bien, et toute chose sera bien, et toute manière de chose sera bien.*

Ses bottes en caoutchouc scandaient toujours le rythme apaisant, fusionnant mots et monde.

— J'y crois aussi, dit-elle. Difficile de faire autrement par une aussi belle journée.

— L'exploit, c'est d'y croire encore dans la tempête, dit Armand.

Et, se souvint Myrna, le poème, s'il y était question de trouver la paix, intervenait après une déflagration. Un ignoble nettoyage.

« Dans "Little Gidding", il y a aussi un roi brisé », songea-t-elle. Levant les yeux sur son compagnon, elle se rappela leur conversation de la veille. À propos de la conscience.

Ils avaient un roi brisé. En fait, ils étaient tous brisés.

— À mon avis, les habitants de ce village pensent que toute chose sera bien, disait Armand. C'est pour cette raison que nous sommes ici. Nous avons tous chuté. Puis nous sommes venus ici.

À l'entendre, on aurait dit un enchaînement simple, raisonnable et logique d'événements magiques.

— *Ashes, ashes*, chantonna Myrna tout bas, *we all fall down.*

Gamache sourit.

— Mes petites-filles ont joué à ce jeu la dernière fois qu'elles sont venues. Juste ici.

Il montrait le parc du village. Et l'endroit précis où s'était tenu le *cobrador*.

En pensée, il vit Florence et sa sœur Zora danser en cercle en se tenant par la main, elles et les autres enfants du village, en psalmodiant ce vieux refrain folklorique. Ces rimes anciennes avaient quelque chose d'innocent, mais aussi de troublant.

Il vit les enfants rire. Et tomber sur le sol. Y rester étendus. Immobiles.

La scène lui avait semblé à la fois amusante et bouleversante. Voir ces deux petites qu'il aimait tant étendues par terre, comme mortes, dans le parc du village. Reine-Marie avait expliqué que le chant folklorique, vieux de plusieurs siècles, était né au temps de la Mort noire. La peste.

— Qu'y a-t-il ? demanda Myrna en scrutant son visage.

— Je pensais au *cobrador*.

Ce n'était pas tout à fait la vérité. Il songeait au petit sachet en plastique qu'il avait trouvé dans l'une des poches de Marchand.

Maintenant que le *cobrador* était parti, il irait travailler et téléphonerait au laboratoire pour savoir ce qu'il contenait. Même s'il le savait déjà.

Du fentanyl. La peste.

« *Cendres, cendres*, songea-t-il. *Nous tombons tous.* »

— Toute manière de chose sera bien, dit-elle pour le rassurer.

— Eh bien, eh bien, lança derrière eux une voix familière.

En se retournant, ils virent Ruth et Rose qui, en se dandinant, descendaient de la minuscule église Saint-Thomas, perchée là-haut sur la colline.

— Vous êtes matinale, dit Armand à la vieille poète lorsqu'elle fut à leur hauteur.

— Je ne dors pas beaucoup.

Armand et Myrna échangèrent un regard. Selon leur expérience, Ruth dormait – ou gisait sans connaissance – la plupart du temps. Se réveillait environ une fois par heure pour proférer des insultes avant de se rendormir. Le coucou du village.

— J'ai été à Saint-Thomas chercher un peu de calme et de tranquillité.

Une fois de plus, Armand et Myrna se consultèrent du regard en se demandant quel raffut dans sa maison – ou plus vraisemblablement dans sa tête – l'obligeait à trouver un refuge.

— Il était parti quand vous êtes sortie ? demanda Armand.

— Qui ça ?

— À ton avis ? lança Myrna.

— Vous voulez parler du toréador ?

— Oui, répondit Myrna.

Se doutant bien que Ruth savait parfaitement qu'aucun torero n'avait investi le village, elle jugea inutile de la corriger.

Dieu savait pourtant qu'ils auraient eu besoin d'aide pour prendre le problème par les cornes.

— Il était parti, dit Ruth. Mais Michel s'est attardé. Une vraie peste.

— L'archange ? demanda Armand.

— Qui d'autre ? Ce qu'il peut être bavard, celui-là ! Dieu par-ci, Dieu par-là. Je suis donc montée à la chapelle pour échapper à tout ça.

— Pour échapper à Dieu ? répéta Myrna en fixant la femme à la mise débraillée. Qu'as-tu fait là-haut ?

— J'ai prié.

— Crié comme un oiseau de proie, tu veux dire ? dit Myrna en lançant à Gamache un regard entendu.

Armand pinça les lèvres pour réprimer un sourire.

— Vous avez prié pour quoi ? demanda-t-il à la vieille poète.

— Eh bien, je prie d'abord pour que ceux qui me font chier connaissent une fin horrible. Ensuite pour la paix dans le monde. Et enfin pour Lucifer.

— Tu as bien dit « Lucifer » ? demanda Myrna.

— Ça t'étonne ? lança Ruth en les regardant tour à tour. Qui, plus que lui, a besoin de prières ?

— Je peux penser à des candidats plus méritants, rétorqua Myrna.

— Qui es-tu pour en juger ? fit Ruth non sans douceur.

Myrna, pourtant, craignait d'être ajoutée à la liste de prières de Ruth.

— Le plus grand pécheur d'entre tous. L'âme la plus déchue. L'ange qui, non content de retomber sur la terre, est passé au travers.

— Tu pries aussi pour Satan ? demanda Myrna qui, n'en revenant toujours pas, implorait l'aide d'Armand.

Celui-ci se contenta de hausser les épaules comme pour dire : « Débrouillez-vous. »

— Tête de nœud, bredouilla Myrna.

Puis une idée lui vint.

— Tu pries pour lui ou tu le pries, lui ?

— Pour lui. Pour lui. Pour lui. Seigneur ! Et c'est moi qu'on traite de démente. Il a été le meilleur ami de Michel. Jusqu'au jour où il a eu des ennuis.

— Par « ennuis », tu veux parler de la guerre céleste au cours de laquelle il a tenté de renverser Dieu ? demanda Myrna.

— Tiens, tu la connais, l'histoire ?

— Elle a fait l'objet du film de la semaine.

— Nul n'est parfait, dit Ruth. Nous commettons tous des erreurs.

— Celle-ci est plus importante que la moyenne, dit Myrna. D'autant que Lucifer ne semble pas particulièrement repentant.

— C'est une raison suffisante pour ne pas lui pardonner? répliqua Ruth, qui semblait sincèrement décontenancée par la question.

Elle resta un moment perdue dans ses pensées.

— Selon Michel, Lucifer était le plus beau et le plus brillant d'entre eux. On le surnommait «fils de l'aurore». Il était lumineux.

Ruth regarda les maisons, les jardins et la forêt qui l'entouraient. Le brouillard qui embaumait et le soleil qui s'efforçait tant bien que mal de s'imposer.

— Ange stupide, vraiment stupide, dit-elle avant de se tourner vers eux. En général, on considère la conscience comme un atout, mais laissez-moi vous poser une question: combien d'actes horribles sont commis au nom de la conscience? Elle justifie les actions les plus répréhensibles.

— C'est ton ami Lucifer qui te l'a dit? demanda Myrna.

— Non, c'est venu de l'archange Michel. Après, il m'a demandé de prier pour le plus grand pécheur d'entre tous.

— Dépourvu de conscience, souligna Myrna.

— Ou dont la conscience est déformée. La conscience n'est pas nécessairement une bonne chose. Combien de gais sont battus, combien de cliniques d'avortement sont dynamitées, combien de Noirs sont lynchés et combien de Juifs sont assassinés par des personnes qui obéissent à leur conscience?

— Et vous croyez que, dans le cas qui nous occupe, nous avons affaire à une conscience égarée? demanda Armand.

— Comment voulez-vous que je le sache? Je suis une vieille folle qui prie pour Satan et qui a un canard comme animal de compagnie. M'écouter, ce serait de la folie. Viens, Rose, c'est l'heure du déjeuner.

Elles se dirigèrent vers la maison des Gamache en boitant et en se dandinant.

— La conscience nous guide! lança Myrna dans le sillage de Ruth. Elle nous pousse à faire le bien. À être braves. À faire preuve d'altruisme et de courage. À résister aux tyrans, coûte que coûte.

Ruth s'arrêta et pivota sur les talons pour leur faire face.

— Autant dire qu'elle est lumineuse, dit-elle sur les marches du perron en soutenant leur regard. Il arrive parfois que toute chose ne soit pas bien.

12

La Conscience enfin partie, le directeur général Gamache jugea qu'il pouvait sans crainte reprendre le travail à Montréal. Après avoir fait le trajet dans le persistant brouillard de novembre, il arriva au quartier général de la Sûreté et amorça sa journée, s'absorba dans la paperasserie et les rencontres qu'il avait différées pendant l'occupation du parc du village par le *cobrador*.

Il dîna avec la nouvelle directrice de la section des crimes majeurs dans un bistro du Vieux-Montréal. Au-dessus de soupes du jour et de sandwichs grillés, ils discutèrent du crime organisé, des cartels, des stupéfiants, du blanchiment d'argent, des menaces terroristes et des bandes de motards.

Autant de phénomènes en croissance.

Gamache repoussa son assiette et commanda un expresso, tandis que Toussaint terminait son sandwich cubain grillé.

— Il nous faut plus de ressources, patron, dit-elle.

— Non. Nous devons mieux utiliser celles dont nous disposons.

— Nous faisons déjà l'impossible, dit-elle en se penchant vers le directeur général. La tâche paraît insurmontable.

— Vous êtes nouvelle…

— Je fais partie de la section des crimes majeurs depuis quinze ans.

— Mais être aux commandes, c'est différent, non ?

Elle posa son sandwich, s'essuya les mains et hocha la tête.

— On vous a confié d'énormes responsabilités. Mais il s'agit aussi pour vous d'une occasion rêvée, dit le directeur général. Vous devez réinventer votre service de fond en comble. L'organiser, le définir, y imprimer votre marque. Débarrassez-vous des idées anciennes et recommencez à neuf. Je vous ai choisie parce que vous avez tenu tête à la corruption et que vous en avez payé le prix.

Madeleine Toussaint hocha de nouveau la tête. Elle s'apprêtait à quitter la Sûreté lorsque Armand Gamache, lui tendant la main, l'avait ramenée dans le giron de la force.

Elle n'était pas sûre d'avoir envie de le remercier.

Quantités d'yeux étaient rivés sur elle.

La première femme à la tête de la section des crimes majeurs. La première personne d'origine haïtienne aux commandes d'un service de la Sûreté.

C'était, lui avait clairement exposé son mari, un mandat impossible. Elle s'embarquait à bord d'un bateau rempli de merde, sur le point de sombrer dans un océan de pisse.

Et elle venait tout juste d'être promue capitaine.

— On t'a choisie parce que tu es noire, avait ajouté son mari. On te sacrifiera à la première occasion. Si tu échoues, pas de problème. Tu feras leur sale boulot, tu nettoieras leur maison, comme les Haïtiens le font depuis des décennies. Et tu sais ce que tu vas recevoir en contrepartie ?

— Non, quoi ? demanda-t-elle, même si elle se doutait de la suite.

— Encore plus de merde. Tu vas être dans leur merde jusqu'au cou, le bouc émissaire, l'agneau sacrificiel…

— Tous ces animaux de ferme, André. Aurais-tu quelque chose à me confesser, par hasard ?

Il s'était alors mis en colère. C'était fréquent, chez lui. Il n'était ni agressif ni violent. Mais c'était un homme noir de trente-neuf ans. Il avait été si souvent interpellé par des policiers qu'il avait cessé de compter. Il y a très longtemps, Madeleine et lui avaient appris à leur fils, maintenant âgé de quatorze ans, comment réagir quand des policiers l'arrêteraient. Le harcèleraient. Le cibleraient. Le bousculeraient et le provoqueraient.

« Ne réagis pas. Bouge lentement. Laisse-leur voir tes mains. Sois poli et fais ce qu'on te dit. Ne réagis pas. »

André avait droit à sa colère, à son cynisme.

Elle avait elle-même souvent été fâchée, voire furieuse. Elle avait décidé de tenter le coup encore une fois, et on lui avait accordé une dernière chance.

— Tu as peut-être raison, dit-elle. Mais il faut que j'essaie.

— Il est comme les autres, ce Gamache. Attends. Quand la merde va voler dans tous les sens, il va se pousser et c'est toi qui prendras tout en plein visage. Il t'a d'ailleurs nommée pour ça.

— Il m'a nommée parce que je fais très bien mon travail, répliqua-t-elle en se fâchant à son tour. Si tu n'es pas de cet avis, nous allons devoir discuter d'autre chose, toi et moi.

Elle le foudroyait du regard, d'autant plus excédée qu'il était peut-être dans le vrai.

Et voilà qu'elle se trouvait en compagnie du directeur général Gamache, assise devant une petite table en bois avec, tout autour, les rires et les bavardages des autres clients.

Il lui demandait essentiellement de construire le bateau au milieu de l'océan. Le bateau plein de merde prenait la pisse de partout. Et elle devait non seulement le rafistoler, mais aussi en repenser la conception ?

Madeleine Toussaint scruta le visage usé de l'homme assis en face d'elle. Si c'était tout ce qu'elle voyait, elle en serait venue à la conclusion qu'il était fini, et tous ceux qui le suivaient, condamnés. Cependant, les rides qui essaimaient à partir de ses yeux et de sa bouche étaient le produit du rire plus que de la lassitude. Et les yeux brun foncé étaient non seulement intelligents, mais aussi réfléchis.

Et bons.

Et résolus.

Loin d'être fini, cet homme était à son apogée. Il avait plongé la main dans la fange pour la hisser, elle, vers la surface. Et il lui avait confié des pouvoirs inimaginables. Lui avait proposé de marcher à ses côtés.

Et de diriger la section des crimes majeurs.

— Quand vous vous sentirez dépassée par les événements, venez me voir. Je sais ce que c'est. Je suis passé par là.

— Et vous, à qui parlez-vous, monsieur ?

Il sourit, et les rides de son visage s'approfondirent.

— À ma femme. Je ne lui cache rien.

— Rien ?

— Presque rien. Il est important de ne pas nous isoler, Madeleine. L'isolement ne nous aide pas à mieux faire notre travail. Il nous affaiblit, nous rend plus vulnérables.

Elle hocha la tête. Il faudrait qu'elle y réfléchisse.

— Mon mari soutient que vous m'avez confié le commandement d'un navire en train de couler. Que la situation est sans espoir.

Gamache hocha pensivement la tête et prit une longue et profonde inspiration.

— Il a raison. En partie. La situation, telle qu'elle existe aujourd'hui, est intenable, et on ne s'en sortira pas. Comme je l'ai affirmé lors de la réunion, nous avons perdu la guerre contre la drogue. Que faut-il faire, dans ces conditions ?

Elle secoua la tête.

— Pensez-y, dit-il avec intensité.

Elle obéit. Que faire quand la partie est perdue d'avance ?

On abandonne ou…

— On change.

Il sourit. Et fit signe que oui.

— On change. Mais pas un peu. Nous avons besoin de transformations radicales, lesquelles, hélas, ne peuvent pas être mises en place par la vieille garde. Il nous faut des esprits neufs, audacieux, créatifs. Et des cœurs courageux.

— Mais vous êtes…

Elle se reprit juste à temps. Mais peut-être pas.

Le directeur général Gamache la scruta avec amusement.

— Vieux ?

— Euh…

— Euh ? fit-il.

— Plus âgé ? risqua-t-elle. Désolée.

— Il n'y a pas de mal. Vous avez raison. Mais il faut bien que quelqu'un soit aux commandes. Quelqu'un qu'on pourra sacrifier.

Madeleine Toussaint comprit alors que son mari avait peut-être eu raison sur de nombreux points, mais qu'il s'était trompé sur un autre. Elle n'était pas la chèvre attachée à un pieu fiché dans le sol. Pour attirer les prédateurs.

Ce rôle, Gamache se l'était réservé.

— Nous bénéficions d'un avantage considérable, madame la directrice, dit Gamache d'une voix à nouveau nette et professionnelle. Nous en avons quelques-uns, en réalité. Nos prédécesseurs ont consacré le plus clair de leur énergie à violer leurs propres lois et à protéger leurs arrières. Ils ont aussi consacré beaucoup de temps à des querelles intestines. À se tirer dessus, parfois au sens propre. La criminalité est devenue irrépressible parce que les hauts dirigeants de la Sûreté étaient corrompus et que les cartels récompensent généreusement ceux qui ferment les yeux.

— Ils ont crevé leurs propres yeux, dit Toussaint. Pour de l'argent et du pouvoir.

— Oui. C'est très grec, tout ça.

Il ne semblait toutefois pas amusé. Et elle se demanda si c'était une plaisanterie ou si une tragédie ancienne se jouait dans le Québec moderne.

— Et maintenant ? demanda-t-elle.

— Vous l'avez dit vous-même. Nous changeons. Tout. En faisant semblant de rester les bras croisés.

Il la regarda, détailla son visage.

— Si nous effectuons notre travail d'une certaine façon, c'est uniquement parce que, il y a cent ans, nos structures ont été définies ainsi. Les recettes de l'époque sont désormais inefficaces. Vous êtes jeune. Profitez de cet avantage. Nos adversaires s'attendent à ce que nous recourions aux mêmes vieilles tactiques.

Il se pencha et baissa la voix. Mais elle était empreinte d'énergie, voire d'admiration.

— Réinventez, Madeleine. De la nouveauté et de l'audace. C'est votre chance. Pendant que personne ne nous en croit capables. Pendant que personne ne regarde de notre côté. Votre mari n'est pas le seul à penser de cette façon. Tout le monde croit la Sûreté irréparable. Sa réputation est entachée, bien sûr, et la pourriture étend partout ses tentacules. L'organisation vacille. Et vous savez quoi ? Ils ont raison, ces gens. Nous avons le choix : ou bien nous employons notre énergie et nos ressources à retaper une institution condamnée, ou bien nous faisons table rase du passé et nous recommençons à neuf.

— Et comment nous y prenons-nous ? demanda-t-elle dans un élan d'enthousiasme.

Il se cala sur sa chaise.

— Je ne sais pas.

Elle se sentit dégonflée, mais pas complètement. Une partie d'elle se réjouit de cet aveu. Elle aurait la possibilité d'apporter une contribution au lieu de se contenter d'appliquer des solutions élaborées par d'autres.

— J'ai besoin d'idées nouvelles, dit Gamache. Les vôtres, celles des autres. J'y ai beaucoup réfléchi.

Il y avait consacré quantité de matinées et de soirées d'automne, Henri et Gracie à ses pieds, assis sur le banc qui dominait le village. Celui sur lequel étaient gravés les mots *Surpris par la joie* et, un peu plus haut, *Un homme courageux dans un pays courageux.*

Il avait contemplé le petit village dont les habitants vaquaient à leurs occupations et, au-delà, les montagnes, la forêt et le ruban formé par la rivière dorée. Et il avait réfléchi. Et réfléchi encore.

À deux reprises, il avait refusé le poste de directeur général de la Sûreté, de premier policier de la province. En partie parce qu'il ne tenait pas à se trouver sur le pont du navire qu'il avait tant admiré lorsqu'il finirait par sombrer. Et il ne voyait pas comment le sauver du naufrage.

La troisième fois qu'on lui avait offert le poste, il était une fois de plus monté réfléchir sur le banc. Et il avait réfléchi. À la corruption. Aux préjudices causés à l'institution.

Il avait songé à l'école de police et aux jeunes recrues. Il avait songé à une vie de paix. Et de tranquillité. Ici, à Three Pines. Dans un village ne figurant sur aucune carte. Loin des écrans radars.

En sécurité.

Reine-Marie était fréquemment venue le rejoindre. Ils restaient assis côte à côte, en silence. Jusqu'au soir où elle avait pris la parole.

— Je songeais à Ulysse, dit-elle.

— Bizarrement, pas moi, répondit-il en se tournant vers elle.

Elle rit.

— Je songeais à sa retraite.

— Ulysse était retraité ?

— Absolument. Il était vieux et fatigué. De la guerre. Et même de la mer. Alors il a pris un aviron et il est entré dans les bois. Il a marché, marché longtemps, jusqu'au jour où il a trouvé des gens qui ignoraient ce qu'était un aviron. Et, à cet endroit, il a établi sa maison. Là où on ne savait pas qui était Ulysse. Là où personne n'avait entendu parler du cheval de Troie. Là où il pourrait vivre dans l'anonymat. En paix.

Pendant un très long moment, Armand était resté parfaitement immobile et parfaitement silencieux à contempler Three Pines.

Et puis il s'était levé et il était rentré à la maison. Pour passer un coup de fil.

Ulysse avait livré bataille. Il avait gagné sa guerre.

Gamache, lui, ne l'avait pas gagnée. Ni perdue. Et il lui restait encore au moins un combat à livrer.

Et voilà que, dans un bistro du Vieux-Montréal en compagnie d'une toute jeune directrice, il parlait justement de bateaux.

— Mon mari a raison de dire que le navire prend l'eau. Mais il se trompe sur un point. Je ne suis pas seule.

— Non, vous ne l'êtes pas.

Elle hocha la tête.

Elle s'était sentie seule si longtemps qu'elle n'avait même pas remarqué que ce n'était plus le cas. Elle avait des collègues, des gens qui se tenaient non pas derrière elle, mais à ses côtés.

— Nous devons nous engager à fond, dit-elle. Brûler nos vaisseaux. Impossible de revenir en arrière.

Gamache la dévisagea avant de se caler sur sa chaise.

— Patron ? fit-elle.

Elle craignait qu'il ne soit en proie à un petit mal. Et peut-être même, à mesure que s'égrenaient les secondes, à un grand mal.

— Désolé, dit-il en rapprochant de lui une serviette de table.

Sortant un stylo de sa poche de poitrine, il gribouilla quelques mots, puis, levant les yeux, lui sourit de toutes ses dents. Il replia la serviette en papier et la glissa dans sa poche. Et il se pencha vers elle.

— C'est en plein ce que nous allons faire. Pas question de radouber les bateaux. Nous allons les brûler.

Il hocha la tête avec fermeté.

À son retour au bureau, la directrice Toussaint était pleine d'une énergie nouvelle. Revigorée. Par les mots du patron. Et elle s'efforça de faire abstraction du soupçon de folie qu'avait trahi le ton du directeur général Gamache.

Madeleine Toussaint fut peut-être la première, mais, avant que tout soit terminé, elle ne serait pas la dernière à croire que le nouveau directeur général de la Sûreté avait perdu la raison.

13

Sa première rencontre de l'après-midi fut avec l'inspecteur Beauvoir, qui voulait discuter de la possibilité de former une équipe chargée de tenir des exercices de prises d'armes.

— Comme dans l'armée, dit Beauvoir. Des défilés en rangs serrés.

Le directeur général écouta, visiblement peu convaincu.

— Pour quoi faire ?

— Ce n'est pas mon idée. Elle est venue d'un officier supérieur. Quand j'ai fini de rire, j'ai commencé à y réfléchir.

Il posa sur son chef un regard sévère : ce n'était pas le moment de faire le malin. Gamache leva la main en signe de capitulation.

— On pourrait commencer à l'école de police, pendant la formation, enchaîna Beauvoir. Ce serait, me semble-t-il, une excellente façon de créer des liens, mais nous aurions aussi la possibilité d'en faire profiter des collectivités. Vous répétez sans cesse qu'il faut bâtir la confiance. Nous pourrions aller dans les écoles et les centres communautaires, organiser des spectacles. Et peut-être nous en servir comme moyen de recueillir des fonds pour des banques alimentaires ou des centre de réadaptation.

Désormais, Gamache, penché vers l'avant, hochait la tête.

— C'est une excellente idée, tu sais.

Ils en parlèrent pendant quelques minutes.

Après, Gamache se leva. Il fut tenté de montrer à Jean-Guy la serviette du dîner. Et les mots qui y étaient griffonnés.

Il s'en abstint.

Le moment n'était pas encore venu. Il devait rester coi et y réfléchir.

— Je suis heureux de savoir que la chose a quitté le parc du village, dit Jean-Guy en se dirigeant vers la porte. Vous ne savez toujours pas ce qu'elle était venue faire là ?

— Aucune idée. Et ce type a déjà assez pris de mon temps.

Jean-Guy rectifia la position de ses lunettes. C'était nouveau, pour lui, et le jeune homme trouvait humiliant d'en avoir besoin. Premier signe de décrépitude.

Ce qui n'aidait pas, c'était que le patron, pourtant de vingt ans son aîné, ne mettait les siennes que pour lire. Jean-Guy, lui, s'était fait dire de les porter en tout temps.

— Pendant son bain, hier soir, Honoré me les a arrachées, dit Jean-Guy en les retirant pour les examiner. Il les a carrément lancées dans l'eau. Il est costaud, ce petit.

— Tu es sûr que c'est Honoré le responsable ? demanda Armand en prenant les lunettes pour les ajuster rapidement.

Depuis des années, il avait l'habitude des montures tordues et endommagées.

Il les rendit à son adjoint.

— Merci, patron. Des soupçons ?

— Sabotage, monsieur, répondit Gamache d'un ton mélodramatique. Et dire que vous avez l'outrecuidance de rejeter la faute sur votre fils, qui n'est encore qu'un bébé. Vous êtes un sacripant.

— Seigneur. C'est en plein ce qu'a dit Annie. Vous êtes de mèche, tous les deux ?

— Oui. Nous passons des heures à parler de tes lunettes.

C'est alors que l'ordinateur portatif de Gamache laissa entendre un timbre sonore très subtil.

Presque tous les messages du directeur général transitaient par Mme Clarke, qui les triait et les classait par ordre de priorité. Il en recevait un nombre ahurissant, mais Gina Clarke se montrait à la hauteur, c'était le moins qu'on puisse dire. Elle allait jusqu'à organiser le directeur général, comme s'il était lui-même un message qui méritait une réponse ou qu'il fallait réacheminer et parfois effacer.

Il arrivait à Jean-Guy de s'asseoir dans l'antichambre du patron à seule fin de le voir se faire donner des ordres par la jeune femme au nez percé et aux cheveux roses. Comme si la fée Clochette s'était métamorphosée.

Ce message avait toutefois été envoyé dans sa messagerie privée.

Se levant, Gamache se dirigea vers son bureau.

— Ça t'ennuierait beaucoup de m'attendre ?

— Pas du tout, patron.

Campé près de la porte, Jean-Guy consulta ses propres messages.

Gamache cliqua sur le courriel. C'était le rapport du laboratoire concernant les médicaments trouvés la veille sur Paul Marchand. Le directeur général fut toutefois interrompu par la sonnerie de son téléphone portable.

— Oui, allô ? fit-il en décrochant, les yeux rivés sur l'écran de l'ordinateur, la mine grave.

— Armand ?

C'était Reine-Marie.

Quelque chose n'allait pas.

— Elle vous a téléphoné avant de prévenir le 911 ? s'étonna le procureur de la Couronne.

— Oui, confirma Gamache.

Faisait-il encore plus chaud dans la salle d'audience ? Il sentait sa chemise, sous son veston, lui coller à la peau.

— Et que vous a-t-elle dit ?

Tendant instinctivement la main comme pour toucher la femme elle-même, Armand activa le haut-parleur, tandis que, à l'autre bout de la pièce, Jean-Guy se tournait vers lui.

— Ça va ? demanda-t-il.

— J'ai trouvé le *cobrador*.

Il y eut un moment de silence, très bref, au cours duquel le monde se transforma. Ses mots, comme les hommes, étaient en suspension dans l'air.

— Dis-moi, fit-il en se relevant, les yeux rivés sur Jean-Guy.

— Il est dans le sous-sol de l'église. Je suis descendue dans la cave à légumes chercher un vase pour les fleurs fraîches, et il était là.

— Il t'a fait du mal ?

— Non. Il est mort. Il y avait du sang, Armand.

— Où es-tu ?

— À la maison. J'ai verrouillé la porte de l'église et je suis venue ici pour te téléphoner.

— Bien. Reste où tu es.

— Je n'ai pas prévenu le 911…

— Je m'en occupe tout de suite.

Il leva les yeux sur Beauvoir, déjà au téléphone.

— Tu as du sang sur toi ?

— Oui. Sur mes mains. Je me suis penchée pour palper son cou. Il portait encore son masque, mais il était froid. Je n'aurais sans doute pas dû le toucher…

— Tu devais vérifier. Je suis désolé.

— Tu n'y es pour rien.

— Non. Je te demande pardon pour ce que je m'apprête à te dire. Tu ne dois pas te laver.

Il y eut un silence. Reine-Marie accusait le coup. Elle fut tentée de discuter. Voire de supplier. Pendant un très bref moment, elle fut fâchée contre lui. Parce qu'il la traitait comme un vulgaire témoin.

La sensation fut passagère. Elle était en effet, savait-elle, un témoin comme les autres. Et lui un policier.

— Je comprends, dit-elle.

C'était la vérité.

— Mais dépêche-toi.

Déjà, il franchissait la porte, Beauvoir sur ses talons.

— Je pars, lança Gamache à Mme Clarke en traversant l'antichambre en toute hâte. Annulez tous mes rendez-vous.

Elle n'hésita pas, ne posa pas de question.

— Oui, monsieur.

Gamache et Beauvoir marchaient à grandes enjambées dans le long couloir qui menait aux ascenseurs.

— Jean-Guy a prévenu les services d'urgence. Des agents seront sur place dans quelques minutes. Demande à Clara ou à Myrna de venir te tenir compagnie. Je ferai le plus vite possible. Tu veux que je reste au téléphone avec toi ?

— Non. J'appelle Clara et Myrna. Mais fais vite, Armand.

— Compte sur moi.

Il raccrocha et se tourna vers Beauvoir.

— Préviens Lacoste.

— C'est déjà fait. Elle dépêche une équipe.

Beauvoir courait presque pour suivre Gamache.

Il avait accompagné son aîné dans d'innombrables enquêtes. Des arrestations, des interrogatoires et des fusillades. D'horribles événements et des réjouissances.

Des funérailles, des noces.

Jean-Guy l'avait vu joyeux et abattu. Fâché, préoccupé.

Mais jamais encore il n'avait vu Armand Gamache désespéré.

Jusque-là.

Et furieux.

Que Reine-Marie ait du sang sur les mains.

Ils foncèrent vers Three Pines, sirène hurlante, et communiquèrent avec le détachement local de la Sûreté. Auquel ils intimèrent l'ordre de ne pas entrer dans l'église, mais d'en protéger le périmètre.

— Et je veux un agent en faction devant chez moi, précisa Armand en fournissant les précisions nécessaires.

Beauvoir éteignit la sirène lorsqu'ils quittèrent la route secondaire pour emprunter le petit chemin de terre. À cause des nids-de-poule et des cerfs, qui avaient la fâcheuse habitude de se placer dans la trajectoire des véhicules, il ralentit.

— Plus vite, ordonna Gamache.

— Mais patron…

— Plus vite.

— Mme Gamache va bien, dit Jean-Guy. Elle est en sécurité. Il ne va rien lui arriver.

— Tiendrais-tu le même discours si c'était Annie qui avait découvert le cadavre et qu'elle avait du sang sur les mains ? Du sang que tu lui as interdit de laver ?

Jean-Guy accéléra. La voiture était secouée de toutes parts par les cahots, tellement qu'il crut sentir ses plombages se détacher. Ses lunettes sautillaient.

— C'est donc votre femme qui a découvert le cadavre ? dit le procureur de la Couronne.

— Oui.

— Et elle l'a touché ?

— Oui.

— De toute évidence, votre femme n'est pas du tout comme la mienne, monsieur. Je ne l'imagine pas poser la main sur un cadavre, encore moins s'il est couvert de sang. Il ne faisait aucun doute qu'il s'agissait d'un meurtre, n'est-ce pas ?

La chaleur, déjà suffocante, s'intensifia. Sous le col de sa chemise, Gamache sentit sa peau s'empourprer, mais sa voix et son regard restèrent fermes.

— En effet. Et vous avez raison, Mme Gamache est une femme extraordinaire. Elle a tenu à vérifier si la victime avait besoin d'aide. Elle n'est partie qu'après s'être assurée qu'il n'y avait rien à faire. Je suis persuadé que votre femme aurait fait preuve du même courage et de la même compassion.

Le procureur ne quittait pas Gamache du regard. La juge avait les yeux grands ouverts. Les spectateurs aussi. Les journalistes, eux, scribouillaient.

— Vous lui avez dit de ne pas laver le sang, n'est-ce pas ?

— Oui.

— Pourquoi ?

— La plupart des personnes qui découvrent une victime par accident perturbent la scène du crime…

— En touchant le cadavre, par exemple ?

— Ou en déplaçant des objets. Ou en essayant de nettoyer les lieux. Tout de suite après un tel choc, les gens ne sont pas eux-mêmes. À notre arrivée, le dommage est fait, généralement.

— Comme dans ce cas particulier ?

— Non. Mme Gamache a touché le cadavre, mais elle a eu la présence d'esprit de ne rien faire de plus et de verrouiller les lieux. Puis elle m'a téléphoné.

— Sans retirer le masque pour voir qui se cachait dessous ?

— Exactement.

— Sa curiosité n'était pas piquée ?

— Je pense que la curiosité ne venait pas en tête de ses émotions.

— Et vous lui avez dit de ne pas laver le sang qu'elle avait sur ses mains ou sur ses chaussures.

— Pour pouvoir prélever des échantillons et distinguer avec certitude ses empreintes de celles d'une autre personne.

— N'est-ce pas merveilleux ! s'exclama le procureur. Votre femme se trouve dans une horrible situation, et pourtant, vous faites passer votre travail avant son confort. C'est extraordinaire, mais vous l'êtes aussi.

Gamache ne répondit pas. Son teint ne fit toutefois pas preuve de la même retenue : ses joues, en effet, rougirent.

Les deux hommes se toisaient. La haine entre eux ne faisait plus aucun doute.

— Plus tard, j'inviterai Mme Gamache à témoigner, bien sûr, mais êtes-vous bien sûr qu'elle n'a rien touché d'autre ? Je vous rappelle que vous êtes sous serment.

— Je ne l'oublie pas, répondit sèchement Gamache avant de se ressaisir. Merci. Pour répondre à votre question, oui, j'en suis sûr.

À la table de la défense, les avocats échangeaient des regards incrédules. Me Zalmanowitz faisait leur travail à leur place. Démolissait l'image du témoin, voire sa crédibilité.

— En attendant, poursuivit le procureur, peut-être pourriez-vous nous raconter ce que vous avez fait en arrivant sur les lieux.

Ils passèrent devant la voiture de la Sûreté, stationnée devant l'église. Et virent un agent au pied des marches.

En longeant le bistro, Jean-Guy remarqua des clients qui épiaient la scène, debout devant la fenêtre.

Il avait à peine immobilisé la voiture que déjà Gamache marchait d'un pas vif, puis courait dans l'allée. Il passa devant le policier en faction et fonça vers la porte de sa maison.

Malgré les promesses du matin brumeux, la journée était devenue carrément maussade. Des nuages voilaient le soleil hésitant. L'humidité descendait des montagnes et se concentrait dans le village.

Reine-Marie était dans la cuisine en compagnie de Clara et de Myrna. Du poêle à bois montait une bonne chaleur. Elles prenaient le thé.

— Je suis désolé, mon cœur, dit Armand, debout devant elle.

Puis il recula d'un pas, les mains tendues, comme pour la repousser.

— Je ne peux pas…

Reine-Marie s'immobilisa, les bras grands ouverts dans l'attente d'une étreinte. Elle les laissa retomber.

Clara, quelques pas derrière Reine-Marie, se fit la réflexion qu'elle n'avait encore jamais vu autant de tristesse dans les yeux d'un homme.

Frôlant son beau-père, Jean-Guy vint combler le golfe entre mari et femme et, avec rapidité et efficacité, prit des échantillons et des photos.

Personne ne dit rien avant qu'il ait terminé et fait un pas de côté.

Puis Armand s'avança et serra fort Reine-Marie dans ses bras.

— Ça va? demanda-t-il.

— Ça ira, répondit-elle.

— La police est arrivée il y a environ une demi-heure, expliqua Clara. Entre-temps, Myrna est restée sur le perron pour s'assurer que personne ne s'approchait de l'église.

— Bien, dit Jean-Guy. Et ?

— Personne, confirma Myrna.

Armand entraîna Reine-Marie dans la salle d'eau et, ensemble, ils lavèrent la plus grande partie du sang qu'elle avait sur les mains, ses grands doigts à lui frottant doucement sa peau à elle pour la débarrasser du sang séché.

Après, il monta avec elle dans leur chambre.

Pendant qu'elle se déshabillait, il ouvrit le robinet de la douche, s'assura que l'eau n'était pas trop chaude.

— Je reviens tout de suite.

— Tu pars ? Suis-je bête ! C'est évident.

Il la serra dans ses bras et, reculant d'un pas, il prit ses mains et baissa les yeux sur elles. Un peu de sang maculait son alliance. Symbole difficile à ignorer.

Voilà ce qu'il avait introduit dans leur mariage. Du sang coulait au centre de leur vie commune. Telle une rivière sortant parfois de son lit. Les souillant. Les tachant.

Quelle vie auraient-ils eue s'il avait poursuivi ses études de droit au lieu d'entrer dans la Sûreté ? S'il était resté à Cambridge ? S'il était devenu professeur, par exemple ?

Il était relativement certain qu'il n'aurait pas été, en ce moment, en train de débarrasser la main de sa femme d'une ultime tache de sang.

— Je suis désolé, dit-il tout bas.

— Tu n'y es pour rien, Armand. Tu es là pour trouver le coupable.

Il l'embrassa et, d'un geste, indiqua la douche.

— Va.

D'un geste, elle indiqua la porte.

— Va. Attends. Tu vas avoir besoin de ceci.

De la poche de son chandail, elle sortit la clé de l'église. Elle aussi tachée de sang.

Armand prit un mouchoir en papier avant d'accepter l'objet.

En bas, Beauvoir discutait avec Clara et Myrna.

— Qui d'autre est au courant ?

— Reine-Marie nous a raconté, bien sûr, répondit Clara. À propos du *cobrador*. Les autres ne savent rien. De toute évidence, ils se doutent de quelque chose, surtout depuis l'arrivée des agents. Mais ils ne savent pas de quoi il s'agit, et les agents n'ont rien voulu leur dire.

— Parce qu'ils ne savent rien, dit Beauvoir.

Le contrôle de l'information, il le savait, était vital. Parfois même entre alliés.

— Ils sont tous réunis au bistro, ajouta Myrna. Ils attendent des nouvelles. Ils vous attendent, vous. Certains sont venus ici, mais l'agent les a interceptés.

— Qui ?

— Gabri, bien sûr, répondit Clara. Mais franchement ? Ils sont presque tous venus.

Redescendu, Armand leur demanda si elles tiendraient compagnie à Reine-Marie jusqu'à son retour.

— Bien sûr, dit Clara.

Puis Beauvoir et lui s'engagèrent dans l'allée qui séparait le perron de la route de terre, ne s'arrêtant que le temps de dire un mot à l'agent.

— Restez là, s'il vous plaît.

— Oui, patron.

C'était un des agents qui, la veille, avaient été appelés à Three Pines.

— Qu'avez-vous fait de M. Marchand, l'homme arrêté hier soir ?

— Nous avons suivi vos instructions à la lettre. Il a passé la nuit derrière les barreaux. Ce matin, il était plus calme. Nous l'avons raccompagné chez lui.

— À quelle heure ?

— Dix heures. Il a refusé de nous dire où il avait pris les comprimés qu'il y avait dans le sachet. Qu'est-ce que c'était ?

Gamache se souvint du courriel qu'il lisait quand Reine-Marie avait téléphoné.

— Du fentanyl.

— M…, commença l'agent, qui se rattrapa in extremis.

Le directeur général acquiesça d'un signe de tête. Poursuivant dans l'allée, il vit Gabri qui venait vers eux à grandes enjambées. Pas en courant à proprement parler. Gabri ne courait pas. Disons plutôt qu'il se dépêchait à sa manière.

Un linge à vaisselle toujours à la main, il intercepta Gamache et Beauvoir.

— Que se passe-t-il ? Ces gars-là ne veulent rien nous dire.

Il posa un regard accusateur sur l'agent, qui fit comme s'il n'avait rien entendu.

— Je ne peux rien dire non plus, répondit Gamache.

— Il n'est rien arrivé à Reine-Marie, au moins ? demanda Gabri. Elle va bien ?

— Oui.

— Dieu merci, fit-il. Mais quelqu'un ne…

Il montra l'église et l'autre agent.

Gamache secoua la tête et constata que d'autres avançaient vers eux, Léa Roux en tête, suivie de près par Matheo.

— Allez-y, dit Gabri. Je m'occupe d'eux.

Il se retourna dans l'intention de refouler les curieux, laissant à Armand et à Jean-Guy le temps de s'esquiver.

L'agente en faction les attendait. Derrière elle se dressait la petite chapelle recouverte de bardeaux. Jolie. Inoffensive. Comme des milliers d'autres dans des villages du Québec.

Celle-ci avait la particularité d'abriter non pas une relique – la jointure ou la molaire d'un saint –, mais bien un corps tout entier.

Une créature morte, issue d'un autre temps.

14

Isabelle Lacoste, cheffe de la section des homicides, arriva au moment où Gamache et Beauvoir atteignaient l'église. Sa voiture, suivie par la fourgonnette de l'unité des scènes de crime, se rangea derrière celle des agents locaux.

Les enquêteurs déballèrent le matériel, tandis que Gamache, Beauvoir et Lacoste se consultaient rapidement.

— Vous pourriez relever les empreintes sur cet objet, s'il vous plaît ? demanda Gamache à un agent.

— Dites-moi ce que vous savez, dit Lacoste en se tournant vers Gamache.

Beauvoir réprima un sourire en se demandant s'ils se rendaient compte que c'était la phrase qu'utilisait Gamache quand il était à la tête de la section des homicides.

— Nous ne sommes pas encore entrés, dit le directeur général. Mme Gamache a découvert le cadavre dans le sous-sol, puis elle a verrouillé la porte. Tout indique qu'il s'agit du *cobrador*.

— Du quoi ? s'étonna Lacoste.

Sa familiarité avec la chose était désormais telle que Gamache avait complètement oublié que Lacoste, elle, n'était pas au courant.

— Vous verrez, dit-il.

— Terminé, dit l'agent de l'unité des scènes de crime en rendant la clé à Gamache, qui la tendit à Lacoste.

En haut des marches, Gamache se rangea de côté pour permettre à Lacoste de déverrouiller la porte, suivie par ses équipes d'analyse des scènes de crime et de police scientifique. Pendant que les agents défilaient, Gamache se tourna vers le village et les villageois.

Alignés devant le bistro, ils formaient un demi-cercle. De loin, on aurait dit un froncement de sourcils.

Du grésil, moitié neige et moitié verglas, avait commencé à tomber. Et pourtant, ils restaient là à regarder. Un attroupement de silhouettes sombres. Immobiles. Le fixant.

Puis il pénétra dans l'église. Un lieu qui offrait paix et calme, un sanctuaire, même pour une vieille femme venue consacrer ses prières au fils de l'aurore.

Il descendit dans la quasi-obscurité.

Le sous-sol n'était en réalité qu'une seule vaste pièce, au sol recouvert de linoléum usé, éraflé, au plafond dont les carreaux acoustiques étaient çà et là maculés de taches d'eau et aux murs tapissés de panneaux en simili-bois. Des chaises étaient empilées le long d'un mur, des tables aux pieds repliés contre un autre.

Isabelle Lacoste regarda autour d'elle, ses yeux perçants notant qu'il n'y avait pas d'autre issue et qu'une épaisse couche de crasse recouvrait les fenêtres. La lumière, au même titre qu'un intrus, aurait plus vite fait de traverser les murs.

Hormis les fenêtres, tout était propre. Pas le moindre désordre. Pas la moindre odeur de moisissure.

À un bout, une cuisine équipée d'électroménagers couleur avocat. Et une porte ouverte, juste à côté.

En entendant la démarche familière dans l'escalier, Lacoste se retourna et vit entrer Gamache.

Il désigna la porte ouverte.

— Une cave à légumes, expliqua-t-il pendant qu'ils traversaient le sous-sol. Mme Gamache est venue chercher un vase. C'est à ce moment qu'elle a découvert le cadavre.

— À quelle heure ?

— Vers treize heures quarante-cinq. Elle a verrouillé la porte et m'a téléphoné en arrivant à la maison, puis l'inspecteur Beauvoir vous a prévenue.

Instinctivement, ils consultèrent leur montre. Il était quinze heures quinze. Une heure et demie plus tard.

Armand connaissait bien le sous-sol de l'église. On y accueillait les réceptions des funérailles. On y organisait des banquets de noces. On y tenait des cours de conditionnement physique et des ventes de pâtisseries maison. Les membres du club de bridge s'y réunissaient.

C'était une pièce gaie, oubliée par le temps et le bon goût.

Gamache n'avait jamais mis les pieds dans la cave à légumes. En fait, il en ignorait jusqu'à l'existence.

Le directeur général Gamache se campa sur le seuil sans entrer dans la pièce, à peine assez grande pour accueillir les enquêteurs.

Reine-Marie avait laissé la lumière, fluorescente, artificielle, la seule des lieux. Pas de fenêtres. Un sol en terre battue.

Les murs étaient tapissés de tablettes grossières sur lesquelles s'alignaient quelques vases, de vieilles boîtes de conserve rouillées et des préparations à l'aspect laiteux dans des pots Mason.

Il embrassa tout d'un seul coup, mais, comme les autres, il se concentra surtout sur la masse sombre tassée dans le coin. On aurait dit qu'elle avait jailli du sol, qu'elle avait été arrachée à la terre.

Tel un gros rocher noir.

Isabelle Lacoste se tourna vers lui, intriguée.

— Le *cobrador*?

— Oui.

Beauvoir, frétillant, était dans la porte à côté de Gamache. Il brûlait du désir d'entrer, de prendre part à l'action. Mais, quand Gamache recula d'un pas, il l'imita.

La médecin légiste arriva à son tour. Après avoir salué Gamache, elle se tourna vers Beauvoir.

— Jolies lunettes.

La D[re] Sharon Harris les contourna et entra dans la cave à légumes.

— Qu'est-ce qu'elle a voulu insinuer? demanda Jean-Guy en rectifiant la position de ses verres.

— Elles lui plaisent, tes lunettes, répondit Gamache automatiquement. Elles nous plaisent à tous.

Beauvoir fit un pas de côté. Incapable de se contenter de regarder, il se mit à faire les cent pas dans la pièce plus vaste, tel un prédateur en cage. Ayant détecté l'odeur du sang.

Une fois les photos et les vidéos prises, une fois les échantillons prélevés, la Dre Harris s'agenouilla à côté du cadavre.

— Il porte un masque, dit-elle en scrutant les visages autour d'elle.

Lacoste s'agenouilla à son tour pour mieux voir, le vidéaste juste derrière elle.

— Je vous préviens, dit le procureur de la Couronne. La suite est pénible à voir. Vous voudrez peut-être détourner les yeux.

Dans la salle, tous s'inclinèrent vers l'avant.

L'image vidéo, peu stable, mais très nette, montrait Isabelle Lacoste, son adjoint et la Dre Harris, tous penchés sur la masse noire.

Le directeur général Gamache s'approcha et s'agenouilla à côté de Lacoste. On distinguait aussi l'ombre de l'inspecteur Beauvoir.

Puis la caméra zooma sur la masse noire.

La forme resta indistincte jusqu'à ce que la caméra se rapproche encore du masque.

Il était fissuré.

Dans la salle, certains spectateurs baissèrent la tête.

— Je vais retirer le masque, annonça l'inspectrice-chef Isabelle Lacoste.

D'autres se voilèrent les yeux.

Lacoste eut du mal à l'enlever, et les spectateurs aperçurent de petits bouts de chair.

Ils furent plus nombreux à baisser les yeux. D'autres les fermèrent carrément.

Lorsque le masque fut enfin ôté, plus personne ne regardait. Hormis les officiers du tribunal.

La juge Corriveau, qui s'était forcée à regarder, jeta un coup d'œil aux jurés, pleine de compassion pour ces pauvres gens.

Qui, au début, étaient tout excités à l'idée de prendre part à un procès pour meurtre. Et qui seraient traumatisés. Ou, pire encore, insensibilisés par une telle horreur.

Le procureur de la Couronne, qui avait souvent vu cette vidéo, se tenait derrière sa table, les lèvres pincées, les poings serrés le long du corps.

Le directeur général Gamache plissa les yeux. La scène était moins atroce sur vidéo qu'en personne, mais à peine.

Beauvoir, assis dans la salle d'audience, portait son propre masque. De détachement professionnel.

Un des avocats de la défense jeta un rapide coup d'œil à l'accusée, puis se détourna en espérant que personne n'avait remarqué la répulsion que lui inspirait sa cliente.

La personne qu'il soupçonnait secrètement d'être coupable.

Zoomant davantage, la caméra offrit un gros plan impitoyable.

À ce stade, même Gamache se détourna, puis il se força à grand-peine à regarder le visage géant sur le grand écran.

Isabelle Lacoste tendit le masque à un membre de l'équipe médico-légale et se tourna vers Gamache.

— Surpris?

Il hocha la tête.

Malgré l'étendue des blessures, le visage était reconnaissable.

Il s'agissait d'une femme, et non d'un homme.

— Vous la connaissez? demanda Lacoste.

— Oui. Katie Evans. Elle séjournait au gîte.

Isabelle Lacoste balaya la cave à légumes d'un œil exercé avant de se diriger vers la porte.

— Je vous laisse terminer, dit-elle à l'intention de son adjoint et de la légiste.

Elle s'arrêta dans l'entrebâillement de la porte.

— La cause du décès est évidente, j'imagine?

Ils se tournèrent tous vers le bâton de baseball ensanglanté, négligemment appuyé sur une des tablettes, à côté d'un pot Mason taché contenant des pêches.

— Je vous ferai savoir si nous trouvons autre chose, dit la Dre Harris. Mais qu'est-ce que…

Elle désigna le déguisement.

— Mon petit doigt me dit que je vais bientôt le savoir, lança Lacoste en suivant Gamache et Beauvoir dans la grande pièce.

Sur l'énorme écran de la salle d'audience, la caméra suivit les officiers supérieurs qui quittaient la cave à légumes. Juste avant de revenir vers le cadavre, la caméra surprit le directeur général Gamache qui jetait un dernier coup d'œil dans la pièce.

Avec, sur le visage, une expression d'extrême ahurissement.

15

Ils s'installèrent à l'une des longues tables au centre du sous-sol de l'église, de manière à voir l'intérieur de la cave à légumes.

— Qui est Katie Evans ? demanda Lacoste.

— Une visiteuse, répondit Gamache. Venue de Montréal. C'est une architecte. Elle séjournait au gîte avec son mari et deux amis à eux.

Lacoste ne prenait pas de notes. Les dépositions officielles viendraient plus tard. Dans l'immédiat, elle se contentait d'écouter. Très attentivement.

— Et le masque et la longue robe qu'elle porte. Vous avez dit que c'était…

— Un *cobrador*, dit Gamache.

Lui et Beauvoir échangèrent un regard. Comment expliquer ?

— C'est un mot espagnol qui désigne une sorte d'agent de recouvrement, dit Gamache.

— Nous venons de découvrir le cadavre, dit Lacoste. Comment se fait-il que vous soyez au courant ?

— Le *cobrador* est au village depuis un certain temps.

— Un certain temps ? Mais encore ?

— Quelques jours.

— Vous allez devoir m'expliquer, dit Lacoste. Cette Katie Evans était une agente de recouvrement ? Déguisée ?

Une fois de plus, Gamache et Beauvoir se consultèrent du regard. Ce serait plus difficile qu'ils l'avaient escompté. Surtout parce qu'eux-mêmes n'y comprenaient pas grand-chose.

— Non, dit Gamache. Elle n'était pas agente de recouvrement. Elle était architecte.

— Pourquoi un tel accoutrement, dans ce cas?

Les hommes secouèrent la tête.

Momentanément dans le brouillard, Lacoste les dévisagea.

— Bon, d'accord. Commençons par le début. Étape par étape.

— La… le *cobrador* est arrivé en soirée, le lendemain de la fête d'Halloween, dit Gamache. La fête costumée organisée ici, à Three Pines. À l'époque, nous ne savions pas de quoi il s'agissait. Personne ne savait qui il était, ni ce qu'il représentait. Sa présence a suscité un malaise généralisé, mais rien de plus. Jusqu'au lendemain matin quand, en nous réveillant, nous l'avons trouvé dans le parc du village.

— Sans connaissance? demanda Lacoste. Ivre mort?

Gamache secoua la tête et sortit son iPhone de sa poche. Dans le même mouvement, un objet tomba sur le sol en linoléum.

La serviette en papier du dîner.

Beauvoir et lui se penchèrent en même temps. Jean-Guy l'atteignit le premier et la rendit à Gamache. Mais pas avant d'avoir lu les mots notés de l'écriture caractéristique du patron.

— Merci, dit Gamache en acceptant la serviette.

Il la replia avec soin et la replaça dans sa poche. Puis il fit défiler des photos sur l'écran de son appareil.

— J'ai pris ce cliché samedi matin et je l'ai envoyé à Jean-Guy en lui demandant d'effectuer quelques recherches.

Il le fit voir à Lacoste.

Cette dernière était entraînée à ne pas réagir aux images, aux sons, aux mots. À tout encaisser sans trahir la moindre émotion. Pendant qu'elle étudiait l'image, la plupart des observateurs n'auraient remarqué aucun changement dans sa physionomie.

Mais Gamache et Beauvoir, assis tout près d'elle, en virent un.

Elle écarquilla les yeux très, très légèrement; elle pinça les lèvres très, très légèrement.

Pour un enquêteur chevronné de la section des homicides, c'était l'équivalent d'un cri.

Levant les yeux de l'iPhone, elle regarda Gamache et Beauvoir avant de revenir à l'écran.

— On dirait la Mort, commenta-t-elle d'une voix neutre, presque détachée.

— Oui, confirma Gamache. C'est aussi ce qu'il nous a semblé.

La silhouette sur la photo était puissante, menaçante. Mais elle avait aussi quelque chose de majestueux. Elle était calme, sûre d'elle. Avec un air d'inévitabilité.

Vif contraste avec le tas avachi qu'ils avaient découvert dans la cave à légumes. L'une ressemblait à la Mort; l'autre l'était.

— Qu'avez-vous fait? demanda-t-elle.

Gamache se déplaça imperceptiblement sur sa chaise. Il allait répondre formellement à cette question pour la première fois, même s'il se doutait bien que c'était loin d'être la dernière. Il pressentait le consensus: le directeur général de la Sûreté aurait dû faire quelque chose. N'importe quoi. Prévenir ce dénouement.

— Je lui ai parlé. Demandé qui il était et ce qu'il voulait. Il n'a pas répondu. Et il est resté là. À regarder droit devant lui.

— Quoi donc?

— Les commerces. Je ne saurais dire lequel en particulier.

— Et ensuite?

— Rien. Il est resté là.

— Pendant deux jours, ajouta Beauvoir.

— Pardon? fit Lacoste.

— La chose est restée là pendant deux jours, confirma Beauvoir.

— Habillée de cette façon?

— Pas sans arrêt, précisa Gamache. Le premier soir, j'ai veillé pour l'avoir à l'œil. Pendant la nuit, la chose a disparu, mais il faisait noir et je ne l'ai pas vue s'éloigner. Je me suis mis au lit. Le matin venu, elle était de retour.

Lacoste prit une profonde inspiration, puis se retourna pour jeter un coup d'œil au monticule informe sur le sol de la cave à légumes et à la légiste agenouillée à côté de… de lui… d'elle.

La chose semblait pathétique, à présent, sans vie et sans plus rien de menaçant. Tel un animal recroquevillé sur lui-même dans l'attente de la mort.

Sauf que cette créature déchue n'avait rien de naturel.

— Vous affirmez qu'il s'agit d'un *cobrador*. Je ne connaissais pas ce mot. Espagnol, dites-vous ?

Gamache lui parla du *cobrador del frac*. De l'agent de recouvrement espagnol, qui suivait les débiteurs et les forçait à rembourser leurs dettes en les humiliant.

Lacoste écoutait, les sourcils froncés par la concentration.

Dès qu'il eut terminé, elle dit :

— La… le *cobrador* était donc venu dans l'intention d'obliger quelqu'un à payer sa dette ?

— Pas exactement, dit Gamache. C'est ce que fait le personnage dans sa version moderne. Ici, nous avons affaire à la version plus ancienne. Ancestrale. Originelle.

— C'est-à-dire ?

Gamache se tourna vers Jean-Guy, qui poursuivit le récit. L'île. Les victimes de la peste, les lépreux, les bébés nés avec des anomalies congénitales, les sorcières. Et la conscience à laquelle les autorités avaient donné naissance.

— On a arrêté les *cobradors*, ajouta Gamache. On les a torturés pour les obliger à dire qui ils étaient, d'où ils venaient. Personne n'a rien dit. Les survivants ont été exécutés. D'autres sont venus et ont pris leur place. Les autorités ont enfin compris et ont dépêché des soldats dans l'île. Ils ont supprimé tout le monde.

— Tout le monde ? demanda Lacoste.

Le problème avec l'imagination, c'est qu'on n'avait aucun mal à se représenter de telles scènes. Hommes. Femmes. Enfants.

— Sauf que certains se sont enfuis, dit Gamache. Peut-être avec la complicité de militaires écœurés par ce qu'on les avait obligés à faire.

« Tourmentés, se dit-il, par leur propre conscience. »

— Vous me dites donc qu'il y avait dans le parc du village une sorte d'antique vengeur. Tout droit sorti du Moyen Âge.

— Vous n'y croyez pas ? répliqua Gamache en souriant légèrement avant que Lacoste ait pu répondre. Non, ce n'est pas ce que je dis. Ce que je dis, c'est que quelqu'un connaissant l'existence de l'ancien *cobrador* a décidé de s'en servir pour parvenir à ses fins.

— Ce quelqu'un étant Katie Evans, dit Lacoste.

— Non, c'est impossible. Je l'ai vue à la boulangerie et à la librairie pendant que le *cobrador* était dans le parc. Et, hier soir, Reine-Marie l'a vue partir en voiture pour un souper à Knowlton avec son mari.

— Si ce n'était pas Katie Evans, qui était-ce, alors ?

Dans l'immédiat, il n'y avait pas de réponse à cette question.

— Si elle n'était pas le *cobrador*, raisonna Lacoste, c'est donc qu'elle était sa cible ? Que faisait-elle dans son costume ?

Gamache et Beauvoir secouèrent la tête.

— La personne qui a fait ça doit être loin, à présent, dit Beauvoir.

— J'en ai bien peur, dit Gamache. Nous aurons des confirmations de la part de la légiste, mais je pense qu'elle a été tuée durant la nuit. Quand je suis sorti avec Henri et Gracie, ce matin, le *cobrador* n'était pas là.

— Il était quelle heure ? demanda Lacoste.

— Un peu après sept heures.

— Et quand l'avez-vous vu pour la dernière fois ?

Gamache réfléchit.

— Hier soir. Mais j'ignore à quel moment la chose est partie.

— Mais elle n'était plus là ce matin, résuma Lacoste. Qu'en avez-vous déduit ?

— Qu'elle avait obtenu ce qu'elle voulait et qu'elle était partie.

— Et ce qu'elle voulait, c'était donc Katie Evans, dit Lacoste.

— On dirait, oui.

— Je me demande bien ce qu'elle a pu faire de si terrible, dit Lacoste.

Gamache regardait droit devant lui. Non pas la cave à légumes, mais bien le vide.

— Quoi ? demanda Jean-Guy.

— C'est insensé.

— Vous trouvez? fit-il. Un type vêtu d'une cape et d'un masque noirs ?

Gamache posa sur lui un regard sévère, puis il se tourna vers Isabelle Lacoste.

— Le *cobrador* moderne est un agent de recouvrement et non un assassin. Et le *cobrador* originel, depuis le temps de la peste, est une conscience morale. Pas un assassin. Provoqué, il ne recourait pas à la violence, même pas pour sauver sa propre vie. Celui-ci non plus, hier soir.

Il parla aux autres de la foule en colère.

— Pourquoi celui-ci a-t-il tué, alors ? demanda Beauvoir.

La question fut accueillie par un silence.

16

Devant la fenêtre du bistro, Olivier vit les officiers de la Sûreté venir par la route de l'église.

Il n'était pas seul. Les villageois, comme les habitants des fermes environnantes, s'étaient réunis au bistro, centre de la vie communautaire, dans les bons comme dans les mauvais moments.

La nature du moment présent était évidente.

En silence, ils virent Armand Gamache, Jean-Guy Beauvoir et Isabelle Lacoste venir vers eux dans le froid crachin de novembre qui, par moments, se changeait en grésil.

Olivier et Gabri avaient distribué du café et du thé, des jus de fruit ainsi que des biscuits frais et chauds de la boulangerie de Sarah. Pas d'alcool. Inutile d'attiser des émotions déjà à fleur de peau.

Le crachin s'accompagnait d'un léger brouillard, et Three Pines semblait enseveli.

Les âtres, aux deux extrémités du bistro, accueillaient des feux nourris. Hormis les respirations laborieuses, on n'entendait que le joyeux crépitement des bûches.

Le bistro sentait la fumée de bois et le café fort. Et la laine mouillée des habits des derniers arrivants, qui s'étaient hâtés de venir rejoindre les autres dans l'après-midi.

À d'autres moments, en d'autres circonstances, le bistro aurait été douillet, sûr et réconfortant. Un refuge. Mais pas ce jour-là.

Par la fenêtre, ils regardaient venir la trinité, la mauvaise nouvelle s'avançant dans la brume.

Puis Olivier jeta un coup d'œil derrière lui.

Patrick Evans. Il s'était assis, ses jambes incapables de le soutenir. À côté, Léa lui tenait la main. Matheo était resté debout, une main sur son épaule.

Il manquait quelqu'un. Une seule personne.

Katie.

Tous étaient relativement certains de savoir où elle était.

Jusque-là, elle était vivante.

Elle mourrait dès que les officiers de la Sûreté entreraient et prendraient la parole. Ils savaient tous ce qui s'était produit, sans connaître les détails, et le « qui » ne faisait aucun doute.

La respiration de Patrick était rapide, saccadée. Il avait les mains froides, les yeux exorbités.

Il attendait.

— En arrivant au restaurant, monsieur le directeur général, avez-vous eu l'impression que les personnes qui y étaient réunies savaient déjà ? demanda le procureur de la Couronne.

— Oui.

— Mais comment ? Mme Gamache ?

— Elle n'avait rien dit.

— Dans ce cas, comment ? Ces gens n'avaient vu qu'un grand nombre de voitures de police. Pourquoi en étaient-ils venus à la conclusion qu'un meurtre avait été commis ?

« On voit bien qu'il ne connaît pas Three Pines », songea Gamache.

— Quand les agents du détachement local de la Sûreté sont arrivés et se sont postés devant l'église et ma maison, les villageois ont compris qu'il se passait quelque chose. Et ils savaient que Mme Evans manquait à l'appel. Quand je suis arrivé sur place, suivi par l'inspectrice-chef Lacoste... Leurs craintes ont été confirmées.

— Ah, mais bien sûr. Ce que je peux être bête, dit le procureur en se tournant une fois de plus vers le jury d'un air d'humilité factice. Pendant un moment, j'avais oublié que votre travail, vos collègues et vous n'avez pas de secrets pour les villageois. Ils savaient que l'inspectrice-chef Lacoste était désormais à la tête de la section des homicides. Mais s'ils vous connaissent, vous les connaissez aussi, monsieur le directeur général. Vous les connaissez bien, en fait.

Il avait prononcé les mots en tournant le dos à Gamache, mais l'insinuation n'avait rien d'ambigu.

Dans ce cas-ci, la ligne de démarcation entre policiers et suspects, limite normale, saine, nécessaire, était floue, sinon carrément effacée. Et cet état de fait, laissait entendre le procureur, était peu professionnel, voire louche.

— Excellente observation, admit Gamache. En l'occurrence, cette situation s'est révélée avantageuse. Un meurtre a beau reposer sur des calculs, ce n'est jamais une simple question d'arithmétique. Le tout ne correspond pas à la somme des parties. Qu'est-ce donc qui pousse une personne à commettre un meurtre ?

Me Zalmanowitz, sentant le glissement, se tourna vers Gamache et posa sur lui un regard mauvais.

— Ce qui motive un meurtrier, ce sont les émotions, et non les circonstances, enchaîna Gamache d'une voix basse, presque douce, comme s'il se confiait à un bon ami. Un être humain en tue un autre. Parfois, il passe à l'acte sous le coup d'une colère irrépressible. Parfois, il agit froidement. Avec préméditation. De façon méticuleuse. Mais, à la base, il y a toujours une émotion incontrôlable. Souvent réprimée. Enfouie. Qui ronge celui qui l'abrite.

Les hommes et les femmes du jury hochaient la tête.

— Nous nourrissons tous de tels ressentiments, poursuivit Gamache. Et la plupart d'entre nous avons, au moins une fois, eu envie, vraiment envie de tuer quelqu'un. Ou, à tout le moins, nous avons souhaité la mort de quelqu'un. Qu'est-ce qui nous empêche d'aller plus loin ?

— Notre conscience, articula en silence une jeune femme assise dans la deuxième rangée du banc des jurés.

— Notre conscience, dit le directeur général en la regardant et en la voyant sourire très légèrement. Ou encore la lâcheté. Certains pensent que c'est du pareil au même. Que la crainte d'être découvert est la seule chose qui nous retient de commettre des gestes horribles. De quoi serions-nous capables si nous avions la certitude de ne pas nous faire prendre ? Si nous avions la certitude que nos actes resteraient impunis ? Si nous nous en moquions ? Si nous croyions le geste justifié ? Si, à l'instar de Gandhi, nous croyions à l'existence d'une instance supérieure à celle d'une cour de justice ?

— Objection ! lança le procureur de la Couronne.

— Pour quel motif ? demanda la juge.

— Pertinence.

— C'est votre témoin, maître Zalmanowitz, lui rappela la juge. Et c'est vous qui avez soulevé la question.

— Je n'ai pas demandé un cours magistral sur la nature du meurtre et de la conscience.

— Vous auriez peut-être eu intérêt à le faire, dit-elle avant de jeter un coup d'œil à l'horloge enchâssée dans son pupitre. Le moment est venu de faire une petite pause. De retour dans une heure, je vous prie.

Elle se leva et profita du brouhaha créé par les chaises raclant le sol pour murmurer à l'oreille de Gamache :

— Je vous ai laissé beaucoup de latitude. N'en abusez pas.

Il s'inclina très légèrement pour montrer qu'il avait compris et croisa le regard du procureur de la Couronne qui, derrière sa table, fourrait des documents dans sa mallette d'un air furieux.

La juge s'esquiva et on entreprit de faire sortir les jurés. Me Zalmanowitz, incapable de se contenir une seconde de plus, fonça vers Gamache, qui descendait de la barre des témoins.

— C'était quoi, ça ? lança le procureur. À quoi diable jouez-vous ?

Gamache jeta un coup d'œil au jury, dont les derniers membres, dans la porte, avaient tout entendu.

— Pas ici, dit-il au procureur.

— Oui, ici.

Gamache fit mine de le contourner, mais l'autre l'agrippa par le bras.

— Pas question.

Gamache se dégagea d'un geste brusque et se retourna pour lui faire face.

Les journalistes, toujours présents dans la salle, ne perdaient rien de la scène. Pour les habitués des affaires judiciaires, c'était du jamais-vu.

— Pourquoi sabotez-vous mon argumentation ? lança Zalmanowitz.

— Pas ici. Si vous voulez me parler, suivez-moi.

Gamache se tourna vers Beauvoir.

— Tu…

— Je vous trouve une salle, patron, répondit Beauvoir avant de s'éclipser.

Gamache lui emboîta le pas sans se donner la peine de vérifier si le procureur le suivait.

Me Zalmanowitz foudroya le directeur général du regard et, d'une voix assez forte pour que les journalistes l'entendent, balbutia :

— Crétin.

Puis, saisissant sa mallette, il se lança aux trousses de l'autre.

Les deux hommes restèrent seuls dans le bureau.

Le procureur en chef de la Couronne et le directeur général de la Sûreté. Alliés par obligation, au gré des caprices de la bureaucratie. Ni par affinité ni par choix.

Gamache ferma la porte et la verrouilla. Puis il se tourna vers Zalmanowitz.

— On casse la croûte, Barry ?

Il désigna une table basse, sur laquelle étaient posés des sandwichs et des boissons froides.

Zalmanowitz marqua sa surprise en haussant les sourcils. Puis il sourit. Un sourire où on ne lisait pas que de l'amabilité.

Il choisit un bagel Saint-Viateur garni de saumon fumé à l'aneth et de fromage à la crème.

— Comment as-tu deviné que j'allais chercher la bagarre?

— Je l'ignorais, répondit Gamache en tendant la main vers un sandwich au smoked-meat de chez Schwartz's. Mais autrement, c'est moi qui l'aurais fait.

Affamé, il prit une énorme bouchée qu'il fit descendre d'une longue rasade de thé glacé.

— Bon, fit Zalmanowitz après avoir terminé son bagel. Tu cochonnes admirablement toute l'affaire.

— Moins bien que toi.

— Merci. Je fais de mon pire.

Gamache esquissa un sourire crispé, puis, calé sur le canapé, il croisa les jambes et regarda le procureur en face.

— Je pense que la juge Corriveau se doute de quelque chose, dit-il.

Zalmanowitz s'essuya la bouche avec une mince serviette en papier et secoua la tête.

— Impossible. C'est beaucoup trop outrancier. Nous avons de la chance de pouvoir compter sur une caisse de retraite, toi et moi. Nous allons en avoir besoin.

Il souleva son verre embué et l'inclina vers le directeur général.

— À une instance supérieure.

Gamache l'imita.

— Aux vaisseaux brûlés.

Dans un café voisin, Maureen Corriveau, ayant déniché une table ombragée sur une terrasse, confia à sa conjointe:

— Je pense qu'il se trame quelque chose.

— Quelqu'un tricote un chandail? demanda Joan avec amusement.

— Si seulement c'était ça, répondit Maureen. Je comprendrais ce qui se passe, au moins.

Le visage de Joan se rembrunit.

— Comment? Tu es perdue? C'est trop pour toi, ce procès?

— Je n'en crois pas mes oreilles, dit Maureen, sincèrement blessée. Tu me crois incapable de présider un procès pour meurtre?

— Pas du tout. Mais c'est toi qui dis ne pas comprendre ce qui se passe. O.K., on recommence. Qu'est-ce qui te tracasse, au juste ?

— Le procureur de la Couronne, qui préside le bureau pour toute la province, a pris pour cible le directeur général de la Sûreté, à la barre des témoins. Pendant que la porte se refermait avant la pause de midi, je l'ai entendu l'insulter devant tout le monde.

— Son propre témoin ? Ça n'a pas de sens.

— Le pire, c'est que tout ça risque d'entraîner une annulation du procès. Je pense que quelques membres du jury l'ont entendu, eux aussi. Voilà ce que je veux dire. On a affaire à des types aguerris, assez vieux pour se maîtriser. Ils sont dans le même camp, après tout. Je n'arrive pas à comprendre ce qui se passe. Ni pourquoi. En particulier dans le cadre d'une affaire qui devrait aller de soi. Le directeur général de la Sûreté a pratiquement été témoin du crime. C'est sa femme qui a découvert le cadavre, pour l'amour du ciel.

Elle secoua la tête et repoussa sa salade.

— C'est peut-être une simple inimitié, risqua Joan. Ce sont des choses qui arrivent. Deux vieux éléphants, deux mâles dominants. Ils ont déjà dû croiser le fer. À maintes reprises.

Maureen hocha la tête, mais distraitement.

— Il paraît qu'ils ne s'entendent pas. J'ai entendu des rumeurs à ce sujet. C'est fréquent, d'ailleurs, entre policiers et procureurs. Mais, dans ce cas-ci, ça va plus loin. Je ne peux pas l'expliquer. Ils dépassent les bornes. Des bornes qu'ils connaissent très bien. J'ai juste…

Elle fit glisser ses doigts sur la paroi embuée de son verre.

— Quoi ?

— C'est ridicule, mais, en venant ici, je me suis dit qu'ils le faisaient peut-être exprès.

— De saboter le procès ? demanda Joan. Oublions le tricot. Tu les soupçonnes de fricoter ensemble ?

Maureen laissa entendre un petit grognement.

— Sacrée bonne femme, va.

— Désolée. Je ne voulais pas me moquer. Mais ça semble tiré par les cheveux, non ? Pourquoi feraient-ils une chose pareille ? Si tu as raison, ils s'emploient délibérément à faire dérailler un procès pour meurtre. Gamache a procédé à une arrestation. La Couronne a porté les accusations. Et, à présent, deux hommes qui ne s'aiment même pas font exprès de tout gâcher ?

Maureen secoua la tête.

— Je suis d'accord. C'est absurde. Une idée folle, qui m'est venue comme ça.

Elle se perdit dans ses réflexions, tandis que Joan observait le va-et-vient des passants, rue Saint-Paul.

Sans doute ces gens avaient-ils tous amorcé la journée frais et pimpants. À cette heure, ils avaient flétri sous l'effet de la chaleur. La juge Corriveau sentait la sueur dans son cou et la moiteur sous ses aisselles.

Elle n'avait pas hâte de revêtir sa robe et de passer l'après-midi dans la salle d'audience surchauffée. Au moins, ce n'était pas elle qui se trouvait sur le gril.

— Ce matin, M. Gamache a cité Gandhi, dit-elle. Une remarque à propos d'une instance supérieure.

Joan pianota sur son iPhone.

— Je l'ai. *Il existe une instance supérieure aux cours de justice et c'est celle de la conscience. Elle supplante toutes les autres.*

Maureen Corriveau prit une courte et brusque inspiration.

— J'en ai le frisson.

— Pourquoi donc ?

— Le directeur général de la Sûreté proclamant que la conscience l'emporte sur les lois ? Ça ne te donne pas froid dans le dos, toi ?

— Je ne suis pas sûre que ce soit ce qu'il voulait dire, fit Joan dans l'espoir d'apaiser sa conjointe. On dirait une affirmation de portée générale plutôt que l'expression d'un credo personnel.

— Tu t'imagines les manchettes de demain ? « Le directeur général de la Sûreté suit sa conscience et non la loi. »

— Tant que ce ne sera pas : « La juge pète les plombs dans sa salle d'audience. »

Maureen rit et se leva.

— Il faut que j'y aille. Merci pour le dîner.

Après s'être éloignée de la table, elle revint sur ses pas.

— Tu y crois, toi ?

— À la supériorité de la conscience personnelle sur les lois qui s'appliquent à tout le monde ? demanda Joan. Nos lois ne se fondent-elles pas sur la conscience ? Les dix commandements et le reste ?

— Le commandement qui proscrit l'homosexualité, par exemple ?

— C'est vieux, tout ça, répliqua Joan.

— L'interdiction reste en vigueur dans de nombreux pays. La loi, dans ce cas, est déraisonnable.

— Tu es donc d'accord avec M. Gamache, conclut Joan.

— Si j'étais d'accord avec quelqu'un, ce serait avec Gandhi et non avec Gamache. Mais comment une juge pourrait-elle croire en un tribunal de la conscience ? Supérieur à tous les autres ? Ce serait l'anarchie.

— Ou une forme de progrès, déclara Joan.

— La fin d'une carrière prometteuse dans la magistrature, déclara Maureen en souriant.

Elle embrassa Joan et, se penchant, l'embrassa de nouveau.

— Celui-là, c'était pour Gandhi, chuchota-t-elle.

17

Les deux hommes s'affrontèrent de nouveau.

Attentifs depuis le début, les spectateurs se penchaient désormais vers l'avant, leurs regards aimantés par le carré qui se découpait à l'avant de la salle, semblable à un ring de boxe, où l'affaire se réglerait en quelque sorte à coups de poing.

Dans la salle d'audience de la juge Corriveau, l'atmosphère était électrisante. Celle-ci était loin de s'en réjouir. Déjà qu'il y régnait une chaleur insupportable. À ses yeux, électricité et justice ne faisaient pas bon ménage.

Elle était au moins capable d'en cerner la source. Entre les deux hommes, l'antagonisme donnait l'impression de crépiter.

Joan les avait qualifiés de « vieux éléphants ».

« Ce sont plutôt des éléphants sauvages », songea la juge Corriveau. Qui conchiaient son premier procès pour meurtre.

Non, pourtant.

Souple et agile, le procureur de la Couronne, Me Zalmanowitz, avait la démarche nerveuse d'une panthère. Il arpentait son territoire, s'aventurait parfois jusqu'à la table de la défense, sans jamais quitter des yeux l'homme assis à la barre des témoins.

Tel un prédateur jaugeant sa proie.

Et Gamache ? Son calme était tel qu'on aurait pu le croire chez lui. En propriétaire de la chaise qu'il occupait, de la barre des témoins, de la salle tout entière. Poli, attentif, réfléchi.

Son extrême quiétude contrastait vivement avec l'agitation du procureur.

On avait affaire à un homme patient. Qui avait la sagesse d'attendre que l'agresseur révèle un point faible.

Ni éléphant ni panthère.

Il s'agissait, comprit la juge Corriveau, d'un prédateur sans égal. Qui trônait au sommet de la chaîne alimentaire.

Elle suivait des yeux Me Zalmanowitz, qui tournait autour de Gamache, en cercles de plus en plus restreints. Pour un peu, elle aurait fait signe au procureur de prendre ses distances.

L'aurait mis en garde contre le directeur général Armand Gamache, dont l'attitude et le sang-froid s'observaient uniquement chez ceux qui n'ont pas d'ennemis naturels. Prendre son calme pour de la léthargie serait une erreur fatale.

Un prédateur sans pareil qui citait Gandhi, s'émerveilla-t-elle. Elle se demanda si M. Gamache était, de ce fait, plus dangereux, ou moins.

Et elle se demanda s'il n'était pas lui-même son seul ennemi.

Maureen Corriveau se souvint de l'idée folle qui lui était passée par la tête pendant qu'elle marchait sur les pavés pour aller dîner avec Joan. Et si ces deux adversaires étaient en réalité des alliés, qui faisaient uniquement semblant de s'attaquer réciproquement ?

Mais pourquoi ?

Elle connaissait la réponse, bien sûr. Il y avait une seule explication possible.

Prendre au piège un prédateur encore plus dangereux.

La juge Corriveau jeta un coup d'œil à l'accusée.

Se pouvait-il qu'un être en apparence si faible et si vaincu soit tout autre en réalité ?

— Avant que nous nous arrêtions pour la pause de midi, monsieur le directeur général, vous nous parliez du moment où vous êtes venu informer le mari de Katie Evans du meurtre de sa femme, reprit le procureur de la Couronne. Nous vous avons quitté dans le restaurant.

— Le bistro, oui, corrigea Gamache.

Il vit avec satisfaction le procureur accueillir avec agacement la légère précision.

Pour sa part, Barry Zalmanowitz regardait le grand patron de la Sûreté confortablement assis à la barre des témoins, heureux de trouver cet homme si vulnérable.

Malgré la cordialité du repas qu'ils venaient de partager, Zalmanowitz n'avait pas besoin de faire semblant de haïr Gamache. Il le détestait effectivement. Depuis des années. Combien de fois avaient-ils croisé le fer ? Parfois, le procureur avait refusé de porter des accusations contre une personne que Gamache croyait coupable de meurtre, Zalmanowitz soutenant que les preuves étaient trop peu nombreuses ou insuffisantes.

— Vous n'avez qu'à vous en prendre à vous-même, Gamache, disait-il.

Et l'inspecteur-chef Gamache, qui dirigeait alors la section des homicides de la Sûreté, s'était à grand-peine retenu de le traiter de lâche qui n'acceptait de porter des accusations que quand il était sûr de gagner.

Oui, il était ironique que la réussite du plan dépende de leur capacité à laisser croire aux autres qu'ils ne pouvaient pas se sentir. Le plus beau, c'est qu'ils s'exécraient bel et bien.

En déambulant dans la salle d'audience et en regardant l'homme immobile à la barre des témoins, Zalmanowitz ne détectait aucune rancœur chez Gamache. Seulement de la méfiance.

La menace était si grande qu'Armand Gamache avait dû s'adresser au seul homme qui, en raison de sa situation, était en mesure de l'aider. Un homme qu'il n'aimait pas et en qui il n'avait pas confiance.

Cette rencontre avait été la plus extraordinaire de toute la carrière de Zalmanowitz.

Gamache avait pris l'avion pour Moncton et roulé jusqu'à Halifax, tandis que Zalmanowitz avait choisi un vol direct.

Ils s'étaient installés dans un petit restaurant face à la mer. Une gargote, même pour les débardeurs et les pêcheurs peu exigeants qui les entouraient.

Et là, à l'ombre de navires en partance pour des ports du monde entier, le directeur général de la Sûreté avait exposé son plan au procureur en chef de la Couronne.

Après, Gamache, complètement et absolument vulnérable, avait attendu. Seul un très léger tremblement de la main trahissait son stress.

Le procureur était bouche bée. Devant l'orgueil démesuré de l'homme. L'ambition du plan. Et la stupidité confinant au génie qui consistait à s'adresser à la dernière personne susceptible de l'aider. Et ce n'était encore que le début.

— Tu me demandes de mettre un terme à ma carrière.

— Presque assurément. Pareil pour la mienne.

— La tienne débute à peine, lui rappela Zalmanowitz. Tu sors tout juste de ta retraite. Tu es directeur général depuis quelque chose comme une nanoseconde. Je gage que tu ne sais même pas où se trouvent les toilettes de ton étage. Moi, j'ai donné trente ans de ma vie à ce service. À présent, j'en suis le grand patron. Et tu voudrais que j'y renonce ? Et, comme si ce n'était pas suffisant, que je risque la prison ? Et, dans le meilleur des cas, la honte ? Tu me proposes de compromettre ma carrière et de déshonorer ma famille ?

— Oui, s'il te plaît.

Gamache avait semblé sincère en prononçant ces mots avant de se fendre d'un large sourire. Pendant un moment, Zalmanowitz se demanda s'il ne s'agissait pas d'un plan tordu visant à se débarrasser de lui. À le pousser à s'autodétruire. À le persuader de commettre un geste assurément immoral, sinon carrément illégal.

Et à le ruiner avant qu'on lui indique la porte.

En regardant les yeux de l'autre, en sondant son visage, Zalmanowitz se rendit compte que Gamache était tout sauf cruel. Or, en agissant de la sorte, il aurait fait preuve de cruauté.

Armand Gamache était sincère.

— Je dois aller faire un tour, dit le procureur.

Gamache avait fait mine de se lever.

— Seul, ajouta Zalmanowitz en l'arrêtant d'un geste.

Il avait marché longtemps, très longtemps, arpenté le quai de haut en bas. Longé les immenses porte-conteneurs. Respiré l'odeur des algues, de la rouille, du poisson.

Zalmanowitz avait fait les cent pas.

S'il acceptait, il ne pourrait en parler à personne. Même pas à sa femme. Du moins avant que tout soit terminé.

Qui sait? Peut-être les gens comprendraient-ils? Ils comprendraient que, dans ce cas particulier, la fin avait justifié les moyens.

Il eut beau marcher, il ne put se soustraire à la réalité. S'il acceptait, s'il se liguait avec Gamache, il serait fini. Cloué au pilori. À juste titre.

C'était contraire à ses croyances les plus profondes. Aux valeurs qu'il défendait. Pareil pour Gamache, à vrai dire.

La menace était si grande que les deux hommes envisageaient d'aller à l'encontre de leurs plus fermes convictions.

Regretterait-il de s'être associé à Gamache? Regretterait-il d'avoir décliné son offre?

Quelles étaient les chances de réussite? Pas très bonnes, savait Zalmanowitz. Mais elles étaient nulles s'il ne tentait pas le coup.

Et Gamache n'avait pas d'autre carte à jouer. Il n'y avait que lui, savait Zalmanowitz. En raison de son poste. En raison du respect qu'il inspirait au sein de sa profession. Il l'utiliserait en entier, épuiserait toutes les réserves de sympathie qu'on avait pour lui. Aux fins de cette unique initiative.

Zalmanowitz s'arrêta et contempla les navires dans le port d'Halifax, sentit l'air salin lui caresser le visage.

Autrefois, Charlotte aimait aller dans le Vieux-Port de Montréal pour admirer les bateaux. Les yeux écarquillés. Elle interrogeait son papa sur la destination et le point de départ de chacun. Barry, qui n'en savait rien, évidemment, fabriquait des réponses de toutes pièces. Choisissait les lieux aux noms les plus exotiques.

Zanzibar.

Madagascar.

Le pôle Nord.

L'Atlantide.

Sainte-Crème-Glacée-de-Poutine.

— Celui-là, c'est toi qui l'as inventé, dit Charlotte en riant aux larmes.

« Bon, se dit-il. Si j'ai été capable d'inventer une histoire pour ma petite fille, je peux bien en inventer une pour le reste du Québec. »

— Viens, dit-il à voix basse. On part en voyage.

Il était rentré au restaurant, où l'attendait Gamache. Une grande part de tarte au citron meringuée à chacune de leurs places.

Zalmanowitz s'assit.

Bien qu'Armand Gamache n'ait rien dit à propos de Charlotte, Zalmanowitz le soupçonna d'avoir deviné. Il détesta presque l'homme qui lui avait fait cette demande. Et il aima presque l'homme qui lui avait fait cette demande.

— C'est d'accord.

Gamache avait hoché la tête en soutenant son regard.

— On doit faire vite.

Ils avaient fait vite.

C'était quelques mois plus tôt, en novembre.

Des accusations avaient été portées, on avait tenu des audiences préliminaires.

À présent, on était en juillet, au deuxième jour du procès pour meurtre.

Il était pratiquement impossible de dire si les choses se déroulaient comme prévu. Le plan avait peu de chances de réussir. Jusque-là, tout allait bien. Mais l'échec restait possible. Le sol risquait encore de se dérober sous eux.

Dans cette éventualité, ils tomberaient ensemble. La seule consolation de Zalmanowitz, c'était qu'il aurait au moins la satisfaction d'avoir ses mains autour du cou de Gamache quand ils toucheraient le fond.

— Comment Patrick Evans a-t-il accueilli la nouvelle du décès de sa femme ? demanda-t-il au directeur général.

18

— Parlez-moi ici, déclara Patrick Evans, tandis que ses amis serraient les rangs autour de lui.

« Un peu comme eux-mêmes l'avaient fait la veille, songea Gamache, pour protéger le *cobrador*. »

— Non, monsieur, dit l'inspectrice-chef Lacoste en l'entraînant par le bras, doucement mais avec fermeté. Veuillez nous suivre.

Elle montra du doigt ce qu'elle savait être une pièce plus petite, réservée aux réceptions privées. Les anniversaires, par exemple. Ou les enquêtes pour meurtre.

— Vous permettez ? demanda Léa.

— Oui, bien sûr, dit Lacoste en autorisant Matheo et Léa à accompagner leur ami.

Ils entrèrent dans la pièce et Beauvoir referma la porte.

Là, aucun foyer pour répandre la chaleur et la bonne humeur. Les portes-fenêtres s'ouvraient sur un jardin lugubre et, plus loin, sur la rivière Bella Bella, dont le débit était au maximum.

Dehors, l'air, formant une bruine épaisse qui parvenait presque à occulter la forêt en arrière-plan, semblait figé.

Beauvoir trouva les interrupteurs et alluma toutes les lumières, puis il monta le chauffage pour chasser l'humidité.

Lacoste se tourna vers Patrick Evans et le vit se blinder. Tout comme Matheo Bissonnette. Et Léa Roux. Comme si les policiers constituaient le peloton d'exécution et eux la cible.

Sans préambule, elle annonça la nouvelle, tranquillement, doucement, avec compassion, mais sans détour.

— Je suis désolée, monsieur, mais votre femme est morte.

Depuis longtemps déjà, Isabelle Lacoste avait compris que la simplicité était la meilleure solution. Un énoncé de fait court et net. Pour anéantir le moindre doute, fermer la porte au déni.

Il n'y avait pas de manière douce de communiquer une telle information. De briser des cœurs. Procéder avec lenteur ne faisait qu'accentuer le traumatisme.

Matheo s'avança vers son ami et lui serra le bras.

Patrick Evans avait beau se douter de quelque chose, il accusa le choc. Apparemment.

Il s'assit, sa bouche s'ouvrant au fur et à mesure que son corps s'affaissait.

On frappa à la porte et Beauvoir ouvrit. Olivier, avec une bouteille de scotch et des verres. Et une boîte de mouchoirs en papier.

— Merci, dit tout bas Jean-Guy qui, ayant accepté le plateau, referma derrière lui.

Lacoste tira une chaise de manière à s'asseoir juste en face de Patrick, leurs genoux se touchant presque.

Ses cheveux noirs étaient coupés court, comme ceux d'un homme beaucoup plus âgé. Rasé de près, il était plutôt beau, mais sa personnalité manquait de fermeté. Même dans la douleur, certaines personnes irradient la confiance. Ou, à tout le moins, font preuve d'une force intérieure. Cet homme semblait creux. Pâle sur tous les plans.

— On l'a trouvée dans l'église, expliqua Lacoste en fixant les yeux bleus de l'homme, même si elle doutait de sa compréhension des événements.

— Comment… ? demanda-t-il.

— La légiste doit terminer ses analyses, mais tout indique qu'elle a été battue.

— Seigneur…

Patrick Evans baissa les yeux avant de les remonter. Mais pas vers Lacoste.

— Comment est-ce possible ? demanda-t-il à Matheo.

— Je ne sais pas, répondit Bissonnette en secouant la tête d'un air incrédule.

À côté de lui, Léa semblait souffrante, physiquement atteinte.

Les lèvres de Patrick remuaient, mais les mots, trop nombreux, se bousculaient vers la sortie. Ou encore il n'avait pas de mots.

Qu'un abîme dans cet homme déjà creux.

— Quand avez-vous vu votre femme pour la dernière fois ? demanda l'inspectrice-chef Lacoste.

— La nuit dernière, répondit-il. Dehors.

— Dehors ? s'étonna Lacoste. Elle n'est pas rentrée dormir ?

— J'ai cru que oui. Je me suis couché, certain qu'elle arriverait plus tard.

— Mais elle n'est pas venue ? dit Lacoste.

Patrick secoua la tête.

— À quelle heure êtes-vous rentrés de votre souper ?

— Aucune idée, dit Patrick.

— Ils étaient de retour quand nous sommes partis de chez vous, dit Matheo à Gamache. Vers vingt-deux heures, non ?

Gamache confirma d'un geste.

— Vous l'avez vue sortir ? demanda Lacoste.

Matheo et Léa secouèrent la tête.

— Le *cobrador* était-il là lorsque vous êtes rentrés au gîte ?

— Le *cobrador* ? lança Patrick, émergeant soudain de sa stupeur. C'est à cause de lui, tout ça, non ?

Il s'était tourné vers Matheo, puis vers Léa. Ses yeux exorbités, sous l'effet de la panique.

— Je ne sais pas, dit Léa en se penchant vers lui.

Elle le serra gauchement dans ses bras. Ceux de Patrick restèrent ballants.

— Comment est-ce possible ? bredouilla-t-il, sa voix étouffée par le corps solide de Léa. Je ne comprends pas.

Ses yeux étaient à présent rivés sur Isabelle Lacoste.

« Il n'y a rien à comprendre », se dit-elle en les observant. Les réponses, elle finirait par les trouver.

Elle jeta un coup d'œil à Beauvoir, qui scrutait Patrick de son regard perspicace. Elle se tourna ensuite vers M. Gamache.

Les mains jointes derrière le dos, il regardait par la fenêtre. Un observateur moins avisé aurait pu croire qu'il se désintéressait de la question. Mais même de profil, Lacoste voyait son intense concentration. Il ne perdait pas le moindre mot, pas la moindre intonation.

Les mots nous renseignent sur ce que pense une personne, mais ses intonations nous révèlent ce qu'elle ressent. Voilà ce qu'il avait coutume de dire.

Informations vitales, dans un cas comme dans l'autre.

Oui, les faits étaient nécessaires. Mais, franchement, n'importe qui pouvait apprendre à détecter une tache de sang, à repérer un cheveu, à mettre au jour une aventure extraconjugale. À noter une anomalie dans un compte bancaire.

Les sentiments, en revanche? Seuls les plus valeureux s'aventuraient dans ce royaume explosif.

Et c'est à ce genre d'exploration que se livrait le patron. Les sentiments insaisissables, volatiles, imprévisibles, souvent dangereux. L'émotion vive, folle, qui avait conduit au meurtre.

Et il avait appris à Lacoste à procéder de la même façon.

Gamache délaissa la forêt pour se tourner vers Patrick, Matheo et Léa, à l'avant. Ses yeux brun foncé et réfléchis se posèrent non pas sur Patrick Evans, mais bien sur Matheo Bissonnette.

— Où êtes-vous allés souper, hier?

Il haussa les épaules, le peu d'énergie qu'il possédait encore s'écoulant rapidement.

— Je pense que c'était dans un restaurant de Knowlton, dit Matheo. Le Relais, non?

Patrick ne réagit pas.

— Vous êtes-vous fait du souci en ne voyant pas votre femme, ce matin? demanda Lacoste.

Il se secoua.

— Pas vraiment. J'ai cru qu'elle était avec elle, répondit-il en montrant Léa.

Elle.

Ses mots, comme englués, sortaient lentement.

— Et nous, nous avons cru qu'elle était avec Patrick, dit Matheo.

— C'est seulement quand la police est arrivée que nous nous sommes aperçus que personne n'avait vu Katie de toute la journée, ajouta Léa.

Lacoste se pencha vers Patrick Evans.

— Vous avez une idée de qui a pu faire une chose pareille à votre femme ?

Il la regarda comme aurait pu le faire un enfant.

— Vous pourriez modérer vos transports ? dit Léa. Vous ne voyez donc pas qu'il est en état de choc ?

Elle lui servit un verre de scotch, qu'il vida d'une traite.

Lacoste étudia Patrick pendant un moment. Chez lui, quelque chose n'allait pas, c'était indiscutable. On l'aurait dit enveloppé dans de la ouate. Assourdi. Le choc, peut-être, exacerbé par une lassitude naturelle.

À en juger par ses pupilles, il y avait une autre explication.

— Que pouvez-vous me dire sur le *cobrador* ? demanda Lacoste.

Patrick la regardait fixement.

— La Conscience. N'est-ce pas ?

Il se tourna vers Matheo, mais son regard était flou et son corps avait commencé à osciller.

Beauvoir s'agenouilla et plongea ses yeux dans ceux de Patrick. Celui-ci soutint son regard, la bouche entrouverte. Ses lèvres douces parsemées d'un peu de salive.

— Vous avez pris quelque chose ? demanda Beauvoir en s'adressant à Patrick, directement, lentement et clairement.

Celui-ci continua de le fixer.

— C'est lui qui a fait le coup, dit-il en mangeant ses mots. On est tous au courant.

— Qui donc ? demanda Beauvoir.

— Il veut parler du *cobrador*, évidemment, lança Matheo en se penchant vers Patrick. Non ? Qui d'autre ?

— Regardez-moi, monsieur Evans, lança Lacoste d'une voix claire et forte. Que faisait votre femme à l'église ?

— Personne ne va à l'église, répondit-il d'une voix à peine intelligible.

Beauvoir se tourna vers l'agent de la Sûreté chargé de prendre des notes.

— Allez chercher la D[re] Harris. Vite.

Pendant qu'il prononçait les mots, Patrick bascula d'un côté et Beauvoir, l'attrapant de justesse, le serra contre lui et, avec l'aide de Lacoste, le descendit de sa chaise pour le déposer sur le sol.

— Qu'est-ce qu'il a pris ? demanda Beauvoir sans quitter des yeux Patrick, dont il vérifiait les signes vitaux.

Gamache retira son manteau, le roula et le glissa sous la tête de Patrick.

— Je lui ai donné un comprimé d'Ativan, répondit Léa, les yeux exorbités. Qu'est-ce qu'il a ?

— Quand ? demanda Beauvoir.

— Juste avant votre arrivée. Il faisait de l'hyperventilation et frisait la panique. J'ai voulu le calmer.

— Seulement un ? insista Beauvoir en quittant des yeux l'homme inconscient pour se tourner vers ses amis.

— Un seul, oui.

Léa fouilla dans le sac qu'elle avait laissé tomber par terre et en sortit le flacon de pilules.

— Mais vous lui avez aussi fait prendre un verre de scotch, dit Lacoste.

— Merde, dit Léa. *Fuck, fuck, fuck*. Je n'ai pas réfléchi.

À son arrivée, Sharon Harris prit place à côté de Beauvoir. Tous reculèrent pour la laisser travailler.

— Qui est-ce ? demanda-t-elle.

— Le mari de Katie Evans, Patrick, répondit Lacoste, à qui la légiste décocha un rapide coup d'œil. Nous pensons qu'il s'agit d'un mélange d'Ativan et de scotch.

La nuance introduite par le « nous pensons » n'échappa ni à la légiste ni aux officiers.

— Vous avez le flacon ?

Léa le lui tendit. La Dre Harris l'examina, l'ouvrit et fit tomber quelques comprimés dans sa main. Elle les remit en place avant de rendre l'objet à Léa. Sans un mot.

— Il a perdu connaissance. Sans doute n'a-t-il pas l'habitude des tranquillisants. Et le scotch n'a certainement rien arrangé. Il vaudrait mieux le mettre au lit. Monsieur Evans ? lança la Dre Harris en se penchant à son oreille. Patrick ? Réveillez-vous. Nous allons vous escorter jusqu'à votre lit.

Elle lui pinça le lobe de l'oreille et les yeux de l'homme s'entrouvrirent en papillonnant. Son regard resta flou.

— On peut le remettre sur pieds ?

Beauvoir et Matheo soulevèrent et soutinrent l'homme, qui semblait soûl. Sa tête ballait d'un côté et de l'autre, ses yeux clignaient. Il essayait vainement de remonter à la surface.

Devant eux, la Dre Harris fendit la foule réunie dans le bistro.

Léa fit mine de les suivre, mais Gamache la retint.

— Il est accro à quelque chose ? demanda-t-il en la scrutant de près.

— Non.

— C'est le moment de nous le dire.

— Je vous répète que non. Patrick est le plus rangé d'entre nous. Il boit à peine.

Elle sccoua la tête.

— C'est ma faute. J'ai été stupide de lui donner ce comprimé.

« Et le scotch », songea Gamache en étudiant la femme. Elle semblait sincèrement préoccupée.

— Tout va bien ? demanda Olivier en passant la tête dans l'entrebâillement de la porte, l'air inquiet.

— Oui. M. Evans est ébranlé, rien de plus, répondit Gamache. Il a besoin de repos.

— S'il vous faut quelque chose, vous n'avez qu'à me faire signe.

— Merci, patron, dit Gamache.

Quand Olivier fut parti, Gamache invita Léa à s'asseoir.

Elle obéit. Gamache et Lacoste se joignirent à elle.

— Vous avez une idée de qui aurait pu en vouloir à Katie ? demanda Gamache.

— Franchement, non, répondit Léa.

Lacoste, qui n'était pas du genre cynique, sentait toujours en elle une légère alerte quand, pendant un interrogatoire, quelqu'un utilisait le mot « franchement ». Pourtant, Léa semblait sincère et sincèrement bouleversée.

Elle se rappela alors qu'elle avait affaire à une politicienne. Et que la politique était du théâtre.

Ce fut au tour de Léa de les examiner. Elle darda ses yeux perçants sur les officiers de la Sûreté.

— Vous soupçonnez le *cobrador* d'avoir tué Katie, n'est-ce pas ? demanda-t-elle en promenant son regard de l'un à l'autre.

— C'est aussi ce que pensent votre mari et M. Evans. Pas vous ?

— Je ne vois pas pourquoi il aurait fait ça, dit Léa. Il faudrait en conclure qu'il était venu pour Katie. Que, depuis le début, elle était la cible.

— Possible, dit Lacoste. Ce que nous savons, c'est que l'homme qui portait le costume a disparu et que Mme Evans a été assassinée. La coïncidence est saisissante, vous ne trouvez pas ?

Léa Roux y réfléchit.

— On ne peut pas en conclure pour autant qu'elle était sa cible. Il a peut-être frappé au hasard. Elle se trouvait au mauvais endroit, au mauvais moment, en somme. Pendant sa promenade nocturne.

— Mais, justement, elle ne se promenait pas, répliqua Lacoste. Elle était à l'église. Comment l'expliquer ?

Léa, perdue dans ses pensées, se cala sur sa chaise.

— Quand nous voyagions, Katie se rendait souvent dans les églises. En tant qu'architecte, elle était fascinée par ces établissements. Les arcs-boutants.

Elle sourit.

— C'est la seule chose dont je me souvienne, et uniquement parce que c'était devenu une plaisanterie entre nous. Super arcs-boutants.

Elle s'arracha à cette réminiscence.

— Notre-Dame de Paris. Chartres. Le Mont-Saint-Michel. Pas exactement des chapelles de village.

Gamache croisa les jambes et hocha la tête. Il n'y avait pas d'arcs-boutants à Saint-Thomas, même s'il était plus agréable de s'y asseoir qu'à Notre-Dame. Tout dépendait, naturellement, de ce qu'on venait y chercher.

— Pourquoi pensez-vous qu'elle était là-bas ? dit-il en reprenant la question de Lacoste.

Léa secoua la tête.

— Elle a peut-être seulement eu besoin d'un moment de tranquillité. Il faisait froid : peut-être est-elle montée là-haut pour se réchauffer. Franchement, je n'en sais rien.

Gamache remarqua qu'Isabelle avait tu le fait que Katie avait été découverte dans le sous-sol de l'église et qu'elle portait le costume du *cobrador*.

Un costume doté d'une forte portée symbolique. Il renvoyait au péché, aux dettes contractées. À ce qui était inadmissible et irrésolu. À la vengeance et à la honte. C'était en soi une forme d'accusation.

Et on en avait revêtu une femme morte.

Délibérément, et non par erreur. Dans un but précis.

« Oui, songea Gamache. Il existe un lien entre Mme Evans et le *cobrador*. »

Ses amis savaient-ils lequel ? Voilà la question.

— C'est ma faute, dit Léa. Si je ne l'avais pas protégé, hier soir, il se serait peut-être enfui. Ou encore il aurait été battu. En tout cas, Katie serait vivante.

Elle s'en prit alors à Gamache.

— C'est aussi votre faute. Vous auriez pu faire quelque chose. Vous vous êtes contenté de lui parler. Vous nous avez répété qu'il ne faisait rien de mal. Le mal est fait, à présent. Si vous aviez réagi, elle serait encore en vie.

Gamache ne dit rien parce qu'il n'y avait rien à dire. Il avait déjà maintes fois expliqué aux villageois qu'il avait les mains liées. À la lumière des événements récents, il savait qu'il ressasserait inlassablement les faits. Se demanderait s'il y avait du vrai dans ce que disait la femme.

Il savait aussi que la colère de Léa visait la personne qui s'était emparée de ce bâton pour tuer son amie. Il constituait tout simplement une cible plus commode.

Il la laissa donc faire. Sans battre en retraite. Sans se défendre. Quand elle eut terminé, il garda le silence.

Ayant ouvert les vannes de sa colère, de son chagrin, Léa Roux était en larmes, à présent.

— Merde, haleta-t-elle en essayant de se ressaisir, comme s'il était honteux de pleurer sur une amie décédée. Qu'avons-nous fait ?

— Vous n'avez rien fait de mal, dit Lacoste. Le directeur général Gamache non plus. Seul l'assassin est à blâmer.

Léa accepta le mouchoir que Lacoste lui tendait et, après l'avoir remerciée, s'essuya le visage et se moucha le nez. Elle pleurait encore. Plus doucement. Le chagrin l'emportait sur la rage.

— Vous ne pensez quand même pas que le *cobrador* était venu pour Katie ? demanda Léa.

— Vous avez une autre théorie ? répliqua Lacoste.

— Je ne sais pas, admit Léa. Il est possible que le *cobrador* ait fait le coup, mais pas par exprès. Katie l'a suivi, elle a découvert son identité et il l'a tuée.

Gamache hocha lentement la tête. Il avait envisagé cette hypothèse.

Mais pourquoi, dans ce cas, lui passer le costume ?

Et pourquoi la tuer, surtout ? Pour un homme risquant d'être découvert, la réaction semblait démesurée.

Mais peut-être aussi l'avait-elle reconnu.

Gamache se tourna du côté du brouillard. Il le jugea apaisant plutôt qu'oppressant. Enveloppant plutôt qu'étouffant.

Le meurtre de Katie Evans était-il prémédité ? Était-elle la cible, depuis le début ? Ou s'agissait-il de la réaction impulsive d'une personne démasquée ? Coincée dans ce sous-sol d'église ?

— Vous n'avez donc aucune idée de qui aurait pu en vouloir à votre amie ? demanda Lacoste.

— Je ne vois pas. C'était une architecte. Elle construisait des maisons.

— Un de ses projets aurait-il dérapé ? Un accident, peut-être ? Un effondrement ?

— Non, jamais.

— Était-elle heureuse en ménage avec Patrick ? demanda Gamache.

— Je pense que oui. Elle voulait des enfants, mais pas lui. Je ne sais pas si vous avez remarqué, mais il a lui-même quelque chose d'enfantin. Je parle d'un besoin d'affection et non d'un côté espiègle. Il fallait que Katie le materne. Et elle l'a fait. Elle l'a fait pour nous tous. Elle était très maternelle. Elle aurait fait une mère merveilleuse. Elle est la marraine de notre aînée. Elle n'oublie jamais un anniversaire.

Léa baissa les yeux sur le mouchoir, en lambeaux entre ses mains.

— Je pense qu'ils s'entendaient bien, elle et lui, dit-elle. Personnellement, j'ai toujours eu du mal à comprendre qu'elle soit avec lui. Surtout que…

Elle se tourna vers Lacoste, puis Gamache, qui attendirent qu'elle termine sa phrase.

— Surtout qu'elle aurait pu avoir Édouard.

— Votre ami de l'université, dit Gamache. Celui qui s'est enlevé la vie.

— Ou est tombé, nuança-t-elle.

Elle devait s'accrocher à cet espoir. S'efforçait d'y croire. Elle poussa un énorme soupir.

— L'amour… Que peut-on y faire ?

Gamache hocha la tête. Que pouvait-on y faire, en effet ?

Ayant mis Patrick au lit, Beauvoir, Matheo et la D^re^ Harris étaient de retour.

— Ça ira, annonça Sharon Harris. Il a juste besoin de dormir.

— Je vous raccompagne, dit Gamache en enfilant son manteau.

Au lieu de passer par le bistro bondé, ils sortirent par la porte qui s'ouvrait sur le patio et passèrent derrière les boutiques.

Dans la boulangerie voisine, ils virent Anton et Jacqueline en pleine conversation.

— L'amie de M. Evans, demanda la légiste, c'est Léa Roux, la politicienne ?

— C'est bien elle.

— Elle a beau dire qu'elle lui a fait prendre un seul comprimé d'Ativan, je n'ai encore jamais vu un adulte réagir aussi fortement à une si faible dose.

— Vous pensez qu'elle lui en a donné davantage ?

— Au moins deux comprimés. Bien sûr, il est possible qu'elle ait été gênée de l'admettre. Sinon, elle lui a remis le flacon et il s'est servi lui-même.

— J'en doute. Pas vous ? Aurait-il pu prendre autre chose que de l'Ativan ?

Elle s'immobilisa pour mieux réfléchir.

Gamache sentait la brume s'infiltrer sous son col, sous ses manches.

— Possible. Vous songez à un produit pharmaceutique, à un opioïde ? Sans test sanguin, je ne peux pas me prononcer. Vous avez des raisons de croire qu'il pourrait en consommer ?

— Pas vraiment. Seulement, il y en a tellement qui circulent.

— Vous n'avez pas idée, confirma la légiste, qui voyait chaque jour des victimes sur sa table en acier inoxydable.

Gamache ne dit rien, même si, en réalité, il avait une idée de la situation beaucoup plus précise que celle de la Dre Harris.

Il l'escorta jusqu'à sa voiture. Avant d'y monter, elle se tourna vers lui.

— M. Evans répétait sans cesse quelque chose à propos d'une mauvaise conscience, dit-elle. C'est important, Armand ?

— Le costume que portait la victime a un rapport avec la conscience, se contenta-t-il de répondre.

Elle comprit qu'elle n'en tirerait pas davantage.

Il n'avait pas le temps de parler du *cobrador* à la D[re] Harris. D'ailleurs, c'était inutile.

Les paroles de Patrick Evans, qu'on aurait pu prendre pour une confession, étaient presque certainement un avertissement. Une mauvaise, une très mauvaise conscience était sans contredit à l'œuvre.

— Merci, dit-il. Votre rapport ?

— Dès que possible. J'espère avoir des données préliminaires pour vous dans la matinée.

De retour dans la petite pièce au fond du bistro, Gamache trouva Matheo et Léa assis face à Lacoste et à Beauvoir. L'atmosphère n'était pas à la confrontation, du moins pas explicitement. Mais presque.

Les territoires respectifs avaient été délimités.

Gamache s'assit du côté de Lacoste et de Beauvoir.

— Nous avons cru, supposé que le *cobrador* avait tué Katie, dit Matheo. Mais nous faisons peut-être fausse route.

— Poursuivez, l'encouragea l'inspectrice-chef Lacoste.

— Le *cobrador* est venu ici pour quelqu'un. Quelqu'un qui s'est rendu coupable d'un crime horrible. Ne serait-ce pas plutôt cette personne qui a tué Katie ?

— Pourquoi l'aurait-elle fait ? demanda Lacoste. N'aurait-elle pas plutôt supprimé le type qui portait le déguisement ?

— C'est peut-être ce qui s'est passé, dit Léa. Et Katie a tout vu.

— Dans ce cas, où est-il ? Le type déguisé ? Pourquoi laisser le cadavre de Katie derrière, mais cacher l'autre ?

— Il n'est peut-être pas caché. Peut-être ne l'avez-vous tout simplement pas trouvé, risqua Matheo.

Lacoste haussa les sourcils. En avance sur lui, elle avait ordonné qu'on fouille les bois autour du village.

— Que pouvez-vous nous dire au sujet de Mme Evans ? demanda Lacoste.

— À propos de son enfance, pas grand-chose, répondit Matheo. Je sais qu'elle a grandi à Montréal. Elle a une sœur. Ses parents…

Il se tut en se rendant compte qu'il faudrait les prévenir.

— Vous avez leur adresse ? demanda Gamache.

Il nota les coordonnées fournies par Léa.

— Comme nous vous l'avons dit hier soir, nous nous sommes rencontrés à l'université. Nous suivions des cours différents, mais nous habitions la même résidence. Un lieu complètement fou… Mon Dieu, je me demande encore comment nous avons survécu.

« Oui, songea Gamache, mais pas tous. »

— Loin de la maison pour la première fois, poursuivit Matheo. Jeunes. Sans règles. Sans limites. Toutes les contraintes levées d'un seul coup, vous comprenez ? Nous étions déchaînés. Katie, elle, gardait son calme. Elle ne disait non à rien, mais elle ne perdait jamais son sang-froid. Elle n'avait rien d'une sainte-nitouche. Disons plutôt qu'elle était dotée de sens commun. Quant à nous, nous avions carrément perdu la tête.

— Katie était notre refuge, ajouta Léa.

Gamache hocha la tête. Ces qualités étaient précisément celles qui lui avaient tant plu chez Reine-Marie.

Une personnalité chaleureuse, une stabilité décontractée. Calme dans le maelstrom de la jeunesse. Et, parfois, de l'âge mûr.

— Les bêtises que nous avons faites…, continua Matheo, toujours plongé dans ses réminiscences. Personne n'était là pour nous dire d'arrêter. Un peu comme dans *Sa Majesté des Mouches*.

— Mais qui était Ralph et qui était Jack ? demanda Gamache.

— Et qui était le malheureux Porcinet ? demanda Matheo.

— Je ne vous suis pas, dit Léa.

— Désolé, dit Gamache. Une digression. Toutes mes excuses.

Mais Beauvoir, à qui les allusions avaient aussi échappé, savait que M. Gamache ne faisait jamais de détour involontaire.

Il ajouta *Sa Majesté des Mouches* à sa liste de choses à vérifier.

— Il y avait des drogues, naturellement, dit Gamache.

— Pour ça, oui, il y avait des drogues. Beaucoup, à une certaine époque, mais, par la suite, les choses se sont calmées. Une sorte d'essoufflement, vous comprenez ?

Gamache comprenait. D'après son expérience, mais aussi celle de ses enfants. En particulier celle de Daniel, son aîné.

L'université était synonyme d'éducation, certes, mais l'éducation ne se limitait pas aux salles de cours. C'était une période d'expérimentation. Où on mord dans la ville. Sans retenue, comme on se sert dans un buffet qu'on vient de découvrir. Pour un jour s'arrêter, titubant, gavé et nauséeux. Et, parfois, incapable de régler la note.

Les étudiants faisaient l'expérience de la drogue, de l'alcool et des aventures d'un soir, en subissaient les conséquences, puis passaient à autre chose. Commençaient à faire des choix plus réfléchis.

Certains, cependant, ne parvenaient jamais à délaisser le buffet.

Était-il possible que, après des années de folies, ils aient tous les quatre réintégré la civilisation ?

En vertu de la loi des probabilités, l'un d'eux n'aurait-il pas dû rester derrière ?

Puis il se souvint. Il y en avait eu un. Le cinquième larron.

— Parlez-nous d'Édouard.

— Hein ? s'étonna Matheo. Pourquoi ?

— Une tragédie, expliqua Gamache. Ce genre de choses laisse des traces.

— Sauf que Katie n'y a été pour rien, dit Léa. Elle n'était même pas là quand il est tombé. Patrick et elle avaient disparu dans sa chambre à lui. S'il y a un coupable, c'est le revendeur qui a fourni la drogue à Édouard.

— Qui était-ce ? demanda Lacoste.

— Vous voulez rire ? s'écria Matheo. C'était il y a quinze ans. Je me souviens à peine du nom de mes professeurs. Et le type a décampé tout de suite après la mort d'Édouard. Dès que les policiers ont commencé à poser des questions.

— Vous ne connaissez donc pas son nom ? insista Beauvoir.

— Non. Écoutez, il y a des années qu'Édouard est décédé. Il ne peut pas y avoir de lien entre lui et ce qui est arrivé à Katie.

— Vous seriez surpris par le nombre de meurtres qui prennent naissance dans le passé lointain, dit Gamache. Les émotions ont le temps de suppurer, de croître. Elles se déforment, deviennent grotesques. À l'image de ces personnes abandonnées sur une île au large de l'Espagne, elles reviennent toujours.

Il avait commandé l'attention de la pièce tout entière. On n'entendait que le léger crépitement du grésil sur les carreaux.

— Où étiez-vous hier soir ? demanda Lacoste.

— Nous avons soupé chez les Gamache, répondit Matheo. Puis nous nous sommes couchés.

— Vous n'avez pas entendu Mme Evans quitter le gîte ou y revenir ?

— Non, dit Matheo. Je n'ai rien entendu.

Léa corrobora d'un geste de la tête.

Les agents de la Sûreté raccompagnèrent Léa et Matheo jusqu'à la porte.

Après leur départ, Lacoste et Beauvoir se tournèrent vers Gamache.

— Vous pensez que l'assassin a pris le large ? demanda Lacoste.

— Non. Je crois que la personne qui a tué Katie Evans est encore ici. Et qu'elle nous observe.

19

— Qu'est-ce qu'ils font? demanda Jacqueline.

— Ils sont encore là.

Par la fenêtre en saillie de la boulangerie de Sarah, Anton jeta un coup d'œil à l'église Saint-Thomas, tandis que Jacqueline, face à l'espace de travail derrière le comptoir, pétrissait la pâte. La rouait de coups.

— On l'a emmenée, dit Anton en se détournant. L'ambulance est partie.

Il était venu annoncer la nouvelle: on avait découvert un cadavre dans la chapelle. Celui de la visiteuse. Katie Evans.

À ce stade, ils étaient tous déjà au courant. Quand même, la confirmation leur avait fait un choc.

Anton s'assit, puis, incapable de trouver une position confortable, il se mit à marcher nerveusement dans la petite boulangerie en essayant de dissimuler sa fébrilité.

En constatant, à son réveil, que le *cobrador* était parti, il avait cru que tout irait bien. Qu'ils n'auraient rien à confier à Gamache. Mais à présent…

Une femme avait été tuée et il y avait des policiers partout.

Bref, c'était pire que jamais.

— On aurait dû leur dire, lança Jacqueline en débarrassant ses doigts de la pâte collante.

— Que nous savions que c'était un *cobrador*? Tu crois qu'il y a un rapport avec ce qui est arrivé?

— Évidemment, répondit-elle sur un ton abrupt.

Après avoir détaché la pâte du plan de travail, elle la rejeta dessus avec tant de force que la masse s'aplatit. Dégonflée, privée de vie à force de manipulations. Elle ne lèverait plus.

— Tu n'es quand même pas complètement idiot.

Il la regarda comme si c'était lui qu'elle avait pétri, martelé. Et achevé d'un coup sec.

— Franchement, Anton. On nous a parlé du *cobrador* l'année dernière. Et le voilà qui débarque ici. Il ne t'est pas venu à l'idée qu'il était peut-être là pour nous ?

— Mais pourquoi ? demanda-t-il.

— Je ne sais pas, répondit-elle. Parce que nous avons travaillé pour un fou furieux ?

— C'est eux qui sont partis, dit Anton. Pas nous. D'ailleurs, nous ne savons rien.

— Nous en savons bien assez. Il a peut-être envoyé le *cobrador* pour nous mettre en garde. Pour nous rappeler de la fermer.

Mais si le *cobrador* était venu pour eux, pourquoi Mme Evans était-elle morte ?

Les policiers n'avaient pas encore précisé les circonstances du drame, mais c'était l'évidence même. À en juger par l'activité dans l'église, Mme Evans n'était pas morte de cause naturelle. Ni des suites d'un accident.

— Est-il trop tard pour dire quelque chose ? demanda Anton.

— Peut-être pas, répondit-elle en malmenant la pâte. Mais les apparences vont être contre nous. On va nous demander pourquoi nous avons attendu si longtemps.

— Pourquoi, justement ?

Pourtant, il était parfaitement au courant.

Il se souvint du masque sombre face au bistro. Tourné vers lui. De son regard qui, à travers les fenêtres et même les murs, fixait la cuisine, où il lavait la vaisselle.

La Conscience. Qui menaçait tout ce qu'Anton avait bâti.

Oui. C'est pour cette raison qu'il n'avait pas voulu s'adresser à ce Gamache. Le grand patron de la Sûreté, rien de moins. Par crainte que celui-ci découvre le pot aux roses. Comprenne qui il était.

Même Jacqueline ne le savait pas.

Il la regarda. Ses longs doigts, autrefois si sensuels, étaient désormais comme des griffes étranglant une baguette.

Il savait ce qui l'avait poussé à garder le silence au sujet du *cobrador*. Il s'expliquait moins bien les motivations de Jacqueline.

La porte entre le bistro et la boulangerie s'ouvrit avec une force telle qu'elle heurta violemment le mur. Jacqueline et Anton sursautèrent.

Léa Roux entra, suivie de Matheo.

— On doit…, commença Léa qui, à la vue d'Anton, s'interrompit brusquement.

Ils se dévisagèrent. Il les avait déjà aperçus, mais seulement au passage. Des visiteurs. Voilà tout ce qu'il savait. En cet instant, il eut l'impression de les reconnaître. Elle, en tout cas.

— Te voilà, fit Olivier en entrant derrière eux.

Il salua Léa et Matheo d'un mouvement aimable de la tête. Dans le bistro, il leur avait parlé et offert ses condoléances.

Puis son attention se tourna vers le plongeur.

— Je t'ai cherché partout, dit-il d'une voix irréprochablement solennelle et courtoise où perçait toutefois une légère irritation. J'ai besoin de toi en cuisine. Nous sommes… occupés.

Olivier esquissa un sourire forcé indiquant clairement que, sans la présence des autres, il se serait exprimé autrement. Sur un tout autre ton.

— Mille excuses, dit Anton.

Il se hâta vers la porte, mais, avant de sortir, il se tourna vers Jacqueline.

— Ça va ?

Elle hocha la tête et il se tourna vers Léa et Matheo.

— Désolé. C'est terrible.

De toute évidence, la femme avait pleuré. Ses yeux étaient bouffis et rougis.

Anton suivit Olivier parmi la foule qui avait envahi le bistro, où il n'était question que du meurtre, jusque dans la cuisine, où régnaient des arômes d'herbes et de sauces réconfortantes, le tapage des marmites, des poêlons et de la vaisselle.

Pour les autres, une cacophonie ; pour Anton, une symphonie. Voire un opéra. Le fracas métallique de la création, du drame, de la tension. Des rivalités. Des divas. Des saveurs et des chefs qui s'affrontent. Des tragédies, même. Des soufflés qui s'affaissent. Des mijotés qui brûlent.

La plupart du temps, de ce vacarme, de ce grand tumulte, émergeait quelque chose de merveilleux. De magnifique. D'à la fois grisant et réconfortant.

Un jour, Anton avait pleuré en goûtant un gelato parfait. Et une autre fois, à Renty, en France, en mordant dans une baguette. Un pain si sublime qu'on faisait des heures de route pour s'en procurer.

Oui. Aux yeux des autres, une cuisine était un espace fonctionnel. Peut-être même synonyme de corvée. Pour quelques-uns, c'était un monde. Un monde bordélique, merveilleux. Pour Anton, son monde. Son sanctuaire. Il lui tardait de le regagner. Pour se cacher. Et espérer que la Sûreté ne découvrirait pas sa véritable identité.

— Allez, dit Olivier en tenant la porte battante de la cuisine. Il y a beaucoup à faire. Pas seulement ici. Les officiers de la Sûreté voudront sûrement des sandwichs et des boissons.

— Je m'en occupe, dit Anton.

— Merci, dit Olivier en se détendant très légèrement.

De retour dans l'église, Isabelle Lacoste chargea un agent de se rendre à Knowlton pour interroger les employés du restaurant. Voir s'ils se souvenaient des Evans. Un autre fut dépêché dans le village avec une liste de personnes qu'elle souhaitait interviewer.

Elle invita le directeur général Gamache à prendre part aux interrogatoires.

Il déclina la proposition.

— À moins que vous ayez besoin de moi, Isabelle.

Elle réfléchit.

— Ils seraient plus susceptibles de dire la vérité puisque vous les connaissez et que vous avez une bonne idée de leurs allées et venues de la dernière journée. Mais, ajouta-t-elle en souriant et en haussant les épaules, s'ils mentent, je m'en accommoderai.

C'était, savait Gamache, une attitude moins cavalière qu'on aurait pu le croire.

— Vous resterez souper et dormir à la maison, j'espère, dit-il. Nous en profiterons pour comparer nos impressions.

Si Gamache était présent, tous seraient sur la corde raide. Contraints de dire la vérité. Laquelle, bien sûr, est utile dans le cadre d'une enquête pour meurtre.

Mais peut-être moins qu'un mensonge.

Un mensonge ne fait pas nécessairement d'une personne un meurtrier. Mais il permet de faire la part des choses. De distinguer le vrai du faux. Ceux qui n'ont rien à cacher de ceux qui abritent un secret.

Un mensonge est une lumière dont le faisceau, à force de s'élargir, finit par illuminer la personne qui dissimule le plus grand secret. Celle qui a le plus à cacher.

Jean-Guy Beauvoir s'installa confortablement dans le bureau des Gamache et attendit que la connexion Internet s'établisse.

Rares étaient ceux qui auraient su trouver le village de Three Pines au creux de sa vallée, y compris les satellites qui assuraient l'accès Internet de la majeure partie de la planète. Le village, pour sa part, se trouvait légèrement en marge de la civilisation. Dans l'autoroute de l'information qui le survolait à toute vitesse, le village faisait figure de nid-de-poule.

Ayant été témoin de tant de brutalités innommables dans des villes, petites et grandes, Jean-Guy Beauvoir en était venu à la conclusion que la « civilisation » était peut-être surestimée. Exception faite de la livraison de pizzas à domicile, naturellement.

Certes, il était possible d'acheter un livre chez Myrna, de l'apporter chez Olivier et de le lire en paix en savourant un riche café au lait et un délicieux croissant au beurre de chez Sarah.

Était-ce suffisant pour ne pas regretter l'utilisation des iPhone et les pizzas ?

« Non », bredouilla-t-il en se tortillant impatiemment sur sa chaise, rongé par l'envie d'une connexion sans fil haute vitesse et d'une grande pizza toute garnie.

La connexion par réseau commuté, primitive, exaspérante, bruyante et d'une fiabilité douteuse, laissait entendre des bruits perçants, comme si elle redoutait le contact avec le monde extérieur.

— Nous avons connu pire, rappelait le patron à Jean-Guy chaque fois que celui-ci se plaignait du modem poussif.

Pendant qu'il attendait, Beauvoir jeta un coup d'œil dehors. Il vit des techniciens sortir du matériel des fourgonnettes et le transporter à l'intérieur de l'église Saint-Thomas. Il s'émerveilla de la chance de Lacoste. Bénéficier d'un poste de commandement à deux pas de la scène du crime… Au chaud et au sec, avec l'eau courante, un réfrigérateur. Des toilettes.

— Une machine à café, pour l'amour du ciel, balbutia-t-il.

Elle n'avait même pas à sortir, ce qui, du point de vue de Beauvoir, représentait un très net avantage.

On était loin, en somme, de quelques-uns des lieux où son beau-père et lui avaient été contraints d'emporter leurs pénates pendant des enquêtes pour meurtre menées aux quatre coins du Québec.

Les tentes, les bateaux de pêche ballottés par les vagues, les cabanes, les cavernes.

Il avait parlé à Annie des latrines où ils avaient un jour établi leur quartier général, mais elle avait refusé de le croire.

— Demande à ton père, avait-il dit.

— Absolument pas, avait-elle répondu en riant avec son naturel coutumier. Tu me fais marcher. C'est une forme de provocation policière, monsieur. J'ai bien l'intention de porter des accusations.

— Tu me punirais ? avait-il répliqué d'une voix faussement pleine d'espoir. Il est vrai que je suis vilain, un très vilain garçon.

— Non, tu es un garçon sot, très sot. Et, que Dieu nous protège, tu es désormais père de famille. Je t'ai préparé toutes sortes de punitions nouvelles. J'ai donné des pruneaux à Honoré pour la première fois. Il a adoré.

Il avait quand même dit la vérité. L'inspecteur-chef Gamache et lui enquêtaient sur le meurtre d'un survivaliste au Saguenay. On avait découvert le cadavre dans une cabane calcinée. Seules les latrines tenaient encore debout.

— Il y a deux trous, avait souligné Gamache, comme s'il s'agissait d'un luxe inespéré.

— Je vais m'installer ici, avait déclaré Beauvoir en posant une pierre sur une souche et en sortant son carnet de notes.

À deux heures, il avait commencé à pleuvoir et Beauvoir avait frappé à la porte des latrines.

— Qui est là ? avait poliment demandé Gamache.

Jean-Guy avait jeté un coup d'œil par le trou en forme de demi-lune percé dans la porte branlante.

— Laissez-moi entrer.

— C'est ouvert. N'oublie pas de t'essuyer les pieds.

Ils avaient passé une journée et demie à chercher des preuves dans les décombres calcinés. À interroger les « voisins » éparpillés dans la forêt. Des trappeurs et d'autres survivalistes pour la plupart. Les enquêteurs étaient à la recherche d'une personne, n'importe laquelle, qui confirme avoir connu la victime. Mais c'est à peine si ces types avaient admis se connaître eux-mêmes.

Pas d'Internet. Pas d'ordinateur. Pas de connexion commutée. Pas de téléphone. Rien du tout. Sauf, Dieu merci, du papier hygiénique. Et l'eau, les rations alimentaires, les allumettes et les sacs de couchage qu'ils avaient apportés avec eux.

Ils avaient punaisé des feuilles de papier sur les murs battus par les intempéries et établi des diagrammes où figuraient les suspects. C'était presque devenu un petit nid douillet.

— Vous avez attrapé le coupable ? avait demandé Annie.

Elle avait été séduite par le récit. Et, peu à peu, son esprit d'avocate avait admis, à contrecœur, que Jean-Guy disait la vérité.

Elle l'écoutait, fascinée, tout comme lui écoutait, fasciné, ses récits à elle.

— Oui. Grâce à notre perspicacité et à notre capacité de raisonnement bien affûté, à notre…

— Le type s'est rendu, hein ?

— Non, répondit Jean-Guy qui, à l'évocation de ce souvenir, ne put s'empêcher de sourire. Il est revenu pour voler le système de filtration d'eau du mort. Si tu avais vu sa tête quand nous avons jailli des latrines, ton père et moi…

Annie avait failli mouiller sa culotte à force de rire.

La connexion Internet enfin établie, Jean-Guy pivota sur la chaise, ses mains au-dessus du clavier.

Il avait toutes sortes de priorités concurrentes. La première allait de soi.

Il envoya un bref message à Annie pour lui relater les événements et la prévenir qu'il allait passer au moins une nuit chez ses parents à elle.

Pendant qu'il écrivait, il eut la nostalgie de sa femme. D'Honoré. De leur odeur, de ce qu'il ressentait en leur présence.

— Tu me manques, répondit Annie. J'espère qu'il n'y aura pas deux trous.

C'était devenu leur nom de code pour les situations particulièrement merdiques.

Jean-Guy tapa ensuite *Sa Majesté des Mouches* et appuya sur « Entrée ».

— Clara ? appela Myrna.

La maison baignait dans une quasi-obscurité. Une seule lampe brûlait dans le salon.

Myrna alluma et fit apparaître l'attrayante cuisine. Vide.

Elle ne voulait pas déranger son amie, qui faisait peut-être la sieste. Myrna se dit toutefois que, après les événements de la journée, ils auraient tous du mal à trouver le sommeil.

Quand Armand était rentré, elles avaient pris congé, conscientes que Reine-Marie et lui souhaiteraient rester seule à seul.

— Doux Jésus ! Tu m'as réveillée, espèce de tas de... vêtements.

Myrna, après s'être remise de sa syncope, jeta un coup d'œil à la porte entre la cuisine et le salon. S'y encadrait la vieille poète démente et débraillée. Et un canard. Aux plumes ébouriffées.

— De vêtements ?

— O.K., je voulais dire « de merde », mais Michel m'a demandé d'être plus polie. Quand je te parle, je te serais donc reconnaissante de remplacer le mot approprié par « merde ».

Myrna inspira à fond par le nez et expira par la bouche. Et commença à craindre que Ruth ait réussi à se faufiler au paradis grâce à la complicité d'un archange gravement mystifié. Auquel cas...

— Où est Clara ?

— Comment diable veux-tu que je le sache, grosse tête de nœud ?

— Quel mot faut-il que je remplace ?

— Hum, laisse-moi réfléchir.

En fait, il n'y avait qu'un endroit possible où chercher Clara. Celui où elle se réfugiait toujours en cas de coup dur.

— Te voilà, dit Myrna en frappant doucement à la porte de l'atelier.

Les lumières étaient allumées. Tamisées. Juste assez pour imiter le soleil indirect du matin.

Clara pivota sur son tabouret, révélant le délicat pinceau pour la peinture à l'huile qu'elle tenait à la main, ainsi que le portrait posé sur un chevalet.

Myrna ne distinguait que le pourtour du tableau, le corps de Clara masquant le reste.

Des toiles s'appuyaient sur les murs de l'atelier. Près d'une douzaine, sans doute. Certaines achevées. La plupart loin de l'être.

On aurait dit une galerie de personnes abandonnées.

Myrna, incapable de soutenir leurs regards, détourna les yeux. Par crainte des supplications qu'elle risquait d'y lire.

— Ça avance ? demanda-t-elle.

— À toi de me le dire.

Clara descendit du tabouret et fit un pas de côté.

Myrna regarda.

Normalement, Clara peignait des portraits. Des visages extraordinaires transposés sur la toile. Certains faisaient sourire. D'autres plongeaient le spectateur dans une mélancolie inexplicable, dans l'inconfort ou la joie.

Certains provoquaient de forts sentiments de nostalgie sans raison particulière, sinon que Clara était une sorte d'alchimiste, capable de transposer des émotions, voire des souvenirs, sur la toile. Des sentiments fossilisés se changeaient en couleurs avant d'être retournés, dans un cadre, à l'intéressé.

Cette œuvre-ci était différente. Il ne s'agissait pas d'un portrait. Du moins pas de celui d'une personne.

On y voyait Leo, le chiot de Clara, et Gracie, la petite chienne des Gamache, issue de la même portée. S'il s'agissait bien d'une chienne, évidemment.

On y voyait Leo assis, retenu, magnifique, beau et sûr de lui. Gracie, l'avorton, se tenait debout, tout près, la tête inclinée, comme cela lui arrivait souvent. Perplexe. Ébouriffée. Laide. Elle ne regardait pas le spectateur dans les yeux, semblait plutôt attirée par quelque chose qui se trouvait au-delà, derrière.

Myrna faillit se retourner pour voir ce qui fascinait la petite créature.

Les chiens n'étaient pas adorables. Ils n'étaient pas mignons. Ils avaient l'un et l'autre quelque chose de sauvage.

Clara avait saisi ce que ces animaux auraient pu devenir s'ils n'avaient pas été apprivoisés. S'ils n'avaient pas été capturés. Et civilisés. Elle avait peint ce qui se tapissait presque à coup sûr dans leur ADN.

Myrna se surprit à tendre la main vers la toile avant de se raviser.

Elle les avait presque entendus grogner.

— Désolée, dit-elle à Clara. Je n'aurais pas dû te déranger. Je suis allée au bistro, mais tout le monde parlait du meurtre. J'ai préféré m'en aller, mais je n'avais pas envie d'être seule.

— Idem pour moi. Pauvre Reine-Marie, dit Clara en rejoignant Myrna sur le canapé, au milieu des odeurs familières et réconfortantes de la peinture à l'huile et des bananes ayant connu des jours meilleurs.

— J'ai essayé de tirer les vers du nez à Armand, dit Myrna. Il m'a gratifiée de son fameux regard avant de s'éloigner.

Ils le connaissaient tous, ce regard. Ils l'avaient déjà observé. Plus souvent qu'on l'aurait cru possible.

Il ne comportait pas de reproches. Il ne laissait pas entendre que leur curiosité était mal placée. En fait, Gamache aurait été étonné que les autres ne posent pas de questions. Et eux auraient été surpris qu'il y réponde.

Plus que tout, les yeux d'Armand traduisaient la fermeté.

Cette fois-là, ils avaient aussi laissé voir de la colère. Et un état de choc. Deux réactions. Qu'il avait tenté de dissimuler.

Depuis toujours, Myrna jugeait curieux qu'un homme qui avait consacré sa carrière à la traque des tueurs et qui était désormais le grand patron de la Sûreté puisse être surpris par un meurtre.

Et pourtant, il l'était. Elle le voyait bien.

Il lui avait fait part de sa décision de réintégrer la Sûreté et, comme si ce n'était pas suffisant, d'en accepter le commandement.

— Vous vous croyez capable de faire bouger les choses ? lui avait-elle demandé.

Elle avait vu son visage se fendre d'un large sourire. Les rides se creuser autour de ses yeux et de sa bouche.

— Vous ne semblez pas convaincue, avait-il dit.

— J'essaie juste de comprendre vos motivations.

— Vous vous demandez si c'est une manifestation d'ambition démesurée. D'orgueil.

— Je me demande, Armand, si votre décision est motivée par votre ego.

C'était dans le cadre de l'une des séances désormais officieuses à l'occasion desquelles la psychologue à la retraite écoutait le policier à la retraite et examinait des blessures qui, sinon, auraient été ignorées. À la recherche de signes d'infection.

— L'amour du pouvoir, avait-elle ajouté. Qu'en pensez-vous ? Ça vous dit quelque chose ?

Pour amortir la portée de ses paroles, elle les avait prononcées en souriant, mais très légèrement.

— Je ne suis pas assoiffé de pouvoir, avait-il répondu d'une voix ferme, quoique toujours chaleureuse. Mais je n'en ai pas peur quand il s'offre à moi. Nous avons tous des talents, des dons. Il se trouve que je sais épingler les criminels.

— Mais ça ne s'arrête pas là pour vous, Armand. Il s'agit davantage de protéger les innocents que de démasquer les coupables. Il est bon d'avoir une mission dans la vie, une raison d'être. Les obsessions, c'est une autre paire de manches.

Il s'était alors penché, et elle avait senti l'autorité qui se dégageait de sa personne. Il n'était ni étouffant ni menaçant. Incroyablement apaisant, au contraire.

— Ce n'est ni un hobby ni un passe-temps. Ce n'est même pas un simple emploi. Si j'accepte de devenir directeur général de la Sûreté, je dois m'engager sans réserve. Il y a de gros, d'énormes problèmes. Je dois me croire capable d'y remédier. Sinon, à quoi bon ?

Il avait posé sur elle ses yeux brun foncé, réfléchis. Dépourvus de la moindre trace de folie. D'ego débridé. En revanche, on y lisait de la puissance. Et de la conviction.

Le lendemain, il avait accepté le poste. Et voilà que, quelques mois plus tard, il était de nouveau mêlé à une enquête. Pour meurtre. Sur le pas de sa porte, pour ainsi dire.

Assise à côté de Clara sur le canapé, comme pour attendre l'autobus, Myrna réfléchissait.

Oui, la colère d'Armand était justifiée. Elle aussi était en colère. En même temps, elle avait peur et elle se demandait s'il en allait de même pour Armand.

Elle baissa les yeux sur le sol, où Leo était enroulé sur le tapis miteux, à côté d'un jouet qu'il mâchouillait. On aurait eu du mal à trouver une image plus adorable.

Elle se tourna ensuite vers la peinture représentant Leo. Gracie. La sauvagerie dont ils étaient capables. Qu'ils cachaient peut-être. Et elle comprit qu'il ne s'agissait pas uniquement d'un portrait des chiots.

— Bonjour ?

Une voix inconnue les rejoignit dans l'atelier. Les deux femmes s'extirpèrent du canapé bas et entrèrent dans la cuisine, où elles trouvèrent un jeune homme portant l'uniforme de la Sûreté.

— Il n'y a pas de sonnette, expliqua-t-il, légèrement sur la défensive. J'ai frappé.

— Ne vous en faites pas, dit Clara. On entre chez moi comme dans un moulin. Vous êtes là pour Katie. Je peux vous être utile ?

— Doux Jésus. Gamache engage des fœtus, maintenant ?

Le jeune agent se tourna vers la créature longue, maigre et âgée qui se découpait dans la porte. Un canard dans les bras.

— L'inspectrice-chef Lacoste m'a chargé de trouver une certaine Ruth Zardo, expliqua-t-il en consultant le bout de papier mouillé qu'il tenait à la main. Elle n'était ni chez elle ni au bistro. Quelqu'un m'a dit qu'elle serait peut-être ici. On m'a suggéré de chercher une vieille folle.

Il les examina toutes les trois. Pour lui qui avait vingt-cinq ans, elles avaient toutes l'air vieilles. Avec de la folie à revendre. « C'est inévitable », songea-t-il. Pauvres elles. Coincées dans ce trou perdu. Il eut envie de compter leurs doigts, de chercher des banjos.

— *Fuck, fuck, fuck*, marmotta le canard.

Ensemble, les trois femmes le dévisageaient comme si, des quatre, c'était lui le plus bizarre.

Jean-Guy téléphona à Myrna à la librairie et lui laissa un message. Il voulait savoir si elle avait un exemplaire de *Sa Majesté des Mouches*.

Il se plongea ensuite dans le synopsis en ligne.

Il y était question d'écoliers qui se retrouvent seuls sur une île déserte. D'enfants heureux, sages, sains de corps et d'esprit qui, loin des règles et de l'autorité, se transforment peu à peu en sauvages.

Et Beauvoir pensa à son fils, Honoré, à ce qu'il ferait dans de telles circonstances.

Surtout, Jean-Guy se souvint des paroles de Matheo Bissonnette. Leur première année à l'Université de Montréal avait été comme *Sa Majesté des Mouches*.

Avec le chasseur cruel, Jack. Le rationnel, le discipliné Ralph. Les « petits », les plus jeunes. Combattant leurs peurs. Créant des bêtes de toutes pièces.

Et Porcinet qui n'a de valeur au sein du groupe que parce que ses lunettes servent à faire du feu.

Beauvoir rectifia la position des siennes avant de poursuivre. Tendu, de plus en plus crispé à mesure qu'il lisait.

Les garçons finissent par se convaincre qu'il y a une bête dans l'île. Une bête qu'ils doivent traquer et tuer.

Retirant ses lunettes, Jean-Guy se frotta les yeux.

Matheo Bissonnette avait comparé l'université à *Sa Majesté des Mouches*, mais, à l'entendre, on aurait dit qu'il s'était agi d'une partie de plaisir, d'une folle aventure.

Ces quatre amis, cinq si on comptait le malheureux Édouard, s'étaient-ils métamorphosés en sauvages ? Avaient-ils fini, entre les murs de l'université, par se retourner les uns contre les autres ?

Le village de Three Pines n'était-il pas comme une île ?

Et, à présent, l'une d'entre eux était morte. Tuée par un autre membre de la bande.

Et la Conscience s'était volatilisée.

Beauvoir prit une profonde inspiration et rit à la pensée de son imagination pour le moins fertile.

Décidant de remettre à plus tard ses lectures concernant *Sa Majesté des Mouches*, il tapa les mots qu'il avait lus dans l'après-midi sur la serviette de table tombée de la poche de Gamache.

Brûler nos vaisseaux.

— Je peux? demanda Armand en désignant les toilettes au couvercle baissé comme s'il s'agissait d'un fauteuil inclinable.

— Je t'en prie, répondit Reine-Marie en acceptant le verre de vin rouge qu'il lui tendait, une stalactite de mousse de bain pendant à son bras. Rien pour toi?

— J'ai bien peur d'être encore en service, dit-il en croisant les jambes pour maximiser son confort.

— Vous avez une meilleure idée de ce qui s'est passé?

— Isabelle se charge des interrogatoires. Elle va souper avec nous. Je lui ai proposé de passer la nuit ici. À Jean-Guy aussi.

— Dans ce cas, j'ai intérêt à ne pas lambiner, dit Reine-Marie en posant son verre et en faisant mine de sortir de la baignoire.

D'un geste, Armand l'invita à rester où elle était.

— Olivier va nous apporter le souper. Les lits sont faits et il y a des serviettes fraîches: j'ai vérifié.

— L'auberge Gamache est ouverte? lança-t-elle en se calant au milieu des bulles.

Le subtil parfum de rose de la mousse de bain se mêlait à la vapeur, et Armand eut la curieuse impression que le brouillard avait envahi leur maison. Et il éprouva un fort sentiment de bien-être, comme quand il marchait dans la brume.

— Tu tiens le coup? demanda-t-il.

— Ça fait du bien.

De toute évidence, elle voulait parler de sa compagnie plus que des bulles. Plus que du vin, même.

— Tu aimerais en discuter?

— C'était horrible, Armand. Il y avait du sang partout.

Elle tentait de ne pas pleurer, mais des larmes ruisselaient sur son visage, et il s'agenouilla devant la baignoire et lui prit les mains. Pendant qu'elle lui décrivait, une fois de plus, sa découverte.

Elle devait en parler. Et lui devait l'écouter. Pour la réconforter.

— Qui l'a tuée, Armand ? Le *cobrador* ?

Elle savait pertinemment qu'il n'avait pas la réponse, mais elle espéra que, dans l'extrême intimité de leur salle de bains, il lui confierait peut-être une intuition.

— Je le crois au centre de toute cette affaire, en effet. Quant à savoir si c'est lui qui a commis le meurtre, je n'en suis pas sûr.

Elle le regarda dans les yeux.

— Tu n'aurais rien pu faire.

— Et c'est en plein ce que j'ai fait. Rien du tout. Mais je ne suis pas venu pour parler de moi. Je suis là pour toi.

Il caressa la peau de Reine-Marie avec son pouce.

— Tu as fait quelque chose, riposta-t-elle en ignorant ce qu'il avait dit. Tu l'as mis en garde. Tu ne pouvais quand même pas arrêter une personne sous prétexte qu'elle se trouvait dans un parc. Dieu merci.

— Dieu merci, répéta Armand tout bas.

Il savait qu'elle avait raison. Mais il sentait aussi sa conscience se rebeller. L'accuser de suivre la loi, aveuglément. Au détriment du sens commun.

Katie Evans était morte. Le *cobrador* s'était volatilisé. Et Reine-Marie trempait dans l'eau de la baignoire, le sang depuis longtemps nettoyé, mais la tache encore présente.

— La loi est parfois stupide, dit-il en serrant fort la main moite de Reine-Marie.

— Tu ne penses pas ce que tu dis.

— Si. Il y a des lois qui ne devraient être ni maintenues ni appliquées.

— Mais ce n'est pas à toi de décider lesquelles, dit-elle en se redressant et en le regardant dans les yeux. Tu diriges la Sûreté. Tu dois obéir aux lois, même quand c'est inconfortable.

Elle parlait doucement en soutenant son regard.

— Tu ne peux pas chasser une personne qui campe dans un parc devant chez toi simplement parce que sa présence te dérange.

Dans la bouche de Reine-Marie, ces propos étaient limpides, raisonnables.

— Ce que je ne m'explique pas, c'est comment le tueur connaissait l'existence de la cave à légumes, dit Reine-Marie. Presque personne n'y met les pieds.

— Et toi, pourquoi y es-tu descendue ?

— J'avais des alkékenges, ces fleurs en forme de lanterne chinoise, tu sais ? Avec de longues tiges. Je me suis demandé s'il y avait là-bas un vase, même ébréché, qui ferait l'affaire.

Elle prit un moment pour réfléchir.

— Tu crois que c'est là que le *cobrador* allait quand il disparaissait pendant la nuit ?

— Possible. Probable. Le rapport de la police scientifique nous en apprendra davantage à ce sujet, mais c'est une hypothèse sensée. La pièce fait une cachette assez idéale. Il y a une salle de bains, une cuisine. Mais pas de fenêtres.

— Vous avez trouvé une arme ?

Il la dévisagea, manifestement désorienté.

— Que veux-tu dire ?

C'est elle qui, à présent, semblait ne pas comprendre.

— Tu sais avec quoi Katie a été tuée ?

— Avec le bâton de baseball, bien sûr.

— Bien sûr ?

Il la scruta en silence avant d'écarquiller les yeux.

— Décris-moi une fois de plus ce que tu as vu en découvrant le cadavre.

Saisie par le ton d'Armand, elle se redressa. Elle s'efforça de revivre la scène.

— En allumant la lumière, j'ai aperçu une forme sombre dans le coin, comme une ombre. On aurait dit un amas de vêtements noirs. Et il y avait aussi du sang.

Il lui serra la main, laissa passer le moment.

— Qu'y avait-il d'autre dans la cave à légumes ?

Il s'en voulait d'insister de la sorte, mais il n'avait pas le choix.

Elle fronça les sourcils.

— Des pots de conserve sur les tablettes. Quelques vases, pour la plupart ébréchés ou fissurés. Quelques bougeoirs cassés. Des objets sans valeur, même pour une vente-débarras.

— Autre chose ? Sur le sol, par exemple ?

Il ne pouvait pas la pousser davantage. La suite viendrait d'elle. Ou elle ne viendrait pas.

En esprit, elle balaya la pièce des yeux.

— Non. Pourquoi ? J'aurais dû voir quelque chose ? J'ai raté un détail ?

— Non, mais nous avons failli en laisser échapper un. Tu permets ?

Il se leva.

— Bien sûr. Vas-y.

Armand se pencha pour l'embrasser.

— Ce n'est pas ta faute, murmura-t-elle.

En sortant, il se demanda combien de fois d'autres lui avaient répété ces mots.

« Ce n'est pas ma faute. » Même si cela l'était presque toujours.

20

— Qu'est-ce que tu cherches ? demanda Gamache en s'immobilisant dans la porte de son bureau.

— *Lord of the Rings*, répondit Beauvoir, qui interrompit sa recherche et ferma la page.

— *Lord of the Flies*, tu veux dire ?

— Oui, oui. Je viens de finir le passage où Ralph et Frodo trouvent l'anneau magique dans la tête du cochon[1]. Mais je me demande ce que le pape vient faire dans l'île.

— Wikipédia, grommela Gamache en se dirigeant vers la porte de la maison. Je dois jeter un autre coup d'œil à la cave à légumes.

— Pourquoi ? demanda Beauvoir en lui emboîtant le pas.

— Une chose que Reine-Marie vient de me dire.

— Quoi donc ?

Gamache lui fit le compte rendu de la conversation.

— Vous voulez rire ? fit Jean-Guy, même si, à l'évidence, Gamache ne plaisantait pas. Je vous accompagne.

— La sœur et les parents de Mme Evans n'ont pas encore été prévenus et il serait utile de jeter un coup d'œil chez les Evans à Montréal.

Beauvoir s'immobilisa et hocha sèchement la tête.

— Je m'en occupe. Vous devez rester auprès de Mme Gamache.

---

1. Beauvoir confond *The Lord of the Rings* (*Le Seigneur des anneaux*) de J. R. R. Tolkien et *Lord of the Flies* (*Sa Majesté des Mouches*) de William Golding. (*NDT*)

— Merci, Jean-Guy. Pour la maison, nous aurons sans doute besoin d'une ordonnance judiciaire. M. Evans dort toujours, je présume ?

— Il est toujours sans connaissance, vous voulez dire ? demanda Beauvoir pendant qu'ils enfilaient leurs blousons. Il avait pris plus qu'un tranquillisant, ce type. Il était en plein cirage. Complètement parti.

— Au moins deux, selon la D^re^ Harris. Et pas nécessairement de l'Ativan.

— Un opioïde ?

— Je ne sais pas.

— Léa Roux aurait-elle fait exprès de lui administrer une dose trop forte ? demanda Beauvoir. Ou s'agit-il d'une simple erreur ?

Là, savait Gamache, était la question.

Les deux hommes s'engagèrent dans l'allée en relevant leur col pour se protéger du crachin et du grésil.

— Gardez-moi quelque chose à manger, dit Jean-Guy.

En roulant vers Montréal, il se demanda pourquoi il avait menti à Gamache à propos de sa recherche sur Internet.

Certes, il s'était renseigné sur *Sa Majesté des Mouches*. Mais c'était avant. La recherche qu'il avait cachée au patron concernait les mots qu'il avait notés sur la serviette en papier tombée par terre.

Brûler nos vaisseaux.

Beauvoir savait désormais à quoi ils faisaient référence. Mais pas pourquoi les mots, l'expression, avaient frappé Gamache si fort qu'il s'était donné la peine de les noter. Et de les conserver.

À l'heure du midi, sans doute. Et avec qui le directeur général avait-il dîné ?

Toussaint. Madeleine Toussaint. La nouvelle directrice de la section des crimes majeurs.

Brûler nos vaisseaux.

Armand Gamache marcha dans la pénombre de la fin de l'après-midi. Le brouillard qui s'attardait sur Three Pines voilait les lumières des maisons. Le village semblait légèrement flou. Pas tout à fait de ce monde.

Il entendait le bruit sec de l'eau qui, ayant roulé sur les feuilles, frappait les branches plus basses. On aurait pu, à tort, prendre ce bruit pour celui de la pluie. C'était une fausse pluie. Irréelle. Comme tant d'autres aspects de ce village. Comme tant d'autres aspects de ce meurtre. Un pied dans l'ici et maintenant, l'autre dans un monde différent. Celui d'une Conscience capable de marcher. Et de tuer.

L'air sentait la terre. Le froid et l'humidité transperçaient la toile de son blouson.

Dans l'église, les lumières étaient allumées. Gamache distinguait les vitraux illuminés et les garçons du village, les soldats, figés dans le temps. Marchant pour l'éternité vers une bataille remportée, ou perdue, depuis longtemps.

Si loin qu'il n'y avait plus de retour possible.

Gamache, comme eux, avançait.

Dans l'église Saint-Thomas, il descendit au sous-sol.

On avait installé une table de conférence à un bout de la salle, dont le centre était occupé par des bureaux. Des techniciens s'employaient à installer des lignes téléphoniques, des ordinateurs et d'autres appareils.

Autour de la table, l'inspectrice-chef Lacoste et un agent interviewaient quelqu'un. Gamache croisa le regard d'Isabelle et elle hocha imperceptiblement la tête.

— Qui est là ? demanda Ruth en se tournant sur sa chaise, raide comme un piquet.

La vieille poète, qui passait à côté de bien des évidences, semblait ne discerner que l'indiscernable.

— Oh. C'est seulement vous.

L'agent qui prenait des notes ainsi que les techniciens de la Sûreté s'immobilisèrent. Bouche bée, ils fixèrent le nouveau directeur général.

— Patron, dirent quelques-uns en le saluant d'un geste de la tête.

Les plus jeunes, y compris celui qui avait escorté Ruth jusqu'au poste de commandement, se contentèrent d'écarquiller les yeux.

Les plus anciens avaient connu Gamache à l'époque où il dirigeait la section des homicides. À l'époque où il l'avait débarrassée de la corruption, à des coûts personnels considérables.

Et voilà qu'il était de retour, aux commandes de toute la machine.

Sa nomination avait entraîné un énorme soupir de soulagement.

On le voyait dans les couloirs du quartier général, souvent entouré de collaborateurs qui lui communiquaient des informations au vol, entre deux réunions.

On observait un sentiment d'urgence et de détermination, absent de ces lieux depuis des années.

Parfois aussi, on apercevait le directeur général Gamache seul dans ces mêmes couloirs, dans un ascenseur ou à la cafétéria. Plongé dans un dossier. Tel un professeur d'université absorbé dans un ouvrage obscur et fascinant.

C'était une vision curieusement réconfortante pour ces femmes et ces hommes qui avaient connu la brutalité. Qui avaient porté leur arme avec plus de fierté que leur insigne.

Voilà un homme qui brandissait un livre et non un fusil, un homme qui n'avait nul besoin d'afficher son courage. Ni de sombrer dans la sauvagerie.

Finies les fanfaronnades, la brutalité comme mode normal d'interaction avec le public.

Ils avaient enfin la permission de redevenir humains.

Ce directeur général-là ne se cachait pas, ne complotait pas, ne divisait pas pour mieux régner. Le directeur général Gamache s'offrait à la vue de tous. Mais personne ne se serait attendu à le voir débarquer dans le sous-sol d'un obscur village.

Leur GPS les avait informés qu'ils avaient, au sens propre, atterri au milieu de nulle part et la voix féminine, du ton que leurs mères prenaient autrefois avec eux, leur avait conseillé de refaire leurs calculs.

Gamache salua les agents d'un geste de la tête et leur fit subtilement signe de continuer leur travail. Il n'avait nullement l'intention de les déranger. Cela dit, il avait fini par comprendre que l'apparition du grand patron créait des remous, partout où il allait.

— S'il vous plaît, dit Isabelle Lacoste en indiquant une chaise libre, sa voix trahissant un soupçon de désespoir. Joignez-vous à nous. Vous arrivez juste à temps.

— Salut, Clouseau, lança Ruth, assez fort pour que les agents l'entendent jusqu'au fond de la pièce. J'étais en train de lui expliquer que je n'ai pas tué cette femme.

Puis elle baissa le ton et se pencha vers les officiers de la Sûreté.

— En ce qui concerne le canard, je ne peux jurer de rien.

Se calant sur sa chaise, elle les gratifia d'un regard entendu. Rose darda sur eux ses petits yeux perçants.

Tous savaient que Rose aurait volontiers porté le chapeau pour Ruth, ce qui, pour un canard, serait tomber bien bas.

— Si je comprends bien, vous êtes venue à l'église ce matin, dit Lacoste.

Ruth hocha la tête.

— Vous êtes descendue ici ?

— Non.

— Vous avez observé quelque chose de différent dans l'église ?

Ruth réfléchit. Puis elle secoua la tête avec lenteur.

— Non. Tout m'a semblé normal. La porte était déverrouillée, comme d'habitude. J'ai allumé les lumières et je me suis assise à côté des garçons.

Tous savaient de quels garçons brillants et fragiles elle voulait parler.

— Pas de bruits insolites ? demanda Lacoste en se préparant à encaisser une repartie caustique, sardonique.

« Celui d'un meurtre commis au sous-sol, par exemple ? »

La vieille femme se contenta de réfléchir encore un moment avant de secouer de nouveau la tête.

— C'était tranquille. Comme d'habitude.

Accoudée sur la table, la vieille femme, les mains sur le visage, soutint le regard inflexible d'Isabelle Lacoste.

— Elle était déjà en bas, hein ? Déjà morte.

Lacoste hocha la tête.

— Nous le pensons. Vous connaissiez l'existence de la cave à légumes ?

— Bien sûr. Je suis marguillière. Elle a servi à des contrebandiers, vous savez. Au temps de la prohibition. La bibine transitait par ici.

Gamache, qui ignorait ce détail, se dit que c'était sans doute pour cette raison que Ruth considérait l'église comme un endroit particulièrement sacré.

Ruth jeta un coup d'œil du côté de la petite pièce au sol en terre battue et du ruban de police qui délimitait la scène du crime.

— Enlever la vie à quelqu'un… C'est terrible. Et dans une église, on dirait que c'est pire. Je me demande pourquoi.

Son visage ratatiné était ouvert, comme si elle espérait sincèrement une réponse.

— Parce qu'on se sent en sécurité, ici, dit Lacoste. On sent la protection de Dieu, de la décence.

— Vous avez sans doute raison, concéda Ruth. Et Il nous a peut-être protégés.

— Il n'a rien fait pour Katie Evans, dit Lacoste.

— Non, mais Il nous a peut-être protégés contre elle.

— C'est-à-dire ? demanda Lacoste.

— Écoutez, je ne la connaissais pas, cette femme, mais cette espèce de conscience n'était quand même pas ici pour rien.

— Vous voulez parler du *cobrador* ? fit Lacoste. Vous pensez qu'il était là pour Mme Evans ?

— Oui. Vous aussi, d'ailleurs.

Elle se tourna vers Gamache. Le directeur général se contenta de soutenir son regard perçant sans hocher la tête. Ni imperceptiblement ni autrement.

— Vous pensez que le type déguisé l'a tuée à cause d'une chose qu'elle a faite ? demanda Lacoste.

— Ce serait ridicule de ne pas le voir. Il est parti et elle est morte. On peut donc conclure qu'elle s'est rendue coupable d'un crime si horrible qu'elle devait le payer de sa vie. Il est venu pour la faire passer à la caisse. Quant à savoir si l'acte qu'il lui reprochait était à ce point impardonnable ou si lui-même est complètement cinglé, c'est une autre paire de manches. En ce qui me concerne, une personne qui s'accoutre de cette façon n'a pas toute sa tête.

Au prix d'un effort surhumain, Lacoste se retint de souligner que Ruth n'était peut-être pas la mieux placée pour porter ce genre de jugement.

— Si Mme Evans était la cible depuis le début, pourquoi ne s'est-il pas contenté de la tuer ? demanda Lacoste. Pourquoi toute cette mise en scène ?

— Vous avez déjà regardé un film d'horreur ? demanda Ruth. *Halloween*, par exemple ?

— Et vous ? répliqua Lacoste.

— Non, admit Ruth. Une fois Vincent Price disparu, le genre a perdu tout intérêt. Mais je connais la formule.

— Moi, en tout cas, j'enquête sur des meurtres depuis des années. Et dans la vraie vie, je n'ai encore jamais vu un seul tueur se déguiser, attirer tous les regards et ensuite passer à l'acte. Vous ?

Elle se tourna vers Gamache, qui secoua la tête.

— Il n'avait peut-être pas l'intention de la tuer, au début, dit Ruth. À quoi sert un déguisement comme celui-là ? Quelle est sa fonction ?

— Il a pour but d'humilier, répondit Lacoste.

Ruth secoua la tête.

— Non, vous pensez au *cobrador* moderne. L'agent de recouvrement. Lui, il humilie. Mais l'ancien ? Le *cobrador* originel ? Que fait-il, au juste ?

Lacoste songea à ce qu'on lui avait raconté au sujet de ces hommes sombres, actifs à une époque turbulente. Aux trousses de ceux qui les avaient tourmentés.

— Il sème la terreur, dit-elle.

Ruth hocha la tête.

La terreur.

Les policiers, la poète et sans doute jusqu'à la cane savaient que la terreur reposait moins sur l'acte lui-même que sur la menace. L'anticipation.

La porte close. Le vacarme dans la nuit. La silhouette sombre à peine entrevue.

L'acte terroriste entraîne l'horreur, la douleur, la rage, le chagrin, le désir de vengeance. La terreur, elle, vient du fait qu'on se demande ce qui nous attend.

Observer, attendre, s'interroger. Anticiper. Imaginer. Imaginer toujours le pire.

Les terroristes se nourrissent des menaces plus que des actes eux-mêmes. Leur arme de prédilection est la peur. Il s'agit de loups solitaires ou de cellules. Dans certains cas, c'est le gouvernement lui-même qui instaure la terreur.

Et la Conscience n'agissait pas autrement. Elle arrimait ses forces à l'imagination de chacun. Ce maillage engendrait l'effroi. Et, dans les réussites les plus retentissantes, la pression augmentait d'un cran et on aboutissait à la terreur.

— Il ne lui a pas suffi de la tuer, dit Ruth tout doucement. Il a d'abord tenu à la tourmenter. À lui faire comprendre qu'il savait. Qu'il était venu pour elle.

— Et elle n'a pu en parler à personne. Impossible de demander de l'aide, dit Lacoste. Si ce que vous dites est vrai, elle a gardé le secret pendant très, très longtemps.

— Et le secret est revenu la hanter, au sens propre, ajouta Ruth.

Tout oreilles, Gamache se rendit compte, non sans un léger amusement, que Lacoste traitait Ruth comme une collègue. Comme si la vieille poète démente avait pris la place de Beauvoir.

De fait, Jean-Guy et Ruth se ressemblaient beaucoup, même si Gamache n'aurait jamais dit à son gendre qu'il avait de nombreux points communs avec une vieille ivrogne.

Malgré leur antagonisme de surface, ces deux-là se comprenaient. Il y avait de l'affection entre eux. Peut-être même de l'amour. À tout le moins une vieille et bizarre connivence, aussi inéluctable qu'inavouable pour l'un comme pour l'autre.

Gamache se demanda également si Ruth et Jean-Guy étaient unis depuis toujours, par-delà les époques et les vies. Mère et fils. Père et fille.

Canards de la même volée.

Isabelle Lacoste se leva, aussitôt imitée par Gamache. Elle remercia Ruth, visiblement mécontente d'être éconduite. Serrant Rose contre son chandail bouloché, elle traversa le sous-sol de l'église, les agents, les recrues comme les vétérans, s'écartant sur son passage.

Lacoste et Gamache se rassirent. On envoya le jeune agent chercher la personne suivante, tandis que les officiers réfléchissaient.

— Si le *cobrador* était là pour elle, pourquoi Mme Evans n'est-elle pas partie ? demanda Lacoste.

— Elle a peut-être craint d'attirer l'attention sur elle-même en se sauvant, répondit Gamache. Peut-être s'est-elle dit que la Conscience, puisqu'elle l'avait repérée ici, la trouverait n'importe où.

— Et comment l'a-t-il relancée jusqu'ici, au fait ?

— Il l'a suivie, forcément.

— Sans doute, dit Lacoste avant de prendre un moment de réflexion. Comment l'a-t-il entraînée dans l'église ?

— Et s'il ne l'avait pas entraînée ? répondit Gamache. Il l'a peut-être suivie.

— Je vous écoute.

— Supposons qu'elle soit venue ici à la recherche d'un peu de paix, dit Gamache. Dans un endroit où elle se croyait en sécurité.

— Il y a une autre possibilité. Autre chose qui aurait pu pousser Katie Evans à venir ici.

— Oui ?

Il attendit, tandis que Lacoste plissait les yeux en essayant de se représenter ce que la femme, à bout de nerfs, avait fait ce soir-là. La nuit dernière.

— Elle a pu lui donner rendez-vous ici, dit Lacoste en voyant les images défiler dans sa tête.

La femme terrorisée, fatiguée, lessivée. Consciente que quelqu'un connaissait son secret.

— Supposons qu'elle l'ait invité à la rejoindre ici. Un endroit privé, où elle savait qu'ils ne risquaient pas d'être dérangés. Qu'a dit M. Evans, déjà ? Plus personne ne va à l'église. Elle a peut-être voulu lui parler. Pour se faire pardonner. Le supplier de la laisser tranquille, de s'en aller.

— En cas d'échec, dit Gamache en suivant le même raisonnement, elle aurait un plan B.

Un bâton de baseball.

Lacoste se cala sur sa chaise et se tapota les lèvres avec un stylo. Elle se pencha de nouveau.

— Selon ce scénario, Katie Evans fixe un rendez-vous ici, dans le sous-sol de l'église, hier soir. Elle entend donner au *cobrador* ce qu'il veut. Des excuses complètes. Après, il s'en ira. Au cas où les choses ne se passeraient pas comme prévu, elle prend la précaution de se munir d'un bâton de baseball. Il le lui enlève et s'en sert pour la tuer. Puis il s'enfuit.

— Pourquoi lui a-t-il mis son costume de *cobrador*? demanda Gamache.

Problème sur lequel on butait toujours.

Le déguisement. Pourquoi l'avait-il lui-même enfilé et pourquoi diable en avait-il affublé sa victime ensuite ?

— Il y a plus, dit Gamache. Je ne suis pas venu dans l'intention d'assister à vos interrogatoires. Mme Gamache vient de me dire quelque chose et je tenais à ce que vous soyez au courant.

— Quoi donc ?

— Elle dit qu'il n'y avait pas de bâton de baseball dans la cave à légumes quand elle a découvert le cadavre.

L'inspectrice-chef Lacoste absorba l'information, puis elle convoqua le photographe.

— Vous pouvez nous trouver les photos et la vidéo de la scène du crime ?

— Oui, patronne, dit-il en se dirigeant vers son ordinateur.

— Se pourrait-il que cet objet lui ait échappé ? demanda Lacoste.

— C'est possible, admit Gamache.

— Mais peu probable ?

— Elle s'est agenouillée pour vérifier si Katie Evans était encore en vie. Je pense donc qu'elle aurait vu le bâton couvert de sang. Pas vous ? La pièce est toute petite.

— Voici, dit le photographe en s'approchant de la table de conférence avec son appareil.

Les images étaient limpides.

Reine-Marie Gamache n'aurait pas pu rater le bâton appuyé contre le mur. On aurait dit un point d'exclamation rouge sang.

Et pourtant…

Et pourtant, Mme Gamache ne se souvenait pas de l'avoir vu.

— Donc, conclut Lacoste, il n'était sans doute pas là quand elle a découvert le cadavre.

Les mots « sans doute » n'échappèrent pas à Gamache, qui comprenait l'hésitation de Lacoste.

— Il était là quand Jean-Guy et moi sommes arrivés.

— Mme Gamache a verrouillé la porte de l'église, résuma Lacoste. Et il y a une seule façon d'y entrer et d'en sortir. Cette porte principale, à l'avant. Il faut donc en conclure que quelqu'un d'autre a la clé.

— Je suis certain que beaucoup de clés circulent, dit Gamache. Seulement, Myrna, en attendant l'arrivée de la Sûreté, a monté la garde sur le perron pour en interdire l'accès.

— Il y a quand même eu une courte période de battement, souligna Lacoste. Combien de temps ? Dix minutes ? Entre le moment où Mme Gamache est rentrée à la maison pour vous téléphoner et celui où Myrna est arrivée.

— Exact. Mais c'était en plein jour. Traverser le village avec l'arme tachée de sang qui a servi à commettre un meurtre dans l'intention de la remettre à sa place… Hum. Ça exigerait…

— Des couilles de la taille de balles de baseball ?

— Et un sacré bâton, dit Gamache.

21

Le directeur général Gamache avait passé la journée à la barre des témoins, où il s'était fait, presque au sens propre, cuisiner.

Dans la salle d'audience du palais de justice soumis à la chaleur étouffante de juillet, il aurait été surhumain de ne pas transpirer. Gamache, qui suait à grosses gouttes, se retenait à deux mains de sortir son mouchoir pour s'éponger le visage. Le geste, il le savait, laisserait croire qu'il était nerveux. Il savait aussi que le procureur de la Couronne et lui-même en arrivaient à un point particulièrement sensible de son témoignage.

Il devait à tout prix éviter de laisser voir de la faiblesse ou de la vulnérabilité.

À la fin, quand la sueur dégoulina dans ses yeux, il dut céder. Il lui fallait s'éponger le visage, faute de quoi il donnerait l'impression de pleurer.

Il entendait le léger bourdonnement d'un ventilateur qui, placé sous le pupitre de la juge Corriveau, ne tournait que pour elle. Elle en avait besoin plus que les autres. À moins d'être nue sous sa robe de magistrate, elle devait se faner dans la chaleur ambiante.

Malgré tout, le ventilateur faisait à Gamache l'effet d'une provocation en soufflant une brise inaccessible.

Une mouche unique vrombissait autour de lui, alanguie dans l'air lourd.

Les spectateurs s'éventaient à l'aide de tous les bouts de papier qu'ils avaient trouvés ou réussi à emprunter. Malgré leur envie d'une bonne bière glacée servie dans une brasserie climatisée, ils refusaient de partir. Rivés sur place par le témoignage et par la sueur sur leurs jambes.

Même les journalistes les plus blasés écoutaient, alertes, en dépit des gouttes de sueur qui tombaient sur leurs tablettes pendant qu'ils prenaient des notes.

Les minutes s'égrenaient, la température grimpait, la mouche voletait et l'interrogatoire se poursuivait.

On avait autorisé les gardiens à s'asseoir près des portes et les jurés à retirer chandails, vestons et autres couches extérieures, bref à ne conserver que le strict minimum requis par la pudeur.

Vêtus de leur longue robe noire, les avocats de la défense restaient immobiles.

Le procureur de la Couronne, Barry Zalmanowitz, avait ôté le veston qu'il portait sous sa robe. Là-dessous, comprit Gamache, c'était sans doute comme dans un sauna.

Lui-même avait conservé son veston et sa cravate.

On aurait dit une sorte de jeu, une épreuve opposant le directeur général au procureur en chef. C'était à qui se flétrirait le plus vite. Fascinés, les spectateurs voyaient les deux hommes se liquéfier, tout en refusant de se laisser anéantir par l'atmosphère qu'ils avaient eux-mêmes contribué à créer.

C'était toutefois bien plus qu'un jeu.

Gamache s'épongea les yeux et prit une gorgée de l'eau glacée, vite tiédie, que lui avait proposée la juge Corriveau plus tôt dans la journée.

Et l'interrogatoire se poursuivait toujours.

Devant Gamache, se balançant légèrement sur ses pieds, le procureur chassa la mouche d'un geste et se ressaisit.

— Le meurtre a été commis à l'aide d'un bâton de baseball, n'est-ce pas ?

— Oui.

— Celui-ci ? demanda le procureur en prenant l'objet sur la table où étaient posées les pièces à conviction.

Gamache l'étudia un moment.

— Oui.

— Je le dépose en preuve, dit Zalmanowitz en le faisant voir d'abord à la juge, puis aux avocats de la défense avant de le remettre à sa place.

Dans la galerie, derrière le procureur, Jean-Guy Beauvoir se crispa. Jamais tout à fait détendu, il était en ce moment figé, les sens en alerte. Tout ouïe et tout trempé dans la salle d'audience.

— On l'a découvert dans la cave à légumes, appuyé contre le mur, non loin du cadavre ? demanda le procureur.

— Oui.

— Non sans une certaine désinvolture, vous ne trouvez pas ?

Beauvoir se demanda si toutes les personnes réunies dans la salle l'entendaient respirer. À ses propres oreilles, ses inhalations ressemblaient à des cris. Rapides, rauques. Attisant involontairement les braises de sa panique.

Sauf que ces respirations tonitruantes étaient presque enterrées par les battements de son cœur. Des cognements dans sa poitrine. Dans ses oreilles.

Les deux hommes se rapprochaient du moment que Jean-Guy redoutait. En regardant autour de lui, il se dit pour la énième fois combien il était singulier que les situations les plus horribles aient l'air parfaitement normales. Aux yeux de tous les autres.

L'instant qui se profilait risquait de changer la donne. De transformer le cours des événements et l'existence de toutes les personnes réunies dans la salle. Et même au-delà.

Dans certains cas, pour le mieux ; dans certains cas, pour le pire.

Et ils ne se doutaient de rien.

« Respire à fond, s'adjoignit-il. Vide bien tes poumons. »

Il regrettait à présent de ne pas pratiquer la méditation, car il avait entendu dire que les mantras étaient utiles. Une formule à répéter inlassablement. Pour s'apaiser.

« Merde. Merde. Merdouille de merde. Merde », récita-t-il pour lui-même. En vain.

Il commençait à avoir le vertige.

— Le tueur n'a fait aucun effort pour cacher l'arme du crime ? demanda le procureur.

— Apparemment non.

— L'objet était donc là, à la vue de tous ?

Jean-Guy Beauvoir se leva. Aux prises avec la nausée, sur le point de vomir. Il s'agrippa à la balustrade en bois.

Il eut droit à des soupirs et à des regards exaspérés en se hâtant vers l'allée, non sans écraser quelques orteils au passage.

— Pardon. Pardon. Désolé, murmura-t-il en laissant des grimaces de douleur et des grognements dans son sillage.

Une fois au bout de la rangée, il fonça vers la porte à deux battants. Fermée, elle semblait s'éloigner à mesure qu'il s'en approchait.

— Je vous ai posé une question, monsieur le directeur général.

Derrière Beauvoir, silence.

Il voulait s'arrêter. Se retourner. Rester au centre de l'allée, à la vue de tous. Au milieu de la chaudière qu'était la salle d'audience. De façon qu'Armand Gamache le voie. Et sache qu'il n'était pas seul. Sache qu'il était soutenu.

Sans égard à son choix. Sans égard à sa réponse.

Ils savaient tous que la question serait soulevée. Aucun des membres du cercle rapproché de la Sûreté n'avait osé demander au directeur général Gamache ce qu'il entendait répondre.

Ils préféraient ne pas le savoir et le directeur général Gamache avait préféré ne rien leur dire à ce sujet. Et il ne les avait certes pas consultés. Quand s'amorcerait l'inévitable enquête, on déterminerait que lui seul avait pris la décision.

Jean-Guy, lui, l'avait posée, cette question.

C'était par un après-midi ensoleillé, peu avant le début du procès. Les deux hommes travaillaient dans le jardin des Gamache, derrière la maison de Three Pines.

Les roses étaient en pleine floraison et leur parfum planait dans l'air, en même temps qu'une légère touche de lavande, que Jean-Guy n'aurait toutefois pas su nommer. Bref, c'était une odeur agréable. Familière sans être écœurante. Elle lui rappela ses jours de farniente, au temps de sa jeunesse. Les semaines qu'il avait passées chez ses grands-parents à la campagne. Loin des querelles de ses parents, de la brutalité de ses frères et de l'humeur changeante de ses sœurs, loin des instituteurs, des examens et des devoirs.

Si la sécurité avait une odeur, ce serait celle-là.

À genoux dans l'herbe, Jean-Guy s'efforçait d'insérer le bout d'une corde épaisse dans le trou d'une planche. Son beau-père et lui fabriquaient une balançoire qu'ils allaient accrocher à la branche du chêne, au fond du jardin.

Honoré, dans l'herbe à côté de son père, les accompagnait. De loin en loin, son grand-père le soulevait et le balançait dans les airs en lui parlant à voix basse.

— Ne vous sentez surtout pas obligé de me donner un coup de main, dit Jean-Guy.

— Mais c'est ce que je fais, répondit Armand. Pas vrai ? ajouta-t-il à l'intention d'Honoré, qui s'en souciait comme de sa première chemise.

Gamache déambulait en parlant à l'oreille de son petit-fils.

— Que lui racontez-vous, au juste ? Doux Jésus, ne me dites pas que vous lui récitez des vers de Ruth.

— Non. Ils sont d'A. A. Milne.

— Winnie l'Ourson ?

Pour endormir Honoré, grand-maman Reine-Marie lui lisait des histoires où il était question de Jean-Christophe, de Winnie, de Porcinet et de la Forêt des Cent Acres.

— En quelque sorte. Il s'agit d'un poème de Milne, expliqua Armand.

Il se tourna de nouveau vers le bébé qu'il tenait dans ses bras et chuchota :

— *When We Were Very Young.*

Jean-Guy s'interrompit dans sa tâche, qui consistait à faire entrer un bout de corde trop grand dans le trou trop petit percé d'un côté du siège, et observa la scène.

— Qu'allez-vous dire à la barre des témoins ?

— À quel propos ?

— Vous savez très bien de quoi je veux parler.

C'est le parfum de la lavande qui l'avait poussé à poser la question. Calme excessif. Contentement. D'où son courage, ou sa témérité.

Beauvoir se leva, s'essuya le front avec sa manche et prit sa limonade sur la table. Comme Gamache ne répondait pas, Beauvoir jeta un rapide coup d'œil du côté de la maison. Assises sur la terrasse à l'arrière, sa femme, Annie, et Reine-Marie, leur limonade à la main, bavardaient.

Bien qu'elles ne puissent pas les entendre, il baissa la voix.

— La cave à légumes. Le bâton. Notre découverte.

Armand réfléchit un moment, puis il rendit Honoré à son père.

— Je vais dire la vérité, répondit-il.

— Mais c'est impossible. Vous allez tout faire dérailler. La chance d'obtenir une condamnation pour le meurtre de Katie Evans, mais aussi l'ensemble de l'opération menée depuis huit mois. Nous y avons tout investi. Absolument tout.

Il vit Annie se tourner vers lui et se rendit compte qu'il avait haussé le ton malgré lui.

Il reprit d'une voix mieux modulée, mais rauque.

— Si vous dites la vérité, ils sauront que nous savons, et ce sera la fin. Nous touchons au but. C'est la clé de voûte de toute l'entreprise. Si vous dites la vérité, nous aurons travaillé tout ce temps pour rien.

Jean-Guy se rendait bien compte que Gamache n'avait aucun besoin de se faire répéter ces évidences. Il était l'architecte du projet, après tout.

Beauvoir sentit la menotte d'Honoré saisir son t-shirt et le serrer. Le petit embaumait la poudre pour bébés. Jean-Guy savoura l'odeur de la peau douce de son fils. Plus grisante encore que le parfum de la lavande.

Et Jean-Guy comprit pourquoi Armand avait rendu l'enfant à son père. Il voulait éviter que le bébé, son petit-fils, soit corrompu par le mensonge qu'il avait été forcé de dire.

— Tout ira bien, Jean-Guy, fit Armand en soutenant son regard.

Puis ses yeux, au moment où il les posait sur Honoré, s'adoucirent. Il se pencha vers lui.

— *Ce n'est pas vraiment / N'importe où ! / C'est ailleurs / Plutôt !*

— *Et maintenant c'est maintenant*, lança au-dessus de la clôture une voix, suivie de près par la tête à laquelle elle appartenait.

Grise et ridée, mais les yeux brillants.

— *Et la chose sombre est là.*

— C'est le moins qu'on puisse dire, lança Beauvoir. Un Éfélant, ajouta-t-il à l'intention d'Honoré.

Les deux hommes et le bébé dévisageaient la vieille poète.

— Plutôt Bourriquet, non ? dit Gamache. Avec juste un soupçon de Winnie.

Le visage de Ruth se tordit en un faible sourire.

Elle les avait entendus parler, aucun doute à ce sujet. Et elle les regardait en vieille sorcière de la Forêt des Cent Acres qui collectionne les secrets, comme d'autres les pots de miel.

Leur amusement de façade n'était destiné qu'à Honoré. La vérité, c'est que l'heure était grave. Ruth était l'une des rares personnes capables de coller les morceaux du casse-tête. Capables de comprendre ce qu'ils avaient découvert dans le sous-sol de l'église. Après tout, c'est elle qui, pendant son premier interrogatoire, au lendemain du meurtre, les avait mis sur la piste.

Par chance, même si elle faisait le rapprochement, elle ne pouvait absolument pas savoir pourquoi il était si vital que l'information reste secrète.

Elle les regarda tour à tour avant de poser les yeux sur l'enfant qu'elle appelait Ré-Ré.

S'il feignait la contrariété, Jean-Guy était au fond soulagé que le surnom se soit imposé. À Three Pines, presque tout le monde appelait Honoré Ré-Ré. Honoré faisait un peu sérieux. Trop pour un si petit garçon.

Ré-Ré lui allait bien. Une note de musique. Un « ré-yon » de soleil dans leurs vies. Que le surnom lui ait été donné par la vieille poète sombre et démente ne faisait qu'ajouter à sa perfection.

— De quoi parliez-vous ? demanda-t-elle. Il était question de Katie Evans. Le procès débute bientôt, non ?

— Oui, répondit Gamache d'une voix légère, amicale. Jean-Guy me parlait justement de stratégie.

— Ahhh, fit Ruth. Je croyais avoir entendu des rires. Qu'y a-t-il à discuter, de toute façon ? Vous direz la vérité, n'est-ce pas ?

Elle pencha la tête de côté et le sourire de Gamache se figea.

— Mais vous, vous pensez qu'il ne devrait pas, dit-elle en s'adressant à Beauvoir. Qu'est-ce que nous ne devrions pas savoir ? Voyons voir un peu.

Elle leva les yeux au ciel, apparemment plongée dans une profonde réflexion.

— Que vous avez arrêté la mauvaise personne ? Non. Probablement pas. Je vous crois capable de vous tromper, mais là, je pense que vous avez vu juste. Que vous n'avez pas assez de preuves pour obtenir une condamnation ? Je brûle ?

— Il a dit qu'il n'allait pas mentir, souligna Jean-Guy.

— Et moi, je pense que c'est un beau gros mensonge, pas vrai, Ré-Ré ? répliqua Ruth d'une voix enfantine en se penchant vers le bébé. Qu'est-ce qui pourrait pousser ton père à préconiser le mensonge et ton grand-père à mentir effectivement ?

— Ça suffit, Ruth, dit Gamache.

Elle tourna vers lui son regard. L'aiguisa, l'affûta. Se prépara à désosser l'homme.

— « La vérité vous affranchira », pas vrai ? Vous n'y croyez pas, Armand ? Je pense que oui.

Ses yeux perçants le décapaient, arrachaient des couches de peau.

— J'ai mis dans le mille ? C'est la liberté que vous craignez ? Pas la vôtre, mais celle du meurtrier ? Vous mentiriez pour obtenir une condamnation ?

— Ruth, lança Jean-Guy sur le ton de la mise en garde.

Mais il était désormais exclu d'un monde où seuls existaient Armand Gamache et Ruth Zardo.

— Vous me plaisez de plus en plus, dit Ruth en scrutant Gamache. Aucun doute possible : par rapport à saint Armand, c'est une amélioration. Depuis que vous êtes retombé sur le plancher des vaches, vos ailes sont tachées de terre. Ou est-ce plutôt du fumier ?

Elle renifla.

— Ruth ! s'exclama Beauvoir.

— Désolée. Pardonne mon langage, dit-elle à Ré-Ré avant de s'en prendre de nouveau à Gamache. J'ai comme qui dirait l'impression que vous êtes coincé entre un rocher et un tas de merde.

— Ruth, répéta Jean-Guy.

Le prénom de la vieille femme sonnait comme un gros mot. Il remplaçait tous les jurons dont Beauvoir aurait voulu l'abreuver.

Il ne tentait même plus de la contenir. Et pourtant, la vieille poète, que son esprit de contradiction ne quittait jamais, s'interrompit. Elle prit un moment de réflexion.

— C'est peut-être elle, la chose sombre. Cette merde que vous appelez un procès.

— *Et toute chose sera bien*, cita Armand.

Ruth sourit.

— Au moins, vous savez mentir. Ça vous sera utile.

Sa tête disparut derrière la clôture, comme si le diable à ressort avait regagné sa boîte.

— Quand nous aurons terminé ceci, dit Jean-Guy en montrant la balançoire, nous devrons ériger une clôture plus haute.

— Ce n'est pas la longueur qui compte, c'est l'épaisseur, rétorqua une voix dans le jardin voisin.

Croisant le regard d'Armand, Jean-Guy haussa les sourcils.

Ils ne dirent rien. D'ailleurs, il n'y avait rien à dire. Mais il y avait beaucoup à considérer.

Jean-Guy tendit Honoré à son grand-père dans un geste qui était plus qu'un simple geste.

« Le moment venu, mentirait-il ? » se demanda Beauvoir en se penchant de nouveau sur la balançoire.

« Sous serment ? »

Ce serait commettre un parjure. Mais, si le directeur général Gamache disait la vérité, leur enquête tout entière volerait en éclats. Il mettrait en danger la vie de quantité d'informateurs et compromettrait les chances de la Sûreté d'arrêter le plus important trafiquant du Québec. De porter un coup fatal au trafic de stupéfiants. De gagner une guerre impossible à gagner.

Beauvoir était relativement certain de savoir ce que Gamache choisirait.

Ce jour-là, au cours du bel après-midi où, sous le soleil, ils avaient accroché à l'arbre la balançoire qui servirait à des générations, la balançoire sur laquelle Honoré assoirait un jour ses propres enfants, Jean-Guy résolut d'être dans la salle d'audience lorsque la question serait posée.

Afin d'afficher son allégeance au vu de tous. Peu importait la réponse du directeur général Gamache. Afin qu'Armand Gamache sache. Il n'était pas seul.

Jean-Guy Beauvoir se surprit plutôt à quitter les lieux. À les fuir en courant.

Le gardien se leva et ouvrit la porte à deux battants.

— Nous attendons votre réponse, monsieur le directeur général. C'est une question toute simple. L'arme du crime, le bâton de baseball, était appuyée contre le mur. À la vue de tous.

Pendant que la lourde porte se refermait derrière Jean-Guy, une chose venue de la salle d'audience le suivit. Et le poursuivit dans le couloir en marbre.

La voix du chef.

Le bâton de baseball était-il là, à la vue de tous ? avait demandé le procureur de la Couronne.

— Oui.

Voilà.

Le directeur général Gamache s'était parjuré.

Jusque-là, Jean-Guy n'y avait pas vraiment cru.

Mentir sous serment. Commettre un suicide professionnel. Pire encore, trahir ses plus profondes convictions. Pour obtenir une condamnation.

En même temps, Beauvoir ne se serait pas cru capable d'abandonner le chef et de trahir à son tour.

Appuyé au mur, Jean-Guy sentit sur son visage brûlant la froide caresse du marbre. Il ferma les yeux et se ressaisit.

Il aurait voulu retourner sur place. Mais il était trop tard.

Jean-Guy prit une profonde inspiration, se redressa et marcha d'un pas vif dans l'air étouffant du couloir en chassant de la main la mouche, qui l'avait suivi.

Instinctivement, il jeta un coup d'œil derrière lui. Au cas où quelque chose ou quelqu'un serait à ses trousses. Flairant sa piste. Mais non. Les couloirs étaient singulièrement déserts. Pas une âme en vue. Tous les tribunaux siégeaient.

Devant la porte principale du palais de justice, Beauvoir, sur les longues marches embrasées par le soleil aveuglant, s'essuya le visage, le reposa, l'enfouit un instant dans son mouchoir.

Puis il s'essuya, releva la tête et inspira à fond.

Sentant un chatouillement sur son bras, il s'assena une tape et vit la mouche tomber sur le sol, ses ailes, dans la lumière, semblables aux délicats panneaux d'un vitrail. À peine un peu tachées.

— Pardon, murmura-t-il.

Ayant réagi instinctivement, il se rendait compte que ce qui était fait ne pouvait plus être défait.

Il lui restait tout de même une carte à jouer, maintenant qu'il était dehors et Gamache à l'intérieur. Faire en sorte que celui-ci n'ait pas menti en vain. Que le mensonge leur assure la victoire.

La Sûreté, sous le directeur général Gamache, frapperait fort, de façon rapide et décisive. La cible ne verrait rien venir, en raison du voile de mensonges et de fausse incompétence qui enveloppait toute l'affaire. Inséparable d'un meurtre macabre commis dans un minuscule village frontalier.

D'une cave à légumes avec un secret.

En arpentant les pavés du Vieux-Montréal, en direction du quartier général de la Sûreté, Jean-Guy ne put s'empêcher de penser qu'ils avaient tout misé sur cette unique stratégie. Le coup de grâce. Un succès qui était loin d'être assuré.

Pas de solution de rechange. Pas d'itinéraire de substitution. Pas de plan B.

Ni pour Gamache. Ni pour Beauvoir. Ni pour les autres.

Le directeur général Gamache avait mis feu au navire. Leur avait fait franchir le point de non-retour.

22

Le directeur général Gamache jeta un coup d'œil à la porte à deux battants de la salle d'audience, puis il s'essuya les yeux de nouveau avant de tourner son attention vers le procureur de la Couronne.

Observant Zalmanowitz, il nota ce qu'il prit pour le plus infime des signes de connivence.

Les deux hommes étaient pleinement conscients de ce que Gamache venait de faire. Et de ce que Zalmanowitz avait contribué à orchestrer.

Ils avaient peut-être franchi une étape décisive, s'étaient rapprochés de leur but. Et ils venaient presque assurément de sonner le glas de leurs carrières respectives. Et pourtant, dans la salle, on continuait de s'éventer avec des papiers. Le petit ventilateur bourdonnait toujours. Les jurés, mi-attentifs, écoutaient encore, sans se douter de ce dont ils avaient été témoins. De ce qui venait de se passer.

« À l'ouest, rien de nouveau », songea Gamache.

— C'est donc à cause de l'accusée que Katie Evans portait le déguisement ?

— Oui.

— Un acte de vengeance ?

— Oui.

— Comme son meurtre.

— Oui.

— Pourquoi ?

— Pourquoi quoi ?

— Pourquoi tout. Pourquoi le costume ? Pourquoi la cave à légumes ? Pourquoi la provocation ? Pourquoi les tourments ? Pourquoi la tuer ? Je suis sûr que la notion de mobile vous est familière. Vous en avez cherché un ?

— Changez de ton, je vous prie, dit la juge Corriveau.

Venait-elle juste de surprendre un coup d'œil complice entre les deux hommes ? Aussitôt suivi d'une des provocations dont le procureur avait le secret ? Les sens de la magistrate se contredisaient.

— Mes excuses, dit Zalmanowitz, qui ne semblait pas le moins du monde contrit.

— Oui, nous en avons cherché un, répondit Gamache. Votre description des événements, bien qu'exacte, est trompeuse. Dans le cadre d'une enquête, il est très facile de se laisser distraire. De suivre les indices d'une évidence criante et de négliger ceux qui sont plus petits, plus subtils. Si le harcèlement et le meurtre de Mme Evans semblent macabres, c'est uniquement parce que nous n'avions pas compris. Dès que la situation nous est apparue clairement, cette fausse impression s'est dissipée. C'étaient les signes extérieurs du meurtre, mais le meurtre lui-même était tout simple. Ils le sont presque tous. Il avait été commis par un humain. Pour des motifs humains.

— Lesquels, au juste ? Et je vous prierais de ne pas nous réciter les sept péchés capitaux.

Gamache sourit et des coulées de sueur s'infiltrèrent dans les rides de son visage.

— Un seul d'entre eux suffit pour expliquer le meurtre, en fait.

— Très bien, dit Zalmanowitz, apparemment trop lessivé pour continuer de croiser le fer avec son témoin. Lequel ? L'avarice ? La luxure ? La colère ?

Gamache leva la main et montra un doigt.

En plein dans le mille.

La colère. Laquelle avait donné naissance à un spectre. Qui, ayant consumé son hôte, était entré dans le monde. Afin de tuer.

Tout avait débuté, comme souvent dans ces cas-là, assez naturellement. Suivant les étapes du deuil.

Avant la dernière, qui aurait dû être l'acceptation, la personne avait viré de bord. S'était écartée du sentier et enfoncée de plus en plus profondément dans la tristesse et la rage. Attisées par la culpabilité. Et elle avait fini par perdre le nord. Une fois égarée pour de bon, elle avait trouvé un refuge. Dans la vengeance.

Réconfortante, consolante. Elle s'était réchauffée auprès de ce feu, pendant des années.

Au lieu de s'arrêter au stade de la rage, sa colère légitime s'était changée en furie, puis en soif de vengeance. Avait fait commettre un acte injustifiable. Et les avait tous entraînés là où ils se trouvaient en ce moment. Dans la salle d'audience infernale où l'assassin de Katie Evans était traduit en justice.

Mais il y avait plus. Gamache en était pleinement conscient. Au même titre que le procureur, qui se liquéfiait sous l'effet de la chaleur.

Gamache parcourut la foule des yeux. Il pria pour que pas une seule de ces personnes n'ait compris ce que la police avait découvert dans ce sous-sol d'église. L'espéra de tous ses vœux.

Que personne n'ait compris ce que le directeur général Gamache venait de faire.

Même s'il savait que l'une d'elles écoutait attentivement ses moindres paroles. Et en rendait fidèlement compte.

— Il faut qu'on parle, dit l'inspecteur Beauvoir en entrant dans le bureau du quartier général de la Sûreté.

— Bon, dit la directrice Toussaint en se levant.

Les autres l'imitèrent.

— La réunion est terminée.

— Mais…

— Nous y reviendrons plus tard, François, dit-elle en désignant sa tablette d'un geste de la tête et en posant une main sympathique sur le bras de l'homme.

— Parole ? demanda-t-il. Nous allons faire quelque chose ? ajouta-t-il à voix basse.

— Parole.

Elle raccompagna ses agents jusqu'à la porte, tandis que Beauvoir s'écartait pour les laisser passer.

— Patron, dirent-ils à Beauvoir en l'étudiant au passage dans l'espoir d'avoir une idée de ce qui l'amenait.

De savoir ce qui avait poussé la directrice à mettre brusquement un terme à la réunion pour s'entretenir avec lui.

Ils savaient que Jean-Guy Beauvoir était le numéro deux de la Sûreté. Et qu'il était lui-même un formidable enquêteur. Et non un simple complément du directeur général Gamache.

En acceptant son nouveau poste, l'inspecteur s'était fait offrir le titre d'inspecteur-chef, mais il avait refusé en se déclarant satisfait de son statut d'inspecteur. Il était fier d'être membre des troupes.

Le respect que les agents et les inspecteurs de la Sûreté avaient pour l'homme se changea en adoration dès l'instant où ils furent mis au courant. Et Beauvoir était devenu « patron ».

En ce moment, il n'avait pas tellement l'impression d'en être un.

Ces femmes et ces hommes, ses pairs, ne se doutaient pas de ce qu'il venait de faire. De ce qu'il n'avait pas eu la force de faire. Chaque « patron » dont ils le gratifièrent au passage lui fit l'effet d'un coup de feu en plein ventre.

— Patron, fit le dernier inspecteur.

Et Beauvoir ferma la porte.

— Le tribunal a ajourné de bonne heure ? demanda Toussaint en consultant l'horloge.

Il n'était pas encore seize heures. Voyant que Beauvoir ne répondait pas, elle lui indiqua une chaise.

— Ça se présente comment ?

Beauvoir resta immobile, sans rien dire.

— Si mal que ça ? dit-elle en prenant une profonde inspiration, moins un soupir qu'un signe d'épuisement. Il tient le coup ?

— Il fait le nécessaire.

Refusant de croiser le regard de Beauvoir, Toussaint baissa les yeux.

Ayant sèchement hoché la tête, elle pianota sur sa tablette et la tourna pour lui permettre de lire.

— J'ai reçu un rapport sur la cargaison dont nous avons parlé.

— La grosse ?

— Oui. Selon mon informateur, elle est entrée aux États-Unis. Quatre-vingts kilos de fentanyl.

— Je vois.

Beauvoir sentit grossir et durcir la boule qu'il avait en permanence dans l'estomac.

— Là où nous l'avions prévu ?

— Oui, dit Toussaint d'une voix dure, presque amère. Exactement là où nous l'avions prévu. Sous nos yeux.

Les siens s'écarquillèrent sous l'effet de la colère.

— Tout s'est déroulé comme nous l'avions escompté. Sauf que, contre toute attente, nous sommes restés les bras croisés. Je ne sais pas qui a été le plus surpris. Les trafiquants, par la facilité avec laquelle l'opération a été menée, ou encore notre informateur, par le fait que nous avions la plus grande livraison connue de fentanyl sous notre nez. À notre portée. Et nous n'avons rien fait. Nous l'avons laissée entrer aux États-Unis.

Elle avait prononcé les paroles sur un ton incrédule.

Beauvoir, l'œil ferme et impassible, soutint son regard.

C'était exactement ce qu'ils avaient espéré et craint en même temps. Une énorme cargaison de fentanyl avait franchi la frontière sans que la Sûreté se doute de rien. Sinon, elle serait intervenue, non ?

Si la Sûreté, sous les ordres de son nouveau commandant, avait tendu un piège au cartel en feignant l'incompétence, ce coup-là l'aurait obligée à abattre son jeu. Aucune force de police n'aurait pu ignorer une livraison d'opioïdes d'une telle importance.

C'était un test.

Et la Sûreté, sous les ordres du directeur général Gamache, bien intentionné mais complètement dépassé par les événements, avait échoué.

Le cartel québécois aurait beau remorquer un conteneur rempli d'héroïne rue Sainte-Catherine, les imbéciles de la Sûreté n'y verraient que du feu.

Depuis longtemps, Gamache, Beauvoir, Toussaint et les autres attendaient ce moment. Pourtant, la victoire avait des relents de défaite. Les officiers supérieurs n'étaient pas d'humeur à pavoiser. Ils en avaient la nausée.

Dans cette pièce, on aurait cherché la joie en vain.

— Vous suivez le mouvement?

— Non. Ordre du directeur général Gamache. Vous vous souvenez?

Elle n'avait pas réussi à dissimuler son dégoût.

— Nous nous sommes effacés. Nous n'avons même pas prévenu les Américains. Ah, j'oubliais. Les trafiquants ont eu la générosité de laisser quelques kilos derrière eux. Destinés à la consommation locale. Nous en avons aussi perdu la trace.

— Merde.

Beauvoir effectua quelques calculs. Dès le départ, Gamache avait exigé la production d'un rapport interne de la Sûreté afin que tous aient une idée claire des enjeux. Selon ces recherches, chaque kilo de cocaïne distribué dans la rue entraînait la mort de six personnes. Davantage dans le cas de l'héroïne.

Et bien plus encore dans celui du fentanyl.

En ne faisant rien, ils avaient condamné des centaines de personnes. Voire des milliers.

Le bombardement de Coventry se répétait.

— Vous savez quel était l'objet de cette réunion? demanda-t-elle en désignant les chaises vides autour de la table. Ils ne sont pas au courant pour le chargement, mais ils savent que nous n'avons arrêté aucun grand trafiquant depuis presque un an. Ils sont furieux et je les comprends. Par chance, vous êtes arrivé avant que j'aie eu à inventer de toutes pièces une explication tant soit peu raisonnable. Laissez-moi vous dire que des rumeurs circulent, Jean-Guy. Vous les avez sans doute entendues.

— Oui.

— Ils veulent croire en Gamache. Lui faire confiance. Disons qu'il ne leur facilite pas la tâche. Et il n'y a pas que lui. Chaque directeur, chaque inspecteur-chef fait face à une possible révolte. Une mutinerie. Vous trouvez ça drôle ? demanda-t-elle à la vue du visage de Beauvoir.

— Seulement le mot. Je vous imaginais avec une jambe de bois et un perroquet sur l'épaule.

— Ce sont les mutins qui s'accoutrent de cette manière. Moi, je dérive dans le Pacifique, je bois ma pisse et j'ai mes cuticules pour seule nourriture.

Elle brandit ses mains pour lui faire voir ses cuticules, effectivement rongées.

— Ma division n'a réussi aucun gros coup de filet depuis des mois. Rien du tout. Apparemment, les crimes majeurs sont choses du passé. La plupart de mes agents ont été réaffectés à des fonctions liées à la police communautaire et à la prévention…

— Ce sont des tâches importantes.

— Je suis d'accord. On ne doit pas pour autant ignorer les crimes effectivement commis. C'est comme si on disait aux médecins de distribuer des vitamines et de ne pas traiter les personnes atteintes du cancer. Nous savons ce que nous faisons, vous et moi. Et pourquoi. Mais pas eux. Les femmes et les hommes de la base ont le sentiment que nous restons là à ne rien faire, un doigt dans le cul. C'est aussi ce que répètent nos alliés. Si Gamache se doutait de la moitié de ce que pensent les agents et les inspecteurs…

Beauvoir laissa entendre un gros rire.

— Vous croyez qu'il n'est pas au courant ? Détrompez-vous. Il est parfaitement au fait de ce qu'on dit à son sujet, du pourquoi de ces ragots.

Il se pencha et baissa le ton pour obliger son interlocutrice à se rapprocher.

— Il a été on ne peut plus clair. Il nous a prévenus. Et nous avons tous sauté dans le train, enthousiastes, emballés à l'idée de porter un coup fatal au plus grand réseau de trafiquants du Québec. De gagner la guerre, au lieu de nous satisfaire de sortir victorieux d'une escarmouche, d'une bataille ici et là. Il nous a prévenus. Il nous a bien dit que le prix à payer serait terrible. Et maintenant que le moment est venu de passer à la caisse, vous vous plaignez ?

Toussaint se tortilla sur sa chaise.

— Ils ne le suivront pas éternellement, vous savez. Le temps nous manque.

— Eux ou vous ?

— Il y a des limites.

— Vous préféreriez abandonner la partie ?

Ils se fusillèrent du regard. Toussaint avait un grade plus élevé que Beauvoir. Mais c'était parce que celui-ci l'avait choisi et non parce qu'il était moins compétent.

En privé, ils se traitaient tels qu'ils étaient. En égaux.

— Comment pouvons-nous rester les bras croisés, Jean-Guy ? demanda-t-elle en adoucissant la voix. C'est contraire à mes instincts, à ma formation. Comment pouvons-nous laisser mourir des gens que nous aurions pu sauver ?

— Je sais, dit-il. J'éprouve les mêmes sentiments. Mais si nous réussissons...

— Oui, oui. On connaît la chanson. C'est d'ailleurs ce qui nous a convaincus de soutenir ce plan. Mais... ?

— Qu'arrive-t-il si nous échouons ? demanda Beauvoir.

Elle hocha la tête.

— Nous échouons, voilà tout. Au moins, nous aurons essayé.

— Vous n'êtes pas là pour remonter le moral des troupes, Jean-Guy. C'est à moi que vous vous adressez. Les propos rassurants sont sans effet sur moi : je suis dans les tranchées depuis trop longtemps.

— Très bien. Je vais vous dire ce qui va se produire dans une telle éventualité. Dans le bureau du directeur général

Gamache, il y a un carnet. À la main, il y expose avec précision les répercussions d'un échec. Vous voulez y jeter un coup d'œil?

— Il nous en a déjà parlé, dit-elle. Dès le premier jour, pendant la première réunion. Des risques comme des gains potentiels.

— C'est vrai. Il a brossé un portrait exact, à l'époque. Mais c'étaient des prévisions. De simples suppositions. La situation s'est précisée, au fil des semaines et des mois.

— C'est pire que nous le pensions? demanda-t-elle.

— Plus nous paraissons faibles, plus le crime organisé, les gangs et les trafiquants gagnent en force. Et en audace.

— C'est ce que nous escomptions.

— Oui. Qu'ils deviennent téméraires. Que la fissure que nous attendons se produise enfin. Crac.

— Crack? Le mot est particulièrement bien choisi.

Elle réussit à sourire.

Pas lui. Son beau visage aux traits tirés devint encore plus grave.

— Ce sera bien pire que nous le pensions, Madeleine. En cas d'échec, je veux dire. La Sûreté et, par ricochet, le gouvernement du Québec seront touchés par un deuxième désastre. Coup sur coup. D'abord le scandale de la corruption, puis ce qui pourrait passer pour une totale incompétence…

— Frisant le comportement criminel, lança la directrice Toussaint.

Seul Beauvoir savait qu'on ne se contentait plus de frôler le comportement criminel. Pendant son témoignage de l'après-midi, le directeur général Gamache avait bel et bien franchi ce pas.

— Vous avez assimilé notre combat à la lutte contre le cancer, dit Beauvoir. L'analogie est juste. Exacte. Ces opioïdes sont un cancer. Vous savez comment les médecins traitent les tumeurs?

— Bien sûr. Ils ont recours à la chimiothérapie.

— Oui. Pour sauver le patient, ils l'empoisonnent, le conduisent souvent au seuil de la mort. Parfois ils réussissent;

parfois, ils échouent. Vous voulez savoir quelles seront les conséquences d'un échec dans le cas présent, selon M. Gamache ?

La directrice Toussaint serra les mâchoires.

— Non, réussit-elle à articuler.

Beauvoir hocha la tête.

— Sage décision. Mais laissez-moi vous dire quelque chose. Si nous cochonnons le travail, nous ne ferons que précipiter un dénouement inéluctable. Il y a longtemps, des années, que nous avons perdu la guerre contre la drogue. De nouvelles drogues de synthèse arrivent sur le marché tous les jours. Depuis le début, ce plan est notre seul espoir. Notre baroud d'honneur, en quelque sorte. Mais…

— Oui ?

— Dans son carnet, le directeur général a également noté ce qui se produira si nous réussissons.

Il sourit.

— Nous y sommes presque, Madeleine.

Toussaint baissa les yeux sur sa tablette et tapota dessus. Puis elle s'immobilisa.

Elle semblait étudier les différentes possibilités qui s'offraient à elle.

Beauvoir avait remarqué que la directrice Toussaint n'avait pas demandé si Gamache avait menti à la barre des témoins, même s'ils savaient tous que la question lui serait bientôt posée, presque certainement ce jour-là. Et Beauvoir savait pourquoi Toussaint s'en était abstenue.

Un jour prochain, on tiendrait une enquête, et la directrice serait convoquée.

Savait-elle que le directeur général Gamache projetait de mentir ? L'avait-elle dénoncé à l'instant où elle avait su qu'il s'était parjuré ?

En évitant d'interroger Beauvoir, elle pourrait légitimement répondre « non » aux deux questions.

L'ignorance plutôt que la culpabilité, en somme.

Elle se distanciait du directeur général. Lui-même ne s'en était pas privé, du reste.

Au moins, elle l'avait fait au sens figuré ; Jean-Guy, lui, au sens propre. Il avait fui la salle d'audience. Battu en retraite. Pris ses jambes à son cou. Pris ses distances par rapport à Gamache. Et au mensonge.

Il n'était même pas sûr de savoir ce qui lui était arrivé. Côte à côte, le patron et lui avaient été mêlés à des fusillades. Ils avaient traqué et arrêté les plus abjects tueurs que le Québec ait produits. Ensemble.

Et là, il avait détalé ?

« *Et maintenant c'est maintenant*, songea-t-il, *et la chose sombre est là.* »

Il ne se retourna pas. C'était inutile : il savait ce qui se tenait dans le coin du bureau inondé de soleil. L'observait, le fixait. Et qui, quand il se lèverait, le suivrait. Pour toujours, au besoin.

La chose sombre est ici. Comme le démon dans l'île de *Sa Majesté des Mouches*, celui que les garçons, mus par la terreur, avaient créé de toutes pièces.

Le démon, la chose sombre, c'était lui.

Madeleine Toussaint transcrivit sur un bout de papier un mot lu sur sa tablette.

— De mauvaises nouvelles, hélas. Une autre livraison.

Beauvoir soupira. C'était à prévoir.

— L'inspecteur qui m'a communiqué cette information...

— François Gauguin ? Je l'ai vu vous dire quelque chose à mon arrivée. C'est un homme bon.

— Un homme loyal, dit Toussaint. Loyal envers la Sûreté.

— Mais pas nécessairement envers sa direction ?

— Il m'a demandé de ne montrer ce mot à personne. Il m'a suppliée de lui permettre de s'en occuper personnellement. De le laisser procéder à une arrestation. Je lui ai donné ma parole.

Beauvoir croisa le regard de Toussaint et hocha la tête. Il y avait des journées comme celle-ci. Où les déclarations de foi, les promesses et les serments étaient brisés.

« Le jeu a intérêt à en valoir la chandelle », se dit-il.

— C'est une petite livraison, expliqua Toussaint. Par rapport à celle que nous avons suivie.

Elle poussa le bout de papier sur la table. Son importance allait bien au-delà des mots qui y figuraient. C'était le canari dans la mine de charbon. Une mise en garde : si un type comme l'inspecteur Gauguin se méfiait d'eux, ils allaient au-devant de graves ennuis.

Il était dorénavant envisageable que le directeur général Gamache, en détruisant le cartel de la drogue, anéantisse la Sûreté du même coup.

Beauvoir ajusta ses lunettes.

— Chlorocodide. Jamais entendu parler. Une nouvelle drogue ?

— Nouvelle pour nous.

« Merde, songea-t-il. Une nouvelle drogue, une nouvelle plaie. Une nouvelle bombe sur les martyrs de Coventry. »

— C'est un dérivé de la cocaïne, expliquait Toussaint. Très populaire en Russie. Le chargement est venu de Vladivostok. Arrivé à Mirabel dans un conteneur renfermant des poupées russes. En attente dans un entrepôt, ajouta-t-elle d'une voix insistante, penchée vers lui. Nous pouvons confisquer tout le lot. Pour les faire reculer, juste un peu. C'est une toute petite livraison. Le cartel ne sentira rien passer, mais la saisie aurait un effet considérable sur le moral de notre division. Et sur celui des autres.

— Vous dites que la drogue attend là ? fit Beauvoir.

— Oui. Je téléphone à Gauguin pour lui donner le feu vert ?

— Négatif, répondit-il, catégorique. Ne faites rien, surtout.

— Oh, pour l'amour du Christ. Qu'est-ce que ça changerait ? Laissez mes gens procéder à quelques arrestations. Jetez-leur un os, je vous en supplie.

— À votre avis, Madeleine, pourquoi la drogue attend-elle là ? Normalement, cette livraison, petite ou grande, aurait dû être déplacée. Qu'est-ce qu'ils attendent, à votre avis ?

Elle prit un moment de réflexion.

— Vous posez la question parce que vous connaissez déjà la réponse ?

— Non, mais je commence à avoir ma petite idée.

— Laquelle ?

Beauvoir était immobile, mais il dardait des regards à gauche et à droite, la bouche entrouverte.

— Parlez-moi de ce chlorocodide.

— À ma connaissance, c'est le premier lot reçu au Québec, sans doute aussi au Canada. En ce qui concerne les États-Unis, je ne sais pas, mais les quantités, dans tous les cas, seraient limitées. Dans la rue, la drogue a pour nom « Russian Magic ». On l'appelle aussi « krokodil ».

— C'est donc un genre d'amuse-bouche ?

Elle faillit sourire.

— En quelque sorte, oui. Un truc pour appâter les clients. Les mettre en appétit. Ils sont raffinés, ces trafiquants.

— Ce sont aussi des génies du marketing, concéda Beauvoir. Krokodil, c'est attirant pour les jeunes. Très urbain. Avant-gardiste.

— On utilise ce nom parce que les utilisateurs ont la peau écaillée. Comme les crocodiles.

— Doux Jésus, soupira-t-il.

Lui, mieux que Toussaint, mieux que la plupart, comprenait le désespoir des junkies. Leur refus du comportement humain normal. Déjà, ils avaient le sentiment d'être moins qu'humains et ils agissaient comme tels. Pourquoi ne pas en avoir aussi l'apparence ?

Bref, ils s'en foutaient.

Mais pas lui.

— Voici comment tout débute, fit-il en retirant ses lunettes et en tapotant le bout de papier, répétant inconsciemment un geste de Gamache. Dans un premier temps, une petite quantité pour actionner la pompe. Stimuler la demande. La drogue est d'autant plus désirable qu'elle est rare.

Tout cela lui était familier.

Les trafiquants se spécialisaient dans la drogue, bien sûr, mais aussi dans la nature humaine.

— Pourquoi avoir laissé le krokodil dans un entrepôt de Mirabel, dans ce cas ? demanda-t-il. Qu'est-ce qu'ils attendent ?

— Que le gros chargement de fentanyl ait traversé la frontière ? risqua Toussaint.

— Oui, presque assurément. Mais c'est déjà fait. Qu'est-ce qui les retient, maintenant ?

Ils se dévisagèrent, chacun espérant que l'autre trouverait une réponse.

Puis Beauvoir sourit. Un sourire minuscule, fragile. Mais réel.

— Ils attendent l'issue du procès, dit-il.

Et le visage de Madeleine Toussaint s'ouvrit sous l'effet de la surprise. Puis, se détendant, elle sourit elle aussi.

— Mon Dieu, je pense que vous avez raison.

Se levant, Beauvoir inclina le bout de papier vers elle.

— Vous permettez ?

Elle se leva à son tour et, après un moment d'hésitation, hocha la tête.

— Où allez-vous ? demanda-t-elle en le suivant jusqu'à la porte.

— Je vais montrer ceci au directeur général Gamache dès sa sortie du tribunal.

— Comment va-t-il réagir ?

— Je ne sais pas.

— Poussez-le, Jean-Guy. Poussez-le à agir. Il faut qu'il donne l'ordre.

— Dans toute cette affaire, personne n'a plus à perdre que lui.

— C'est faux. Il ne perdra pas un fils à cause de la toxicomanie. Il a peu de risques d'être victime d'une invasion de domicile commise par des types au cerveau grillé par la drogue ou d'être abattu en pleine rue pour l'argent du trafic. Vous avez un jeune fils.

— Oui, Honoré.

— Mon fils est au secondaire et mes deux filles iront bientôt le rejoindre. Pour nous, le risque est encore plus grand. Nous avons tout à perdre. Nous ne pouvons pas nous permettre d'échouer, Jean-Guy.

— Je sais.

C'était la vérité.

— Attendez.

Tendant la main, elle entraîna Jean-Guy dans le bureau et referma la porte.

— Il l'a fait ?
— Quoi donc ?
— Vous allez m'obliger à prononcer les mots ?
— Oui.
— Le directeur général Gamache s'est-il parjuré aujourd'hui ? A-t-il menti au sujet du bâton et de la porte dérobée dans le sous-sol de l'église ?
— Oui.
Tétanisée, elle jeta un coup d'œil à la poche où Beauvoir avait glissé le bout de papier.
— Dans ce cas, nous avons peut-être encore une chance. Mais que dois-je dire à mes agents ?
— Vous trouverez bien quelque chose. C'est vous qui êtes à l'origine de toute cette affaire, Madeleine. Vous ne pouvez pas vous en distancier.
— Vous n'allez tout de même pas me mettre tout ça sur le dos, dit-elle en brandissant à nouveau ses défenses.
— Absolument pas. Un jour, vous recevrez peut-être même la décoration que vous méritez. Vous avez aidé le chef à mettre au point ce plan. Il a gardé la serviette de table, vous savez. Celle du dîner que vous avez pris ensemble. Dans son bureau, sous le carnet.
Toussaint hocha la tête. Beauvoir avait raison. Tout avait débuté des mois plus tôt quand, pendant le dîner, elle avait utilisé cette formule éculée. Que le directeur général Gamache avait notée sur la première surface disponible.
Le cliché était si répandu qu'elle n'avait pas pris le temps de réfléchir à sa portée. Elle n'avait certainement pas songé à l'importance qu'il revêtirait pour le directeur général Gamache. Non plus qu'à l'usage qu'il en ferait.
« Brûler nos vaisseaux », dit-elle en se rappelant le moment où, dans le bistro, le directeur général l'avait regardée avec une lueur dans les yeux. L'étincelle d'une idée.
— Brûler nos vaisseaux, répéta Beauvoir. Vous savez d'où ça vient ?
Elle hocha la tête.

Elle avait vérifié, à mesure que, au fil des semaines et des mois, la situation s'était détériorée au lieu de s'améliorer. Madeleine Toussaint avait commencé à douter de sa décision.

Les résultats ne l'avaient guère rassurée.

— Cortés, dit-elle. Il y a cinq cents ans. Quand les Espagnols ont débarqué dans ce qui est aujourd'hui le Mexique.

Beauvoir hocha la tête.

— Ils étaient sur la grève et Cortés a ordonné à ses hommes de mettre le feu aux navires.

— Pour s'interdire toute retraite.

Près de la porte, les deux officiers supérieurs de la Sûreté se représentèrent cet instant. Comment les hommes avaient-ils réagi ? Avaient-ils discuté ? Supplié ? Fomenté une mutinerie ?

Ou étaient-ils si bien endoctrinés qu'ils avaient obéi sans un mot ?

Les conquistadors étaient venus dans le Nouveau Monde avec l'intention de le soumettre. Après quelques années à peine, ils avaient anéanti la grande civilisation aztèque. Comme récompense, ils avaient accumulé des richesses inimaginables. Sauf que… Sauf que…

La plupart d'entre eux n'avaient plus jamais quitté ces rivages.

Qu'avaient ressenti les marins sur cette grève ? Devant cet étrange continent ? Leur foyer, leur famille et la sécurité derrière, au loin. Et, entre les deux, un navire qui se consumait.

Ni Beauvoir ni Toussaint n'eurent beaucoup de mal à se représenter les sentiments des conquistadors.

Pas de retour en arrière possible pour eux non plus.

Ils croyaient presque sentir l'odeur du bois brûlé.

— Je vous tiens au courant, dit Beauvoir en tapotant la poche où il avait glissé le bout de papier.

En partant, il sentit la chose sombre le suivre dans l'éclat aveuglant du soleil.

Madeleine Toussaint referma la porte et se dirigea vers son bureau. Elle se laissa lourdement tomber sur sa chaise, puis elle utilisa l'interphone pour ordonner à son adjoint de convoquer l'inspecteur Gauguin. Regardant par la fenêtre, elle se demanda comment elle lui expliquerait sa décision.

Dans le coin, une chose sombre, semblable à des vestiges calcinés, l'observait en silence.

— L'accusée est venue vous trouver, n'est-ce pas, monsieur le directeur général ?

— Oui. J'étais chez moi, à Three Pines, en compagnie de ma femme…

— Reine-Marie Gamache, rappela Zalmanowitz aux jurés. Celle qui, plus tôt ce jour-là, avait découvert le cadavre de Katie Evans.

— Exactement. L'inspectrice-chef Lacoste, qui dirige la section des homicides, et l'inspecteur Beauvoir, mon adjoint, logeaient chez nous.

— Sont-ils présents dans la salle d'audience ?

— Non.

Le procureur de la Couronne balaya la tribune des yeux et se retourna vers Gamache. Étonné. Ils échangèrent un regard.

L'ayant surpris, la juge Corriveau prit une note mentale.

Dans ce regard, la juge avait reconnu de la compréhension, mais aussi autre chose. De tout à fait inattendu.

De la compassion.

Maureen Corriveau plissa les yeux en signe d'irritation. Elle envisagea de couper court au témoignage de la journée et d'entraîner les deux hommes dans son cabinet. Où elle les obligerait à dire la vérité.

En femme patiente, elle savait toutefois qu'il suffisait de leur accorder du temps et de l'espace. À force de parler, ils laisseraient tomber assez d'indices.

— L'accusée est arrivée à l'heure du souper ?

— Après souper. Relativement tard, en fait.

— Avez-vous été étonné par ce que l'accusée vous a confié ?

— Sidéré. Nous aurions fini par comprendre, évidemment. Le laboratoire de la police scientifique a corroboré ses aveux. À ce stade, nous étions relativement certains que le meurtre de Mme Evans était prémédité.

— Pourquoi ?

— Le costume de *cobrador*. Il suppose la compréhension de faits que seule une personne connaissant bien la victime pouvait posséder. Un secret qu'elle avait profondément enfoui.

— Le costume de *cobrador*, sa présence, suppose aussi autre chose, déclara Zalmanowitz. Un secret, mais aussi un acte si coupable qu'il devait être vengé.

Gamache secoua la tête.

— C'est justement ça, le plus bizarre. Les *cobradors* originels n'avaient pas la vengeance pour but. Ils n'attaquaient pas physiquement leurs cibles. Leur mission consistait à les démasquer et à les accuser. À servir de conscience.

— Et à laisser à une instance supérieure le soin de les punir ? demanda Zalmanowitz.

— Une instance supérieure ? fit la juge Corriveau. C'est la seconde fois que j'entends ces mots dans le cadre du procès. De quoi s'agit-il, au juste ?

Barry Zalmanowitz eut l'air d'un homme soudain mis à nu.

— Maître Zalmanowitz ? insista-t-elle.

Elle avait conscience de le tenir. Et par les parties sensibles, encore. Parties sensibles dont elle n'avait que faire, mais qui lui étaient pour ainsi dire tombées dessus.

— C'est une citation, dit le directeur général Gamache de sa voix grave et calme.

La juge Corriveau attendit. Elle connaissait la citation, bien sûr. Gamache s'en était servi plus tôt. Et Joan en avait cherché l'origine. Que le procureur de la Couronne s'en serve à présent prouvait qu'il ne s'agissait pas d'un hasard. Ils en avaient discuté, lui et Gamache.

— Je vais vous prier de m'en faire part.

— C'est une phrase du Mahatma Gandhi, expliqua Gamache.

À la barre des témoins, il se tourna et elle vit la pellicule de sueur sur son visage.

— Je vous écoute, dit-elle.

— Il existe une instance supérieure aux cours de justice et c'est celle de la conscience. Elle supplante toutes les autres.

Elle entendit les journalistes recopier fébrilement la phrase.

— C'est une citation ou une prise de position? demanda-t-elle.

On aurait dit, en effet, que le directeur général endossait ces mots. Qu'ils traduisaient ses pensées. Ses croyances.

Et Maureen Corriveau comprit qu'il ne s'agissait pas d'un simple morceau du casse-tête. C'était la clé de voûte de toute cette foutue affaire. Elle présidait un procès, alors que les deux hommes se trouvaient de plain-pied dans un autre. Devant une instance supérieure.

Elle se sentit à la fois furieuse et accablée. Et passablement effrayée. Par ce qu'elle venait de déterrer. Et par ce qu'elle ignorait encore. Comme, par exemple, ce qui avait bien pu pousser ces deux grands serviteurs de l'État, dont la tâche consistait à faire respecter la loi, à envisager de la violer.

Si ce n'était pas déjà fait.

— Simple citation, répondit Gamache.

Son regard comportait un appel, mais aussi une mise en garde. « Laissez tomber. »

Il se tourna ensuite vers le procureur de la Couronne, tandis que la juge Corriveau réfléchissait à ce qu'elle venait de voir et d'entendre. À ce qui venait, de facto, d'être admis. Et à ce qu'il convenait de faire.

— Vous vous doutiez donc que Katie Evans avait été tuée par une de ses connaissances? reprit Zalmanowitz, qui s'était enfin ressaisi.

Ils avaient franchi le point de non-retour, après tout.

— Oui. Le crime avait été planifié de longue date, ce qui laisse entendre que le tueur connaissait la victime depuis longtemps.

— Et la connaissait assez bien pour vouloir sa mort. La liste des suspects a sans doute été considérablement réduite.

— En effet.

23

— J'ai quelques questions à vous poser, dit Jean-Guy Beauvoir d'une voix calme mais professionnelle.

Sous le grésil, il avait fait le trajet jusqu'à Montréal pour prévenir la sœur de Katie, Beth. La première sur sa liste. En ce moment, il avait besoin qu'elle se concentre. Le profond chagrin pouvait attendre. Il lui fallait des réponses.

— Katie a-t-elle déjà fait référence à un *cobrador* ?

Du regard, Beth consulta son mari, assis à côté d'elle sur le canapé. Du sous-sol parvinrent les voix d'enfants qui se chamaillaient pour un ordinateur portatif.

— Un quoi ? Non.

— Faisait-elle de la couture ?

Ils le regardèrent comme s'ils avaient affaire à un fou. Beauvoir les comprenait. Ses questions paraissaient absurdes, même à ses propres oreilles.

— De la couture ? Non. Que…

Elle fut incapable de continuer.

— Elle portait une sorte de cape et nous nous demandions si elle l'avait fabriquée elle-même.

— Non. Elle n'a rien d'une manuelle. Mais elle cuisine, dit Beth d'une voix pleine d'espoir, comme si le renseignement pouvait être utile.

Beauvoir sourit.

— Merci.

Il prit une note dont il n'aurait jamais besoin et vit Beth regarder son mari avec un sourire forcé.

— Vous êtes proche de votre sœur ?

— Oui. Il y a seulement une année et demie d'écart entre nous. Je suis l'aînée. Je l'ai toujours protégée, même si elle n'en a jamais vraiment eu besoin. C'était devenu une plaisanterie entre nous. Elle vit à deux rues d'ici, papa et maman aussi. Mon Dieu !

Une fois de plus, elle se tourna vers son mari, qui passa un bras autour de ses épaules.

— Maman et papa.

— Je vais les prévenir, dit Beauvoir. Mais ce serait plus facile si vous étiez présente.

— Oui, bien sûr que oui. Seigneur Jésus.

— Vous vous disiez tout, Katie et vous ?

— Oui, je crois. Moi, en tout cas, je lui racontais tout.

Le mari de Beth haussa les sourcils, presque imperceptiblement. Très peu, juste assez pour illustrer sa surprise. Et un certain malaise.

— Je regrette, mais je dois vous demander de me communiquer tout détail compromettant dont elle vous aurait fait part.

— C'est-à-dire ?

— A-t-elle déjà contrevenu à la loi ? A-t-elle des choses à se reprocher dont elle n'aurait rien dit à personne ou qu'elle aurait eu honte d'admettre ? Des choses dont on aurait pu lui tenir rigueur ?

— Non, bien sûr que non.

— Prenez le temps d'y réfléchir, s'il vous plaît.

Elle obéit.

Il observait le visage blême et maculé de larmes de la femme. Son corps rigide s'efforçant de contenir sa peine. De ne pas s'effondrer.

— Katie prenait de l'argent dans le sac de notre mère. Moi aussi, d'ailleurs. Je pense que maman le savait. Pas grand-chose. Vingt-cinq, cinquante cents. Une fois, elle a triché à un examen. Elle a copié les réponses de sa voisine. En géographie. Son talon d'Achille.

— Autre chose ?

Beth se concentra, puis elle secoua la tête.

— Non.

— Elle était heureuse en ménage ?

— Oui, apparemment. Patrick et elle travaillent ensemble, en plus.

De nouveau, le mari, Yvon, se trémoussa. Et Beauvoir lui jeta un coup d'œil.

Se sachant observé, celui-ci déclara :

— Nous… Je ne l'ai jamais aimé. Il profitait d'elle.

— Comment ?

— De toute évidence, elle était le cerveau des opérations, celle qui obtenait des résultats. Mais elle… Comment dit-on, déjà ?

— S'aplatissait devant lui ? risqua Beth. Je ne crois pas, mais disons que Patrick obtenait toujours ce qu'il voulait.

— C'est un manipulateur-né, ajouta Yvon. Avec nous, ça ne prend pas.

— Avec personne, en fait, reprit Beth. Seulement avec Katie. C'était le seul problème. Nous aimons Katie ; Patrick nous plaisait plus ou moins. Mais, comme elle était heureuse avec lui, nous nous en accommodions.

Beauvoir hocha la tête. Il n'était pas rare de trouver des couples dont l'un des membres dominait l'autre, même si ce n'était pas toujours celui qu'on imaginait. On aurait pu penser que c'était Katie, l'architecte accomplie, qui avait l'ascendant, alors que, en réalité, c'était plutôt Patrick.

— La tyrannie du faible, philosopha Yvon. J'ai lu ça quelque part. C'est une belle description de Patrick.

« Tyrannie », nota Beauvoir. Le mot était fort.

— Autre chose ?

Ils réfléchirent.

Il apparaissait évident que Beth, après les larmes et le choc initial, s'efforçait surtout de ne pas craquer. Elle essayait très fort de se rendre utile.

Elle plaisait à Beauvoir. Ils lui plaisaient tous les deux. Il se douta que Katie lui aurait plu, elle aussi. Sauf, peut-être, pour le secret qu'elle abritait, quel qu'il soit.

Tout le monde en avait. Des secrets. Mais certains étaient plus répugnants que d'autres.

— J'ai une ordonnance judiciaire m'autorisant à entrer chez Katie. Vous m'accompagnez ?

Yvon resta à la maison pour s'occuper des enfants. Beth et lui firent en voiture le court trajet qui séparait la maison de Beth et Yvon de celle de Katie et Patrick.

Seul avec elle, Beauvoir demanda :

— Il n'y a vraiment rien d'autre ?

Ils s'étaient garés devant la maison dans le noir, sous la pluie froide, et Beth gardait le silence. La résidence était plus grande, moins modeste que celle de Beth, mais elle n'avait rien d'ostentatoire. Pas de lumières.

— N'en parlez à personne, s'il vous plaît.

— Je ne peux rien promettre, dit Beauvoir. Mais vous devez tout me dire.

— Katie s'est fait avorter. À l'école secondaire, elle est tombée enceinte et elle l'a fait. Je l'ai accompagnée à la clinique.

— L'a-t-elle regretté ? demanda Beauvoir. Avait-elle honte ?

— Non, bien sûr que non. À l'époque, c'était la bonne décision. Elle a regretté ce recours, mais pas la décision. Nos parents n'auraient tout simplement pas compris. Elle n'a pas voulu leur faire du mal.

— Vous seriez étonnée de ce que les parents comprennent, dit Beauvoir en la regardant. Et ?

Il sentait que l'histoire ne s'arrêtait pas là.

— Et mon mari ne comprendrait pas.

— Pourquoi donc ?

— C'était son bébé. À l'école secondaire, Beth et lui sont sortis ensemble pendant quelques semaines. Je pense qu'il croit que je ne suis pas au courant. En tout cas, il ne sait pas que Katie est tombée enceinte et qu'elle s'est fait avorter. Lui et moi avons commencé à nous fréquenter bien après nos études secondaires. Katie et Patrick étaient déjà mariés, à l'époque.

— Comment réagirait-il, s'il savait ?

Elle prit un moment pour y penser.

— Je ne sais pas. C'était il y a longtemps. Peut-être serait-il indifférent. Et à l'époque du secondaire, franchement ? Il aurait été terrifié à l'idée que la petite amie qu'il venait de quitter attende un bébé. Non, c'était la bonne décision et Katie ne l'a jamais regrettée. Elle n'en était pas fière pour autant. Et elle n'a jamais senti le besoin de le crier sur les toits. Je pense que c'est pour cette raison qu'elle est partie pour Pittsburgh, une fois son diplôme en poche. Pour prendre un nouveau départ.

— Pourquoi Pittsburgh ? demanda Beauvoir.

— Elle a suivi un cours d'été en arts plastiques à l'université Carnegie-Mellon, mais elle s'est vite rendu compte qu'elle voulait être architecte. Ils n'ont pas voulu la laisser changer de programme. Elle s'est donc inscrite à l'Université de Montréal.

— Comment décririez-vous votre sœur ? Sincèrement, cette fois. C'est important.

Beth s'essuya les yeux, se moucha et réfléchit.

— Elle était aimable. Maternelle. C'est peut-être pour ça que Patrick lui a plu. Si jamais un homme a eu besoin d'être materné, c'est lui. Je ne crois pas que ça l'ait bien servi. Si un homme a besoin de grandir, c'est aussi lui.

— Pourquoi n'ont-ils pas eu d'enfant, Patrick et elle ?

— Il n'est pas trop tard, répondit Beth sans réfléchir.

Dans la voiture plongée dans l'obscurité, Beauvoir entendit le martèlement des grains de glace et le grondement du silence. Puis les sanglots.

Il attendit qu'elle ait fini de pleurer.

— Son projet, son espoir, c'était de lancer l'entreprise, puis d'avoir des enfants. Elle n'a pas encore… Elle n'avait pas encore trente-cinq ans. Il lui restait du temps, dit-elle tout bas.

Ils entrèrent dans la maison et Beth alluma.

Ce fut une surprise. De l'extérieur, la maison ressemblait aux autres de la rue. Relativement banale. À l'intérieur, elle était complètement refaite. Les couleurs étaient douces, mais pas éteintes. Apaisantes, chaleureuses. Presque pastel, mais pas tout à fait féminines.

« Gai », voilà. Douillet. Des livres sur les tablettes. Des séparateurs dans les placards, où tout était bien rangé. La cuisine sentait les herbes et les épices. Beauvoir remarqua des ustensiles dans des pots, une cafetière et une théière. Rien de voyant.

Dans cette cuisine, on cuisinait.

Elle s'ouvrait sur le salon, aux poutres apparentes.

Bref, c'était un foyer. Sans mal, avec bonheur, Jean-Guy y imagina sa propre famille.

Il mit une demi-heure à faire le tour des lieux. Rien ne laissait croire à une existence secrète, à une double vie. Ni de près ni de loin. Quelques livres érotiques, des cigarettes. Il les renifla pour être bien certain qu'il s'agissait de tabac. Elles étaient desséchées.

Sur la commode dans la chambre à coucher, il prit une photo. Quatre des sujets lui étaient connus, mais pas le cinquième.

— Elle remonte à l'époque de l'Université de Montréal, précisa Beth. Difficile de croire qu'ils se connaissent depuis si longtemps, Patrick et elle. Ils étaient si jeunes.

— Vous permettez que je la conserve ?

Il lui fit un reçu. Il ne prit rien d'autre.

Lentement, ils se dirigèrent vers la maison des parents de Katie. Beauvoir allait les mettre au courant lorsque Beth l'interrompit. Leur annonça la nouvelle. Quand tout fut terminé pour lui, alors que tout débutait à peine pour eux, il rentra chez lui, serra Annie dans ses bras, embrassa Honoré et lui lut une histoire pour l'endormir. Puis il repartit vers Three Pines.

24

Sur le canapé du gîte, Patrick Evans se balançait d'avant en arrière, d'avant en arrière.

La frisquette journée de novembre avait cédé la place à une froide nuit de novembre.

— Je ne comprends pas, répétait-il sans arrêt. Je ne comprends pas.

Au début, la formule tenait de la déclaration, de la supplication. Au fil des heures, les paroles et le balancement, devant l'absence de réponses et l'échec de toutes les tentatives de réconfort, étaient devenus purement machinaux. Une sorte de murmure primitif.

Matheo s'était efforcé d'apaiser Patrick. Ses intentions étaient bonnes, mais ses méthodes déficientes.

— Pousse-toi, avait dit Léa. Il a du chagrin, pas des gaz. On dirait que tu veux lui faire faire son rot.

En effet, Matheo flattait le dos de Patrick en répétant « Ça va s'arranger ».

— Et soit dit en passant, avait ajouté Léa en se penchant et en baissant la voix, ça ne va pas s'arranger.

Matheo vit sa femme prendre la main de Patrick. Celui-ci regardait Léa, le regard toujours un peu vague après les pilules et le sommeil.

Matheo sentit la morsure d'une jalousie très ancienne.

D'où venait la faculté de Patrick d'éveiller les instincts maternels des femmes ? Cette capacité mystérieuse avait l'art d'éveiller plutôt la brute en Matheo. Il n'avait qu'une envie : botter le cul de ce type.

Même en ce moment. C'était déraisonnable, voire cruel, il en était conscient, mais il aurait voulu lui crier de se ressaisir. De se redresser. De cesser de se balancer d'avant en arrière et de pleurer. Ils avaient des choses à discuter. Un plan d'action à mettre au point. Et Patrick, fidèle à lui-même, se révélait inutile.

Se levant, Matheo se dirigea vers le foyer et passa ses nerfs sur les bûches. Les frappa à coups de tisonnier.

Leur première année à l'université, prise deux. *Sa Majesté des Mouches*, prise deux.

Celle où leurs destins s'étaient entrelacés. Pour ne plus jamais se démêler.

La première année, celle où ils s'étaient rencontrés. Celle où tout avait débuté. Les événements qui les avaient conduits à cette terrible situation en ce lieu magnifique.

— Je me suis dit que vous aimeriez peut-être boire quelque chose, lança Gabri, qui apparut dans la porte séparant la salle à manger du salon du gîte, un plateau surmonté d'une théière à la main. Le souper sera bientôt prêt. J'ai supposé que vous préféreriez éviter le bistro.

— Merci, dit Matheo en acceptant le plateau.

Il le posa sur la table basse, à côté des brownies que Léa et lui avaient achetés à la boulangerie.

Gabri revint un instant plus tard avec un autre plateau. Surmonté cette fois de bouteilles d'alcool. Il le posa sur la desserte, à côté du feu crépitant.

Puis, se penchant vers l'homme endeuillé, il murmura :

— Je ne comprends pas non plus, mais je sais qu'ils vont trouver le coupable.

Ces mots n'eurent pas sur Patrick l'effet escompté. Il sembla s'effondrer davantage.

— Vous croyez ? bredouilla-t-il.

— J'en suis sûr.

En se redressant, Gabri se demanda si la litanie des « Je ne comprends pas » visait plus que l'assassinat de Katie.

Il se demanda aussi d'où lui venait sa folle envie de gifler cet homme.

De retour dans sa cuisine, Gabri se servit un généreux verre de vin rouge. Assis sur un tabouret près du comptoir, il contempla les ténèbres par la vitre du fond.

En se relevant pour préparer un hachis Parmentier, plat réconfortant par excellence, il douta que les découvertes de Gamache apportent beaucoup de paix à ses clients. Pas plus, du reste, que ses propres talents culinaires.

Pendant que la cuisine se remplissait des arômes de l'ail et des oignons revenus dans l'huile, de la sauce et de la viande hachée en train de dorer, il songea aux quatre amis et aux liens étroits entre eux. C'était apparu clairement lors de leur première visite, des années plus tôt.

Elle lui avait toujours semblé merveilleuse, cette amitié. Cette camaraderie. Cette confiance.

Mais pas cette fois-ci.

Quelque chose n'allait pas, depuis le début. Et ce n'était pas une simple question de calendrier. À la fin octobre plutôt qu'en août, changement déconcertant. Pourquoi venir lorsqu'il ferait froid et gris, que le monde allait dormir ou mourir ?

Pourquoi à ce moment-ci ?

L'obscurité et le froid de novembre ne se limitaient pas à l'extérieur. Ces clients, ces amis, les avaient fait entrer dans le gîte.

Amicaux, mais moins qu'avant. Heureux, mais moins qu'avant. Contents de se retrouver, mais moins qu'avant. Ils passaient moins de temps ensemble et, malgré des invitations répétées, ils n'avaient pas souvent rejoint Gabri, Olivier et les autres au bistro.

Puis le *cobrador* avait débarqué et le froid glacial s'était étendu à tout le village.

À présent, ceci. Katie était morte. Quelqu'un lui avait enlevé la vie.

— Partie, dit-il à haute voix dans l'espoir, peut-être, de se faire à l'idée.

Il n'y avait pas que Katie qui avait disparu. Gabri le sentait dans le salon. C'était évident.

Ils formaient toujours un cercle serré. Un cercle ancien, sans contredit. Si les pierres de Stonehenge pouvaient bouger, elles seraient ces amis-là. Gabri, en égouttant les pommes de terre, s'interrogea sur la nature de leurs relations au fil des ans, au fil des vies.

Avaient-ils été des compagnons d'armes dans les tranchées ? Se protégeant mutuellement ? Des frères et des sœurs au sein de la même maternelle, peut-être ? Épouses, maris et amants ? Meilleurs amis pour l'éternité ?

Ou tout à fait autre chose ? Ils formaient un cercle, sans doute depuis toujours. Sauf qu'un élément caché était apparu au grand jour.

Gabri se représenta les énormes monolithes de Stonehenge, penchés vers l'avant, vers l'intérieur, comme pour se rapprocher les uns des autres.

Mais la force qui les rapprochait les faisait aussi tomber.

Quand la poussière se déposerait, ils seraient renversés. En morceaux. Le monument imposant, redoutable, détruit à jamais.

— Parti, balbutia Gabri en versant la crème dans les Yukon Gold et en y incorporant quelques généreuses noix de beurre.

Il considéra les pommes de terre.

— Oh, et puis merde.

Il alla chercher du gruyère dans le réfrigérateur et, en en détachant des morceaux, il regarda le fromage fondre dans le beurre, le lait et les pommes de terre.

Puis il se mit à les écraser. Il se balança d'avant en arrière, utilisant son poids considérable pour venir à bout du moindre grumeau.

— Je ne comprends pas, dit-il en se balançant d'avant en arrière, d'avant en arrière.

— Comment est-ce possible ? chuchota Matheo à l'oreille de Léa pendant qu'ils se réchauffaient auprès du feu.

C'était une mauvaise idée, depuis le début. Au moins, ce n'était pas lui qui l'avait eue. Certitude qui lui procurait un minimum de réconfort et de protection.

Mais aussitôt, il commença à se faire du souci. On pourrait laisser croire qu'il était à l'origine de l'initiative. Facilement.

Il ne serait guère difficile de convaincre Gamache que c'était lui, l'instigateur. De là à l'accuser de meurtre, il n'y aurait qu'un pas.

Matheo se demanda si c'était prévu depuis le début. Déni plausible, certes, mais aussi suspect plausible.

Il faudrait en conclure qu'il s'agissait d'une opération planifiée de longue date. Plus qu'il l'avait lui-même pensé. Et dont l'exécution avait exigé la participation des autres. De Léa.

Était-ce possible ?

Matheo posa son verre sur le manteau de la cheminée.

— Quoi ? demanda Léa en devinant son angoisse.

— Il serait facile de rejeter la responsabilité sur l'un de nous, dit-il en baissant la tête et la voix.

— Pour le meurtre de Katie ?

— Pour tout. Tu y as pensé ?

La vérité, c'est que Léa venait tout juste d'aboutir à la même conclusion. Quiconque accéderait à Gamache en premier présenterait sa version des faits. Les chargerait au maximum, eux.

Ils percevaient un léger crépitement sur les carreaux. Ni pluie ni neige. Quelque chose entre les deux.

Le monde extérieur se transformait. Et pas pour le mieux.

Et ils étaient ici. Partout, eût-on dit. Où qu'ils aillent. Des policiers. Qui se hâtaient. Couraient partout. Rampaient à gauche et à droite. Fouillaient dans les moindres recoins. Ouvraient les portes verrouillées. Tiraient vers la lumière des objets qui auraient dû rester cachés.

Pendant que Patrick dormait, Matheo et elle avaient été interrogés. Ne sachant pas quoi dire, ils n'avaient rien dit.

— Ils vont finir par comprendre, dit Léa en désignant Patrick d'un geste de la tête. J'étais sûre qu'il allait cracher le morceau quand ils lui ont annoncé la nouvelle.

— Moi aussi. Mais je pense qu'il était trop sonné. Sans parler de l'Ativan. Très bonne idée.

— Un seul comprimé, dit-elle.

— Bien sûr. Quelle personne saine d'esprit lui en aurait donné davantage ?

Elle perçut le ton de menace dans sa voix. Mais elle n'avait pas peur de lui. Pas vraiment. Pas normalement. Les circonstances n'avaient toutefois rien de normal…

— Pourquoi l'as-tu fait, alors ?

— Je n'ai rien fait de tel.

— Je ne suis pas Gamache. Je ne suis pas de la police, dit Matheo. Tu ne peux pas me mentir. Tu sais ce que je sais. À moins, dit-il en se penchant vers elle, que tu saches autre chose ?

— Ne. Va. Pas. Là, murmura-t-elle.

On aurait plutôt dit un sifflement menaçant.

Elle était de la même taille que lui. Certes, elle n'aurait pas pu le dominer physiquement, mais, sur le plan intellectuel, c'était une autre paire de manches. Matheo n'avait rien d'un idiot, mais Léa possédait une intelligence supérieure. Ils le savaient tous. Elle la première.

Elle avait toujours réussi à le maîtriser. Surtout, comprenait-elle, parce que, contrairement à Matheo, elle se maîtrisait elle-même.

Elle sentait toutefois cet avantage lui échapper. Le sol se dérobait sous leurs pieds. Comme s'ils étaient emportés par une coulée de boue qui menaçait de les engloutir.

Ils avaient menti à la police. Ils n'avaient rien dit, eux qui, en réalité, savaient tout.

— Nous sommes foutus, laissa tomber Matheo.

— Katie est morte, dit Léa. Et c'est toi qui es foutu ? Tu ne penses qu'à tes fesses. Tu ne penses qu'à toi.

— Et toi alors ?

Léa soutint son regard en s'efforçant de ne pas lui donner la satisfaction de savoir qu'il avait raison. Ce jour-là, Léa Roux avait découvert quelque chose à son propre sujet.

Emportée par une coulée de boue, elle n'aurait qu'une seule préoccupation : sauver sa peau.

« Que Dieu me protège », se dit-elle. Elle avait toujours espéré qu'elle réagirait comme les membres de l'orchestre du

Titanic. Comme un Allemand qui aurait caché un Juif dans son grenier.

Là, elle venait de comprendre. Au contact de l'iceberg, elle aurait exigé sa place dans le radeau de sauvetage, quitte à jeter des enfants par-dessus bord.

Quand on frapperait en pleine nuit, elle montrerait du doigt la porte dérobée.

« Oui », songea-t-elle. Katie n'était pas la seule à être morte ce jour-là. On avait aussi découvert le cadavre refroidi de la femme que Léa avait cru être, espéré être.

Et pourtant, tout n'était peut-être pas perdu. Le cœur n'avait pas cessé de battre. Pas tout à fait.

Elle avait eu le temps de bien réfléchir.

Matheo avait raison. L'avantage reviendrait à la première personne à réagir.

Elle jeta un coup d'œil à la pendulette sur le manteau de la cheminée. Dix-huit heures à peine. De délicieux arômes lui parvenaient de la cuisine.

— Je sors faire un tour, dit-elle.

— Il pleut, fit Matheo. Sinon, c'est du grésil ou je ne sais trop quoi. Tu comptais ne pas aller très loin, sans doute ?

Il inclina la tête vers la maison des Gamache, de l'autre côté de la rue.

En entendant son ton, elle éprouva dans sa bouche un goût de limon.

— Tu ne vas nulle part, dit Matheo. Moi non plus, d'ailleurs. On serre les rangs.

Il étudia sa femme. Il ne se faisait pas d'illusions. Il savait, depuis leur première rencontre à l'Université de Montréal.

Elle était efficace. Futée et lucide. Et aussi autre chose.

Léa Roux était impitoyable.

Lui aussi, en fait. D'où leur situation.

25

— Myrna vient de téléphoner, dit Reine-Marie. Elle nous invite chez elle. Apéro et infos.

— Elle a des informations ?

Assis sur le canapé, Armand la regarda au-dessus des verres de ses lunettes. Il était entouré de dossiers. Chacun contenait le portrait sommaire d'un service de la Sûreté.

— Pas exactement. Elle a des apéritifs et toi des informations, mon beau.

— Ahhh, fit-il en souriant.

— Pour elle, c'est équitable, donnant, donnant. Je lui ai dit que c'était impossible. Tôt ou tard, Isabelle et Jean-Guy arriveront pour le souper.

Armand consulta sa montre. Il passait tout juste dix-huit heures, même si, avec le soleil qui se couchait de plus en plus tôt, il aurait juré qu'il était plus tard. Ayant revêtu un pantalon, une chemise et un chandail, il prenait des notes, assis près du feu.

Il retira ses lunettes et posa son dossier.

Les notes ne concernaient pas l'affaire en cours. Isabelle et son équipe s'en occupaient. Ils n'avaient pas besoin de lui.

Il songeait à tout autre chose.

La serviette de table, chiffonnée, se trouvait sur le canapé. C'était celle du dîner qu'il avait pris avec Madeleine Toussaint pour discuter de l'échec des tentatives de la Sûreté et des autres corps de police pour juguler le trafic de stupéfiants. En fait, plus on s'efforçait de le contrôler, plus la situation semblait se dégrader. À la façon des liens qui se resserrent quand vous vous débattez…

Mais supposons…

Il contempla le feu, fasciné par son mouvement fluide, presque liquide. Laissa son esprit partir à la dérive.

Supposons que vous cessiez de vous débattre. Que vous vous résigniez. Que se passerait-il alors ?

Il ne voyait plus les flammes. Du moins celles de l'âtre.

Il relut les mots notés sur la serviette de table.

C'était trop ridicule. Impossible.

Mais ils avaient perdu la guerre. Il le savait. Et pourtant, ils continuaient de se battre parce que baisser les bras aurait été pire. Inconcevable.

« Mais si… », réfléchit le directeur général Gamache.

Supposons…

Supposons.

S'ils le faisaient ? S'ils abandonnaient la partie ?

Il songea à Honoré. Bébé de quelques mois à peine. Déjà, les cartels faisaient la pluie et le beau temps. Seraient-ils tout-puissants lorsque le garçon aurait treize ans ? Dans la cour d'école. Dans les rues. Gamache, alors âgé de soixante-dix ans, serait à la retraite.

Il songea à ses petites-filles, à Paris. Les petites Florence et Zora. Au jardin d'enfants et à la maternelle.

Comme dans une animation de la chaîne Historia, il vit la carte de l'Europe changer de couleur, à mesure que la peste soufflait vers le continent. Gagnait du terrain. Se rapprochait. Menaçait d'atteindre ses petites-filles.

Impossible de freiner cette progression. Elle traversait les frontières, les ignorait superbement. Celles des pays, celles de la décence. Rien ne pouvait empêcher les opioïdes d'atteindre leur clientèle.

Rien.

Cendres, cendres. Nous tombons tous.

Il était enfin en position de faire quelque chose. Directeur général de la Sûreté du Québec. Mais il n'y avait rien à faire. On avait tout essayé. Chaque tentative s'était soldée par un échec.

Sauf… Gamache jeta un nouveau coup d'œil au feu.

Brûler nos vaisseaux.

Remettant ses lunettes, il recommença à écrire. Il écrivit, écrivit encore.

Dix minutes plus tard, il leva les yeux et trouva Reine-Marie à côté de lui, une main posée sur le livre ouvert sur ses genoux. Au lieu de lire, elle regardait droit devant elle. Et il sut à quoi elle pensait. Ce qu'elle ressentait. Ce qu'elle voyait.

La chose sombre, dans la cave à légumes.

Il lui prit la main. Elle était froide.

— Désolé. Je ne devrais pas travailler.

— Bien sûr que si. Je vais bien.

— Et même BIEN ?

Elle rit.

— Absolument.

Bête, inquiet, emmerdeur, névrosé.

Ruth, leur voisine, avait intitulé son dernier recueil de poèmes *Je vais BIEN*. Elle en avait vendu une cinquantaine d'exemplaires, surtout à des amis capables d'en apprécier le génie et la véracité.

Ruth allait BIEN. Eux aussi, du reste.

— Je téléphone à Myrna pour voir si l'invitation tient toujours, dit Gamache en se levant et en se dirigeant vers son bureau. Un verre en bonne compagnie nous ferait le plus grand bien.

— Jean-Guy et Isabelle ? demanda-t-elle.

— Je leur laisserai un mot.

Dans son bureau, Armand posa le carnet et la serviette en papier dans le tiroir de sa table de travail et le ferma à clé. Pas pour le mettre à l'abri des yeux de Reine-Marie ou de Jean-Guy. Seulement, il était un homme prudent, ayant appris à la dure qu'il faut attendre l'inattendu. Il serait désastreux que ces notes soient vues par la mauvaise personne. Que cette personne sache ce qu'il pensait.

Avant de refermer le tiroir, il tapa deux fois sur le carnet. Comme pour réveiller doucement une chose. Donner une tape sur l'épaule d'une idée bizarre, voire grotesque. Se retournerait-elle ? Le cas échéant, de quoi aurait-elle l'air ?

D'un monstre ? D'un messie ? Des deux ?

Ensuite, il referma et verrouilla le tiroir avant de passer le coup de fil.

— C'est arrangé, dit-il en décrochant le manteau de Reine-Marie de la patère posée près de la porte.

Le lourd brouillard s'était changé en crachin, lequel s'était transformé en grésil. À présent, il neigeait.

« Le monde est en constante évolution, songea Gamache. S'adapter ou périr. »

Jean-Guy se laissa tomber sur la chaise, retira ses lunettes et fixa l'écran.

À son retour de Montréal, il avait rendu compte à Lacoste de son entrevue avec la sœur de Katie et de sa visite de la maison de cette dernière.

— Je n'ai rien trouvé, mais je rapporte ceci.

Il lui montra la photo.

— L'autre, c'est Édouard ? demanda Lacoste. Celui qui est mort ?

— Oui.

Il paraissait ridiculement jeune. Blond. Avec un sourire énorme et un regard lumineux. Son bras mince et hâlé enserrait les épaules de Katie.

Les autres aussi souriaient. Jeunes. Forts. Mais aucun d'eux ne brillait avec autant d'éclat qu'Édouard.

— Quel dommage, fit doucement Lacoste.

S'interrompant, elle prit un moment pour mieux étudier la photo.

— Je me demande ce que ressentait Patrick.

— À quel propos ?

— À la pensée que Katie ait choisi de conserver cette photo. De toute évidence, elle date de l'époque où Édouard et elle étaient encore très proches.

En effet, même sur la vieille photo, le lien sautait aux yeux.

— Eh bien, Patrick a gagné, dit Beauvoir. La photo est peut-être un rappel de cette victoire. Qui sait ? C'est peut-être lui qui a tenu à la garder.

— Possible.

Ils avaient regagné leurs tables de travail respectives dans le poste de commandement, où Beauvoir martela une autre recherche sur son clavier.

Se calant ensuite sur sa chaise, il attendit la réponse.

Autour de lui, d'autres agents tapaient, parlaient au téléphone.

Assise à sa place, au cœur du poste de commandement, du centre nerveux, Isabelle Lacoste, les pieds sur sa table de travail, les jambes croisées à la hauteur des chevilles, suçotait le bout d'un stylo en lisant les comptes rendus des interrogatoires.

L'agent dépêché à Knowlton avait confirmé que c'était bien la soirée steak frites au restaurant. La serveuse avait été si débordée qu'elle ne se serait pas souvenue de s'être occupée de sa mère. Encore moins de Patrick et de Katie.

Il n'y avait pas de reçu de carte de crédit. S'ils avaient mangé à cet endroit, ils avaient réglé l'addition comptant. Détail bizarre, jugea Beauvoir, incapable de se rappeler le dernier repas qu'il avait payé en espèces.

Il se tourna vers son ordinateur. Il savait qu'il aurait dû consulter Lacoste avant de s'adjuger une table de travail. Ce n'était pas son enquête, après tout. Il fallait qu'il s'y habitue. Il n'était plus le numéro deux de la section des homicides. Il était désormais le numéro deux de toute la Sûreté.

Jean-Guy en avait tiré sa propre conclusion. Puisqu'il ne faisait partie d'aucune division particulière, il appartenait à la totalité d'entre elles. Perception que, savait-il en homme malgré tout réaliste, presque personne ne partageait au sein de la Sûreté. Gamache y compris.

Malgré tout, tant et aussi longtemps qu'Isabelle ne le flanquerait pas à la porte, il resterait là. Et donnerait un coup de main. Qu'elle veuille de lui ou non.

C'est ainsi qu'il avait revendiqué ce territoire et s'y était installé.

Son ordinateur portable était connecté à Internet. Pas d'accès sans fil, mais on avait installé une antenne parabolique sur le clocher de l'église, et les techniciens de la Sûreté avaient amplifié le signal.

Incapable de rester assis à fixer l'écran, Beauvoir jeta ses lunettes sur la table, se leva et se mit à décrire des cercles dans la pièce. Perdu dans ses pensées.

Il tournait, les mains dans le dos, posées l'une sur l'autre. À chacun de ses pas, sa tête ballait doucement. Méditation ambulante, en somme, même si Jean-Guy Beauvoir aurait été horrifié par une telle description, aussi juste soit-elle.

De nombreux détails troublants entouraient le meurtre de Katie Evans. Le *cobrador*. Le mobile. L'endroit où le tueur avait disparu.

Le *cobrador* avait-il fait le coup ou était-il une autre victime? Le tueur se trouvait-il encore au village? Sirotant une bière ou un chocolat chaud devant un bon feu de foyer. Profitant enfin d'un peu de chaleur. Sa tâche accomplie.

Telles étaient les grandes questions. Pour pouvoir y répondre, ils devaient d'abord passer par toute une série de questions plus petites.

Qu'était-il arrivé au bâton, par exemple?

Jean-Guy pensait toujours que Mme Gamache, en proie à un choc bien compréhensible, ne l'avait tout simplement pas vu.

La cave à légumes était sombre. Et la découverte d'un cadavre avait eu pour effet d'éclipser tout le reste.

Cette explication lui semblait beaucoup plus plausible que la disparition du bâton, suivie de sa réapparition après la découverte du cadavre.

Son esprit rationnel, toujours maître de lui-même, se rebiffait devant cette idée, jugée ridicule.

Mais dans ses tripes, ou plutôt dans son ventre, qui prenait de l'ampleur, au grand dam de Jean-Guy, il avait des doutes.

Selon son expérience, Reine-Marie Gamache, qui avait été archiviste principale à Bibliothèque et Archives nationales du Québec, remarquait presque tout. Elle était calme. Elle était futée. Et elle avait la délicatesse de garder pour elle-même la majorité de ses observations.

L'instinct de Jean-Guy lui disait qu'elle aurait vu le bâton s'il s'était trouvé dans la cave à légumes.

Partagé entre son cerveau rationnel et son moi intuitif, Jean-Guy sentit une boule se former. Dans sa gorge.

Interrompant son circuit, il se dirigea vers la cave à légumes. Devant le ruban de police qui délimitait la scène du crime, il scruta la petite pièce sombre.

Pourquoi le meurtrier, à supposer qu'il ait emporté le bâton, ne l'avait-il pas coupé en morceaux pour le brûler ? En ville, ce n'était peut-être pas si simple. Mais à la campagne ? Tous les villageois avaient un foyer. La plupart avaient un poêle à bois. Il aurait suffi de quelques minutes pour réduire le bâton en cendres.

Pourquoi l'avoir rapporté ?

— À quoi songez-vous ?

Jean-Guy frôla la syncope.

— Merde, Isabelle, fit-il en portant la main à sa poitrine et en lui lançant un regard mauvais. Vous avez failli me tuer.

— Je vous ai toujours dit, fit-elle en se penchant pour que les autres ne l'entendent pas, que les mots étaient plus dangereux que les balles.

Beauvoir, qui n'avait nulle intention de se laisser tuer par un mot, aussi bien ciblé soit-il, continua de la foudroyer du regard.

— J'ai interrogé la sœur de Mme Evans sur le *cobrador*. De toute évidence, elle entendait le mot pour la première fois.

— Je pense que Matheo Bissonnette est au centre de toute cette affaire. Lui seul savait ce qu'était un *cobrador* en arrivant ici. Sans lui, on aurait simplement eu affaire à un idiot affublé d'un vieux costume d'Halloween. Dark Vador planté dans le parc du village.

— Je n'y comprends quand même rien du tout, avoua Beauvoir. En dehors des bandes dessinées, vous en connaissez beaucoup, vous, des tueurs qui se déguisent et s'affichent en public ? En public, insista Beauvoir. Pour attirer l'attention sur eux-mêmes avant de passer à l'acte ?

— C'est pourtant ce qu'il a fait, répondit Lacoste. À moins que le *cobrador* n'ait rien eu à voir avec le meurtre.

— Que voulez-vous dire ?

— Supposons qu'il était venu tourmenter quelqu'un d'autre ? Il faisait office de conscience, non ? Il n'était pas venu pour tuer. Quelqu'un d'autre a pu y voir une occasion en or de se débarrasser de Katie Evans…

— Et de faire porter le chapeau au *cobrador*, compléta Beauvoir. Il faudrait alors en conclure que la personne déguisée est morte, elle aussi.

— Possible. Il se peut aussi que le type ait pris le large, dit Lacoste. Sachant qu'il serait soupçonné.

— Ou liquidé. Quand recevrez-vous les résultats des expertises sur le costume ?

— J'ai exigé que la requête soit traitée en priorité, mais le labo a reçu l'objet il y a deux ou trois heures seulement.

Beauvoir hocha la tête. Ils avaient demandé un échantillon d'ADN à toutes les personnes interrogées. Aucune ne s'y était refusée. Ces échantillons avaient le potentiel de leur en apprendre beaucoup. Ou de ne rien révéler du tout. Ce qu'il voulait absolument savoir, c'était qui portait le déguisement avant qu'on en ait revêtu Mme Evans. Cette personne avait peut-être disparu depuis longtemps. Quitté le village, voire cette terre.

— J'ai révisé les interviews réalisées cet après-midi par les membres de l'équipe, dit Lacoste. Je n'y ai rien trouvé d'utile. La plupart des villageois ne connaissaient pas la victime. Quant aux autres, comme Léa Roux et Matheo Bissonnette, par exemple, ils n'ont aucune idée de ce qu'elle pouvait avoir à cacher.

— Ils mentent peut-être, dit Beauvoir.

— Vous croyez ? fit Lacoste dans un élan de fausse stupéfaction. Sa sœur vous a parlé de l'avortement qu'elle a subi, mais j'imagine mal qu'on puisse tuer quelqu'un pour un truc pareil. Et vous ?

— Ce ne sont pas les fous qui manquent, répondit Beauvoir. Mais non. Nous n'avons encore rien découvert dans son passé qui puisse expliquer la présence du *cobrador*.

— Il n'était peut-être pas là pour elle, répéta Lacoste. Il avait peut-être une autre cible. Le village compte deux nouveaux habitants. Anton Lebrun, le plongeur, et Jacqueline Marcoux.

— La boulangère.

Isabelle trouva tout naturel que l'homme à l'« intuition » grandissante connaisse la fournisseuse des éclairs.

— Nous savons qu'ils travaillaient ensemble avant leur arrivée. Pour une famille, à titre privé.

— Comment ont-ils fini comme plongeur et aide-boulangère ? Ont-ils été congédiés ?

— La famille a déménagé, répondit Lacoste en consultant ses notes. Ce que je trouve intéressant, c'est qu'Anton et Jacqueline aient tous deux refusé de répondre aux questions concernant leur ancien employeur. Sous prétexte qu'ils auraient signé une entente de confidentialité. Ils semblent intimidés par leur ancien patron. Redouter d'éventuelles poursuites judiciaires. J'ai dû leur rappeler qu'une enquête pour meurtre a la préséance sur toute entente du genre. Que je ne voulais pas savoir ce que mangeaient les membres de cette famille, ni avec qui ils couchaient. Que j'avais simplement besoin de leurs noms pour fins de vérification.

— Ils étaient à ce point réticents ? s'étonna Beauvoir. C'est plus que de l'inquiétude. On dirait plutôt de la peur. Ou de l'intimidation. Qui est-ce ?

Lacoste parcourut la page.

— Ruiz. Il s'appelle Antonio et elle María Celeste.

Beauvoir se pétrifia. Tel le chasseur qui a détecté le craquement d'une brindille.

Antonio et María Celeste Ruiz.

— Ils ont déménagé, dites-vous ? fit Beauvoir. Où ça ?

— Mutés dans leur pays d'origine. L'Espagne.

Il ouvrit la bouche toute grande et laissa entendre une sorte de hoquet.

— Barcelone, précisa-t-elle en épiant sa réaction.

— C'est peut-être une coïncidence, dit-il. Je ne vois pas de lien entre les deux.

Il resta cependant immobile et silencieux. Laissa la créature fuyante venir vers lui.

L'Espagne. Là d'où venaient les *cobradors*. Là où ils étaient les plus nombreux. Les *cobradors* modernes, coiffés d'un haut-de-forme. Mais dernièrement, on observait aussi de plus en plus de représentants de la version originelle. La Conscience.

— Ont-ils admis connaître le *cobrador* ? Les Ruiz l'ont-ils évoqué ?

— Je l'ai mentionné, mais ils ont tous deux affirmé ne rien savoir à ce sujet.

— Cet Antonio Ruiz, que fait-il dans la vie, au juste ? demanda Beauvoir.

— Ils ont refusé de me le dire.

Beauvoir s'énerva.

— Voyons donc. Ils n'ont même pas voulu vous dire ça ?

— C'est facile à vérifier, dit Lacoste. Il doit être dans les affaires.

— Probablement, acquiesça Beauvoir. En Espagne, les gens d'affaires sont sans doute les principales cibles des *cobradors* en haut-de-forme. Ce type était sûrement au courant de leur existence. Pas nécessairement à titre personnel, mais je parie qu'il connaît des gens qui ont été visés. Sinon, il en a vu dans la rue.

— Ou il en a entendu parler par les journaux, dit Lacoste. Il lit sans doute le journal rose, le *Financial Times*. Vous pensez qu'Anton et Jacqueline l'ont entendu en parler ?

— C'est une possibilité. Mais de là à assassiner Mme Evans, il y a un pas, admit Beauvoir.

Lacoste hocha la tête. Il lui arrivait souvent d'assimiler le meurtre à la traversée des Alpes par Hannibal. Par quel chemin passe le meurtrier ? De la contrariété, de la peine et de la colère. Et même du désir de se venger. Au meurtre.

Comment va-t-on d'un étrange phénomène typiquement espagnol, évoqué par les membres d'une famille originaire de ce pays autour du repas du dimanche, à la présence, dans une cave à légumes du Québec, d'une forme recroquevillée et rouée de coups ?

Et pourtant, c'était arrivé. On avait franchi les Alpes.

Mais, ainsi que Gamache le répétait jusqu'à plus soif aux agents qui se joignaient à la section des homicides, le meurtre est toujours tragique et presque toujours simple. C'étaient les enquêteurs, souvent, qui compliquaient les choses.

Cette situation plaisait aux assassins. Qui aimaient se perdre dans le brouillard.

Quelle était donc la réponse simple à tout cela ?

— Laissez-moi donner un coup de fil à la Guardia Civil, dit Beauvoir. Je suis curieux de voir si nos collègues ont quelque chose sur ce Ruiz.

— Bien.

Elle pivota vers son ordinateur. Voyant que Beauvoir n'avait pas bougé, elle se tourna de nouveau vers lui.

— Autre chose ?

— Je crois, oui.

Beauvoir se dirigea vers sa table de travail et revint avec son propre ordinateur.

— Ceci.

Du haut des marches, Myrna, d'une voix chantante, lança dans la librairie :

— Nous sommes à l'étage !

Elle avait entendu le tintement de la clochette et des bruits de pas dans l'escalier qui montait jusqu'à son loft.

Déjà, Clara versait du vin rouge pour Reine-Marie et du scotch pour Armand.

— Mon Dieu qu'il fait froid ! s'écria Reine-Marie en secouant son manteau pour le débarrasser des grains de glace avant de le draper sur la rampe. Merci.

Elle accepta le verre que lui tendait Clara et suivit les autres jusqu'au salon. D'un geste, Myrna désigna le canapé le plus rapproché du feu, tandis que Clara et elle s'assoyaient sur celui qui lui faisait face.

— Bon, fit Clara en mettant les pieds sur le pouf. Vous avez vos verres. C'est le moment de régler l'addition. Des informations, s'il vous plaît.

Armand prit une gorgée de scotch et soupira.

— Isabelle poursuit les interrogatoires, dit-il. Vous avez été interviewées, non ?

Les deux femmes hochèrent la tête.

— J'ai bien peur que nous n'ayons pas servi à grand-chose, dit Clara. Du moins dans mon cas. Je n'ai rien vu. Je n'ai pas vu Katie monter là-haut et je n'ai pas vu le *cobrador* la suivre.

— Comment avez-vous trouvé Katie, cette fois-ci ? demanda-t-il.

— Comme d'habitude, répondit Myrna. Un peu distraite, il me semble, mais c'est peut-être un effet de mon imagination, au vu des circonstances.

— Allons, Armand, dit Clara, donnez-nous quelque chose. Ce n'est pas de la simple curiosité, vous savez. Il y a un meurtrier ici et, franchement, j'ai peur.

— Oui, je comprends, dit Armand. Et c'est notamment pour cette raison que j'ai tenu à venir. Je ne peux pas vous dire grand-chose, en partie parce que je ne sais pas grand-chose. Je crois quand même être en mesure d'affirmer que Katie Evans n'a pas été tuée de façon fortuite.

— Qu'est-ce que ça signifie ? demanda Myrna. Qu'elle était ciblée depuis le début ? C'est le *cobrador* qui l'aurait tuée ? Sans doute…

— On pourrait le croire, en effet, répondit Armand en se demandant si elles le sentaient évasif.

— Mais pourquoi cette mise en scène? demanda Clara. C'est de la cruauté pure et simple.

— D'après ce que vous nous avez dit, les premiers *cobradors* n'étaient pas cruels, dit Myrna. Ils étaient presque passifs, en fait. Leur action s'assimilait plutôt à de la désobéissance civile.

— Ce ne serait pas le premier exemple d'une chose bonne et décente mais dévoyée à d'autres fins, philosopha Reine-Marie.

— Quand même, répliqua Clara. Regardons ce qu'a fait le *cobrador* pendant son séjour ici. Il est resté là. Pendant deux jours. Sans nuire à personne.

— Jusqu'à ce qu'il tue Katie, dit Myrna avant de secouer la tête. Mais ça ne tient pas la route. Si l'intention de ce type était de terroriser quelqu'un, pourquoi prendre la forme d'une obscure créature espagnole dont personne n'a jamais entendu parler? Et qui, par-dessus le marché, a la réputation d'être non violente?

Armand acquiesça. On en revenait toujours à ce paradoxe. Si les premiers *cobradors* avaient un trait marquant, c'était leur courage exceptionnel.

— Il n'a rien fait de mal et pourtant nous le haïssions, dit Clara.

— Vous l'avez défendu, souligna Armand. Quand il a été menacé.

— Nous ne voulions pas qu'il soit tué, dit Myrna. Mais Clara a raison. Nous voulions qu'il disparaisse. Vous aussi, je crois.

Armand hocha lentement la tête. C'était la vérité. Le *cobrador* était différent, inattendu, importun. Il ne respectait pas les normes du comportement civilisé.

Il avait déterré des questions gênantes, désagréables. Peut-être même quelques vérités.

— Vous avez raison, admit Armand. Malgré tout, il est important de ne pas sentimentaliser à outrance. Il y a tout de même de bonnes chances pour qu'il ait tué Mme Evans.

— Peut-être…, commença Clara avant de s'interrompre.

— Vas-y, l'encouragea Myrna. Dis-le.

— Peut-être le méritait-elle. Désolée. Quelle horreur. Personne ne mérite de finir de cette façon.

— Non, personne, acquiesça Reine-Marie. Mais nous comprenons votre idée. Peut-être Katie a-t-elle causé son propre malheur en se rendant coupable d'un acte terrible.

— Pas d'autre explication possible, dit Myrna. Si ce que vous dites est vrai. Au sujet du *cobrador*, qui serait comme une conscience.

— Sauf qu'une conscience ne tue pas, dit Clara. Non?

— Elle pourrait bien le faire! lança Myrna. Pour prévenir un mal plus grand.

— Le meurtre se justifierait donc dans certaines circonstances? demanda Reine-Marie.

— Sans se justifier, il est à tout le moins explicable dans certains cas, dit Myrna pour combler le vide. Même les atrocités. L'explication a beau nous gêner, nous ne pouvons pas nier la réalité pour autant. Prenez Nuremberg, par exemple. Comment expliquer l'Holocauste?

— Des dirigeants mégalomanes et assoiffés de pouvoir avaient besoin d'un ennemi commun, répondit Clara.

— Non, dit Myrna. Le problème, c'est que personne ne s'est opposé à eux. Très peu de gens se sont levés à temps pour leur faire barrage. Et pourquoi?

— La peur? risqua Clara.

— Oui, en partie. Et aussi une forme de conditionnement. Autour d'eux, des Allemands respectables en voyaient d'autres brutaliser ceux qu'ils considéraient comme des étrangers. Des Juifs, des Tziganes, des homosexuels. C'est devenu normal et acceptable. Personne ne leur a dit que c'était mal. Au contraire.

— On n'aurait pourtant pas dû avoir à le leur dire, déclara Reine-Marie.

— Myrna a raison, dit Armand en sortant de son mutisme. On voit fréquemment ce phénomène. J'en ai été témoin à l'école de police. Et j'ai vu la brutalité de la Sûreté elle-même.

On l'observe quand des brutes sont au pouvoir. Elle en vient à faire partie de la culture d'une institution, d'une famille, d'un groupe ethnique, d'un pays. Elle devient non seulement acceptable, mais aussi normale. Voire applaudie.

— Ce que tu décris, c'est une sorte de déformation de la conscience, dit Reine-Marie. Une chose qui peut paraître « bonne », mais qui est mauvaise. Aucune personne dotée d'une véritable conscience ne tolérerait une chose pareille.

— Je n'en suis pas si sûre, dit Myrna. Il existe une étude psychologique, plutôt un test, en réalité. On l'a mis au point en réaction aux procès des nazis, qui affirmaient avoir la conscience tranquille. C'était la guerre, disaient-ils, et ils se contentaient d'obéir aux ordres. Eichmann, quand on l'a capturé, des années plus tard, a utilisé la même défense. Les citoyens, indignés, soutenaient qu'aucune personne normale n'aurait fait comme les nazis et qu'aucune société civilisée ne serait restée les bras croisés pendant que de telles atrocités étaient commises. Des chercheurs ont donc élaboré le test en plein procès d'Eichmann.

— Attends, dit Clara. Avant d'entendre la suite, j'ai besoin d'un verre. Quelqu'un d'autre ?

Armand se leva.

— Laissez. Je m'en occupe.

Myrna et lui apportèrent les verres à la cuisine et les remplirent.

— Rien pour vous ? demanda-t-elle en montrant la bouteille de Glenfiddich.

— Non, merci. J'ai encore pas mal de travail, ce soir. L'étude dont vous parlez, c'est l'expérience de Milgram, menée à Yale ?

— Oui, confirma-t-elle en jetant un coup d'œil à Reine-Marie et à Clara, qui conversaient près du poêle à bois. Elles l'auraient fait, vous croyez ?

— La question n'est-elle pas plutôt : et vous, l'auriez-vous fait ? Et moi ?

— Et la réponse ?

— Nous le faisons peut-être en ce moment même, sans nous en rendre compte, dit-il en songeant au carnet resté dans sa maison paisible. Et à son contenu. Et à ce qu'il envisageait de faire.

Contrairement aux nazis, cependant, il ne se contenterait pas de suivre les ordres. Il les donnerait.

Et des centaines, voire des milliers de personnes mourraient presque à coup sûr.

Comment le justifierait-il ?

26

Isabelle Lacoste se pencha sur son ordinateur.

Les tubes fluorescents du sous-sol de l'église n'étaient guère favorables aux écrans. Pas davantage qu'aux visages qui s'y reflétaient.

« Comment ai-je pu devenir si vieille ? se demanda-t-elle. Et si inquiète ? Et verdâtre par-dessus le marché ? »

La photographie dont Beauvoir avait attendu le téléchargement était enfin apparue et il avait apporté l'appareil jusqu'au bureau de Lacoste.

Assis à côté d'elle, il ne regardait pas l'écran. Il savait pertinemment ce qui s'y trouvait.

Il scrutait plutôt Isabelle Lacoste.

Elle avait porté une main manucurée à son visage, un coude en appui sur la table de travail, ses doigts écartés sur sa bouche.

Elle fixait l'écran. Et la femme.

— Ce n'est pas Mme Evans, dit-elle enfin.

— Non. Cette photo a été prise à Pittsburgh il y a dix-huit mois. J'ai fait des recherches sur Katie Evans. Jusque-là, elle correspond au portrait qu'on brosse d'elle. Une étoile montante de l'architecture. Elle a consacré sa thèse aux maisons de verre. Elle a adapté ces habitations aux climats rigoureux comme le nôtre. Elle a terminé ses études à l'Université de Montréal, ainsi que nous le savons.

— Là où se sont rencontrés tous les membres de la bande.

— Oui. Mais, entre le secondaire et l'université, elle a suivi un cours à Carnegie-Mellon…

— À Pittsburgh, dit Lacoste en se retournant vers l'écran.

La photographie était à la fois banale et terrible. Peut-être à cause de l'extrême normalité de quatre-vingt-dix pour cent de l'image. Et de l'horreur présente à la périphérie.

— Il y a deux ou trois jours, dès l'apparition du *cobrador*, M. Gamache m'a demandé de faire des recherches. Cette photo fait partie des choses que j'ai déterrées.

Lacoste avait vu juste. Il ne s'agissait pas de Katie Evans, même si la femme sur la photo était de la même génération. Une trentaine d'années. Vêtue avec recherche. Une cadre supérieure, en route vers le travail. Ou la maison.

Pressée, comme tout le monde.

Moment banal saisi dans une rue passante.

Sauf que la femme venait d'apercevoir quelque chose du coin de l'œil.

Isabelle sentit son sang se glacer dans ses veines.

L'expression de la femme était normale. Ses yeux, toutefois, avaient commencé à se transformer. On aurait dit ceux d'un cheval effrayé, sur le point de se cabrer ou de s'emballer.

Là, en bordure de la photo. Aux limites de la vision périphérique de la femme. À peine visible. Un *cobrador*.

Des passants pressés, la tête penchée sur leur appareil, le contournaient, l'apparition venue d'un passé depuis longtemps oublié se dressant à la façon d'un rocher noir au milieu d'une rivière.

Elle regardait droit devant elle.

Sans comprendre de quoi il s'agissait, la femme semblait savoir que la chose était là pour elle.

— Qui est-ce ?

— Colleen Simpson. Propriétaire d'une chaîne de garderies. Visée par des accusations de sévices. Elle a été jugée et acquittée.

Lacoste hocha la tête. Acquittée, forcément. D'où la présence du *cobrador*.

— Quelqu'un ne croit pas à son innocence, dit Lacoste.

— Elle a été acquittée pour vice de forme, expliqua Beauvoir. Une bavure policière.

C'était la crainte de la plupart des enquêteurs. Commettre une erreur qui entraînerait la mise en liberté d'un prédateur.

Lacoste se tourna de nouveau vers l'écran. Le monstre s'était métamorphosé. Ce n'était plus le *cobrador*. C'était plutôt la femme bien habillée, si semblable aux autres passantes.

Le regard de Lacoste se posa sur la cave à légumes vide.

— Vous vous demandez si Katie Evans connaissait cette femme, dit-elle. Si elles se sont rencontrées à Carnegie-Mellon...

— C'est un peu mince, comme hypothèse, mais...

Il brandit les mains, sa façon d'exprimer que le coup valait d'être tenté.

— Si Mme Evans connaissait cette femme, on peut penser que le *cobrador* est venu pour les deux. D'abord l'une, puis l'autre.

— Creusez la question.

— Oui, patronne.

L'inspectrice-chef Lacoste revint à son ordinateur et aux transcriptions des interrogatoires de la journée. Elle cliqua sur la suivante en laissant entendre un léger grognement.

Ruth Zardo.

Lacoste ferma cet écran. Interviewer une fois la vieille poète démente lui avait largement suffi. Relire ce ramassis d'incongruités, c'était trop, même pour la responsable de la section des homicides. D'ailleurs, il n'y avait rien de valable dans les propos de Ruth. Lacoste passa à la transcription suivante et, tendant la main vers son café, s'installa pour la lire.

— Oh, et puis merde, soupira-t-elle.

Fermant cette page, elle restitua celle de Ruth.

Cette idée lui arracha un léger sourire. Ruth faisait assurément penser à un truc restitué.

Clara et Reine-Marie étaient en pleine conversation lorsque Armand et Myrna revinrent avec les verres et d'autres bouts de pain pour le fromage.

— Ahhh, merci, fit Reine-Marie en tendant d'abord la main vers la baguette.

— De quoi parliez-vous ? demanda Myrna. Des nazis ?

— De Pinocchio, répondit Clara.

— Évidemment, dit Myrna en se tournant vers Armand. Je constate que nous arrivons à temps pour élever la conversation au-dessus du niveau de la maternelle.

— En parlant des nazis ? s'étonna Clara. Je dirais plutôt que le niveau baisse.

— Non, dit Myrna. Je me proposais de vous parler de l'expérience. Pour se défendre, Eichmann a soutenu qu'il n'avait fait qu'obéir aux ordres, vous vous rappelez ?

Les femmes hochèrent la tête. Elles étaient au courant. Stratégie classique de défense de l'indéfendable.

— Autant les procureurs que le tribunal de l'opinion publique ont affirmé que c'était absurde, que toute personne convenable aurait refusé de participer à l'Holocauste. C'est vite devenu un sujet brûlant de discussion, au travail et dans les cocktails. Les gens bien n'auraient-ils pas dû se rebeller ? C'est ce que l'expérience visait à déterminer.

— Comment peut-on mesurer une chose pareille ? demanda Reine-Marie.

— Eh bien, j'oublie toutes sortes de détails, mais, en gros, on mettait le sujet dans une pièce en compagnie de deux autres personnes. L'une lui était présentée comme le responsable de l'expérience. Un scientifique. Une sommité dans son domaine. L'expérience, disait-on au sujet, avait pour but d'enseigner à la troisième personne à mieux apprendre, expérience qui profiterait non seulement à l'apprenant, mais aussi à la société.

Se calant sur son siège, Armand croisa les jambes et contempla le feu. Écouta la voix grave et réconfortante de Myrna. On aurait dit qu'elle racontait une histoire à des enfants pour les endormir. Mais, Gamache le savait, celle-ci tenait davantage des frères Grimm que de Milne.

— L'apprenant est attaché à une chaise à l'aide de sangles, poursuivit Myrna.

— Attaché ? s'étonna Reine-Marie.

— Oui. On dit au sujet qu'on immobilise les apprenants parce que certains d'entre eux souhaitent s'en aller quand les choses se corsent. C'est un peu comme une ceinture de sécurité. Une contention douce, en somme. Comme ils sont rémunérés pour prendre part à l'expérience, ils doivent aller jusqu'au bout, explique le scientifique.

Myrna jeta un coup d'œil à ses interlocuteurs pour s'assurer qu'ils la suivaient bien. Reine-Marie et Clara hochèrent la tête. C'était un peu bizarre, mais dans les limites du raisonnable.

Elles auraient probablement joué le jeu. Jusque-là.

— On dit ensuite au sujet de punir chacune des mauvaises réponses de l'apprenant au moyen d'un choc électrique de faible intensité.

— C'est le principe des clôtures invisibles pour chiens, dit Clara. Ils reçoivent une petite décharge et apprennent où se situent les limites.

— Exactement. Une pratique courante, expliqua Myrna. On parle de « thérapie par aversion ». Ce que le sujet ignore, cependant, c'est que le scientifique et l'apprenant sont de mèche.

— Il n'y a pas de chocs électriques ? demanda Reine-Marie.

— Non. L'apprenant est un acteur qui fait semblant d'être secoué. La première fois qu'il se trompe, le choc est léger et l'apprenant poursuit sans difficulté. Seulement, à chacune de ses mauvaises réponses, on augmente l'intensité. Plus l'expérience progresse, plus l'apprenant se trompe et plus il est perturbé. De toute évidence, les décharges électriques lui causent une vive douleur. Il exige qu'on mette fin à l'expérience, mais le scientifique affirme que c'est impossible et ordonne au sujet de poursuivre.

— Est-il secoué ? demanda Clara. Le sujet, je veux dire.

— La question est intéressante, répondit Myrna. Si je me souviens bien, il est déboussolé et hésitant, mais le scientifique lui donne l'assurance que tous les autres avant lui sont allés jusqu'au bout et qu'il doit faire de même.

— Il continue donc ? fit Clara.

— Oui. À la fin, l'apprenant pleure, supplie, crie et se débat. Le scientifique ordonne au sujet de lui administrer un autre choc. Celui-ci, le sujet le sait, provoquera une douleur insoutenable.

Peut-être mortelle. Le scientifique lui dit qu'il ne fait rien de mal. Et que tous ceux qui l'ont précédé ont obéi.

Le silence se fit. On n'entendait que le crépitement des flammes.

— Et il suit les ordres, lui aussi, dit Myrna tout doucement.

Reine-Marie et Clara la fixaient. Le vin et le fromage avaient disparu. Le feu de foyer avait disparu. Le loft joyeux sis dans le joli petit village avait été remplacé par une pièce aseptisée, occupée par le scientifique, l'apprenant, le sujet et une vérité cruelle.

— Mais c'était un résultat aberrant, hein? demanda Clara.

— Non. On a soumis des centaines de sujets à l'expérience. Ils ne sont pas tous allés jusqu'au bout, mais la majorité, oui. Beaucoup plus qu'on l'aurait cru.

— Ou espéré, dit Reine-Marie.

— Ils n'ont fait qu'obéir aux ordres, enchaîna Clara.

Elle se tourna vers Reine-Marie.

— Vous l'auriez administré, le dernier choc?

— Si vous m'aviez posé la question il y a cinq minutes, je vous aurais répondu: non, jamais de la vie.

Elle soupira.

— Maintenant, je n'en suis plus si sûre.

Armand hocha la tête. Aveu terrible, en vérité. Mais courageux. Prise de conscience pouvant mener au refus de collaborer.

Faire face au monstre. Le reconnaître. Savoir que le mal n'était pas le fait d'une poignée d'êtres corrompus. Pas d'« eux » qui tienne: il n'y avait qu'un « nous ».

Ce fut l'une des nombreuses horreurs découlant des procès de Nuremberg. Du procès d'Eichmann. Une vérité pratiquement oubliée de nos jours.

La banalité du mal.

On n'avait pas affaire à un fou en plein délire, mais bien à un « nous » agissant en toute bonne conscience.

— *Alors votre conscience paraîtra*, chanta Clara d'une voix grêle, comme dans la chanson de *Pinocchio*, les mots dérivant vers le feu. Ce n'est pas si simple, au fond.

— Pourquoi parliez-vous de Pinocchio? demanda Armand.

Il commençait à penser que Reine-Marie ne s'était pas contentée d'évoquer le rituel nocturne de l'histoire qu'elle lisait à Honoré pour l'endormir.

— Oh, c'est idiot, répondit-elle. En particulier maintenant, après la discussion qu'on vient d'avoir. Oublie ça.

— J'insiste, dit-il.

Reine-Marie se tourna vers Clara, qui haussa les sourcils.

— Allez-y, fit Clara, qui eut droit à un regard de faux remerciement de la part de Reine-Marie.

— Vous vous souvenez que Pinocchio n'était pas un vrai petit garçon, lança Reine-Marie à l'intention de Myrna et d'Armand.

— Parce qu'il était en bois ? demanda Myrna.

— C'était un premier problème, avoua-t-elle. Mais ce qui l'empêchait d'être humain, c'est qu'il n'avait pas de conscience. Dans le film, c'est Jiminy Cricket qui joue ce rôle. Qui lui apprend à distinguer le bien du mal.

— Un grillon dans la peau d'un *cobrador*, dit Clara. Un grillon qui chante et qui danse, d'accord, mais quand même.

— On ne doit pas tout confondre, dit Armand. Être doté d'une conscience faible ou malavisée et ne pas en avoir du tout… Il y a une différence.

— Vous savez ce que disent les psychologues à propos des personnes dénuées de conscience ? demanda Myrna.

— Qu'elles sont atteintes du trouble de la personnalité antisociale ? fit Reine-Marie.

— Madame je-sais-tout ! s'écria Myrna. Oui, bon, d'accord. C'est la formulation officielle. Officieusement, on les qualifie de psychopathes.

— Vous ne voulez tout de même pas dire que Pinocchio est un psychopathe ? lança Reine-Marie.

Elle se tourna vers Armand.

— Nous allons devoir repenser les lectures de Ré-Ré.

— En tout cas, ces scènes-là ont été coupées au montage, ajouta Clara. En particulier celle où Pinocchio massacre les villageois. Je me demande ce que chantait le grillon à ce moment-là.

— C'est justement là, le problème, reprit Myrna. Nous avons l'habitude de la version cinématographique des psychopathes. Leur folie saute aux yeux. La plupart des psychopathes sont brillants. Ils n'ont pas le choix. Ils savent imiter le comportement humain. Ils font semblant de se soucier des autres, alors que, en réalité, ils ne ressentent rien, sauf peut-être de la rage et le sentiment irrépressible et quasi perpétuel que tout leur est dû. Qu'on leur a fait du tort. Pour parvenir à leurs fins, ils se servent surtout de la manipulation. La plupart d'entre eux n'ont pas besoin de recourir à la violence.

— Nous sommes tous des manipulateurs, dit Armand. Nous ne voyons peut-être pas les choses de cette façon, mais c'est la vérité.

Il montra le vin, l'appât que Myrna avait utilisé pour les attirer dans son antre. Elle plaida coupable en soulevant son verre. Mais sans remords.

— La plupart d'entre nous sommes relativement transparents, poursuivit-elle. En revanche, il est rare qu'on parvienne à démasquer un psychopathe. Il est habile. On lui fait confiance, on croit en lui. On le trouve sympathique. C'est du grand art : convaincre autrui que son point de vue est légitime et juste, même quand tous les indices montrent le contraire. Prenez Iago, par exemple. C'est magique.

— Attends, dit Clara. Là, tu m'as perdue. Qui est le psychopathe ? Le *cobrador* ou Katie Evans ?

Elles se tournèrent vers Armand, qui leva les mains en signe d'impuissance.

— J'aimerais bien pouvoir vous répondre.

Dans le présent crime, commençait-il à soupçonner, le cercle était peut-être moins restreint qu'il l'avait cru. Le *cobrador* et Katie Evans. Et il y avait peut-être un tiers qui les avait manipulés tous les deux.

Et qui manipulait désormais les enquêteurs.

Il y avait donc au village une personne qui, malgré les apparences, n'était pas tout à fait humaine.

27

Le marteau s'abattit avec une force telle que quelques spectateurs bondirent sur leur siège.

Certains, vaincus par la léthargie attribuable à la chaleur extrême, somnolaient.

La plupart, cependant, avaient résisté à l'envie de piquer un roupillon pour être sûrs d'entendre ce que le directeur général dirait ensuite.

De voir ce que le directeur général ferait ensuite.

On avait l'impression d'assister à une joute verbale. Botte. Parade. Riposte. Fente.

Aux yeux de la juge Corriveau, plus proche des escrimeurs et en mesure de voir ce qui échappait aux autres, le combat ressemblait de plus en plus à une course à relais. L'un tendant le témoin à l'autre, on ne pouvait mieux dire.

Ils transportaient le fardeau à tour de rôle.

Ils ne s'aimaient pas. De cela, elle était certaine. Cette animosité lui avait sauté aux yeux dès le début. C'était une animosité bien réelle, et non feinte. Mais le manège entre eux, quel qu'il soit, transcendait cette antipathie.

Il risquait même de régir tout le procès.

Elle en avait assez vu.

— Nous avons terminé pour aujourd'hui, proclama-t-elle. Nous reprendrons demain matin à huit heures.

À l'idée de se lever à l'aube, certains maugréèrent.

— Avant qu'il fasse trop chaud, dit-elle.

La proposition semblait sensée. En se levant en même temps qu'elle, certains, à contrecœur, hochaient la tête en signe d'assentiment.

— Quant à vous, messieurs, dit-elle à Gamache et à Zalmanowitz, j'aimerais vous dire un mot dans mon cabinet.

— Oui, Votre Honneur, répondirent les deux hommes en s'inclinant légèrement à son passage.

— Merde, fit Zalmanowitz en s'assoyant enfin et en épongeant la sueur sur son visage.

Il leva les yeux sur Gamache, qui attendait debout.

— Désolé. J'ai tout gâché.

— Ça vaut peut-être mieux, dit Gamache.

— C'est ça, fit le procureur en chef en fourrant des documents dans sa mallette. Quelques années de prison me feront le plus grand bien. J'ai justement besoin de vacances. Je songeais plutôt à un village de retraités quelque part en Arizona, mais au pénitencier je pourrai me recycler. Je me demande si on y offre des cours de langue. J'ai toujours rêvé d'apprendre l'italien.

Il leva de nouveau les yeux sur Gamache.

— Du Barreau, finir derrière les barreaux à cause de Gandhi... Vous ne trouvez pas ça ironique, vous ?

Le directeur général Gamache esquissa un sourire. Mince et forcé.

— Vous n'avez rien fait de mal, dit-il. C'est moi qui me suis parjuré.

— Et moi, je vous ai laissé faire. En toute connaissance de cause. Je suis donc aussi coupable que vous. Nous sommes tous les deux au courant. Et j'ai bien peur que la juge le soit, elle aussi. Peut-être pas dans les détails, mais il est clair qu'elle a flairé quelque chose.

Zalmanowitz glissa encore quelques documents dans son sac, puis, levant la tête, il vit Gamache balayer des yeux la salle d'audience. Elle était déserte.

À l'exception d'un homme debout, au fond.

Avec hésitation, Jean-Guy Beauvoir salua Gamache d'un geste de la main.

Il avait couru jusqu'au palais de justice avec la nouvelle de Toussaint. Maintenant qu'il était là, il se demandait comment procéder.

Entre les deux hommes s'était creusé un vide, jusque-là comblé par une confiance, une intimité, une amitié s'étirant sur des cycles de vie.

Il avait suffi d'un seul acte pour que tout parte en fumée. Un seul. Beauvoir avait quitté la salle d'audience. Incapable de voir Armand Gamache trahir ses convictions les plus profondes, incapable d'être témoin d'une telle aberration.

Gamache avait foncé dans le piège. Et Beauvoir avait pris ses jambes à son cou.

— Le voici, balbutia Zalmanowitz. Le grand disparu.

Gamache se tourna vers lui, fâché.

— Jean-Guy Beauvoir m'a soutenu dans des situations dont vous n'avez même pas idée.

— Mais pas aujourd'hui.

Zalmanowitz avait conscience de se montrer cruel. De tourner le fer dans la plaie. Mais ce n'était ni la journée ni le moment de se voiler les yeux. D'ailleurs, déjà mort de chaleur, il serait traîné sous peu sur des charbons ardents.

Bref, Barry Zalmanowitz n'était pas d'humeur joyeuse.

— Messieurs, dit le greffier devant la porte maintenant ouverte. La juge Corriveau est prête à vous recevoir.

Le procureur en chef soupira, saisit sa mallette trop pleine et, après s'être épongé le visage une dernière fois, glissa le mouchoir humide dans sa poche. Il s'avança vers la porte du pas du coupable sur le point d'être condamné.

Le directeur général Gamache, lui, ne broncha pas. Coincé, eût-on dit, entre Beauvoir et la sommation de la juge Corriveau.

Gamache hésita, puis il se tourna vers le greffier.

— Je vous suis dans un instant.

— Tout de suite, monsieur, insista l'autre.

— Dans un instant, répéta Gamache. S'il vous plaît.

Tournant le dos à la porte, il s'avança vers Beauvoir.

Derrière lui, Zalmanowitz s'arrêta. Et attendit. Fit de son mieux pour ignorer l'irritation que trahissait le visage du greffier.

« Bah, se dit Zalmanowitz en posant sa mallette. Puisque nous sommes déjà dans la merde jusqu'au cou… »

Outrage au tribunal, pour faire bonne mesure. Deux ou trois mois de plus à purger en prison. L'occasion de maîtriser le participe passé en italien.

— *Parlato*, bredouilla-t-il en voyant Gamache s'approcher de Beauvoir. *Amato*.

« Oui, se dit Zalmanowitz. J'ai beaucoup de choses à apprendre. »

— Patron, dit Beauvoir.

Brusque. Neutre. Comme si de rien n'était. Un agent rendant des comptes à son supérieur.

« La routine, se répétait Beauvoir. Rien ne s'est passé. Tout est comme avant. »

— Jean-Guy, dit Gamache.

Armand vit le visage, si familier, et aussi le mur que Jean-Guy avait dressé. Ni en pierre. Ni en bois. De la tôle. Sans la moindre prise. Sans rivet ni fissure. Impossible à escalader.

Expédient auquel Beauvoir n'avait plus souvent recours. En fait, Gamache ne l'avait pas observé depuis des années.

Il connaissait assez bien son gendre pour ne pas tenter de franchir cette barrière. Qui n'était pas seulement une mesure de protection. C'était aussi, savait-il, une prison. Un homme bon s'y cachait. Non pas de Gamache, mais de lui-même.

Jean-Guy Beauvoir avait bouclé l'ennemi à l'intérieur de lui.

— Je viens de voir la directrice Toussaint, dit-il. C'est pour cette raison que je suis parti.

Gamache soutint son regard. Sans rien dire.

— Tout s'est passé comme nous l'avions escompté, ajouta Beauvoir en bafouillant un peu sous l'intensité du regard de l'autre.

Il se ressaisit. Sa voix, lorsqu'il reprit la parole, était professionnelle.

— Le chargement de fentanyl a traversé la frontière des États-Unis.

— À l'endroit prévu ?

— Exactement à l'endroit prévu, répondit Beauvoir. Nos informateurs ont tout vu.

— Et la DEA ?

— L'agence ne se doute de rien. Nous avons nous-mêmes perdu la drogue de vue. Conformément à vos ordres.

Jean-Guy ne s'expliqua sa dernière remarque que par un désir puéril de causer de la souffrance. D'insister sur ce que cet homme avait fait, crime plus grave, assurément, que ses propres défaillances.

Beauvoir s'était cru au-dessus des coups enfantins, mais il se trompait, apparemment. Cette pulsion était de retour, plus puissante que jamais. Il se blinda en prévision d'une contre-attaque, de la rebuffade brutale qu'il espérait. Qui justifierait après coup sa propre agressivité.

Il attendit des paroles futées, affûtées.

Il n'eut droit qu'au silence.

« Un regard », se dit Beauvoir. Un petit coup d'œil assassin. Quelque chose. N'importe quoi. Il appelait cette réaction de tous ses vœux.

Mais il n'y avait rien. Que des yeux réfléchis, presque doux.

— Nous l'avions prévu, dit Beauvoir. Mais il s'est aussi produit quelque chose d'inattendu.

— Je t'écoute.

— Ils n'ont pas emporté tout le fentanyl. Ils en ont laissé une partie derrière pour l'écouler ici.

Beauvoir eut enfin droit à une réaction. Gamache avait écarquillé les yeux.

— Combien ?

— Au moins dix kilos. Nous en avons également perdu la trace.

« Ne le dis pas, pensa-t-il. Surtout, ne le dis pas. »

— Évidemment.

Voilà. Il l'avait dit.

Gamache se crispa et inspira sans bruit, sous l'effet de ce nouveau direct en plein ventre.

— Évidemment, chuchota-t-il.

Il se laissa tomber sur un banc et se livra à de rapides calculs. Selon le rapport qu'il avait lui-même commandé, chaque kilo de fentanyl entraînait au moins cinquante décès. Le calcul n'avait rien de sorcier.

Soixante-dix kilos de fentanyl aux États-Unis.

Plus de trois mille victimes.

Et au Québec ? Cinq cents personnes trouveraient la mort. À cause de sa décision. Ou de son indécision. Et il y en aurait peut-être plus, beaucoup plus. Des morts qu'Armand Gamache venait de sanctionner.

— Monsieur ! appela le greffier.

Gamache se tourna vers lui, et l'expression de l'homme se transforma aussitôt. Passa du zèle à la peur. Non pas de Gamache, mais bien de ce qu'il découvrit sur le visage du directeur général.

Ayant aussi surpris cette expression, Zalmanowitz devina les nouvelles.

Il se sentit à la fois nauséeux et fou de joie. Soulagé et consterné. Quelque chose avait changé. Quelque chose était arrivé.

Se pouvait-il que leur plan fonctionne ? Que Dieu les protège.

— Merci, dit Gamache en se levant. Je dois y aller. La juge souhaite nous voir, Me Zalmanowitz et moi. Je ne devrais pas en avoir pour longtemps.

Beauvoir se doutait bien du motif de la rencontre.

— Ce n'est pas tout, ajouta-t-il.

— Oui ?

— Une petite quantité d'une nouvelle drogue se trouve dans un entrepôt à Mirabel. Elle est arrivée il y a deux jours dans un lot de poupées gigognes.

Il sortit le papier de sa poche et le tendit à Gamache, qui mit ses lunettes.

— Le même cartel ? demanda-t-il sans lever les yeux.

— Oui.

Le chef n'avait pas retiré son veston. Beauvoir constata que sa chemise blanche était trempée de sueur.

— Chlorocodide? lut Gamache en levant les yeux pour chercher ceux de Beauvoir.

— Un dérivé de la cocaïne. Une drogue populaire en Russie, mais, à notre connaissance, pas encore arrivée ici. Ce serait une première. Connue dans la rue sous le nom de «krokodil». Très puissante, très toxique.

— Et elle dort là? dit Gamache. Depuis deux jours?

— Oui.

— Deux jours, répéta doucement Gamache, pour lui-même, les yeux plissés, comme pour se concentrer sur une cible lointaine. Se pourrait-il que…

Puis, sous le regard de Beauvoir, le directeur général Gamache ferma les paupières. Et baissa la tête. Ses épaules s'affaissèrent. Sous le poids d'un nouveau fardeau? Sous l'effet du soulagement?

Pour se stabiliser, il posa une main tremblante sur le banc devant lui. Pendant un instant, Jean-Guy craignit qu'il perde connaissance. À cause de la chaleur. Du stress. De l'inhalation de fumée.

Il laissa entendre un long soupir.

Puis, serrant le poing, il chiffonna le bout de papier. Et il leva la tête.

— Je dois voir la juge, dit-il en retirant ses lunettes et en s'essuyant les yeux.

«Pour se débarrasser de la sueur», supposa Beauvoir.

— Je t'enverrai un texto en sortant. Convoque une réunion dans la salle de conférence.

— Avec qui?

— Tout le monde.

Gamache rendit le bout de papier à Beauvoir, puis il se dirigea vers Zalmanowitz et le greffier. Mais, s'arrêtant soudain, il se tourna de nouveau vers Beauvoir.

— Tu sais ce que ça signifie? demanda-t-il en montrant le papier dans la main de son adjoint.

— Que nous avons peut-être une chance.

Beauvoir éprouva une agitation familière dans sa poitrine et un afflux d'adrénaline.

Gamache hocha sèchement la tête.

— Nous serons bientôt fixés.

Puis il se dirigea vers la porte que tenait le greffier.

— Patron, lança Beauvoir.

Mais il avait parlé trop bas, et Gamache était trop loin. De toute façon, savait Jean-Guy, il était sans doute trop tard.

Calée dans son fauteuil, la juge Corriveau examina les deux hommes.

Elle avait passé quelques minutes seule dans son cabinet. Après s'être frotté les aisselles avec un linge humide et s'être aspergé le visage d'eau fraîche, elle s'était efforcée de mettre au point une stratégie.

Elle décida de garder sa robe de magistrate. Question de leur rappeler qu'ils n'étaient pas en présence d'une femme. Même pas d'une personne. D'une fonction, plutôt. D'un symbole.

La justice.

D'ailleurs, cette tenue lui conférait force et protection. Elle avait aussi l'avantage de cacher les taches de transpiration. Et l'eau qui avait mouillé son chemisier.

Son autre stratégie, elle la mettait en action, ou plutôt en inaction, en ce moment même.

Elle les obligea à rester debout.

On avait placé un ventilateur dans son cabinet. En pivotant sur lui-même, il soufflait de l'air chaud sur eux trois et faisait bomber sa robe qui se soulevait et claquait malencontreusement. Bien loin, en somme, de l'image digne qu'elle souhaitait projeter.

En passant devant elle, le ventilateur agitait ses cheveux en bataille. Elle devait sans cesse repousser les mèches qui lui barraient les yeux et cracher celles qui lui entraient dans la bouche.

Les deux hommes restaient pratiquement immobiles, leurs cheveux se soulevant à peine au passage de la colonne d'air.

Elle se leva, éteignit l'appareil, retira sa robe de magistrate, passa la main dans ses cheveux et leur fit signe de s'avancer.

— Assoyez-vous.

Ils obéirent.

— Très bien, dit-elle. Nous sommes entre nous. À ma connaissance, il n'y a pas de micro caché dans cette pièce.

Elle dévisagea les hommes et arqua les sourcils d'un air interrogateur.

Ils se regardèrent avec un haussement d'épaules. Si la pièce était sous écoute, eux n'y étaient pour rien.

— Bien.

Elle hésita un moment. Devant Barry Zalmanowitz et Armand Gamache, les belles paroles qu'elle avait répétées, les arguments qu'elle avait peaufinés, la colère bien légitime qu'elle avait canalisée dans des phrases lapidaires, tout cela s'évanouit.

Ces hommes étaient au service de la justice depuis beaucoup plus longtemps qu'elle. Ils avaient servi leur province. Ils avaient servi leur conscience. Souvent à des risques, à des coûts personnels considérables.

— Que se passe-t-il, au juste ? demanda-t-elle en croisant leurs regards avec calme.

Devant leur silence, elle ajouta :

— Vous pouvez tout me dire.

Dans la pièce, l'air était lourd. Humide, collant, vicié. Les secondes s'égrenaient au ralenti.

Zalmanowitz ouvrit la bouche, ses lèvres s'efforçant de former des mots, des phrases, des pensées cohérentes. Puis il se tourna vers Gamache, sur sa droite.

Il le regretta aussitôt. Par ce geste instinctif, il avait trahi quelque chose de vital. Qui n'avait pas pu échapper à cette juge perspicace.

L'idée, quelle qu'elle soit, était du directeur général Gamache.

Celui-ci baissa les yeux sur ses mains, serrées sur ses jambes croisées, et prit un moment pour mettre de l'ordre dans ses pensées. Il y avait de multiples façons de tout gâcher. Mais des manières de bien faire les choses ? Peut-être aucune.

Il n'osa ni consulter sa montre ni jeter un coup d'œil à la pendulette posée sur le bureau de la magistrate.

Il avait toutefois conscience du temps qui s'écoulait. Des officiers qui s'assemblaient dans la salle de conférence de la Sûreté du Québec. Des matriochkas entreposées à Mirabel et de leur contenu.

Ces joyeux petits ornements et leur vil contenu étaient peut-être déjà en mouvement.

En lisant le bout de papier apporté par Jean-Guy, il avait compris : c'était le moment qu'ils avaient tant attendu.

Par la ruse, inciter le cartel à commettre une erreur énorme, fatale.

— Au Canada, plus de quinze mille personnes sont mortes à cause des drogues illicites, dit-il en croisant de nouveau le regard de la juge.

Sa voix était calme et ferme. Comme s'il avait tout son temps.

— En une seule année. Ces statistiques sont vieilles de dix ans et ne concernent que les cas portés à notre connaissance. Les victimes sont presque certainement plus nombreuses. Nous faisons mettre les données à jour, mais nous savons déjà que l'usage des opioïdes est en hausse fulgurante. Au même titre que le nombre de décès. Héroïne. Cocaïne. Fentanyl. Et j'en passe. Ces substances se vendent librement dans la rue. Elles tuent des gens, surtout des jeunes. Sans parler de tous les crimes dont ce trafic s'accompagne.

Se penchant très légèrement vers la juge Corriveau, il baissa la voix, comme pour lui faire une confidence.

— Nous avons perdu la guerre contre les drogues il y a des années et nous feignons d'agir pour la simple et bonne raison que nous ne savons pas quoi faire.

La juge Corriveau écarquilla les yeux. Juste assez pour exprimer le choc que lui avaient causé ces données. Mais pas la déclaration du directeur général.

Il avait raison, elle le savait. Ils avaient perdu. Elle en était témoin, à longueur de journée et jour après jour. Dans son ancien travail d'avocate comme dans sa salle d'audience actuelle. Dans les couloirs du grand palais de justice. Un défilé de jeunes gens perdus faisant face à des accusations. Et encore, eux avaient de la chance. Ils étaient encore vivants. Pour le moment.

Ils étaient aussi, pour la plupart, des victimes. Libres comme l'air, les vrais coupables mangeaient dans les meilleurs restaurants avant de rentrer dans leur vaste demeure, leur quartier respectable.

Les propos de Gamache étaient à la fois vrais et choquants. Mais…

— Quel est le rapport avec ce procès pour meurtre ?

— Nous savons que le crime organisé est derrière le trafic de stupéfiants, dit Gamache.

— Les cartels, ajouta Zalmanowitz, qui se sentait obligé d'apporter une contribution.

— Merci, maître Zalmanowitz, dit la juge Corriveau.

— D'un commun accord, le Québec a été divisé en régions, soumises à la loi de différentes organisations. Cela dit, l'une d'elles domine toutes les autres, poursuivit Zalmanowitz en faisant fi de la mine pincée de la magistrate. Nous avons érodé son pouvoir, sans grand effet.

— « Éroder » est un peu fort, admit Gamache. Je préfère l'analogie du moucheron opposé à l'éléphant. Il est vrai que les principaux officiers de la Sûreté étaient à la solde des cartels, ce qui n'a rien arrangé.

Il avait prononcé les mots sans la moindre trace d'ironie. Et d'ailleurs personne ne souriait.

— Mais c'est vous qui êtes aux commandes, désormais, dit Corriveau.

Cette fois, Gamache sourit.

— Vous me croyez capable de mettre de l'ordre ? J'en suis flatté. En effet, je fais de mon mieux.

Il soutint son regard.

— Mais lorsque je suis entré en fonction, il y a presque un an, j'en suis venu à la conclusion que je ne pouvais rien changer.

— Rien? s'étonna-t-elle. Vous l'avez dit vous-même: au Québec, la criminalité s'explique en grande partie par les drogues. Je ne parle pas seulement de la violence des gangs, mais aussi des cambriolages, des vols à main armée, des passages à tabac. Des meurtres. Des agressions sexuelles. De la violence conjugale. Si vous êtes impuissant à mettre un terme au trafic de…

— Oubliez l'idée d'y mettre un terme, dit Gamache en lui coupant la parole. On n'arrive même pas à freiner sa progression. Le commerce va croissant. Nous avons franchi le point de bascule. Les conséquences ne sont pas encore apparentes. Les gens peuvent toujours vaquer à leurs occupations. Mais…

— Ce que vous dites, monsieur le directeur général, c'est que le problème de la toxicomanie est devenu incontrôlable, mais aussi que la criminalité est sur le point de s'aggraver.

— Le mot est faible, dit Zalmanowitz.

— Merci, monsieur le procureur en chef, dit la juge avant de se tourner vers Gamache. Vous avez dit que vous ne pouviez rien faire. Rien d'efficace, en tout cas.

Elle l'examina de plus près.

— Mais ce n'est pas tout à fait exact, n'est-ce pas? Vous pouvez faire quelque chose, et ce quelque chose a à voir avec le procès.

— Le procureur en chef a raison, répondit Gamache. Un cartel domine tous les autres. Nous avons mis du temps à nous en rendre compte. Nous avons cru, ou du moins espéré, que les organisations criminelles étaient en guerre et qu'elles feraient une partie du travail à notre place. En y regardant de plus près, nous avons fini par comprendre que c'était faux. Les autres cartels ne sont en réalité que des satellites qui gravitent autour du plus important et le protègent. Ils servent de leurres.

— Le plus gros des cartels, dit la juge.

— Non, corrigea Gamache. C'était justement la beauté de l'affaire. D'où notre erreur. C'est pour cette raison que nous avons mis tant de temps à comprendre. Il s'agit en fait d'un des plus petits. Nous avons cru qu'il s'agissait d'une organisation comme les autres, pas très efficace par-dessus le marché. Statique, dépassée. Elle ne croissait pas, ne se diversifiait pas comme les autres. Elle était si dérisoire que nous avons cru pouvoir la laisser de côté. Nous cherchions plutôt, comme vous en avez vous-même eu l'intuition, une organisation tentaculaire et dominante. J'ai commis l'erreur d'assimiler la taille à la puissance.

Elle prit le temps de digérer les mots de Gamache.

— La bombe nucléaire, dit-elle enfin.

— Plus petite qu'une voiture, mais capable d'annihiler une ville, dit Gamache.

— Et c'est d'ailleurs ce qu'elle a fait, lança le procureur en chef.

— Merci, maître Zalmanowitz.

Bien que plus petite que les deux hommes, elle-même avait le pouvoir de les anéantir. Et elle ne s'en priverait peut-être pas.

— Mais vous avez fini par l'identifier, n'est-ce pas ? dit-elle en revenant à Gamache. Au bout du compte.

— Oui. Il a fallu du temps. À pourchasser tous les cartels, tous les criminels, nous nous sommes éparpillés. Nous avons dû nous recentrer, viser le cœur de l'opération. Seulement, nous cherchions la mauvaise chose au mauvais endroit. Nous étions sûrs de trouver une énorme organisation criminelle à Montréal.

Elle hochait la tête. L'hypothèse semblait raisonnable.

— Et où l'avez-vous trouvée ?

— Avec le recul, ça peut paraître évident, dit Gamache en secouant la tête. Où la plupart des drogues aboutissent-elles ?

— À Montréal, répondit la juge Corriveau, mais avec une légère interrogation dans la voix.

— Celles qui sont destinées au Québec, assurément. Mais la province n'est pas le principal client. Pour nous, c'est déjà un gros problème, tragique à souhait, mais, pour les cartels, c'est de la petite bière. Nous sommes simplement une autoroute.

Quelques paquets tombent du camion et restent ici. Mais la vaste majorité des drogues traverse la frontière.

— Des États-Unis. Un marché énorme, dit la juge après un moment de réflexion.

— Des centaines de millions de personnes. Les quantités d'opioïdes consommées, les sommes engagées et les conséquences, du point de vue de la souffrance et de la criminalité, sont incalculables.

— La plupart des drogues illégales qui entrent aux États-Unis ne transitent-elles pas par le Mexique? demanda-t-elle.

— Autrefois, oui. De plus en plus, elles passent maintenant par le Canada, répondit Gamache. Avec la surveillance dont fait l'objet la frontière mexicaine et l'intérêt que la DEA porte au Mexique, la tête du cartel d'ici a flairé une occasion.

— Profiter de la brèche où personne ne songe à regarder, dit-elle, perdue dans ses réflexions.

— Le pays doté de la plus longue frontière non protégée au monde, poursuivit Gamache. Des milliers de kilomètres de forêts. Pas de gardiens, pas de témoins. Au temps de la prohibition, les contrebandiers ont exploité ce filon. Certains ont fait fortune en transportant de l'alcool illicite vers les États-Unis.

C'était la vérité, savait la juge Corriveau. De nombreuses familles en vue, à supposer qu'elles en aient le courage, devaient s'avouer que leur richesse datait de cette époque.

D'abord les barons voleurs, puis les bootleggers.

Le Canada avait la réputation d'être un pays où règnent la paix et l'ordre, à condition de ne pas regarder sous la table.

— Comment avez-vous appris tout ceci? demanda la juge Corriveau.

Gamache ouvrit la bouche pour répondre, mais il eut besoin d'un moment pour mettre de l'ordre dans ses idées.

— Si ce petit cartel parvient à dominer tous les autres, c'est parce que la personne qui le dirige a réussi à se rendre invisible. Même si on parvenait à l'identifier, on la considérerait comme insignifiante. Nous-mêmes avons commis cette erreur, admit-il.

C'est une structure qui s'est élaborée peu à peu. Simple. Légère. Bien construite et presque transparente.

— Une maison de verre, monsieur le directeur général ? demanda la juge.

Ce dernier ne sourit pas.

— Oui. La structure existe et n'existe pas. Elle est pratiquement imprenable. Elle a par-dessus tout la capacité de se dissimuler. Pas derrière la fumée de cigares consommés dans un tripot sordide. Ni dans une forteresse. Elle s'affiche au vu et au su de tous. Sans qu'on se doute de sa véritable identité.

— Le diable parmi nous, déclara Zalmanowitz.

Lui lançant un coup d'œil blasé, Corriveau rejeta cette affirmation romantique et inutile. Puis elle se souvint de la photo, montrée dans sa salle d'audience. Deux fois plus grande que nature.

Une silhouette qui se dresse, vêtue de sa robe. Masquée. Immobile. Le regard fixe. Dans le joli parc du village.

Le diable parmi nous. L'idée n'était peut-être pas totalement absurde, au fond.

La juge Corriveau resta un moment silencieuse, puis, les sourcils froncés, elle secoua la tête.

— Ça ne me dit pas comment vous les avez repérés. Le cartel et la personne qui le dirige. Ni quel est le lien avec le procès.

Son visage s'ouvrit alors sous l'effet de la surprise.

— L'accusée ? Vous voulez dire qu'elle est à la tête du cartel ?

Son esprit s'emballa.

— Cette personne est accusée de meurtre et non de trafic de stupéfiants. Du meurtre de Katie Evans, en l'occurrence. L'accusée sait-elle que vous êtes au courant pour le reste ? Attendez…

Pourquoi ces deux-là étaient-ils de mèche dans cette mystérieuse affaire ? Le policier et le procureur de la Couronne ?

C'était l'idée du directeur général Gamache, son plan à lui. Pourquoi avait-il dû s'associer au procureur ? Pourquoi avait-il eu besoin de Barry Zalmanowitz ?

Et si l'accusée était véritablement à la tête du cartel, pourquoi le directeur général de la Sûreté préférait-il cacher cette information ? L'arrestation de l'équivalent québécois d'un caïd de la drogue serait un grand motif de réjouissance. En particulier au moment où le gouvernement, la presse et des membres du corps qu'il dirigeait taxaient Gamache et la Sûreté d'incompétence.

La Sûreté était devenue une honte nationale. Un sujet d'embarras.

C'était l'occasion pour elle de redorer son blason. Il s'agirait d'une victoire énorme, à crier sur tous les toits.

Or ces deux hommes, qui ne pouvaient pas se sentir, avaient plutôt choisi de monter en silence toute une conspiration.

Pourquoi ?

Parce que… Parce que… La juge Corriveau modéra les transports de son esprit emballé et procéda par ordre logique, étape par étape.

Le directeur général Gamache avait eu besoin de l'aide du procureur en chef de la Couronne. De sa complicité.

Et le procureur n'avait qu'une seule chose à offrir.

Les accusations.

— Vous ne voulez pas que l'accusée sache que vous savez, dit-elle. Vous avez donc monté des accusations de toutes pièces pour gagner du temps.

Elle foudroya Gamache du regard.

— Vous avez arrêté la mauvaise personne pour le meurtre de Katie Evans afin de la retirer de la circulation pendant que vous recueilliez des preuves.

Elle se tourna ensuite vers Zalmanowitz.

— Et vous, vous avez accepté de porter des accusations de meurtre contre une personne tout en sachant qu'elle n'était pas coupable. Pas de ce crime-là, en tout cas.

Elle les regarda tour à tour d'un air mauvais.

— Ce qui veut dire que l'assassin de Katie Evans court toujours.

Plissant les yeux, elle étudia les deux hommes.

Passa de Gamache à Zalmanowitz.

Ce dernier, malgré ses qualités de procureur de la Couronne, aurait fait un piètre joueur de poker professionnel.

Il cligna des yeux.

Elle se tourna ensuite vers Gamache qui, en revanche, aurait fait fortune dans ce circuit.

— Non, non, murmura-t-elle. Je n'y suis pas, hein ? Il me manque un élément. Dites-le-moi tout de suite.

Gamache gardait le silence.

— En venant ici, vous saviez que vous devriez vous mettre à table, monsieur le directeur général. Assez joué au plus fin. J'ai chaud, je suis fatiguée et, maintenant, j'ai peur. C'est un mélange explosif. Pour moi comme pour vous.

Gamache hocha la tête d'un air décidé et jeta un coup d'œil à la desserte, où reposait, sur un plateau, une carafe d'eau dans laquelle les glaçons avaient fondu.

— Vous permettez ?

— Je vous en prie.

Il leur servit à chacun un grand verre d'eau avant de se rasseoir et de vider le sien d'une traite. En plus d'étancher sa soif, l'initiative lui avait permis de consulter sa montre sans se faire remarquer.

Seize heures quinze. Le tribunal avait ajourné de bonne heure. Il jeta un coup d'œil dehors. Le soleil était encore haut dans le ciel.

Tant et aussi longtemps qu'il le serait, la nouvelle marchandise resterait là où elle était. Dès que le soleil se rapprocherait de l'horizon, les opioïdes se rapprocheraient de la frontière.

Quand même, il avait encore le temps. Mais tout juste.

— Le jour où le cadavre de Katie Evans a été découvert dans la cave à légumes, j'ai dîné avec la directrice Toussaint à Montréal. Elle dirige la section des crimes majeurs.

— Je la connais, fit la juge.

— Je venais d'entrer en fonction, et elle aussi, poursuivit Gamache. Nous partagions nos impressions, examinions le gâchis dont nous avions hérité. Nous savions que le problème des drogues était devenu incontrôlable. Et, soyons francs, que nous ne pouvions rien contre lui. Nous avons échangé des idées sur les mesures à prendre. Comme aucune n'avait la moindre chance de se révéler utile ou efficace, nous avons convenu d'essayer une nouvelle approche. Audacieuse. Inattendue. Et la directrice Toussaint a alors prononcé quelques mots, utilisé une formule. Un cliché, en réalité. *Brûler nos vaisseaux.*

Il interrogea la juge Corriveau du regard.

Elle écoutait attentivement. Les mots étaient familiers, mais elle n'en voyait pas la portée.

— On les utilise pour signifier le point de non-retour.

— Je sais, monsieur Gamache, dit-elle.

Il la laissa tout de même absorber les mots. Chacun croyait savoir ce qu'ils voulaient dire. Mais était-ce vraiment le cas ?

La juge, constata-t-il, prit un moment pour en soupeser la signification, ce qui était tout à son honneur. Alla au-delà du cliché, au-delà des mots, pour songer à l'action qu'ils supposaient.

— Dites-moi, insista-t-elle.

— En s'attaquant à tous les crimes sur tous les fronts, on n'allait nulle part. C'était l'évidence. Que nous restait-il ? Qu'est-ce qui aurait pu marcher ?

Elle resta silencieuse. C'était une question à laquelle elle était incapable de répondre. D'ailleurs, Gamache ne s'y attendait pas.

— Nous concentrer, dit-il. Nous spécialiser. J'ai songé à cibler deux ou trois secteurs où frapper, ceux où la situation était particulièrement catastrophique. Mais ça n'aurait encore été qu'une demi-mesure. Nous aurions brûlé la moitié de nos vaisseaux, en quelque sorte. Nous devions les incendier tous.

— Mais encore ?

— Nous… J'ai choisi un secteur. Un seul, qui, comme vous l'avez dit, engendre la plupart des autres crimes. La source. Les drogues.

— Qu'avez-vous fait ? demanda-t-elle d'une voix presque murmurante.

— J'ai ordonné que tous nos efforts et toutes nos ressources se concentrent sur le repérage et la destruction de la source.

— Sans exception ?

— Essentiellement, oui, admit-il.

— Mais ça veut dire…

L'esprit de la juge Corriveau s'emballa de nouveau.

— … que les autres services ont été éviscérés. Rendus inopérants.

— À toutes fins utiles, oui.

Elle le fixa d'un air incrédule.

— Vous avez fait ça ? En toute connaissance des coûts humains ?

Il ne broncha pas.

— Et le trafic de stupéfiants ? A-t-il cessé ?

— Il a augmenté par rapport à l'année précédente. Je l'avais prévu. C'était inévitable. Nous n'avons rien fait pour le prévenir.

— Rien fait ? s'exclama-t-elle avant de se ressaisir.

Elle prit deux ou trois inspirations profondes. Brandit les mains devant elle, comme pour faire obstacle à de nouvelles informations. Avant de les laisser retomber, elle les serra l'une dans l'autre. Penchée vers l'avant, désormais.

— Pourquoi ? demanda-t-elle en s'efforçant de maîtriser ses intonations.

— Pour que le cartel nous croie incompétents. Inefficaces. Qu'il se convainque que nous ne représentions pas une menace. Il fallait que le cartel invisible, bien protégé et bien caché, se dise, sans l'ombre d'un doute, qu'il ne risquait plus rien en s'affichant. Il fallait qu'il fasse montre de négligence. Alors seulement il serait vulnérable.

— Et, pour y arriver, vous avez laissé ces gens agir à leur guise ?

— Nous ne sommes pas restés les bras croisés. Nous avons travaillé d'arrache-pied, à l'aide d'informateurs et d'agents infiltrés. Nous avons épié des conversations en ligne. Nous avons suivi des marchandises à la trace. Nous nous sommes familiarisés avec les itinéraires et les routines. Plus l'année avançait, et plus le cartel se montrait audacieux. Les chargements sont devenus de plus en plus importants…

— À vous entendre, on dirait qu'il s'agit de fleurs ou de porcelaine, dit-elle. C'est de drogues qu'on parle. Certains de ces chargements étaient assez importants, j'imagine ?

— Oui.

— Et vous avez laissé la voie libre aux trafiquants ?

— Oui.

Dans l'atmosphère chargée, le mot resta en suspension entre eux.

Les yeux de la juge Corriveau se plissèrent et sa bouche se pinça. Ses jointures avaient blanchi.

— Vous avez cité des statistiques tout à l'heure, monsieur Gamache. Chaque année, des dizaines de milliers de personnes, surtout des jeunes, meurent à cause du trafic de stupéfiants. Combien de ces morts peuvent être déposées à vos pieds ?

— Un instant…, commença Barry Zalmanowitz avant que la juge, d'un simple regard, lui intime de se taire.

Elle se tourna vers Gamache et le regarda fixement. Il ne broncha pas.

Après un moment, il hocha lentement la tête et songea au carnet dans son bureau ainsi qu'aux notes qu'il avait commencé à prendre le soir de la découverte du cadavre de Katie Evans.

En cette soirée, il se réchauffait près du joyeux feu de cheminée dans leur maison de Three Pines. Dehors, le grésil. À côté de lui, Reine-Marie. À ses pieds, Henri et Gracie roulés en boule sur le tapis.

Il avait décrit l'horreur à venir. Les conséquences du plan d'action qu'il envisageait.

À l'occasion, il s'était interrompu, tenté par l'idée de présenter les conséquences sous un jour moins consternant qu'il le serait en réalité. S'il décidait d'aller jusqu'au bout. S'il mobilisait presque tous les effectifs de la Sûreté pour les concentrer sur un seul type de criminalité. Une seule bataille, dans l'intention de gagner la guerre.

— Au cours de la dernière année, depuis que je suis entré en fonction et que j'ai donné cet ordre, il y a eu des milliers de crimes et, oui, des morts, dit-il à la juge Corriveau. Des milliers de morts qui s'ajoutent au carnage habituel. À déposer, pour reprendre vos mots, à mes pieds. Pas seulement ici, au Québec, mais aussi de l'autre côté de la frontière. On a laissé de la marchandise entrer aux États-Unis.

— Je devrais vous faire arrêter ici et maintenant, dit-elle en jetant un coup d'œil à la porte derrière laquelle se tenait le greffier.

Sans parler des autres officiers de la cour. Sur un mot d'elle, ils accourraient. Et emmèneraient cet homme. L'inculperaient pour meurtre.

Au fond, c'était de cela qu'il était coupable. De meurtres prémédités. Délibérés.

— En cas de réussite…, commença Zalmanowitz.

— Et en cas d'échec ? riposta Corriveau. Vous avez capturé un monstre, vous l'avez nourri et soigné pendant toute une année, puis vous l'avez relâché. Un cauchemar ambulant, en somme.

— Non, dit Gamache. Il était déjà libre. En plus, il grandissait et semait la désolation sur son passage. Et la situation s'aggravait de jour en jour. Le monstre, comme vous dites, aurait fini par consumer le Québec et nous étions impuissants à l'arrêter. Pendant toute une année, nous nous sommes employés à lui tendre un piège. Et doucement, tranquillement, précautionneusement, nous l'avons poussé vers ce piège.

Il se pencha vers elle.

— Vous pouvez me faire arrêter. Vous devriez sans doute le faire. Mais sachez que, ce faisant, vous détruirez notre unique chance.

Levant l'index, il montra le plafond. Puis il l'abaissa et serra le poing.

Il reprit la parole d'un ton mesuré.

— C'est un risque énorme. Je vous l'accorde. Les probabilités de réussite sont presque nulles. Mais sachez ceci. Nous n'avions pas d'autre choix. Je n'avais pas d'autre choix. Nous avions perdu. Et n'allez pas vous imaginer un seul instant que je ne suis pas conscient du prix que d'autres ont payé pour mes décisions.

— Mais en cas de réussite..., essaya de nouveau Zalmanowitz en s'interrompant pour permettre à la juge de lui couper la parole.

Surpris d'être autorisé à poursuivre, il enchaîna :

— En cas de réussite, le cartel sera détruit. Le trafic de stupéfiants sera paralysé, sinon carrément anéanti. Nous aurons gagné.

La juge Corriveau se tourna vers le procureur en chef. Elle l'avait essentiellement écarté de l'équation. Marginalisé tout au long de cet entretien. Elle le voyait à présent d'un nouvel œil.

Il avait raison.

Et ce n'était pas tout. Sa province – les hommes, les femmes et les enfants, vivants et encore à naître – comptait tellement pour lui qu'il lui avait sacrifié sa carrière. Voire sa liberté.

Elle ne pouvait en dire autant.

Plus elle scrutait Zalmanowitz, plus celui-ci se sentait mal à l'aise. Sous ce regard impitoyable, il se tortilla légèrement. Puis il remarqua l'expression de la juge. Douce, à présent. Presque aimable.

Elle se tourna vers Gamache, des manchettes de plus en plus haineuses défilant devant ses yeux. Un reportage d'*Enquête* à la télévision. Le directeur général Gamache bombardé de questions par une meute de journalistes. Affolés par l'odeur du sang et des entrailles. Espérant balancer Gamache par-dessus bord à force de demandes et d'insinuations.

Le nouveau patron de la Sûreté, proclamaient-ils, n'était clairement pas à la hauteur. Il était incompétent. Un homme bon, peut-être, mais dépassé. Et peut-être, laissaient-ils entendre depuis peu, pas si bon qu'on aurait pu le croire. Sous sa gouverne, la criminalité était devenue endémique. Peut-être, à l'instar de ses prédécesseurs, en profitait-il.

Gamache avait tout encaissé, et plus encore. En fait, c'était exactement ce qu'il avait espéré. Il avait fabriqué de toutes pièces cette image de lui-même et de la Sûreté. Le cartel devait être persuadé qu'il ne représentait pas une menace.

Le Québec était devenu Dodge City et le marshal Dillon dormait sur ses deux oreilles.

Sauf qu'il ne dormait pas. Il attendait son heure. Attendait encore. Et mobilisait tranquillement ses forces.

Et il n'y avait pas que le directeur général Gamache, comprit la juge. Il n'avait pu agir sans l'assentiment d'au moins une poignée d'officiers supérieurs. Un petit groupe d'hommes et de femmes.

Petit, mais puissant.

— Vous savez qui est à la tête du cartel ? demanda la juge Corriveau en l'étudiant. Bien sûr que vous le savez. Est-ce l'accusée ? Oui, oui, bien sûr.

Elle réfléchit un moment et secoua la tête.

— Non, c'est insensé. L'accusée est venue vous voir et a pratiquement tout avoué. À moins que vous ayez menti à ce propos-là aussi.

Elle dévisagea Gamache, puis Zalmanowitz.

— Oh, c'est bien l'accusée qui a tué Katie Evans, déclara Gamache.

Cette fois, Barry Zalmanowitz, malgré sa surprise, parvint à ne pas se tourner vers son complice.

C'était un autre mensonge. Un de plus, un de moins... La merde volait déjà dans tous les sens. Alors pourquoi ne pas avoir dit la vérité ? Il se souvint de la conversation à voix basse entre Gamache et son second, quelques minutes plus tôt.

Et il se souvint d'avoir vu Gamache se laisser tomber sur le banc et baisser la tête.

La fin n'était plus imminente. Elle était là. Le diable parmi nous.

À présent, tout était entre les mains de la juge Corriveau. Qui, Zalmanowitz le voyait bien, était consciente qu'on lui mentait. Non seulement dans son cabinet, mais aussi dans sa salle d'audience. C'était un crime des plus graves. Parjure. Détournement de justice. Personne ne le savait mieux qu'eux trois. Au diable la menace de faire arrêter Gamache pour meurtre. Ils savaient tous que l'accusation ne tiendrait jamais.

L'intention de Gamache, aussi malavisée soit-elle, avait été de sauver des vies et non d'en sacrifier.

Mais le parjure… Cette accusation-là serait retenue.

Ils restèrent en silence, tandis que Maureen Corriveau décidait de la conduite à adopter. Les faire arrêter? Annuler le procès? Remettre l'accusée en liberté? Autant de mesures qu'elle devrait prendre. Personne ne le savait mieux qu'eux trois.

Elle restait parfaitement immobile, mais ils entendaient sa respiration. Celle d'une personne qui venait de gravir un escalier très raide.

— J'ai besoin de temps, dit-elle. Pour réfléchir à vos révélations.

Elle se leva et ils l'imitèrent.

— Je vous ferai part de ma décision demain matin, avant la reprise du procès. À huit heures. Vous vous doutez de la position que j'arrêterai sans doute. Je vous conseille de vous préparer en conséquence.

— Oui, Votre Honneur, répondit Gamache. Merci de nous avoir entendus.

Elle lui prit la main, la serra légèrement, puis elle embrassa du regard le procureur en chef.

— Désolée, dit-elle.

Dès que la porte fut refermée, Gamache jeta un coup d'œil à sa montre et fila dans le couloir, Zalmanowitz le suivant à grandes enjambées.

— Ce n'est guère encourageant, dit-il. Nous allons avoir affaire à elle, non?

— Oui, je crois, répondit Gamache. Elle n'a pas le choix. Nous sommes seuls responsables de notre malheur et nous étions conscients des risques. Mais nous ne pouvions pas prévoir ce que la juge Corriveau vient de faire.

— Nous obliger à rendre des comptes ? demanda Zalmanowitz.

— Non, fit Gamache en se tournant pour faire face au procureur. Nous laisser partir.

Il tendit la main.

— C'est ici que nos chemins se séparent.

— Je peux venir ?

— Vous avez fait plus que votre part, monsieur. Peu importe ce qui arrive, vous allez être conspué par des personnes qui vous sont chères. Des collègues. Des amis. Peut-être même des membres de votre famille. J'espère que vous savez dans votre cœur que vous avez bien agi.

Immobile, Barry esquissa un faible sourire.

— Oui. Je risque d'avoir du mal à leur répondre, mais je saurai quoi raconter à ma foutue conscience.

Il sentit la main de Gamache serrer légèrement la sienne.

— C'est ce soir, hein ?

Comme Gamache ne disait rien, Zalmanowitz resserra sa poigne.

— Bonne chance. Merde, ajouta-t-il.

— Merci, maître Zalmanowitz, dit Gamache en imitant avec une surprenante exactitude le ton de la juge Corriveau.

Puis, de sa propre voix, il dit :

— Merci.

Dans son cabinet, Maureen Corriveau se rassit et regarda droit devant elle. Consciente de ce qu'elle venait de faire.

Les actions que Gamache et Zalmanowitz avaient confessées étaient injustifiables. Ils avaient détourné la justice, à l'intérieur même du palais de justice. Mais peut-être existait-il, comme l'avait déclaré Gandhi, une instance supérieure.

Ce qu'avait omis de préciser Gandhi et qu'il aurait pourtant été utile de savoir, c'est qu'il n'y avait pas que l'instance qui était élevée. Le prix à payer aussi. Il dépassait presque l'entendement.

La juge Corriveau songea aux *cobradors* originels, brûlés sur le bûcher au nom de la justice qu'ils réclamaient.

Celui qui s'était pointé dans le petit village de Three Pines n'avait-il été qu'un travestissement, une parodie de ces courageux personnages ? Ou leur incarnation ?

Le policier et le procureur étaient-ils une parodie ou l'incarnation de l'esprit de citoyenneté ?

Quelle importance, au fond ? Elle avait pour tâche de faire respecter les lois et non de les édicter. Ce faisant, évitait-elle le triomphe des milices privées et le chaos ? Ou se contentait-elle d'obéir aux ordres ?

— Mon Dieu, chuchota-t-elle. Pourquoi est-il si difficile de le savoir ?

— Vous avez terminé pour aujourd'hui, Votre Honneur ? demanda le greffier en frappant avant de passer la tête dans l'entrebâillement de la porte.

— Non, pas tout à fait, répondit-elle. Mais allez-y. Des projets pour ce soir ?

— Bière et hamburgers. Arroseurs pour les enfants. Tiens, ça me fait penser. Si vous entendez des coups de marteau et des jurons, c'est que les gars travaillent sur le climatiseur.

— Parfait, dit-elle en souriant.

« Parfait », songea-t-elle, tandis que la porte se refermait.

Elle se rassit et s'efforça de voir clair dans les événements récents, dans ce que le directeur général et le procureur en chef lui avaient appris.

Maureen Corriveau avait l'impression que les mensonges grouillaient, à la façon de lutins méchants. Assiégeaient tout ce qui était familier. Et confortable.

La loi. Les tribunaux. L'ordre. La justice.

Elle contempla la pendulette antique posée sur son bureau. Cadeau du cabinet d'avocats auquel elle avait été associée avant d'accéder à la magistrature.

Les fines aiguilles indiquaient qu'il était presque dix-sept heures. Elle avait donné à Gamache jusqu'au lendemain matin. Quinze heures en tout.

Était-ce assez ? Trop ? À la même heure, demain, seraient-ils en état d'arrestation ? Seraient-ils encore vivants ?

Ce soir-là, quand elle irait rejoindre Joan, un *cobrador* la suivrait-il dans le long couloir étouffant ? Pour en avoir trop fait ? Ou trop peu ?

Elle regrettait à présent d'avoir convoqué les deux hommes dans son cabinet. De les avoir obligés à mettre sur table vérités et mensonges. Elle aurait pu se cacher derrière une bienheureuse ignorance. Rentrer à la maison. Bière et hamburgers.

Le directeur général avait laissé une question sans réponse. Qui était vraiment l'accusée ? Et en quoi le meurtre de Katie Evans était-il lié à toute cette affaire ?

Elle le découvrirait bien assez tôt.

28

Dans la librairie de Myrna, on entendit un vacarme soudain, et Jean-Guy, ayant gravi les marches, surgit dans le loft en tapant des pieds, en grognant et en se trémoussant pour se débarrasser de la neige.

Isabelle Lacoste le suivit en secouant la tête. On aurait dit que Beauvoir était chaque fois surpris par le mois de novembre. Sacré enquêteur, en vérité.

— Sale temps, fit-il pendant que Lacoste et lui enlevaient leur manteau.

Myrna sourit et observa. Armand avait eu deux enfants, mais ces deux-là étaient également son fils et sa fille. Depuis le début. Pour toujours.

— Tout s'est bien passé à Montréal ? demanda Armand en se levant du canapé.

— C'est fait, répondit Beauvoir, qui n'avait manifestement pas envie de parler de sa visite à la sœur et aux parents de Katie Evans. Je vous en dirai davantage pendant le souper. On va souper, non ?

— J'ai demandé à Olivier d'apporter un plat cuisiné, dit Gamache. Laisse-moi voir où c'en est.

Beauvoir, après avoir mis dans sa bouche un bout de baguette surmonté d'une montagne de brie et d'une tranche de poire mûre, balbutia quelque chose comme « Je m'en occupe », renfila son manteau et s'éclipsa.

Isabelle se servit un verre de vin rouge et se cala sur le canapé entre Myrna et Clara.

— La journée a été longue ? risqua Myrna.

— Et elle est loin d'être terminée. Je suis heureuse de vous trouver ici, dit-elle aux Gamache. Je comptais passer vous voir, de toute façon.

— Ah bon ? fit Clara. Pourquoi ?

— J'ai besoin d'informations sur Mme Evans et ses amis. J'ai relu les transcriptions des interrogatoires. À ce stade-ci, il est difficile de repérer l'essentiel, mais rien ne saute aux yeux. On sait qu'on est dans de beaux draps quand c'est Ruth qui fournit la seule donnée intéressante.

— Sans blague ? s'étonna Gamache, qui avait assisté à la plus grande partie de l'entrevue et qui n'avait rien retenu d'utile.

— Intéressante, mais pas pertinente, à vrai dire.

Elle se tourna vers Reine-Marie.

— Vous saviez que l'église avait été utilisée par des contrebandiers d'alcool pendant la prohibition ?

— Je l'ignorais, répondit Reine-Marie.

— Je tombe des nues, dit Clara.

— Moi, j'étais au courant, dit Myrna. C'est Ruth qui me l'a dit.

— Allons donc, fit Clara. Quand ça ? Pendant que tu lavais sa vaisselle ?

D'après Reine-Marie et Clara, Ruth ne savait ni le nom de Myrna ni son métier, même si elle la soupçonnait d'exploiter une bibliothèque de prêt et d'être la bonne de quelqu'un.

— Disons qu'elle m'en a parlé par des moyens détournés.

Comme Ruth n'était pas particulièrement connue pour sa subtilité, les autres dévisagèrent Myrna d'un air incrédule.

Myrna récita :

J'ai prié pour qu'on me fasse bonne et forte et sage
pour mon pain de ce jour et ma délivrance,
en rémission des péchés miens depuis ma naissance
et de la Culpabilité issue d'un vieil héritage.

— Ce sont des vers de Ruth ? s'étonna Reine-Marie quand Myrna eut fini. Je ne les ai pas reconnus.

— Inédits, expliqua Myrna. Je les ai trouvés dans un de ses carnets pendant que…

Ils la dévisagèrent de nouveau.

— Pendant que quoi ? insista Clara. Que tu fouillais dans ses affaires ?

— Si ce n'était que ça… Je fais son ménage le mercredi matin.

La réponse provoqua de gros éclats de rire. Lesquels se tarirent vite à la vue du visage de Myrna. À la fois honteux et gêné.

— Attends, fit Clara. Tu veux dire que c'est vrai ? Tu veux dire que tu vas chez elle toutes les semaines pour…

— Seulement toutes les deux semaines, en fait.

— Et tu fais le ménage ?

— C'est une vieille femme qui vit seule et qui a besoin d'aide, dit Myrna. Notre tour viendra.

— Ouais, et tu veux que je te dise ? s'écria Clara. Ruth sera encore en vie. Elle est indestructible. Je sais de quoi je parle. J'ai essayé. Elle nous enterrera tous.

— Quand même, c'est un peu tiré par les cheveux, non ? dit Reine-Marie. Même pour un esprit aussi agile que le tien, ma belle. Comment es-tu passée de ces vers magnifiques à la prohibition, je veux dire ?

— J'ai interrogé Ruth sur ce poème. Sur sa signification pour elle. C'était il y a deux ou trois ans…

— Tu fais son ménage depuis tout ce temps-là ! s'écria Clara, à la fois incrédule et contrariée que son amie ne lui ait rien dit à ce sujet.

Puis une lumière s'alluma dans son esprit.

— Qu'as-tu fait ?

— C'est-à-dire ?

— Il faut bien que tu aies commis un crime horrible, dans cette vie ou dans la précédente, pour porter un tel cilice.

— Non. Je n'ai rien à expier. Je suis peut-être une sainte…, commença-t-elle en regardant au loin, avec des yeux d'ingénue et une expression béate. Sainte Myrna…

— … des Éclairs au Chocolat, compléta Clara.

— Voilà une église que je fréquenterais volontiers, dit Reine-Marie.

— Vous disiez ? fit Isabelle dans l'espoir de faire redescendre la conversation sur le plancher des vaches.

Ce qui ne l'empêcha pas de donner raison à Reine-Marie.

— Bizarrement, c'est ce dont nous avons parlé, Ruth et moi. L'église. Petite, m'a-t-elle confié, elle avait l'habitude d'entrer à Saint-Thomas et de prier pour devenir normale. De prier pour s'intégrer.

— La magie parfois opère…, commença Clara.

Armand se souvint de l'aveu de Ruth, la veille.

À propos de la glace. Du cousin.

La Culpabilité issue d'un vieil héritage.

— Le marguillier, qui l'a pour ainsi dire adoptée, lui a parlé de l'histoire de l'église.

— D'où la connaissance qu'a Ruth de la prohibition, dit Isabelle. Je la soupçonnais plutôt d'avoir été contrebandière.

Myrna s'esclaffa.

— J'aimerais bien en apprendre plus, dit Reine-Marie. Pour les archives. Le long de la frontière, beaucoup de lieux de culte ont été utilisés à cette fin. Les bootleggers avaient un faible pour les églises.

— Un endroit sûr, j'imagine, conjectura Clara. Qui aurait osé prendre d'assaut la maison de Dieu ?

— Nous avons tendance à idéaliser cette époque, dit Reine-Marie. Les bars clandestins et les Keystone Kops, ces policiers ridicules des films burlesques. En fait, c'était le règne de la brutalité. Certains ont fait fortune. Mais seulement les plus durs. La prohibition n'a peut-être pas engendré la mafia, mais elle a contribué à son ascension et à sa puissance.

Gamache, tout oreilles, ne put que donner raison à Reine-Marie. Les contrebandiers d'il y a presque cent ans étaient sans contredit les parrains des trafiquants de drogue de nos jours. Les organisations criminelles, la mentalité et les réseaux dataient de cette époque.

— Tu as fait des recherches sur Saint-Thomas, dit-il. Mais tu n'as rien découvert qui corrobore les affirmations de Ruth ?

— Je doute que l'église ait conservé des données sur les caisses d'alcool qui ont transité par le sous-sol, répondit Reine-Marie.

— Très juste.

Ils sombrèrent dans le silence.

Songèrent aux bouteilles. Et aux bâtons. Qui avaient transité par le sous-sol.

Beauvoir s'avança vers le bar en bois poli, s'assit et fit signe à Olivier.

— Où en est le plat cuisiné commandé par le patron ?

— Je vérifie en cuisine. C'est Anton qui s'en occupe.

— Le plongeur ?

— Celui-là même.

Ce n'était guère de bon augure, mais Jean-Guy crevait de faim. Il se satisferait de vieux chiffons braisés dans de l'eau de vaisselle.

— Je peux avoir un chocolat chaud en attendant ?

— C'est parti, répondit Olivier en se dirigeant vers la cuisine.

Beauvoir parcourut le bistro des yeux. Il était bondé. Bien sûr, il n'y avait qu'un seul sujet de conversation. La découverte du cadavre de Katie Evans, quelques heures plus tôt.

Il chercha du regard le mari et les amis de la victime. De toute évidence, ils avaient trouvé refuge au gîte.

Ayant déniché un fauteuil dans un coin tranquille, Jean-Guy s'installa.

Quelques minutes plus tard, on déposa sur la table en bois un chocolat chaud surmonté de crème fouettée et d'une cerise au marasquin.

— Je pensais que le chocolat chaud était destiné à un enfant, dit la voix qui accompagnait la main.

Beauvoir leva les yeux. Anton, avec un tablier bleu aux fines rayures blanches.

— Le plat sort du four à l'instant, dit-il. Je l'apporte dans cinq minutes.

— Nous ne bougeons pas, dit Jean-Guy. Mon cocktail et moi. Quand ce sera prêt, prévenez-moi et je vous donnerai un coup de main.

— Merci.

Anton hésita. Désigna le chocolat chaud.

— Rien de plus fort?

— Non, répondit Beauvoir en mettant la cerise dans sa bouche.

Anton resta planté là. Comme Jean-Guy n'ajoutait rien, il finit par s'éloigner.

Quelques minutes plus tard, les deux hommes traversaient avec précaution le parc du village, leurs pieds crissant sur la neige et la glace. Ils s'efforçaient de ne pas glisser, de ne rien laisser tomber. Beauvoir en particulier procédait avec lenteur, soucieux de préserver le précieux colis dont il sentait les arômes et la chaleur sur ses mains gantées.

— Bon, dit Isabelle à Myrna qui, même assise, la dominait d'une tête. Laissons la prohibition derrière nous. Je suis venue vous parler des amis de Mme Evans. Vos amis. J'ai repassé les interrogatoires, mais je tenais à avoir le point de vue de quelqu'un qui les connaît bien.

— Je les fréquente depuis un certain temps, répondit Myrna. En particulier Léa. Mais je ne peux pas dire que je les connais bien. Je les vois seulement une fois par année. Comme tout le monde.

Myrna se sentit légèrement coupable, comme si elle les reniait, prenait ses distances par rapport à eux. Mais c'était la vérité. Elle ne les connaissait pas bien. Et tout laissait croire que l'un d'eux lui était totalement étranger.

— Mais vous connaissez Léa Roux depuis qu'elle a quatre ans.

— Oui. Et maintenant, vous la croyez capable de commettre un meurtre?

— Je ne crois pas qu'on cherche à te blâmer de quoi que ce soit, dit Clara.

— Même les meurtriers ont d'abord été des enfants, dit Isabelle.

— Eichmann y compris, dit Clara.

— Eichmann ? répéta Isabelle.

— Le criminel de guerre nazi, expliqua Clara.

Isabelle la fixa pendant un moment, sans comprendre pourquoi Clara évoquait un criminel de guerre nazi.

— Même Eichmann, en effet, acquiesça-t-elle, déconcertée, mais déterminée à ne plus se laisser distraire. Commençons par une question facile, dit-elle en se tournant vers Myrna. Normalement, ils viennent ici en été. Vous savez ce qui les a poussés à changer la date de leurs retrouvailles annuelles ?

— J'ai posé la question à Léa. Elle a invoqué des conflits d'horaire. C'étaient les seules dates où ils étaient tous disponibles.

— Une décision de dernière minute ? demanda Isabelle.

Myrna réfléchit.

— Non. Léa m'a écrit en mai pour me dire qu'ils seraient là autour de l'Halloween.

Isabelle hocha la tête.

— Lui arrivait-il de parler de Katie ?

Myrna frétilla légèrement. Personne ne prend plaisir à révéler des détails qui doivent en principe rester privés. Dans ce cas-ci, cependant, il s'agissait non pas de ragots, mais bien d'une enquête pour meurtre.

— Elle parlait de tous ses amis, mais pas de Katie en particulier.

— Elle aimait Katie ?

— Ah non, pas au début. Personne ne l'aimait, en fait. Comme nous l'avons entendu hier soir, je pense qu'ils avaient tous cherché à protéger celui qui est mort, Édouard.

— Ils lui en voulaient pour Édouard ?

— Un peu, au début, je pense. Katie a quitté Édouard pour Patrick et, peu de temps après, Édouard s'est enlevé la vie. Ils veulent tous croire à un accident. Il est tombé du haut du toit après avoir perdu l'équilibre, mais, selon Léa, tous sont persuadés qu'il a fait le grand saut. Pendant qu'il était défoncé.

Elle secoua la tête.

— Je doute qu'il ait vraiment voulu se tuer. Sans doute un moment d'accablement passager. Les drogues l'ont désinhibé. Maudites drogues.

Au coin du feu, d'un côté, Gamache prit une inspiration si profonde que Reine-Marie se tourna vers lui. On inspire ainsi juste avant de plonger tête première dans l'eau glacée.

— Ils en avaient surtout contre le revendeur, celui que personne n'a pu retrouver après la mort d'Édouard, expliqua Myrna. Il s'est enfui.

— Léa nous a dit que la famille avait tout tenté, dit Clara. Qu'elle avait même retenu les services d'un détective privé.

Lacoste se tourna vers Gamache.

— Vous ne trouvez pas ça bizarre, vous ?

— Quoi, au juste ?

— On s'imagine toujours que c'est facile, dit-elle. Disparaître, je veux dire. Nous savons vous et moi que c'est faux. Un bon détective aurait dû être en mesure de remonter jusqu'à cet homme.

Gamache hochait la tête. Elle avait raison.

— Il n'était sans doute pas très doué, leur détective, risqua Myrna.

— À moins, dit Reine-Marie, que les drogues n'y aient été pour rien et qu'il n'y ait pas eu d'accident. Quelqu'un a pu pousser Édouard. Tu t'es posé la question hier soir, non ?

— Je me pose toujours cette question, avoua Armand en souriant.

Mais elle n'était pas dupe. Cette possibilité restait présente dans l'esprit de son mari.

On n'avait aucune difficulté à imaginer un jeune homme fragile et désespéré se défoncer et sauter du haut d'un toit où se tenait une fête.

Cela dit, il était tout aussi facile d'imaginer que quelqu'un, au milieu des danses, des rires et du chaos d'une rave, lui ait donné un petit coup de pouce.

— Nous devons prendre contact avec la famille de ce jeune homme, décréta Lacoste. Comment s'appelait-il, déjà ? Édouard comment ?

— Valcourt, répondit Gamache. Bonne idée.

— Ça n'explique quand même pas le meurtre de Katie Evans, rappela Reine-Marie.

— Non, acquiesça Isabelle, avant de se tourner une fois de plus vers Myrna. L'un d'eux a-t-il déjà mentionné quelque chose à propos de Katie ? Quelque chose qu'elle aurait fait et qui pourrait expliquer…

— Son meurtre ? compléta Myrna.

— Et le *cobrador*. S'il était vraiment là pour elle, il y a sûrement une raison. Même ancienne.

— Ce n'est peut-être pas elle qu'il visait. Y avez-vous songé ? demanda Clara. Si nous faisons le lien, c'est uniquement parce qu'elle a été tuée.

— C'est tout de même un indice valable, dit Myrna.

Elle se tourna vers Gamache, qui ne laissait rien voir. Ni dans un sens ni dans l'autre.

Il n'arrivait pas à se départir de l'impression que le crime était beaucoup plus simple qu'il n'y paraissait, que certains éléments brouillaient les pistes.

Un événement s'était produit, il y a longtemps peut-être, et constituait le mobile. La raison pour laquelle quelqu'un avait tué Katie Evans.

Un vieil héritage.

— *Vade retro*, grosse brute ! lança Jean-Guy à Gracie qui, sur le seuil de la maison des Gamache, tentait de lui bloquer le chemin.

— Qu'est-ce que c'est ? demanda Anton à voix basse, par crainte, eût-on dit, d'offenser la créature. J'ai vu M. et Mme Gamache promener ces deux-là ensemble.

Il fixait Henri qui, un peu à l'écart, agitait la queue si fort que tout son corps en tremblait.

— Lui, c'est un berger. Ça, je suis au courant.

Anton continua quand même d'étudier Henri pendant un moment. À en juger par ses oreilles, il avait aussi des antennes paraboliques dans son lignage. Se tournant vers Gracie, Anton parla ensuite à voix encore plus basse.

— C'est un porcelet?

— Allez savoir. Chiot, cochonnet. Carcajou. En revanche, nous sommes relativement certains que c'est une femelle, dit Jean-Guy, tandis qu'ils apportaient le repas dans la cuisine.

— Le progrès et non la perfection, dit Anton.

En allumant le four, Jean-Guy eut une hésitation.

Pendant qu'il déballait le souper, Anton regarda autour de lui, remarqua les comptoirs en bois massif, les tablettes ouvertes où s'entassaient verres et assiettes.

Au bout de la cuisine, près des fenêtres qui s'ouvraient sur le parc du village, deux fauteuils, de part et d'autre d'un poêle à bois. Des livres, des journaux et des magazines s'empilaient sur des tables basses. La pièce n'était ni en désordre ni trop bien rangée.

Elle était apaisante et accueillante. Comme le salon qu'ils avaient traversé pour y arriver.

Après avoir jeté un rondin dans le poêle pour raviver les braises, Jean-Guy revint vers Anton.

— Tantôt, vous avez employé une expression, dit-il en tentant de mettre des serviettes en papier sur la table sans piétiner Gracie, qui lui tournait autour.

— Ah bon? dit Anton en passant derrière pour plier joliment les serviettes.

— « Le progrès et non la perfection. » Ça me dit quelque chose.

S'interrompant, il scruta Anton.

— Serais-tu un Ami de Bill, par hasard?

— Je me posais justement la même question à ton sujet, répondit Anton en souriant. Du chocolat chaud au bistro?

Quand tout le monde boit du vin ou du scotch ? Six ans de sobriété. Et toi ?

— Deux ans et trois mois.

— Bravo. Alcool ?

— Et médicaments, répondit Beauvoir. Analgésiques.

Il parlait rarement de cette époque, sauf avec des membres de l'association et ses proches. Annie, évidemment, et les Gamache.

« Ami de Bill » était un code. Pour désigner un membre des AA. Dont Anton faisait clairement partie. C'était comme tomber par hasard sur un représentant de sa tribu.

Dans cette cuisine chaleureuse, aux fenêtres mitraillées par le grésil, les deux hommes se rendirent compte que, sans rien savoir l'un de l'autre, ils se connaissaient sans doute mieux que la plupart de leurs semblables.

— Les drogues pour moi aussi, avoua Anton. Les produits pharmaceutiques. Ils ont failli me tuer. Un pied dans la tombe et l'autre sur une pelure de banane, comme on dit. J'ai abouti dans un centre de traitement, où j'ai fini par me guérir des pilules, mais pour sombrer dans l'alcool. Ça m'a semblé rempli de bon sens, à l'époque.

Jean-Guy éclata de rire. Bel exemple de la logique d'un toxicomane.

— J'ai réussi à me défaire de l'alcool aussi, dit Anton en mettant la cocotte dans le four.

— Tu as un moment ? demanda Beauvoir en désignant les fauteuils posés près du poêle.

Les enquêtes l'éloignaient de son parrain et l'empêchaient d'assister aux réunions. Il était utile de parler à d'autres membres de l'association. À quelqu'un qui connaissait le terrain.

— Quand as-tu commencé ? demanda Beauvoir en s'assoyant.

Prenant Gracie sur ses genoux, il l'enveloppa dans son chandail.

— À consommer ? Au secondaire, mais c'est à l'université que j'ai perdu les pédales. Je n'étais peut-être pas fait pour les études supérieures. Disons que les drogues ont précipité le dénouement inévitable.

— Tu as échoué ?

— J'ai abandonné juste avant, dit Anton en secouant la tête. Certains jeunes drogués réussissent à fonctionner quand même. Pour d'autres, comme moi, c'est l'équivalent de nourrir son organisme à la nitroglycérine.

— Tu en as vendu ? demanda Beauvoir.

Anton porta la main à sa bouche et regarda l'autre en se rongeant les ongles.

— Je ne vais pas t'arrêter, dit Beauvoir. De toute façon, il doit y avoir prescription.

— Ce n'est pas si vieux, tu sais, protesta Anton avant de sourire. Ouais, j'en ai vendu, mais moins que d'autres. J'ai fini par presque tout consommer moi-même. Grosse erreur. Sacré merdier !

Il secoua la tête à l'évocation de ce souvenir.

— Je me foutais pas mal d'échouer mes cours, mais tu sais comment un fournisseur traite un revendeur devenu junkie ?

— J'ai vu, oui.

— Moi aussi, crois-moi. C'est pour cette raison que j'ai foutu le camp. Je me suis caché. J'ai mis de la merde dans mon nez et ma tête dans mon cul. En espérant que personne ne me trouverait.

— Comment as-tu fait pour arrêter ?

— Mes proches m'ont envoyé en cure de désintoxication. Ils n'en pouvaient plus.

Il contempla les flammes et posa ses pieds en chaussettes sur le pouf après avoir ramassé le livre qui y traînait.

L'ouvrant au hasard, il le feuilleta, s'arrêta, laissa entendre un « hum » sentencieux et leva les yeux sur Jean-Guy.

— Tu as lu ça ?

Jean-Guy soupira.

— Oui.

— Tu n'apprécies pas ?

— Entre nous, répondit Jean-Guy en se penchant vers Anton, j'aime beaucoup. Mais ne le dis à personne.

Revenant au livre, Anton lut à voix haute :

De l'école publique à l'enfer privé
de la mascarade familiale,
où un garçon à vélo peut-il aller
quand le droit chemin se sépare ?

Beauvoir sourit. Il reconnut ces vers, lui qui, mieux que quiconque, savait qu'il arrive que le droit chemin se sépare.

— Ruth Zardo, dit-il en berçant Gracie comme il l'aurait fait avec Honoré.

Sentir près de lui le petit corps, le petit cœur, le réconfortait.

— Oui, Mme Zardo, fit Anton en refermant le recueil et en examinant la quatrième de couverture.

La photo de la poète ressemblait aux choses qu'il voyait quand il avait la tête dans le cul.

— Qui aurait cru qu'une vieille folle de quatre-vingts ans puisse aussi bien comprendre le cœur d'un petit garçon ?

— La douleur est universelle, dit Beauvoir.

Anton hocha la tête.

— Elle le sait mieux que quiconque.

— Parce qu'elle en est la cause principale.

Anton s'esclaffa. Petite explosion d'amusement sincère.

— Tes parents t'ont donc fait soigner ?

Anton lança le livre sur le pouf.

— Ouais. Je leur en ai voulu pendant longtemps, mais, peu importent leurs motivations, je leur suis doublement reconnaissant. Je suis devenu abstinent et sobre, mais ce n'est pas tout. Après le traitement, on m'a envoyé dans une maison de transition, où nous devions effectuer des corvées. Quand mon tour est venu de cuisiner, je me suis rendu compte que j'adorais ça. Une vraie révélation. À l'université, je me nourrissais uniquement de macaronis au fromage Kraft. C'était stupéfiant, cette passion. Licite, par-dessus le marché.

Il se fendit d'un large sourire.

De fait, la cuisine se remplissait des preuves de la passion d'Anton. Les arômes subtils – ail, oignons, herbes, champignons légèrement musqués, bœuf – du plat qu'il avait mitonné se mêlaient au parfum des bûches d'érable qui se consumaient dans le poêle.

« Si Isabelle et les Gamache ne rentrent pas bientôt, se dit Beauvoir, je commence sans eux. »

— C'est comme ça que tu es devenu chef? demanda-t-il à Anton.

— Oui. J'ai été incapable de trouver du travail dans un restaurant, mais enfin, cette famille m'a pris à son service.

— Avec tes antécédents... Ils n'ont pas fait d'histoires? demanda Beauvoir.

— Je ne leur ai rien dit, avoua Anton. Lorsqu'on fait du bon boulot et qu'on accepte d'être payé en espèces, les employeurs ne posent pas trop de questions.

— C'était comment, chez les Ruiz?

— Pas mal. Lui, il était un peu bizarre. Très réservé, un peu comme s'il possédait des secrets d'État.

— Vraiment?

Anton s'esclaffa d'un air dédaigneux.

— Tu rigoles? Il gérait des ateliers qui fabriquent des jouets bon marché. Des contrefaçons, je parie.

Il s'interrompit et fixa Beauvoir.

— Je ne devrais sans doute pas te raconter tout ça. J'ai signé une entente de confidentialité.

— Jouets et cuisine? Tu ne peux pas parler de ça, vraiment? C'est là que tu as rencontré Jacqueline, hein?

— Oui.

— Vous êtes devenus amis?

— Ouais, plus ou moins. Il n'y avait personne d'autre.

— Plus qu'amis? demanda Jean-Guy.

Anton rit.

— C'est ce que tout le monde s'imagine. Non, elle est plutôt comme une sœur pour moi. C'est une pâtissière géniale. Tu connais ses brownies ?

« Pauvre Jacqueline », songea Beauvoir. Et il se demanda si elle s'était rendu compte qu'Anton n'aimait que ses brownies. Amour, il est vrai, des plus profonds.

— Quand M. Ruiz n'était pas là, l'atmosphère était plus agréable, plus détendue.

— Il voyageait beaucoup ? demanda Beauvoir.

— Oui, heureusement. Son territoire comprenait toute l'Amérique du Nord et une partie de l'Amérique centrale. Je pense qu'il a obtenu ce boulot parce qu'il parlait espagnol. Sûrement pas pour sa personnalité engageante, en tout cas.

— Il était espagnol, alors ?

— Exactement.

Beauvoir contempla son compagnon. Le feu crépitait et le poêle en fonte dégageait une bonne chaleur qui les enveloppait tous les deux dans un sentiment de bien-être. De sécurité. Leur petit cocon à eux.

Beauvoir tenait tendrement Gracie, qui ronflait au creux de son bras. Attendant que son compagnon reprenne la parole, il tapa du bout du doigt en comptant dans sa tête. Deux, trois.

Sept, huit. Il décida qu'Anton avait besoin d'aide. D'une légère poussée.

— Tu savais ce que c'était, hein ? fit-il. Dans le parc du village. À la suite de ton passage dans cette famille. Tu savais qu'il s'agissait d'un *cobrador*.

Anton pinça les lèvres.

— J'ai promis à Jacqueline de ne rien dire. Elle voulait vous en parler elle-même. Mais nous avions peur.

Il baissa la voix, tellement qu'il y aurait eu matière à rire sans le désespoir qui se lisait dans ses yeux.

— Cet homme… Tu n'as pas idée…

— Ruiz ? Vous avez peur de lui ? Il est rentré en Espagne, non ?

— Ouais. Eh bien…

— Qui est-il ?

Anton regarda autour de lui.

— Je t'assure qu'il n'est pas ici, dit Beauvoir.

— Tu n'y es pas du tout. Je cherchais un ordinateur. M. Gamache en a sûrement un.

— Absolument. Dans son bureau.

Beauvoir posa délicatement Gracie contre le ventre d'Henri, qui dormait recroquevillé près du feu.

— Suis-moi.

Ils traversèrent le salon pour entrer dans le bureau.

Jean-Guy tira l'appareil du sommeil et s'assura qu'il n'y avait rien de personnel ou de confidentiel sur l'écran, pendant qu'Anton attendait près de la porte.

Beauvoir ne lui fit signe d'avancer qu'après avoir ouvert une page vierge dans le moteur de recherche.

Anton s'assit, appuya sur quelques touches et cliqua sur un lien. Attendit. Attendit.

Il finit par reculer sa chaise pour permettre à Jean-Guy de mieux voir.

Sur l'écran, un reportage tiré d'une émission d'actualités espagnole. Un homme était entouré d'une meute de journalistes sur les marches de ce qui avait tout l'air d'un palais de justice.

— Antonio Ruiz ? demanda Beauvoir.

— Non, son avocat. Le señor Ruiz est en arrière-plan. Là.

Il désigna un homme élégant, en costume bien taillé. Fin quarantaine, début cinquantaine. L'air satisfait de lui-même, rempli de confiance.

— Que dit-on ?

— Je ne sais pas, mais c'est facile à deviner. Le señor Ruiz a été arrêté pour blanchiment d'argent. L'entreprise a fait l'objet d'une enquête, au terme de laquelle elle a été exonérée.

— Tout le monde s'en est sorti sans une tache ?

— Le verdict s'est accompagné d'excuses publiques, dit Anton en fixant l'écran. Un pacte conclu en coulisse.

Beauvoir pinça les lèvres. Là où il y avait de l'argent sale, le crime organisé était présent. Et la drogue. Beaucoup de drogue.

Il se demanda si Anton savait, lui aussi.

Le reportage se poursuivit. L'avocat répondit aux questions, puis, après avoir repoussé les journalistes d'un geste, il prit Ruiz par le bras et l'entraîna.

Et la vidéo prit fin.

— Vous l'avez vu ? demanda Anton.

— Qui donc ?

Anton fit rejouer le reportage. Et appuya sur « Pause ».

Au moment où l'image se dissolvait, où l'écran allait passer au noir, il apparut.

Au sommet des marches du palais de justice.

— Un *cobrador*, dit Beauvoir.

Rien à voir avec la version Fred Astaire, en haut-de-forme et queue-de-pie.

C'était la Conscience.

— Comment as-tu mis la main sur ce document ?

— Un soir, un Espagnol est venu manger à la maison, expliqua Anton. Un collègue du señor Ruiz. Je servais à table quand l'invité a laissé tomber le mot « *cobrador* ». Il a blêmi, et j'ai décidé de jeter un coup d'œil. Voilà ce que j'ai trouvé.

— Tu en as parlé à Jacqueline ?

— Oui.

— Qu'est-il arrivé à Ruiz ? La famille est-elle vraiment rentrée en Espagne ?

— C'est ce qu'on nous a dit, mais je n'en sais rien et, franchement, je m'en fous.

Il soupira.

— Quand j'ai vu le *cobrador* débarquer ici, j'ai failli pisser dans mon pantalon. Il m'a flanqué une peur bleue.

— Tu as cru qu'il était là pour toi ?

Anton ouvrit la bouche, la referma et hocha la tête.

— J'ai cru que c'était Ruiz qui nous l'envoyait. Pour nous faire peur. Ou pire encore.

— Mais pourquoi voudrait-il vous faire peur ? Vous savez quelque chose sur lui ?

— Non.

— Sur le meurtre de Katie Evans, alors ? Si tu as des informations, Anton, tu dois m'en faire part.

— Aucune. Je le jure.

— Mais il y a autre chose, pas vrai ? fit Jean-Guy. Dis-moi.

— Ça reste entre nous ?

— Tout dépend de ce dont il s'agit, tu le sais bien. C'est à propos d'Antonio Ruiz ?

— Promets-moi de ne le répéter à personne.

— Impossible. Allez, Anton. Raconte-moi tout. Je sais que c'est ce que tu veux.

Myrna secouait la tête.

— Je regrette de ne pas mieux connaître Katie, ça vous donnerait un coup de main. Ce que je sais, c'est que ces amis s'aiment vraiment. Ils ne font pas semblant. Je ne les imagine pas comploter pour la supprimer. Katie était brillante et gentille. La mère poule de la couvée. Rien à voir avec l'enfant gâtée qu'elle a déjà été. Nous finissons tous par grandir.

« Pas tous, songea Gamache. Certains, comme Édouard, tombent. Et ne se relèvent jamais. Ne grandissent jamais. »

Son esprit quitta le loft chaleureux et le murmure de la conversation. Bravant la glace et la neige, il traversa le parc du village et gagna son foyer. Le carnet dans son bureau. Les notes qu'il y avait prises à l'encre noire. Noire comme du charbon.

Son journal de la peste.

Cendres, cendres. Nous tombons tous.

— Et le *cobrador* ? fit Clara, ramenant dans le loft l'esprit égaré de Gamache. Qui diable était-il ? Que vient-il faire dans cette histoire ?

— De toute évidence, il ne faisait pas partie de la bande, dit Isabelle. Ce n'était pas non plus quelqu'un du village. Personne n'a été porté disparu.

— Qui était-ce, dans ce cas ? demanda Reine-Marie.

— Il y a deux ou trois autres possibilités, dit Lacoste. Motivé par une vieille rancœur, il a peut-être suivi Mme Evans jusqu'ici. Sinon, il a été engagé par quelqu'un. Quelqu'un qui savait que

Matheo Bissonnette avait écrit un article sur le phénomène des *cobradors* et qu'il reconnaîtrait le personnage.

— Il y a, bien sûr, une explication plus simple, dit Reine-Marie.

— Matheo Bissonnette a retenu les services du *cobrador*, dit Isabelle. Et a dit à tout le monde, y compris Mme Evans, de quoi il s'agissait. Oui, nous y avons pensé. Pour que ça marche, elle devait savoir qui était la créature. Mais nous ignorons toujours pourquoi lui ou quelqu'un d'autre aurait fait un truc pareil.

Ils se tournèrent tous vers Myrna.

— Je ne sais pas pourquoi. Léa n'est pas venue me voir pour me dire que Matheo envisageait de tuer Katie. Pas que je me souvienne, en tout cas.

— Il ne projetait peut-être rien du genre, dit Gamache. Le *cobrador* était peut-être seulement là pour faire honte à Katie, sans qu'il soit question de meurtre. Mais quelqu'un a vu une occasion et a sauté dessus. Et vous avez raison, dit-il à Clara. Le *cobrador* avait peut-être une autre cible. Vous permettez ?

Il se leva et se tourna vers Reine-Marie, qui l'imitait, étonnée par son soudain désir de partir.

— Tu peux demander à Jean-Guy de nous rejoindre au poste de commandement, s'il te plaît ? Isabelle, vous m'accompagnez ?

Ils dirent au revoir à Myrna et à Clara.

— Seigneur, fit Clara. Quelle mouche l'a piqué, celui-là ? Aurions-nous fini par dire quelque chose d'utile ?

— Mais quoi donc ?

— Ou encore ils sont partis parce qu'il n'y a plus de fromage.

Jetant un coup d'œil par-dessus son épaule, Clara se rendit compte qu'il en restait beaucoup, au contraire.

Restées dans le loft bien chaud, les deux femmes virent Armand, Reine-Marie et Isabelle s'arrêter dans le parc du village, plus ou moins à l'endroit où le *cobrador* avait monté la garde.

La soirée était exécrable. Neige, grésil et pluie verglaçante. Un cocktail météo complet.

Ensuite, Isabelle se dirigea vers le gîte. Armand rentra la tête dans les épaules et fonça dans la neige balayée par le vent, tandis que Reine-Marie mettait le cap sur sa maison, dont on ne voyait qu'un léger reflet au milieu des flocons.

— Je vais dans mon atelier, annonça Clara.

— Finir ton tableau ? demanda Myrna.

— Il est terminé. Je vais en commencer un nouveau.

— Clara..., commença Myrna. Ton exposition débute bientôt. Je...

Elle ouvrit la bouche pour la refermer aussitôt.

— Tu es une bonne amie, dit Clara. Et je sais que tu as les meilleures intentions. Mais tu ne réussis qu'à m'angoisser. À attiser mes doutes. Je t'en prie, ajouta-t-elle en saisissant dans les siennes les grandes mains de Myrna, ne dis plus rien. Fais-moi confiance. Je sais quand une chose est terminée. Ou ne l'est pas.

Myrna l'accompagna jusqu'aux marches et entendit le tintement de la clochette de la porte.

Elle se demanda si Clara avait raison. Certaines choses semblent achevées, complètes. Mais ne le sont pas.

Devant les marches de l'église, le directeur général Gamache s'immobilisa.

Au lieu d'entrer, il contourna le bâtiment. À l'arrière, à l'abri des regards, il mit son téléphone en mode lampe de poche et examina le sol.

La neige découpée par le halo était immaculée. Pas la moindre trace de pas. Rien de plus normal. La neige fraîchement tombée avait oblitéré les empreintes de la veille. Et l'équipe de Lacoste avait sûrement jeté un coup d'œil de ce côté.

Les policiers n'auraient toutefois pas trouvé ce que lui-même était venu chercher.

Il promena le faisceau lumineux sur les bardeaux blancs battus par les intempéries.

Il s'approcha, recula, ferma un œil, la neige cinglant le côté de son visage, puis se retourna pour sonder les bois sombres du regard.

Au gîte, les clients s'attablaient lorsque Isabelle Lacoste arriva.

— Désolée de vous déranger, dit-elle.

À vrai dire, elle ne semblait pas interrompre grand-chose.

Dans leurs assiettes, le hachis Parmentier, qui sentait divinement bon, était pratiquement intouché.

— Vous vous joignez à nous ? proposa Matheo. Il y en a largement assez pour tout le monde.

Isabelle vit clair dans cette invitation, qui manquait totalement de sincérité. Elle se demanda comment ils réagiraient si elle acceptait.

La journée avait été horrible pour ces gens. Du moins pour la plupart d'entre eux.

Ils l'observaient et l'inspectrice-chef Lacoste soutint leurs regards en se disant qu'elle avait sans doute un assassin sous les yeux. Seulement, elle ignorait encore son identité.

— Merci. J'ai une petite question à vous poser. Un détail que nous devons classer, rien de plus.

Elle se tourna vers Patrick.

— Je crois comprendre que vous êtes resté en contact avec la famille d'Édouard Valcourt. Est-ce exact ?

— Oui.

— J'aimerais parler à ces gens. Vous pouvez me donner leurs coordonnées ? Adresse, numéro de téléphone, tout ce que vous avez.

— Mais pourquoi ? demanda Léa Roux.

Lacoste la regarda et sourit.

— Tiens, c'est vrai. J'oubliais que vous aviez parrainé un projet de loi portant son nom. Vous avez conservé des liens avec la famille, n'est-ce pas ? Vous avez ses coordonnées ?

— Absolument, répondit Léa. Pas ici, mais je n'ai qu'à communiquer avec mon adjoint à l'Assemblée nationale. Je crois avoir votre adresse électronique.

Lacoste avait remis une carte à chacun à la fin de l'interrogatoire.

— Merci. J'aimerais bien leur parler dès ce soir.

Elle se tourna de nouveau vers Patrick.

— Vous les avez dans vos contacts?

— J'ai bien peur d'avoir tout effacé quand j'ai changé d'appareil, répondit-il.

— Pourquoi voulez-vous parler aux Valcourt? répéta Léa. Vous ne pensez tout de même pas qu'ils ont été mêlés à l'assassinat de Katie?

— Non, la rassura Lacoste. Je ne crois rien de tel. Mais nous devons interroger le passé de Mme Evans et le décès de votre ami Édouard est une question irrésolue.

— Il n'y a rien d'irrésolu là-dedans, répliqua Matheo. Il était défoncé et il est tombé du toit. Katie n'a rien eu à voir dans tout ça. Elle n'était pas là. Patrick non plus.

Il se tourna vers ce dernier. Qui se contentait de regarder droit devant lui.

Matheo réprima une forte envie de lui assener une claque derrière la tête pour effacer sa mine de chien battu.

— Je veux bien vous transmettre leur numéro de téléphone et leur adresse, dit Léa. Mais seulement demain matin. Ça ira?

— Si vous ne pouvez pas faire plus vite, oui.

Les laissant à leur repas, Lacoste s'enfonça une fois de plus dans la soirée enneigée.

Elle n'avait pas les coordonnées des Valcourt, mais elle avait obtenu autre chose. La certitude que Léa Roux était au centre de toute cette affaire. Que c'était elle qui tirait les ficelles.

Et Lacoste se souvint du conseil qu'on donnait aux agents du Mossad. Conseil que Lacoste avait longtemps jugé odieux, mauvais à tous points de vue. Jusqu'à ce qu'on lui en explique le bien-fondé.

En cas de résistance pendant une attaque, les agents israéliens avaient l'ordre de tuer les femmes d'abord.

Parce qu'une femme qui recourt aux armes est forcément la plus résolue du groupe, la moins susceptible de se rendre.

Tuer les femmes d'abord.

Lacoste détestait encore ce conseil. Sa simplicité. Sa brutalité. Mais il y avait pire : il était presque certainement justifié.

Gamache fit quelques pas dans la neige, s'avança dans les bois. Pas très loin.

Il se retourna vers l'arrière de l'église. Au même moment, les lumières du bâtiment s'allumèrent, illuminant le sol autour de lui. Les flocons, semblables à des cristaux, étincelaient.

Il resta là un moment, absorba les environs, si brillants, puis il scruta les bois sombres.

Après avoir jeté un dernier coup d'œil interrogateur au mur, Gamache revint sur ses pas, gravit les marches et entra dans l'église. Jean-Guy tapait sur son manteau avec ses gants.

— Mme Gamache m'a dit que vous aviez besoin de moi.

Son estomac grondait et il le couvrit de ses mains en lançant à Gamache un regard accusateur. Ils pourraient être en train de manger au lieu de rester plantés dans cette église glaciale.

— Que faisiez-vous dehors ? Vous cherchiez quelque chose ?

— Des contrebandiers d'alcool.

— Ils sont partis par là, dit Jean-Guy en montrant le cimetière.

Gamache se tourna dans cette direction, le front plissé, perdu dans ses pensées. La neige dégoulinait sur son crâne, son visage et sa nuque. On aurait dit que son effort de réflexion la faisait fondre. La rigole s'infiltra sous son col et glissa le long de son échine. Gêné, il roula les épaules en s'engageant dans l'escalier qui descendait au poste de commandement.

29

Une fine rigole de sueur coulait le long du cou du directeur général Gamache et trempait son col.

Dans les locaux bien climatisés du quartier général de la Sûreté, il sentit sa chemise poisseuse lui coller à la peau.

Il regretta de ne pas avoir le temps de prendre une douche et d'enfiler des vêtements propres avant la réunion.

À son entrée dans la salle de conférence, les officiers se levèrent, mais il leur fit signe de se rasseoir et gagna sa place au bout de la table.

Gamache les regarda tour à tour, ces femmes et ces hommes de tous les âges, de tous les grades. Eux qui, depuis presque un an, s'étaient installés autour de cette table au moins une fois par semaine.

Il se souvint des entrevues privées à la faveur desquelles il avait choisi les membres de son cercle rapproché. Parmi les milliers d'agents à sa disposition, il avait retenu ceux-là en raison de leur intelligence et de leur détermination. De leur aptitude à travailler en équipe. À donner des ordres et à y obéir. Ils avaient été élus pour leur courage, leur aplomb et leur loyauté.

Pas envers Gamache. Ni envers la Sûreté. Ni même envers le Québec. Mais envers les Québécois. Qu'ils avaient pour tâche de protéger. À des coûts personnels parfois élevés.

Il avait sélectionné les plus prometteurs et leur avait proposé de détruire leur carrière. Peut-être, probablement, presque à coup sûr. Et ils avaient accepté.

Non sans résistance parfois, il fallait bien l'admettre, les perspectives à long terme étant obscurcies par des besoins immédiats, voyants, criants. Au mépris de leur formation et de leur morale personnelle. Rester à l'écart, les bras croisés, tandis que des crimes étaient commis. De quoi vous broyer l'âme.

Mais ils avaient tenu bon.

Et le moment était venu. Enfin venu.

Pendant près d'un an, ils s'étaient appliqués à la mise en œuvre du plan. Un plan aussi bien conçu, ciblé et caché que le cartel qu'il était destiné à combattre.

Une maison de verre, avait dit la juge Corriveau. Transparente.

Voilà ce que c'était. Voilà ce qu'ils étaient. En ce moment.

Un bon chasseur, savait Gamache, tire des enseignements de sa proie. Le cartel lui avait appris à être léger. Ciblé. Invisible. À donner l'impression d'être faible tout en mobilisant ses forces.

Et le moment était venu, pour les deux camps, d'abattre leurs cartes. À la fin de cette nuit, l'un d'eux serait victorieux. L'autre volerait en éclats.

Ne se souciant plus de l'image qu'il projetait, Gamache prit un mouchoir et épongea la sueur sur son visage.

— Dites-moi ce que vous savez.

Il fit des yeux le tour de la table et s'arrêta sur la directrice Toussaint, qui semblait mal à l'aise.

— Tout indique que nous nous sommes trompés, patron, dit-elle.

— Ah bon ? À quel propos ?

Il était conscient de l'importance de paraître calme et maître de la situation, malgré son cœur qui battait la chamade.

— Les poupées gigognes. On vient d'apprendre qu'il y a deux lots. Un avec le chlorocodide, l'autre sans.

— Je vois. Et ?

— Celui qui contient la drogue a quitté Mirabel la nuit dernière. Dès que le gros chargement de fentanyl a franchi la frontière.

— Le nouveau lot a-t-il traversé ? demanda Gamache.

Sa voix était ferme, même si tout dépendait de la réponse à cette question.

La pièce donnait l'impression de vaciller au bord d'un précipice.

— Nous pensons que non. Nous croyons que la drogue attend quelque part.

— Vous pensez ? fit Beauvoir en s'efforçant au calme, avec moins de succès que le directeur général.

— Oui, répondit Toussaint d'une voix qui trahissait la contrariété. Nous pensons.

Elle se tourna vers Gamache.

— Notre informateur croit que la drogue est encore au Québec. Certains indices laissent entendre qu'il a raison.

— S'agit-il de l'informateur qui nous a dit plus tôt que cette merde, ce krokodil, était encore dans l'entrepôt ? demanda Beauvoir.

— Oui. Il s'est trompé.

La voix de la directrice était à présent glaciale.

— Vous-même vous y connaissez en erreurs, n'est-ce pas ? Il a couru de grands risques en retournant sur place pour vérifier et me prévenir.

Toussaint et Beauvoir se toisèrent.

— Nous n'avons aucun moyen de nous en assurer ? demanda Gamache.

— Sans nous trahir ? Aucun, répondit Toussaint.

— Donc, nous ne savons pas vraiment où est la drogue, récapitula Beauvoir. Tout ce que nous savons, c'est qu'elle a quitté l'entrepôt.

— Exact.

— Mais vous avez évoqué « certains indices », dit Gamache. Lesquels ?

— Le numéro un du cartel de la côte Est se trouve au Vermont. À Burlington.

Les officiers se regardèrent entre eux avant de se tourner vers Gamache.

— Il y a plusieurs explications possibles, dit Toussaint. Nous ne savons pas de façon certaine si…

— En voiture, la frontière n'est pas très loin…, commença Beauvoir, son emballement l'emportant sur son exaspération. Il est peut-être là pour réceptionner la marchandise.

— Et pas seulement pour ça, acquiesça Toussaint en se tournant vers Gamache. C'est peut-être aussi signe qu'ils sont tombés dans le piège. Plus encore que nous avions osé l'espérer.

— Continuez, je vous prie, l'encouragea Gamache.

Il s'était fait la même réflexion, mais Toussaint avait eu plus de temps pour mûrir la question et il tenait à l'entendre.

— Je pense que le patron du cartel de la côte Est ne se trouve pas au Vermont pour acheter de la crème glacée Ben & Jerry's. Pas uniquement pour prendre possession du krokodil non plus.

Gamache hocha lentement la tête. Assimila toutes ces données. S'efforça de ne pas laisser son euphorie triompher de son bon sens. Ses espoirs le conduire à une conclusion erronée.

Ce fut à Beauvoir qu'il revint d'articuler les réflexions de Gamache. Leurs réflexions à tous.

— On a organisé une réunion. Au moment où on procédera à l'échange, dit-il d'une voix à peine audible, les patrons des cartels du Québec et de la côte est des États-Unis seront ensemble, au même endroit.

— Merde ! lancèrent quelques officiers à l'unisson.

— Oui, mais de quel côté de la frontière ? demanda l'un d'eux. Osera-t-il venir au Québec ?

— Qu'est-ce qui l'en empêche ? répondit un autre. Certainement pas la Sûreté…

La remarque provoqua des éclats de rire frôlant l'hystérie.

Le directeur général Gamache, bien que soulagé lui aussi, restait sur ses gardes. C'est dans des moments pareils que des bourdes étaient commises.

Au moment où il pensait entraîner sa proie dans un piège, peut-être était-ce lui qu'on appâtait. S'il avait appris une chose à propos des responsables du cartel, c'est qu'ils étaient futés. Ils avaient beau être invisibles, ils voyaient tout ce qui se passait autour d'eux.

Gamache laissa ses collaborateurs jouir du moment. Au cours des derniers mois, ils avaient eu très peu de motifs de se réjouir. Qu'ils en profitent. L'excitation finit par s'éteindre.

— Dites-moi ce que vous pensez, Madeleine, dit Gamache.

— C'est le premier lot de chlorocodide à franchir la frontière. Tout indique qu'il s'agira d'une drogue importante, d'une véritable vache à lait. Peu coûteuse à produire et facile à vendre à des clients en quête de nouvelles sensations.

— Cette drogue change leur peau en écailles, dit un des agents en lisant le bulletin d'information sur cette substance.

— Oui. Elle réduit aussi leur cerveau en bouillie et les tue prématurément, dit Toussaint. Mais depuis quand ce genre de détail arrête-t-il un junkie ? On n'a pas affaire à des personnes raisonnables faisant des choix rationnels.

Elle se tourna une fois de plus vers Gamache.

— Vous voulez savoir ce que je pense ? Je pense qu'ils se rencontrent pour se partager le territoire. Les frontières, c'est bon pour les politiciens, pas pour les trafiquants. Je pense aussi qu'ils se rencontrent pour se jauger réciproquement. C'est un indice de l'importance qu'a prise le cartel du Québec. Sinon, que viendrait faire le patron de la plus grande organisation criminelle des États-Unis dans les bois du Vermont ?

— Il se sent menacé ? fit Beauvoir.

— C'est une possibilité.

— Vous pensez qu'il a l'intention de supprimer la tête du cartel québécois ? demanda un autre agent.

Toussaint réfléchit.

— Non. Il n'hésiterait pas à le faire, mais ce sont d'abord et avant tout des gens d'affaires. Liquider votre fournisseur, c'est mauvais pour le commerce. Une solution de dernier recours. Je pense que les deux vont plutôt conclure une entente.

— La personne qui dirige le cartel du Québec est assez futée pour voir clair dans tout ça, dit Beauvoir.

— Oui, certainement, acquiesça Toussaint. Assez futée aussi pour frapper en premier.

— Joli tête-à-tête, fit un agent.

— Je pense que le moment est venu de mettre la DEA dans le coup, poursuivit Toussaint. Cette rencontre risque de dégénérer très vite et nous aurons besoin d'aide.

— Vous pensez donc que c'est imminent ? demanda Gamache.

— Ce soir, assurément. Probablement à la tombée de la nuit. Avant minuit, en tout cas. Ils voudront en finir au plus vite.

— Et vous croyez qu'ils vont se retrouver au point de passage ? demanda Beauvoir.

— Oui. C'est l'endroit le plus sûr. Nous leur avons donné la preuve que nous ignorions son existence. Le krokodil sera remis au cartel américain. L'argent ira au cartel québécois. Et les dirigeants des deux organisations auront au moins l'amorce d'une nouvelle entente.

Tous, sauf Gamache, consultèrent l'horloge accrochée au mur. Il avait une conscience aiguë du temps qui s'écoulait, mais aussi des risques qu'on courait en prenant des décisions précipitées dans un contexte de quasi-panique.

— Pas un mot à la DEA, dit-il.

Il y eut une commotion. Tout le monde se mit à parler en même temps. À protester en même temps. Gamache laissa passer la tempête. Lorsque le silence revint, il reprit la parole.

— Si nous prévenons l'agence que les têtes dirigeantes de deux des plus grandes organisations criminelles de l'Amérique du Nord vont sortir de l'ombre pour se rencontrer ce soir à la faveur d'une vente de drogues, que va-t-il se passer, à votre avis ?

Il les laissa réfléchir, mais pas longtemps.

— L'agence va se mobiliser, fit-il en réponse à sa propre question. Elle n'aura pas le choix. Dans la même situation, nous réagirions de la même manière. Même si elle acceptait de nous laisser les commandes de l'opération, il y aurait tellement de mouvement que les cartels se douteraient de quelque chose. Non. Il y a des risques dans un cas comme dans l'autre, mais je maintiens ma décision. Nous agissons seuls. Nous ne dérogeons pas au plan qui nous a conduits jusqu'ici.

— Et que se passera-t-il s'ils se rencontrent de l'autre côté de la frontière, monsieur ? Là où nous ne pouvons pas intervenir.

— Nous risquons de les perdre tous les deux, lança quelqu'un d'autre.

— Laissez-moi me soucier de ces questions, dit Gamache. Ce soir, concentrez-vous sur votre travail et je ferai de même.

« Il ne permettra pas une chose pareille, comprit Jean-Guy. D'une façon ou d'une autre, le chef d'un des cartels, sinon les deux, sera traduit en justice. Au besoin, Armand Gamache le ramènera de ce côté-ci de la frontière en le tirant par les cheveux. »

— L'inspectrice-chef Lacoste est sur le terrain ? demanda Gamache.

— Elle surveille la tête du cartel québécois et nous tiendra au courant de ses mouvements, répondit Toussaint.

— Bien. Vous avez les plans tactiques, inspecteur Beauvoir ?

— Oui.

Jean-Guy désigna les cartes d'état-major sur lesquelles il avait indiqué la position et les objectifs de chacun. Plans qui étaient familiers à toutes les personnes réunies dans la pièce.

Leurs vies et celles de leurs camarades dépendaient de leur connaissance précise de leur rôle. De leurs cibles et de leurs buts. Primaires et secondaires.

Ils constitueraient une toute petite force. Chacun devrait donc occuper un positionnement stratégique. Les personnes, comme leurs mouvements, devraient être d'une précision absolue.

Des semaines plus tôt, on avait alerté et briefé l'équipe tactique, sans toutefois la mettre au courant de l'objectif.

La Sûreté bénéficiait de deux grands avantages. Après des mois de surveillance, elle connaissait l'endroit précis par où transiteraient les drogues. Et les cartels en étaient venus à ne plus du tout se méfier d'elle.

Il y avait un autre avantage, savait Beauvoir. Moins évident, peut-être. La motivation. Voire le désespoir. Ils étaient acculés au mur, à l'océan. Condamnés à réussir.

À présent, un nouvel élément, quoique bienvenu, avait compliqué les choses.

Le patron du cartel de la côte Est serait également présent. Il serait assurément accompagné d'une petite armée.

On avait ajouté une série d'inconnues à un plan élaboré avec soin.

On jouait encore plus gros que prévu. Les récompenses seraient énormes, presque inconcevables. Les risques aussi.

— Elles ne sont peut-être plus pertinentes, prévint Beauvoir en montrant les cartes.

— L'Américain va peut-être changer le point de chute, dit Toussaint. Lui préférer un autre endroit.

Gamache sentait monter la tension. De même que les efforts colossaux que chacun déployait pour maîtriser son angoisse.

— Peut-être que oui. Peut-être que non. Nous n'en savons rien. Tout ce que nous pouvons faire, c'est utiliser nos connaissances et être prêts à nous raviser. D'accord ?

— D'accord, patron, dirent-ils d'une seule voix.

Gamache réfléchit un moment, passa mentalement en revue leur stratégie. Puis il se tourna vers Beauvoir.

— Il existe une meilleure façon de procéder ?

Beauvoir avait également révisé les plans, désormais gravés dans sa tête à l'encre indélébile.

— Je vais devoir apporter quelques ajustements, répondit-il. Avec l'Américain présent, les mesures de sécurité seront renforcées. Et les deux clans seront plus alertes. Mais, ajouta-t-il après un moment de réflexion, je pense que c'est du solide. À condition que les autres paramètres ne bougent pas.

— Votre informateur est avec eux ? demanda Gamache.

Toussaint hocha la tête.

— Bon, dit Gamache en se levant.

Les autres l'imitèrent aussitôt.

— Nous devrons peut-être apporter des changements de dernière minute. Mais il y a des précédents, non ?

La remarque suscita des rires et des hochements de tête entendus. Les membres les plus anciens de l'équipe avaient moins le cœur à rire.

— Si on a besoin de moi, je serai dans mon bureau.

Dès que le directeur général fut sorti, Beauvoir se pencha sur les plans auxquels il avait travaillé pendant des mois, chez lui, dans l'espoir que ce jour viendrait.

Quand Honoré se réveillait en pleine nuit, il le faisait boire et le réconfortait, tandis qu'Annie dormait. Tout en berçant doucement son fils, il consultait les cartes, élaborait à voix basse des plans d'attaque.

Chasser, arrêter et, au besoin, tuer.

Rien à voir avec Winnie l'Ourson. Ni avec Pinocchio. Rien à voir non plus avec l'histoire qu'il espérait pour son fils. Mais, en cas de réussite, Ré-Ré aurait de meilleures chances de grandir en santé et en sécurité. De ne jamais apprendre ce qui arrive quand le droit chemin se sépare.

— Très bien, dit Beauvoir pour attirer l'attention des agents rassemblés. On repasse tout ça.

Il jeta un coup d'œil à la grosse horloge sur le mur.

Dix-sept heures quarante.

Il se tourna ensuite vers la porte fermée. Il devait parler à Gamache avant que s'amorcent les événements de la nuit à venir. Pas de non-dit entre eux.

Armand Gamache desserra son nœud de cravate et tira sa chemise poisseuse de son pantalon. Il se dirigea vers son bureau, où il conservait ses chemises propres.

Après un moment d'hésitation, il glissa plutôt la main dans sa poche et en sortit la clé du premier tiroir. L'ayant entrouvert, il aperçut le carnet et la serviette en papier.

Il y avait des mois qu'il ne les avait pas regardés.

Plusieurs cycles de vie plus tôt, il avait inscrit ces mots sur la serviette chiffonnée.

Combien de femmes et d'hommes étaient morts à cause d'eux ? À cause de Gamache ? Il n'avait pas fermé les yeux sur la drogue et la violence. Il était parfaitement au courant de la situation. Il avait exigé des rapports quotidiens. Fait le décompte des vies gâchées, des vies perdues. À cause de ce qu'il avait toléré.

Et pourtant, il n'avait pas agi.

Ce soir, il interviendrait.

Posant la serviette de côté, Armand ouvrit le carnet et s'obligea à lire ce qu'il avait écrit, ce qu'il avait entrepris en cette froide soirée de novembre, avec Henri et Gracie roulés en boule près du feu, Reine-Marie assise à côté de lui sur le canapé.

Il avait alors contemplé les flammes et envisagé l'inconcevable.

Il se demanda si le conquistador espagnol Cortés avait vécu la même chose pendant son long périple jusqu'au Nouveau Monde. Quand avait-il eu cette idée ? Avait-il songé aux conséquences en donnant l'ordre fatidique ? *Brûler nos vaisseaux.* Avait-il pressenti le massacre imminent, le sort de ses soldats, de ses marins et des Aztèques, dont la civilisation tout entière serait bientôt annihilée ?

Et Gamache se demanda si, au moment où les pieds des conquistadors avaient foulé le sable, au moment où la fumée avait saturé l'air, quelque autre créature avait débarqué sur le rivage avec eux.

Les conquistadors avaient-ils remarqué la silhouette sombre qui les suivait ? Témoin atroce d'actes atroces.

Naturellement, les actes en question ne deviendraient atroces que des siècles plus tard. Cortés était un héros aux yeux de tous, à l'exception des Aztèques.

Dans ses moments de calme, au soir de sa vie, à l'approche de la mort, Cortés s'était-il demandé s'il avait bien fait ? Le doute s'était-il immiscé dans la pièce ? Un *cobrador* sans âge s'était-il campé au pied de son lit ?

Et Churchill ? Le doute l'avait-il empêché de dormir, la nuit du bombardement de Coventry ? La nuit où la magnifique ville de Dresde avait été soumise à une pluie de bombes incendiaires en représailles aux actes dont elle n'était nullement responsable ?

Gamache saisit un stylo et, ayant trouvé une page vierge, se mit à écrire.

Il nota l'énorme quantité de drogues qui, à cause de son inaction, avait franchi la frontière, la veille. Alors qu'il aurait pu intervenir.

Il nota les vies perdues à cause de cette décision. Son Coventry. Son Dresde.

Il parla de Me Zalmanowitz et de sa carrière en lambeaux. De la juge Corriveau et des réprimandes qu'elle essuierait parce qu'elle les avait laissés partir au lieu de les faire arrêter. Comme le lui imposait la loi.

Il parla des hommes, des femmes et des enfants qui avaient souffert parce qu'il avait donné à ses gens l'ordre de faire le minimum pour arrêter des criminels. De se concentrer sur leur cible principale tout en donnant l'impression d'être d'une totale et absolue incompétence.

Armand Gamache nota tout. Sans rien omettre. Quand il eut terminé de consigner ce qui s'était déjà produit, il enchaîna avec ce qui allait se produire. Cette nuit.

Ensuite, il posa le stylo, referma le carnet et mit soigneusement la serviette en papier dessus.

Puis il alla dans sa salle de bains prendre une douche, se laver de la saleté et de la crasse. L'eau goûtait le sel, à cause de la sueur. Et de l'autre liquide qui coulait sur ses joues.

— Patron ?

Beauvoir jeta un coup d'œil dans le bureau du directeur général. Vide. Mais il entendait la douche couler.

Jean-Guy resta là, incertain de la conduite à tenir.

Il ne voulait surtout pas voir son patron, son beau-père, sortir de la salle de bains la taille ceinte d'une serviette. Ou pire encore.

Il ne pouvait pas non plus se retirer avant d'avoir dit ce qu'il avait à dire.

Il entra donc dans la pièce et referma la porte derrière lui. Il se préparait à s'asseoir lorsqu'il aperçut le carnet sur la table de travail.

Curieux, Jean-Guy s'approcha. L'eau de la douche coulait toujours. Enhardi, il ouvrit le carnet et commença à lire. Lorsque l'eau s'arrêta, il le referma vite, remit la serviette de table à sa place et s'assit sur la chaise en face du bureau.

Ayant revêtu des vêtements propres, le chef se frottait les cheveux avec une serviette.

Il se pétrifia à la vue de Jean-Guy, qui avait bondi de sa chaise.

— Jean-Guy.

— Patron, commença Beauvoir en carrant les épaules. Je regrette d'avoir quitté la salle d'audience.

Sa voix était cérémonieuse, comme s'il présentait un rapport ou débitait des mots appris par cœur.

— C'est inexcusable.

Mais alors la solennité s'évapora et ses épaules se détendirent.

— Je ne sais pas ce qui m'a pris. Nous avons pourtant vu pire. Mais je…

Armand, immobile, écoutait. Il n'aida pas son second à terminer sa phrase. Il ne lui servit pas de rebuffade, ne lui dit pas que ce n'était rien.

Il donna à Jean-Guy tout l'espace dont il avait besoin, le laissa présenter sa confession. Dans ses propres mots, au moment opportun.

— J'ai eu peur.

Voilà. Un adulte. Un officier supérieur de la Sûreté du Québec. Avouant qu'il avait eu peur. Et cela, savait Gamache, exigeait du courage.

— De quoi ? demanda-t-il.

— J'ai eu peur de crier : « Ne faites pas ça ! » Jusque-là, je savais qu'on pouvait revenir en arrière. On avait frôlé la limite, mais on ne l'avait pas franchie. Mentir devant le tribunal, vous parjurer… La tache serait indélébile. Je savais qu'il n'y avait pas d'autre solution, mais j'ai été incapable de vous voir faire.

Gamache hocha la tête, se donna le temps de tout assimiler avant de prendre la parole.

— Ce n'est pas tout, je pense.

— Possible, admit Beauvoir, visiblement mal à l'aise sous le regard intense de l'autre.

— Je pense que, aujourd'hui, tu as perdu un certain respect pour moi. Je pense que tu te disais que je n'irais pas jusqu'au bout. Mentir sous serment, quelles que soient les circonstances… J'ai enfreint toutes les règles auxquelles nous croyons, toi et moi. Ça fait de moi un hypocrite.

« Est-ce possible ? se demanda Beauvoir. Est-ce là l'explication ? » La vérité, c'est qu'il ne parvenait pas à comprendre sa réaction. Le refus de voir Gamache détruire sa carrière n'était pas une raison suffisante. Le directeur général n'avait jamais fait passer son ambition avant le reste.

Alors quoi ?

En cet instant, Jean-Guy comprit que Gamache avait raison. S'il s'était enfui, c'était pour ne pas être témoin de cette déchéance. Éviter de voir se souiller un homme qui avait été son mentor, son modèle. Un homme qui avait toujours été fidèle à ses principes, qui avait toujours respecté la loi, alors que la plupart des autres la détournaient à leur profit.

Ce jour-là, cependant, Gamache les avait imités. Et il ne s'était pas contenté de contourner la loi, il l'avait carrément transgressée.

Beauvoir n'aurait jamais cru cet homme capable de mentir sous serment. Devant une cour de justice. Pour quelque motif que ce soit. Jean-Guy avait toujours cru que, le moment venu, on trouverait une autre solution. Que la police montée débarquerait par miracle et que tout s'arrangerait.

Au lieu de quoi, dans cette salle d'audience infernale, Armand Gamache s'était parjuré.

Observant Jean-Guy, Gamache comprit qu'il avait vu juste. Ce n'était pas le résultat qu'il aurait souhaité, et il aurait donné cher pour s'être trompé. Il dut toutefois s'avouer qu'il y avait une autre victime, un autre cadavre au milieu des ruines.

Le respect que Jean-Guy avait eu pour lui. Ce n'était pas la plus triste des fins qui soient, bien sûr, mais la peine qui en résultait était indéniable. Aux yeux de Jean-Guy, Gamache était désormais corrompu. Semblable à de nombreux autres officiers supérieurs de la Sûreté qui, après avoir juré de faire observer la loi, l'avaient violée.

Que les autres l'aient fait pour amasser des fortunes, tandis que Gamache cherchait à écraser le trafic de la drogue, n'importait pas vraiment. La vérité, c'est qu'il avait prouvé qu'il était pareil aux autres.

Au début, la corruption prend une forme insignifiante, souvent justifiable. Un pieux mensonge. Un article de loi mineur transgressé au nom de l'intérêt commun. Puis la corruption, tel un virus, se propage.

— Désolé de te l'apprendre, Jean-Guy, mais j'ai franchi le point de non-retour le jour où j'ai ordonné à nos agents de rester en retrait, de n'arrêter personne. On me paie pour faire respecter la loi. J'ai prêté serment, on m'a confié une responsabilité. J'ai choisi de m'y soustraire. Dans la salle d'audience, aujourd'hui, je n'ai fait que donner la preuve concrète de mes transgressions.

— La juge Corriveau est-elle au courant ? Est-ce pour cette raison qu'elle vous a convoqué dans son cabinet ?

— Elle a des soupçons. Elle a demandé si le vrai meurtrier courait toujours.

— Qu'avez-vous répondu ?

— Je lui ai donné l'assurance que l'accusée était bel et bien l'assassin, mais je ne suis pas certain qu'elle m'ait cru. Elle s'est donné la nuit pour réfléchir à ce qu'elle fera de Me Zalmanowitz et de moi.

— Mais elle vous a laissés partir, dit Beauvoir en cernant l'essentiel.

Pendant qu'il réfléchissait aux propos du chef, ses sourcils se froncèrent. Il sentait un poids dans sa poitrine. Mais alors un déclic s'opéra en lui.

— Si vous avez franchi la limite en donnant ces ordres, j'ai fait de même en les suivant.

Gamache était au courant, bien entendu, mais il avait préféré ne rien dire. La soirée s'annonçait déjà longue et pénible. Il lui avait paru inutile d'accabler Jean-Guy.

Le jeune homme était arrivé à cette conclusion par lui-même. Gamache constata un phénomène surprenant. Loin de sembler écrasé, Beauvoir était soulagé.

— Je suis aussi coupable que vous, dit-il.

Son visage s'épanouit, son désarroi s'étant dissipé d'un coup.

Et Armand se rendit compte que le problème venait non pas de sa propre chute, mais bien de l'abîme qui s'était creusé entre Jean-Guy et lui. À présent, au moins, ils étaient ensemble. Dans les latrines. À deux trous.

— Nous sommes tous deux dans la merde jusqu'au cou, déclara Jean-Guy, presque ivre de soulagement.

— Jusqu'ici, en fait.

Gamache mit la main au-dessus de sa tête et retourna dans la salle de bains pour se peigner. Il revint en nouant sa cravate.

— Tout est prêt ? demanda-t-il.

— Oui. Isabelle n'a pas encore téléphoné, mais nous devrions nous mettre en route. Les autres réunissent le matériel. J'ai pris votre gilet pare-balles.

— Merci.

Gamache se dirigea vers son bureau et, déverrouillant un autre tiroir, sortit son arme et son étui, qu'il fixa à sa ceinture avant d'enfiler son veston. Fripé, mais enfin sec.

Le véhicule d'assaut ferait le trajet à part. À la nuit tombée, les agents se mettraient en position.

Et attendraient.

Gamache songea à remettre le carnet et la serviette de table à leur place, puis à verrouiller le tiroir. Mais il se rendit compte que la précaution était désormais inutile. Si quelque chose se produisait et que tout déraillait, le carnet aiderait les enquêteurs à faire leur travail. Sinon à le justifier, lui.

Les deux hommes empruntèrent le couloir qui conduisait aux ascenseurs. Sur la hanche du directeur général, le revolver, à la façon d'un corps étranger, pesait. Il haïssait les armes à feu. Elles avaient pour unique fonction de tuer. Et il avait été témoin d'assez de morts pour plusieurs vies.

— J'aurais dû rester à vos côtés dans la salle d'audience, déclara Jean-Guy en appuyant sur le bouton d'appel.

Il se tourna vers Gamache.

— Sommes-nous réconciliés ?

— Nous n'étions pas brouillés, Jean-Guy. Nous ne l'avons jamais été.

Ils montèrent dans l'ascenseur. Juste tous les deux.

— Je t'ai déjà parlé de mon premier assaut tactique ?

— Je ne crois pas. Vous n'avez tout de même pas écrit un poème à ce sujet ?

— Une strophe proprement épique, répondit Gamache en s'éclaircissant la gorge.

Il sourit.

— Non, c'était plus prosaïque. J'étais encore un simple agent, mais plus vraiment une recrue. Je faisais partie de la Sûreté depuis deux ou trois ans. Notre objectif était un gang de rue. Dont les membres étaient lourdement armés. Un raid contre un bunker.

En parlant, il serra les mains dans son dos et regarda défiler les nombres indiquant les étages.

— Je me suis évanoui.

— Pardon ?

— Dès que les premiers coups de feu ont retenti. Un ambulancier a dû me donner une paire de claques pour me réveiller.

— Pardon ? répéta Beauvoir en se tournant vers Gamache, qui fixait toujours les chiffres.

— J'ai mis ma défaillance sur le compte d'un coup de chaleur. Le lourd équipement, l'attente, le soleil implacable. Rien à voir. C'était la terreur. J'ai eu si peur que je suis tombé dans les pommes.

Il marqua une pause.

— « Perdre connaissance » sonne un peu mieux.

Il se tourna vers Jean-Guy, qui le dévisageait d'un air incrédule.

— Seule Reine-Marie connaît cette histoire. Sait la vérité.

Bouche bée, Jean-Guy le fixait toujours.

— Cet épisode m'a forcé à faire mon examen de conscience, poursuivit Gamache. À me demander si j'étais fait pour ce travail, si mes craintes allaient toujours l'emporter, mettant mes camarades en danger. Mais j'aimais le boulot et j'y croyais. Je me suis rendu compte que je ne pouvais pas avoir peur et m'acquitter de mes responsabilités. J'ai donc travaillé sur ma peur.

— Elle est partie ?

— Je pense que tu connais la réponse.

Jean-Guy la connaissait en effet.

Elle ne disparaissait jamais tout à fait. Même pas pour le directeur général.

Pendant que l'ascenseur poursuivait sa descente, Beauvoir se souvint des prédictions contenues dans le carnet, revit la serviette de table soigneusement posée dessus.

Dans la portion supérieure, le nom du restaurant figurait gaiement en lettres rouges.

« Sans Souci. »

Et, plus bas, à l'encre noire : *Brûler nos vaisseaux.*

Beauvoir sortit de l'ascenseur sur les talons de Gamache.

Il ne s'agissait pas, savait-il, d'avoir moins peur ; il s'agissait de faire montre de plus de courage.

30

Le bistro de Three Pines procura à Isabelle Lacoste une sensation de fraîcheur et de tranquillité, du moins par rapport à la chaleur frémissante de la terrasse, où les clients se détendaient en sirotant de la limonade ou de la bière.

Elle retira ses lunettes de soleil et attendit que ses yeux s'acclimatent. Elle préférait l'intérieur, pour plusieurs raisons.

— J'aimerais quelque chose de bon et de fort, dit-elle à Olivier en se dirigeant vers le long bar en bois. Un gin tonic, je crois. Double. J'ai terminé mon service.

— Dure journée ? demanda Olivier en versant du Tanqueray sur les glaçons.

Arrivée devant le comptoir, Isabelle hocha la tête, ouvrit une des bonbonnières et choisit une pipe en réglisse. D'un coup de dents, elle détacha d'abord le bout rouge incandescent, ainsi que le lui avaient appris ses enfants, qui tenaient la méthode de M. Gamache.

— Comment va le procès ? demanda-t-il.

Lacoste agita la main d'un côté et de l'autre. Couci-couça.

Olivier secoua la tête en coupant le citron, dont le frais parfum resta un moment en suspension dans l'air.

— Quelle tristesse, fit-il en désignant la chapelle Saint-Thomas du bout de son couteau. Au moins, Katie aura droit à la justice qu'elle mérite.

Par la fenêtre du bistro, Isabelle, en se retournant, jeta un coup d'œil à la terrasse, aussi cuisante qu'une poêle à frire. Aux enfants qui jouaient dans le parc du village scintillant, couraient en tous sens entre les trois pins géants, comme si les arbres étaient leurs compagnons. Aux maisons en pierres des champs, en briques et en bardeaux, avec leurs massifs de vivaces où s'alignaient delphiniums bleu porcelaine, roses anciennes, mauves, lavandes. Des fleurs plantées par leurs grands-parents et bichonnées avec amour.

Les yeux d'Isabelle Lacoste survolèrent le village pour se poser enfin sur la petite église en bardeaux blancs en haut de la colline. Scène du meurtre de Katie Evans et de tant d'autres événements.

Qui, cette nuit, connaîtraient tous leur dénouement.

« Justice », songea-t-elle. Quelques mois plus tôt, elle connaissait l'exacte signification du mot. À présent, elle n'en était plus si sûre.

— C'est qui ? demanda-t-elle en désignant deux hommes assis tranquillement devant l'âtre vide.

Ils dégustaient un repas en discutant avec Anton, qui décrivait peut-être les plats qu'il avait préparés.

Ils se tournèrent vers elle et elle sourit, leva son verre à la santé d'Anton, qui la salua à son tour.

— Je ne sais pas. Des gens de passage, je pense. Ils ne logent pas au gîte. Vous connaissez Gabri. Un groupe d'invités lui suffit largement.

— Il y a des gens au gîte en ce moment ? demanda Lacoste en humant les arômes frais du tonic, du gin et du citron.

— Oui. Léa et Matheo sont ici.

— Ah bon ? Ont-ils dit pourquoi ?

Elle s'était efforcée d'adopter un ton insouciant, de cacher son trouble intérieur.

— Je n'ai pas posé la question, mais c'est sans doute en rapport avec le procès. Selon les comptes rendus, on fait la vie dure à Armand. Léa et Matheo souhaitent peut-être lui dire un mot. Ils semblent plutôt tendus.

« Oui, songea Lacoste. C'est une explication possible. »

Le brouhaha des conversations les enveloppait. De nombreux clients, jugeant qu'il faisait trop chaud sur la terrasse, avaient trouvé refuge dans la fraîcheur du bistro. Ils bavardaient entre eux, mais les rires francs étaient plutôt rares. Malgré la distance, le procès exerçait une grande influence sur le village. Certains villageois seraient appelés à la barre des témoins. Par chance, les enquêteurs avaient réussi à dissuader le procureur de la Couronne de convoquer Ruth Zardo.

En principe, Lacoste devait comparaître le lendemain. Elle savait qu'il n'en serait rien. Pas après ce qui se préparait cette nuit.

L'inspectrice-chef Lacoste, absente du tribunal ce jour-là, n'avait pas entendu le témoignage de Gamache. Elle en avait tout de même eu des échos. Par des collègues et les médias.

Elle avait été informée de l'acrimonie grandissante entre le procureur en chef de la Couronne et le directeur général. Si vive que la juge les avait convoqués dans son cabinet.

Que s'était-il passé entre ces quatre murs ? Qu'avait dit Gamache ?

Avait-il raconté à la juge Corriveau ce qui s'était passé en cette nuit de novembre, quand il était revenu dans le sous-sol de l'église Saint-Thomas ?

Avait-il parlé à la juge du secret qu'ils avaient tenu à garder, si jalousement que Gamache avait choisi de se parjurer ?

Tout avait débuté par la remarque désinvolte faite par une vieille poète à moitié folle et sur laquelle ils étaient revenus en prenant l'apéritif dans le loft de Myrna. La remarque avait donné naissance à des soupçons. Lesquels s'étaient traduits en actions.

Dans le sous-sol de l'église, Gamache retira son manteau couvert de neige et le jeta sur une chaise. Puis il entraîna Beauvoir jusqu'à la cave à légumes.

— Prends une trousse médicolégale, s'il te plaît. Et deux paires de gants.

Pendant que Jean-Guy s'exécutait, Gamache alluma les lampes industrielles installées dans la journée par les techniciens, puis il s'arrêta sur le seuil.

Toutes les scènes de crime ont un air solennel et grave qui contredit souvent l'emplacement réel. Un meurtre ignoble commis dans un lieu joyeux est particulièrement horrible.

La petite pièce sans fenêtres, avec son sol en terre battue, ses tablettes ployant sous le poids de conserves depuis longtemps oubliées, ses toiles d'araignées tissées par des créatures mortes depuis belle lurette, ne serait jamais un lieu joyeux. Après le meurtre de Katie Evans, la cave à légumes, froide par définition, était devenue carrément glaçante.

Bref, c'était le genre d'endroit où personne n'aurait choisi de s'attarder, même pas un enquêteur chevronné.

Gamache jeta un coup d'œil à l'endroit où on avait découvert le cadavre de Katie Evans, déguisée en *cobrador*, avachi sur le sol. L'ancien chef de la section des homicides n'oubliait jamais qu'une enquête pour meurtre n'était pas un travail comme un autre. C'était un casse-tête. Un exercice de raisonnement et d'intelligence.

En ce lieu, une jeune femme avait rendu son dernier souffle. Sur la terre battue et dans l'obscurité de la cave froide. Et non dans un lit, entourée d'êtres chers, à quatre-vingt-dix ans, comme elle avait été en droit de l'espérer.

— Quand elle a découvert le cadavre, Mme Gamache n'a pas vu de bâton. Mais il était là quand Lacoste est arrivée. Il a donc été remis là sans que personne s'en aperçoive. Celui-ci est le mur du fond, dit Gamache en marchant jusqu'à la paroi. C'est donc forcément ici.

— Quoi, au juste?

Gamache se tourna vers Beauvoir.

— Pendant la prohibition, de l'alcool transitait par l'église. Les contrebandiers ne passaient certainement pas par la porte de devant.

Beauvoir écarquilla les yeux en prenant conscience de l'importance de ces propos.

— Merde.

Les deux hommes étudièrent minutieusement les étagères.

— Eurêka! lança Jean-Guy.

— Attends, dit Gamache.

Saisissant la caméra de l'équipe d'analyse des scènes de crime, il filma le moment où l'inspecteur Beauvoir rabattit une des tablettes avant de pousser dessus.

Une porte basse s'ouvrit dans le mur.

Beauvoir s'agenouilla et reçut de la neige en plein visage. Les yeux plissés, il distinguait sans mal les bois, à quelques mètres seulement.

De là, un court trajet au milieu des arbres et c'était la frontière des États-Unis. Le rêve pour un contrebandier.

— Et voilà comment le bâton de baseball est sorti et rentré, dit Beauvoir.

Gamache mit fin à l'enregistrement et rendit l'appareil à Jean-Guy, qui entreprit de documenter leur découverte.

— C'est parfait, dit Gamache à voix basse en parcourant des yeux la pièce sans fenêtres.

Pour le *cobrador* et pour le meurtre.

— Patron ? fit la voix de Lacoste venant du poste de commandement.

— Ici, fit Gamache.

— J'allume mon ordinateur et je lance le téléchargement des messages, puis je vous rejoins, lança-t-elle. J'en ai pour une minute.

En se retournant, Gamache vit la petite porte se refermer. Et, dans le même mouvement, la tablette se remettre en place sans un bruit.

Il se pencha pour examiner les charnières.

Dans le poste de commandement, Lacoste retira son manteau, cliqua sur la messagerie et, en entendant un son, se tourna vers l'escalier.

Dans le silence de l'église, les bruits de pas sur les marches faisaient comme une sorte de roulement sinistre.

Ba-boum. Ba-boum. Des battements de cœur de plus en plus rapprochés.

Et Beauvoir apparut.

Isabelle, les yeux exorbités, rejeta la tête en arrière. Réaction si comique que Jean-Guy éclata de rire.

— Désolé, dit-il.

Il lança un coup d'œil à Gamache, debout dans la porte de la cave à légumes. Celui-ci leva les mains pour signifier qu'il n'y était pour rien.

— Il était ici, dit-il.

— Et maintenant je suis là, offrit Jean-Guy.

Après avoir dévisagé tour à tour Gamache et Beauvoir, Lacoste se leva et s'avança vers Jean-Guy.

— Montrez-moi comment vous avez fait.

— Volontiers, dit Jean-Guy en l'entraînant vers Gamache et la cave à légumes. Mais c'est le chef qui a élucidé le mystère.

— Mais ce n'est pas moi qui…, commença Gamache en faisant courir ses doigts vers Beauvoir et autour de lui.

Lacoste n'en était pas certaine. Par nature, ces deux-là étaient toujours de mèche. Des « méchés », sinon des éméchés.

— Bon, fit-elle après avoir étudié la porte dérobée. Bon, bon. Vous avez prélevé des échantillons ?

Beauvoir montra la trousse et hocha la tête.

Elle retourna en silence dans le poste de commandement, suivie de Gamache et de Beauvoir.

— L'œuvre des contrebandiers dont Myrna nous a parlé, dit-elle en se retournant.

— Exactement, confirma Gamache.

— Et le meurtrier s'en est servi.

— Le *cobrador* aussi.

— Sans doute une seule et même personne, fit Lacoste. Mais comment ce type connaissait-il l'existence de la porte secrète ? Vous-même n'en saviez rien. Seules Ruth et Myrna étaient au courant.

— Elles ignoraient l'existence de la porte, souligna Gamache. Elles n'avaient eu vent que de l'histoire concernant la prohibition. Pour elles, c'était un fait historique curieux, rien de plus.

— L'une des deux a dû en parler à quelqu'un d'autre, réfléchit Lacoste. Et cette personne a fait le rapprochement et découvert la porte. Mais pourquoi chercher une porte cachée dans un sous-sol d'église ?

Gamache se posait la même question.

Il arrive parfois qu'on découvre une chose par accident. Les personnes qui tombent sur Three Pines, par exemple.

La plupart du temps, cependant, les découvertes sont faites par des personnes qui cherchent. Qui ont un besoin à combler. Le moteur de la découverte, c'est la nécessité.

Lentement, Gamache commençait à comprendre.

À la fin de la prohibition, on avait oublié ces pièces secrètes. On les avait abandonnées. Leurs créateurs avaient disparu depuis longtemps, même si les fortunes, elles, demeuraient, au même titre que les pièces elles-mêmes.

À la frontière. En attente. D'une nouvelle nécessité.

La frontière était poreuse. Depuis toujours. Et les substances qui la traversaient actuellement étaient beaucoup plus puissantes et plus lucratives que l'alcool.

Beauvoir se dirigea vers son bureau pour télécharger ses messages.

— Antonio Ruiz est rentré en Espagne, annonça-t-il. La Guardia Civil le confirme à l'instant.

Il se leva et prit place avec les autres à la table de conférence avec, à la main, la photo qu'il avait prise chez les Evans.

Gamache l'étudia. Visages souriants. Familiers, bien sûr. Plus jeunes, bien sûr. Plus heureux.

Son regard s'attarda sur Édouard, le fantôme dont l'ombre étincelante suivait ses amis.

Jean-Guy lui rapporta la conversation qu'il avec eue avec la sœur de Katie.

— Toujours rien qui justifie la présence d'un *cobrador*, constata Gamache.

Ses yeux se posèrent de nouveau sur la photo. Du visage d'Édouard, ils passèrent à son bras, qui enserrait Katie.

— Je me demande pourquoi elle a gardé cette photo. On dirait qu'ils sont encore ensemble.

— Et moi, je me demande pourquoi Patrick s'accommodait de la présence de cette photo sous son toit, ajouta Jean-Guy. Il y a sans doute d'autres photos de la bande. Quelque chose de moins…

— Intime ?

Gamache hocha la tête. « Pourquoi celle-ci ? » se demanda-t-il.

— Je viens d'avoir une conversation avec Anton, le plongeur, dit Beauvoir. Pendant que nous apportions le repas chez vous. Il a avoué qu'il connaissait le phénomène des *cobradors*.

— Comment ? demanda Lacoste.

— En Espagne, Antonio Ruiz a été suivi par un *cobrador*.

Beauvoir leur parla de la vidéo et leur répéta les paroles d'Anton.

— Blanchiment d'argent ? fit Gamache.

Crime organisé. Racket. Jeux. Drogues. Presque à coup sûr.

— Et Jacqueline était au courant, elle aussi ? demanda Lacoste.

— Oui, répondit Beauvoir. Elle a fait promettre à Anton de ne rien dire parce que les gens voudraient savoir d'où ils tenaient cette information. Ils seraient obligés de parler de Ruiz. Ils donnent l'impression d'avoir peur de lui, et pas uniquement à cause de l'entente de confidentialité.

— Si ce type est associé au crime organisé, ils ont raison d'avoir peur, dit Gamache.

— Anton m'a confié autre chose, ajouta Beauvoir. Il a cru que le *cobrador* était ici pour lui.

— Ça n'a rien d'étonnant. Tous les villageois ont pensé que la Conscience était là pour eux, répliqua Gamache. Moi le premier.

— Anton, lui, avait de bonnes raisons, dit Beauvoir en se penchant sur la table pour se rapprocher des autres. Il connaissait Katie Evans.

— Comment ? demanda Lacoste.

— C'est de l'histoire ancienne, expliqua Beauvoir. Il les connaissait tous, en fait. Au début, il n'était pas certain. Depuis qu'il travaille dans les cuisines du bistro, il les a seulement vus de loin, et c'était il y a longtemps. Mais, quand il les a entendus parler de l'Université de Montréal, il n'a plus douté. Il y a étudié en même temps qu'eux. Lorsque le *cobrador* s'est pointé, Anton s'est dit qu'il allait au-devant de graves ennuis. Que le *cobrador* avait été mandaté par ces quatre-là. Pour l'obliger à rembourser sa dette.

— Quelle dette ? demanda Lacoste, qui leva la main aussitôt. Non, attendez, ne me dites pas.

Elle réfléchit un moment, puis elle s'accouda sur la table, les yeux brillants.

— C'est lui qui approvisionnait Édouard ? dit-elle.

Beauvoir hocha la tête.

— Quand Édouard est mort et que les enquêteurs ont commencé à poser des questions, il s'est évanoui dans la nature, expliqua Jean-Guy. Il a abouti dans un centre de désintoxication.

— Mme Evans et les autres l'ont-ils reconnu ? demanda Gamache.

— Ils n'ont rien laissé voir, en tout cas, répondit Beauvoir.

— Ils ne nous ont rien dit non plus, ajouta Lacoste. Pourquoi garder le secret ?

— Ils n'ont peut-être pas compris à qui ils avaient affaire, risqua Jean-Guy.

— La coïncidence paraît un peu extraordinaire, non ? fit Gamache. Nous sommes dans un obscur petit village. Et qui débarque comme ça, à l'improviste ? Les seules personnes capables d'associer Anton à ce décès.

Lacoste et Beauvoir hochèrent la tête. Dans les enquêtes pour meurtre, les coïncidences ne sont pas rares. Au même titre que dans la vie de tous les jours, du reste. Il serait donc absurde d'y attacher trop d'importance. Mais tout aussi absurde de ne pas s'interroger.

— Nous devons retourner au gîte pour déterminer s'ils ont reconnu Anton ou pas, dit Lacoste.

— Quoi qu'il en soit, ils ne peuvent pas avoir arrangé la venue du *cobrador* à cause de lui, dit Gamache. Ce personnage ne s'est pas présenté ici par hasard. La planification s'est étendue sur des mois, peut-être davantage. Mme Evans et ses amis n'auraient reconnu Anton que récemment.

— Et que vient faire le meurtre de Mme Evans dans tout ça? demanda Lacoste.

Le *cobrador*, la Conscience, avait forcé Anton à avouer son secret, le rôle qu'il avait joué dans le décès d'Édouard, quinze ans plus tôt. Quelqu'un gardait peut-être un secret encore plus grand, encore plus sordide.

Lacoste jeta un coup d'œil à la cave à légumes.

— Nous devons sceller la porte.

Gamache, perdu dans ses réflexions, les regarda traverser la salle.

— Attendez, dit-il. Je pense qu'il vaut mieux ne pas y toucher.

— Mais la personne qui s'en est servie risque de revenir, dit Lacoste.

— Pour quoi faire? demanda-t-il en les rejoignant près de la porte.

— Hum, fit Lacoste, mue par la conviction qu'un intrus cause forcément des torts.

Plus elle y réfléchissait, moins elle trouvait de raisons de justifier une telle mesure. De raisons valables, en tout cas.

Ils avaient tous les échantillons, toutes les photos.

— Nos ordinateurs, dit Beauvoir.

— Ils sont protégés par des mots de passe, dit Gamache. D'ailleurs, le meurtrier, s'il revient, n'emportera rien. Il ne courrait pas le risque d'être pris en possession d'un ordinateur de la Sûreté du Québec.

Il avait déjà croisé des tueurs stupides, mais ce n'était hélas pas la norme.

— Emportons au moins nos notes et effaçons tout ceci, dit Lacoste en indiquant le tableau blanc, où figuraient des diagrammes, des idées et des noms de suspects.

— Non, laissons-les aussi.

— Mais il va savoir où nous en sommes, lança Beauvoir.

— Il va voir que nous sommes perdus, dit Gamache.

— Nous ne sommes pas perdus.

— Non. Mais il n'aurait pas cette impression, n'est-ce pas, en lisant vos rapports ou en consultant ceci, fit-il en désignant le tableau.

— Non, admit-elle.

— Il y a parfois des avantages à avoir l'air perdus, dit Gamache, presque pour lui-même. À sembler incompétents. Ou même à laisser croire qu'on a abandonné la partie. Les criminels se détendent. Ils baissent la garde. Ils se croient invulnérables.

Il les regarda avec un air d'émerveillement.

— Et c'est alors qu'ils commettent des erreurs.

— Vous ne laissez tout de même pas entendre que nous devrions renoncer, patron ? fit Lacoste.

— Au contraire, répondit-il distraitement. Du moins, je crois.

Et il sembla réfléchir avec intensité.

D'un air interrogateur, Beauvoir croisa le regard de Lacoste.

— Je pense, déclara Gamache en se tournant vers eux, que nous devrions garder pour nous notre découverte de ce soir. En fait, j'en suis persuadé. Nous ne devons parler à personne de la porte dérobée. Même pas aux membres de l'équipe.

— Pardon ? s'écrièrent les deux autres à l'unisson.

C'était du jamais-vu. Cacher un indice capital aux enquêteurs de l'équipe…

— Dans l'immédiat, précisa Gamache. Accordez-moi la soirée. J'ai besoin d'un peu de temps.

— Je vais installer une caméra dans le coin de la pièce, dit Beauvoir. Si quelqu'un y entre, nous saurons au moins de qui il s'agit.

Pendant qu'il s'exécutait, Lacoste consulta les messages.

— Le labo dit qu'on devra attendre demain matin pour avoir les résultats de l'expertise sur le costume du *cobrador*. Il comporte de nombreux échantillons d'ADN.

— Sans doute un truc de location, dit Beauvoir de la cave à légumes. Dieu sait quand il a été nettoyé pour la dernière fois.

Sa voix trahissait son dégoût d'homme soigneux de sa personne.

— Mais, enchaîna Lacoste, toujours plongée dans le rapport, nous avons les résultats concernant le bâton.

Elle parla lentement en poursuivant sa lecture.

Campé derrière elle, Gamache, de ses yeux exercés, chercha l'information pertinente au milieu de l'abondant jargon scientifique.

Faisant pivoter sa chaise, Lacoste leva le regard sur lui.

— Qu'en concluez-vous ? demanda-t-elle.

— À quel propos ? demanda Jean-Guy en traversant la pièce à grandes enjambées.

Il lut en silence et se redressa à son tour, les sourcils froncés.

— Ce n'est pas suffisant pour procéder à une arrestation, dit Lacoste. Dans l'immédiat. Au moins, nous savons qui a manipulé le bâton et a presque certainement tué Katie Evans.

— Mais que pensez-vous de ceci ? demanda Gamache en montrant une autre ligne.

— Une simple trace, répondit Lacoste. Le labo dit que c'est probablement accidentel.

— C'est un peu plus qu'une simple trace, dit Gamache.

Mais à peine. Et Lacoste avait raison. Les techniciens, spécialistes du domaine, étaient d'avis que c'était un peu d'ADN que le meurtrier avait sans doute laissé tomber, mais qui n'était pas le sien.

Les deux autres résultats étaient nets. On avait retrouvé l'ADN de Katie Evans. Et celui de son assassin.

Et pourtant…

— Pourquoi a-t-on fait disparaître le bâton de la scène du crime ? demanda Gamache. Et pourquoi l'y a-t-on remis ? C'était très risqué.

Cette question ne cessait de les tracasser.

Le geste du meurtrier pouvait s'expliquer de plusieurs manières. La panique. Ou l'étourderie. Certaines personnes, par exemple, sortaient d'un magasin avec un article qu'elles n'avaient pas payé. Par inadvertance.

Après coup, le meurtrier avait pris conscience de sa gaffe et, sachant que le bâton l'incriminait, avait décidé de le rapporter.

C'était la raison la plus probable.

Mais pourquoi ne l'avait-il pas plutôt brûlé? Pourquoi était-il revenu?

D'où la deuxième possibilité. Le tueur voulait que l'objet soit trouvé.

— Question de manipuler les résultats, dit Beauvoir. D'introduire des preuves d'ADN.

— Possible, convint Gamache. Dans ce cas, il serait peut-être utile de laisser le meurtrier croire qu'il nous a bernés.

— De nouvelles preuves d'incompétence, patron? demanda Beauvoir en souriant.

Et pourtant, Beauvoir eut l'insidieuse sensation qu'ils ne faisaient pas semblant d'être incompétents: ils l'étaient effectivement. Que les décisions qu'ils prenaient risquaient de les entraîner sur une fausse piste et que le meurtrier s'en tirerait.

— Il nous faut d'autres preuves, déclara-t-il.

Gamache hochait la tête. Il ne suffisait pas de savoir qui avait tué Katie Evans. Ils devaient aussi le démontrer.

— La journée a été longue, dit-il. Il faut aller manger.

Cette déclaration, à tout le moins, ne fut pas contestée.

Anton n'avait pas menti au sujet de ses talents de chef.

Le mijoté de bœuf, où les convives détectaient, outre un soupçon d'herbes et d'ail sauvage, le goût des succulents champignons qu'il avait cueillis dans les bois et fait sécher en automne, ne ressemblait à rien de connu.

— Olivier est-il conscient de la perle qu'il a entre les mains? demanda Reine-Marie.

Elle s'efforçait à la légèreté, même si elle était manifestement secouée, épuisée par les événements de la journée.

— Je ne pense pas, répondit Armand en débarrassant, tandis que Jean-Guy s'occupait du dessert.

— Panna cotta et coulis de framboises, lut-il sur l'étiquette collée aux ramequins. Anton m'a confié qu'il avait appris à cuisiner pendant sa cure de désintoxication. De toute évidence, je n'ai pas suivi le bon programme.

— Tu veux rire ? se récria Gamache. Nous adorons nos jardinières suspendues en macramé.

— Tant mieux. Noël approche à grands pas.

— Allez, dit Armand à Reine-Marie qui, les yeux cernés, s'étiolait rapidement. Au lit. Nous allons te garder du dessert.

— Je vais bien, dit-elle.

— Je sais.

Il l'aida à se lever. Après qu'Isabelle et Jean-Guy eurent souhaité bonne nuit à Mme Gamache, Armand l'entraîna à l'étage, mais pas avant d'avoir pris ses invités à part.

— Téléphonez à Myrna et à Ruth. Essayez de déterminer qui d'autre était au courant de l'histoire de la prohibition. Et voyez ce que vous pouvez déterrer à propos d'Anton.

Le plongeur et chef avait fait des aveux importants en admettant notamment avoir connu le phénomène des *cobradors* et la victime. Mais les enquêteurs, tôt ou tard, auraient fini par mettre au jour ces informations.

Sa confession traduisait-elle la volonté d'un innocent de libérer sa conscience ou celle d'un tueur soucieux de désamorcer les soupçons ?

— Quand je redescendrai, nous irons au gîte.

— Oui, patron.

Il retourna dans la chambre quelques minutes après avoir mis Reine-Marie au lit. Elle dormait déjà. Glissant la bouillotte sous les couvertures, il l'embrassa délicatement pour ne pas la réveiller et laissa le thé sur la table de chevet. Il savait que le parfum de la camomille l'apaiserait.

Dans les marches, il entendit Jean-Guy au téléphone.

— Écoutez, vieille chipie, la question est pourtant très simple.

Gamache entendit la réponse que fit Ruth de sa voix éraillée.

— Vous me téléphonez au milieu de la nuit pour me parler de la prohibition, couille molle ? Ce n'est pas un peu trop tard, dans tous les sens du mot ?

— Il est seulement vingt et une heures trente et j'ai besoin de savoir.

— On est en 2017 et la prohibition a été abrogée. Vous n'étiez pas au courant, tête de nœud ?

— Je ne vous ai pas demandé une leçon d'histoire…

Leur conversation, si on pouvait l'appeler ainsi, se poursuivit. Jetant un coup d'œil dans son bureau, Gamache trouva Lacoste devant son ordinateur, en train de saisir le nom d'Anton dans les fichiers de la Sûreté.

— Il y en a pour un moment, dit-il. J'emmène Henri et Gracie faire un tour. Vous avez besoin d'air ? demanda-t-il, tandis que, dans la pièce voisine, retentissaient de nouveaux propos orduriers.

— Bonne idée.

Dehors, ils jetèrent un coup d'œil au gîte. Il y avait encore de la lumière.

Dans le vent, ils marchèrent tête baissée, tandis que les chiens jouaient et se soulageaient, indifférents au grésil cinglant.

— À propos de la cave à légumes, patron ? Pourquoi ne voulez-vous pas que nous…, commença Lacoste, avant que Gamache, d'un geste de la main, lui impose le silence.

— Mais nous sommes fin seuls ! protesta-t-elle dans le vent.

Sans un mot, il montra les boutiques du doigt.

Une lumière venait de s'allumer dans le loft à l'étage de la librairie de Myrna. Jean-Guy en était à la deuxième personne sur sa liste, semblait-il. Une conversation plus agréable, sans doute.

Mais ce n'était pas ce que Gamache avait indiqué.

Par les fenêtres à meneaux, ils pouvaient voir les clients du bistro en train de discuter, de prendre le café et le dessert devant le feu avant de braver le froid.

Une silhouette passa devant la fenêtre, sombre contre les lumières. Si emmitouflée qu'ils n'auraient su dire s'il s'agissait d'un homme ou d'une femme.

Gamache et Lacoste virent cette personne se diriger tout droit vers le gîte.

Mais sans s'y arrêter.

Et poursuivre en direction de la maison des Gamache.

Gamache prit Gracie sous son bras et marcha d'un pas leste. Courant à côté d'eux, Henri fonça vers la silhouette sombre qui venait de monter sur le perron.

Devant le berger allemand, la personne se figea. Sans remarquer la queue de l'animal, qui s'agitait follement, ni la balle dans sa gueule. Ou préférant ne pas courir de risque.

Gamache arriva quelques instants plus tard et, prenant l'intrus par le bras, le tourna face à la lumière.

— Vous avez quelque chose à nous dire ?

— Oui, répondit Jacqueline. Je suis venue me confesser.

Isabelle Lacoste détourna les yeux d'Olivier, qui préparait un pichet de sangria, et regarda par la fenêtre. Léa Roux, en robe bain de soleil et sandales, et Matheo Bissonnette, en pantalon et chemise légère, descendaient les marches du gîte et venaient vers eux.

— Vous les attendiez ? demanda Lacoste.

— Non. Ils ont téléphoné cet après-midi, juste avant de débarquer.

Près de l'âtre, les deux clients, un jeune et un vieux, regardaient du côté d'Olivier et de Lacoste. Anton leur avait sans doute dit qu'elle dirigeait la section des homicides de la Sûreté. La révélation attirait invariablement les regards.

Une fois de plus, elle leur leva son verre ; quand ils lui rendirent la pareille, elle prit une gorgée, pria pour que, du fond de la pièce, les hommes ne voient pas que le liquide atteignait ses lèvres sans les franchir.

Olivier, lui, s'en aperçut. Et fronça les sourcils. Mais ne dit rien.

Lacoste, se retournant, s'appuya au bar. Avec désinvolture, elle contempla, à travers les fenêtres à meneaux, les agréables jardins en pleine floraison.

Son visage était serein, peut-être même un peu vide, mais son esprit tournait à toute vitesse.

Quand Olivier alla déposer la sangria sur la table, elle se pencha sur le bar et prit une autre pipe en réglisse dans le bocal. Témoin du geste, l'homme plus âgé haussa les sourcils.

Lacoste sourit et posa une main sur ses lèvres. Il sourit et hocha la tête.

Ensuite, elle quitta le bar et se dirigea vers les toilettes en palpant le téléphone qu'elle avait pris derrière le comptoir.

31

À mi-chemin, Gamache et Beauvoir étaient toujours sans nouvelles de Lacoste.

En revanche, ils avaient reçu un texto de la directrice Toussaint.

Le matériel avait été réuni et chargé dans la fourgonnette. Le groupe tactique était prêt à intervenir.

— À moins d'avis contraire, nous quitterons Montréal dans dix minutes, et nous serons en position avant la tombée de la nuit.

— Merde, écrivit Gamache.

Autrement dit, bonne chance. Signal utilisé par la Sûreté pour indiquer que tout se déroulait comme prévu.

— Merde, répliqua-t-elle.

Ensuite, silence radio.

Ils ne se reverraient qu'en cours d'intervention.

Gamache consulta l'horloge du tableau de bord. Dix-huit heures trente. Il ferait noir à vingt heures trente. La directrice Toussaint avait tout minuté à la perfection.

— Qu'est-ce qu'elle attend ? demanda Beauvoir en fixant la route.

L'identité de la personne en question ne faisait aucun doute.

— Je ne sais pas.

Sortant son iPhone, Gamache téléphona à la maison. Laissa sonner. Plusieurs fois. Jusqu'à ce que la voix enregistrée de Reine-Marie se fasse entendre.

Il laissa un message enjoué dans lequel il annonçait qu'il était avec Jean-Guy et qu'il rentrait.

— Pas de réponse ? fit Jean-Guy. Elle doit être chez Clara ou Myrna.

— Sans doute.

Dans les toilettes, Lacoste verrouilla la porte et appuya sur le bouton vert. Espéra, espéra de toutes ses forces que le signal du vieux téléphone irait jusque-là.

Dès qu'elle entendit la tonalité, elle composa le numéro.

— Chef ? murmura-t-elle quand il décrocha avant la fin de la première sonnerie.

— Isabelle, qu'est-ce que vous attendiez ?

— Je n'ai pas pu vous téléphoner avant. Je suis au bistro. Il est ici.

— Qui ça ?

— Le chef du cartel. Ici, à Three Pines.

— Ça, nous le savions, dit Beauvoir dans le haut-parleur. C'est d'ailleurs pour ça que vous êtes là. Pour le surveiller.

— Non. Je veux parler du chef du cartel américain.

Gamache et Beauvoir échangèrent un regard.

— Vous êtes sûre ? demanda Gamache.

Si la remarque était venue de n'importe qui d'autre, dans toute autre circonstance, Lacoste aurait été contrariée. Dans ce cas, elle comprit la nécessité d'une identification sans la moindre ambiguïté.

— Oui, le chef du cartel américain.

Sa voix était si insistante qu'on aurait dit un sifflement.

— Merde, dit Beauvoir. Il vous a reconnue ?

— Je ne sais pas. L'autre homme, un garde du corps ou un conseiller, me dévisage sans cesse. Je pense qu'Anton lui a dit qui je suis.

— Génial, fit Beauvoir.

— Je me suis assurée de commander à boire et de le saluer d'un geste de la main.

— Vous l'avez salué ? Vous avez salué le patron du cartel de la drogue ? fit Beauvoir.

— Je ne suis pas armée, dit-elle. J'ai tenu à ce qu'il le sache. À ce qu'il sache que je l'avais vu et que je n'avais aucune idée de son identité. Rien qu'un petit geste amical. Il est vrai que ce n'est pas tellement dans vos cordes.

Gamache hocha lentement la tête. Peu de gens avaient la présence d'esprit, le sang-froid de Lacoste. C'était exactement la conduite à tenir. Et, s'il doutait de l'incompétence de la Sûreté, le patron du cartel des États-Unis était à présent rassuré. Une de ses officières supérieures avait vu sans le reconnaître un des principaux criminels de l'Amérique du Nord.

— Que dois-je faire ? chuchota-t-elle dans l'appareil.

À ce moment, quelqu'un secoua la poignée.

— J'ai presque terminé, chantonna-t-elle.

La porte redevint silencieuse.

— Combien sont-ils ? demanda Gamache.

— Les Américains ? Je n'ai vu personne dehors. Que les deux qui sont dans le bistro. Le patron du cartel et un type plus âgé. Celui qui observe de près.

« Oui, songea Gamache. Exactement comme au Canada. » Avec l'avènement des nouveaux opioïdes, de la nouvelle économie souterraine et des nouvelles technologies, on avait assisté à une relève de la garde. Parfois sanglante, comme aux États-Unis, parfois générationnelle, comme au Canada. Une passation du flambeau, en quelque sorte.

Désormais, les jeunes assumaient le pouvoir. L'expérience avait appris à Gamache que, dans le registre de la cruauté, les jeunes hommes, comme les jeunes femmes, sont sans égal. Ils ne sont pas encore las des bains de sang, et encore moins dégoûtés par eux. En réalité, ils semblent s'en délecter. Se réjouir de leur capacité à ordonner un meurtre et à mettre le projet à exécution. À kidnapper et à torturer leurs adversaires, à les dépecer.

C'était à ce jeu grotesque qu'ils étaient accros.

Personne n'était à l'abri. Policiers, juges, procureurs. Enfants, mères, pères. Autant de cibles légitimes pour les bouchers.

Affranchis de leur conscience, ils étaient tout-puissants. Ils ne se contentaient plus d'être des parrains : ils étaient devenus des dieux.

En cas d'échec de l'intervention de la Sûreté, cette nuit, ce serait la pagaille. Le prix à payer ? La chair et le sang. Les leurs. Ceux de leurs familles.

Gamache comprit jusqu'à quel point il risquait gros.

— Quand vous serez là, nous pourrons les capturer, dit Lacoste. J'en suis certaine. Vous arrivez bientôt ?

— Vingt minutes, répondit Beauvoir avant d'appuyer sur l'accélérateur. Quinze.

— Que voulez-vous que je fasse ?

Dans sa tête, Gamache passa en revue les possibilités.

Ce soir-là, il comptait affronter les criminels dans les bois, et non au bistro.

En un sens, cette nouvelle donne était préférable. Toussaint avait vu juste : les cartels étaient tombés dans le panneau. Leurs têtes dirigeantes étaient si persuadées de l'ineptie de la Sûreté qu'elles avaient décidé de sortir de l'ombre.

Il était rare, pratiquement inédit, que les dirigeants d'organisations criminelles soient présents sur les lieux où un crime était commis. En général, ils y dépêchaient leurs lieutenants. Dont c'était justement la fonction.

Dans le cas présent, on avait affaire à deux d'entre eux. C'était exceptionnel.

Beaucoup mieux qu'ils l'avaient espéré.

Et bien pire aussi.

Ils avaient escompté une confrontation dans la forêt, au milieu des arbres, et non au bistro, au milieu d'amis. De membres de leurs familles.

— Nous ne pouvons pas les arrêter, dit-il d'une voix calme et posée. Nous n'avons pas de preuves contre eux. C'est d'ailleurs tout le problème, depuis le début. Leurs fantassins, oui. Eux-mêmes s'assurent d'avoir les mains propres. Nous devons les surprendre en train de faire quelque chose d'illégal. Aucune loi ne les empêche de se trouver dans le bistro.

— *Fuck, fuck, fuck*, scanda tout bas Beauvoir.

Une fois de plus, le mantra se révéla impuissant à calmer ses nerfs.

Le chef avait raison.

Pour que l'opération réussisse, ils devaient surprendre les trafiquants en flagrant délit. Là où le krokodil traverserait la frontière. Entre-temps, ils ne disposaient d'aucune preuve décisive contre les têtes dirigeantes des cartels.

Ensemble, certes, mais au mauvais endroit.

Si l'échange se produisait dans les bois, tandis que ces personnes bavardaient agréablement dans le bistro, l'opération serait un échec. Ils les perdraient. Ils auraient perdu.

Beauvoir, les yeux exorbités, interrogateurs, scrutait Gamache.

Lacoste attendait au bout du fil. Ils entendaient sa respiration. La porte fut secouée de nouveau.

— *Hello ?* fit une voix d'homme.

— Tabarnac! fit-elle. Je pense que c'est le garde du corps. J'ai presque fini! chantonna-t-elle gaiement.

Une fois la connexion coupée, savait Gamache, ils ne pourraient plus la joindre. Ses ordres devaient être clairs, décisifs. Et rapides.

Il n'avait qu'une seule chance.

— Autre chose, reprit Lacoste d'une voix à peine audible. Mme Gamache est ici. Avec Annie et Honoré.

Gamache, le visage soudain exsangue, se tourna vers Beauvoir, dont les mains se resserrèrent sur le volant. Le moteur vrombit et la voiture accéléra encore.

— Il faut qu'ils sortent de là, dit Jean-Guy.

— Non, un moment, dit Gamache. Un moment.

Ils attendirent.

— Nous serons là dans quinze minutes, dit Gamache.

— Dix, corrigea Beauvoir.

— Arrangez-vous pour qu'ils restent sur place et invitez Ruth à se joindre à vous.

— Vous voulez rire ? s'écria Beauvoir.

Lacoste chassa l'eau, par crainte que le garde du corps entende la voix de Beauvoir.

— Honoré, dit Jean-Guy avec force, au cas où Gamache n'aurait pas entendu. Honoré, répéta-t-il plus doucement.

Le monde de Jean-Guy, eût-on dit, ne tenait plus que dans un mot.

— Annie, chuchota-t-il.

Deux.

« Reine-Marie », songea Gamache.

— Ils doivent rester. Ils ne risquent rien. Les chefs des cartels sont là pour discuter et non pour s'entretuer.

— Qu'en savons-nous ? demanda Jean-Guy d'une voix suraiguë. Ce ne serait pas la première fois qu'une rencontre dégénère en bain de sang.

— Non. Si c'était ce que ces deux-là ont en tête, ils se seraient rencontrés dans les bois, avec leur soldats. Pas dans le bistro. Ils sont brutaux, mais pas stupides.

Il donnait l'impression d'être plus sûr de lui qu'il l'était en réalité. Le directeur général Gamache comprenait toutefois qu'un commandant ne doit pas laisser voir ses émotions. Comment pourrait-il exiger du courage de la part de ses troupes si lui-même tremblait de peur ?

— Nous n'avions pas prévu cette rencontre, dit Beauvoir. Et la suite risque aussi de nous surprendre. Ils vont peut-être procéder à l'échange, là, dans le bistro. Au vu et au su de tous. Nous les avons nous-mêmes convaincus qu'ils ne risqueraient rien. Nous sommes responsables.

— Il a raison, dit Lacoste, qui faisait couler de l'eau dans le lavabo. Qu'est-ce que je fais ? Il faudrait que je les arrête ou que j'essaie de les arrêter. Dans une pièce remplie de clients.

« Honoré, songea Gamache. Annie. Reine-Marie. »

Il ne s'agissait pas de simples clients.

Le pied de Beauvoir appuya encore un peu plus sur l'accélérateur. La voiture, qui filait à cent quarante kilomètres-heure, prit encore de la vitesse. Ils avaient quitté l'autoroute et roulaient à présent sur une route secondaire. Rien à voir avec une piste de course. La voiture bondissait dans les cahots, atterrissait lourdement sur l'asphalte.

Gamache ne lui ordonna pas de ralentir. Il se retenait à grand-peine de lui crier de se dépêcher. De mettre toute la gomme.

— Faites venir Ruth au bistro, répéta Gamache à voix basse. Et allez rejoindre Reine-Marie et Annie. L'Américain ne les connaît peut-être pas, mais le Canadien, oui. Ils ne s'imagineront jamais que nous faisons courir des risques à nos proches.

La remarque fut accueillie par un silence. Eux-mêmes n'en croyaient pas leurs oreilles. Gamache le premier.

Ils n'avaient pas le choix. Demander à Lacoste d'éloigner Reine-Marie, Annie et Honoré, c'était presque à coup sûr alerter les cartels, dont les membres étaient déjà sur le qui-vive.

Ils avaient beau être sûrs de ne courir aucun danger, ils feraient quand même montre de vigilance. C'était un instinct animal. Et ces gens-là étaient des animaux.

— Vous êtes sûr ? murmura Lacoste.

Si la remarque était venue de n'importe qui d'autre, dans toute autre circonstance, Gamache aurait été contrarié qu'on mette en doute un de ses ordres. Dans ce cas, il comprit la nécessité d'éviter tout risque de malentendu.

— Oui.

— O.K., dit-elle.

Juste avant de raccrocher, Armand entendit un dernier mot.

— Merde.

« Merde », acquiesça-t-il.

Cette fois, rien à voir avec le signal indiquant que tout se déroulait comme prévu. C'était seulement la merde.

Lacoste mit le téléphone dans sa poche et déverrouilla la porte.

— Désolée, dit-elle à l'intention de l'homme plus âgé qui la dévisageait. C'est chaque mois la même chose, vous comprenez ?

Elle posa une main sur son utérus et il recula aussitôt, de crainte qu'elle lui en dise davantage. Pour faire bonne mesure, elle ajouta :

— Crampes.

Tout de suite après avoir parlé à Lacoste, Gamache téléphona à Toussaint et la mit au courant. Il y eut un long silence.

— Bon, dit-elle d'une voix nette et précise, sans la moindre trace de panique. Que faisons-nous? Vous voulez que nous nous dirigions vers le village?

— Non. Rendez-vous à la frontière. Nous suivons notre plan. Quoi qu'il advienne, la chlorocodide doit traverser la frontière et tout ce que nous savons, c'est l'endroit où elle va le faire. Votre informateur surveille l'église?

— Oui. Au moins, nous saurons quand la drogue se mettra en mouvement. Et s'ils n'utilisent pas le circuit établi? demanda Toussaint.

— Dans ce cas, vous passerez un moment en forêt pour rien. Beauvoir, Lacoste et moi interviendrons.

Il avait prononcé les mots avec calme, comme s'il s'agissait d'une simple clôture à réparer.

Nouveau silence.

— Toutes les interventions comportent un élément de hasard, lui rappela-t-il. D'ailleurs, nous sommes tous ensemble. C'est un grand avantage.

— Acculés à la mer. Oui, patron. Ça va marcher. Parce qu'il le faut.

Elle rit doucement en regrettant que l'équation ne soit pas tout à fait aussi simple.

— Bonne chance, dit-elle en oubliant de dire merde.

Peut-être aussi avait-elle voulu éviter le risque que ce soit le dernier mot échangé entre eux.

— Oui. Bonne chance, Madeleine.

Lorsque Lacoste revint, Matheo et Léa s'étaient attablés dans un coin. Loin des autres. Mais proches des Américains.

Avec précaution, elle remit le téléphone en place en veillant à ce que personne ne la voie, puis elle entra dans la cuisine pour saluer Anton. Et le prévenir.

— Bonjour, dit-il. J'aurais juré que vous étiez en ville.

— Je l'étais, mais j'ai tenu à m'en éloigner pendant quelques heures. Il fait trop chaud. Je ne suis pas la seule.

— Je vous crois sur parole, dit-il en se remettant au travail.

Comme elle ne répondait pas, il leva les yeux.

— Matheo et Léa sont ici, dit-elle. Patrick aussi, sans doute, mais je ne l'ai pas vu.

Anton posa son couteau et la dévisagea.

— Pourquoi ?

— Je ne sais pas. Mais j'ai jugé plus prudent de vous prévenir.

Ce n'était pas tout à fait vrai. Isabelle Lacoste avait une bonne idée du motif de la présence de Matheo et de Léa dans le bistro et elle ne voulait pas qu'Anton soit mêlé à l'affaire.

— Merci, dit-il en prenant une profonde inspiration, la mine soucieuse. Je dois témoigner dans quelques jours. Ça m'angoisse. Je me suis laissé dire qu'on a mené la vie dure à M. Gamache.

— Oui. C'est toujours le cas.

— Même le procureur de la Couronne et la juge ? Ne sont-ils pas dans le même camp ?

— Les procès sont bizarres, dit-elle dans l'espoir de banaliser les événements de la salle d'audience. C'est mon tour demain.

— Où sont-ils assis ? demanda Anton. Je préférerais les éviter.

— Dans le coin.

— À côté des Américains ?

— Vous les connaissez ?

— Je ne les ai jamais vus, mais l'un d'eux se considère comme un chef. Après avoir goûté la soupe, fit-il en désignant un bol, il m'a demandé la recette.

Lacoste baissa les yeux sur le carnet et la page intitulée « Gaspacho au melon d'eau avec menthe et mangue ».

Pour un peu, elle aurait mangé le papier.

— Je remarque que Ruth n'est pas là. Vous permettez que je lui passe un coup de fil ?

— Je vous en prie. Ce sera peut-être la première fois que son téléphone sonne. Je me demande si elle saura de quoi il s'agit.

Isabelle sourit, sachant que, entre le jeune chef et la vieille poète, une sorte d'amitié s'était créée : il la nourrissait gratuitement et elle l'abreuvait d'insultes. Ils savaient l'un et l'autre ce qui se passait quand le droit chemin se séparait.

Lacoste se dirigea vers le téléphone mural et composa le numéro. Après une dizaine de sonneries – Isabelle imagina Ruth fouiller sa petite maison à la recherche de l'objet qui troublait sa quiétude –, celle-ci décrocha.

— Allô ! hurla-t-elle dans le combiné.

— Ruth ? Isabelle Lacoste à l'appareil. Je suis au bistro. Nous prenons l'apé…

— J'arrive ! cria Ruth avant de raccrocher.

Isabelle pivota sur elle-même et vit Anton sourire. Il n'avait pas perdu un mot du bref échange. Comme le Québec tout entier, soupçonnait-elle.

Elle se tourna vers la grande salle. Clara et Myrna avaient rejoint Reine-Marie et Annie. Après les avoir saluées, Isabelle prit place.

Elle tournait le dos aux deux hommes, toujours assis à leur table, de même qu'à Matheo et à Léa, mais elle apercevait, dans les vitraux, leurs reflets déformés.

— Ils ne s'assoient pas avec vous ? fit Isabelle en désignant Matheo et Léa d'un geste de la tête.

— Oh, ce n'est pas nous qu'ils évitent.

— C'est moi, dit Lacoste.

Elle savait pourquoi, bien sûr. Le procès. Comme elle, Matheo et Léa seraient des témoins à charge. Contrairement à elle, ils le feraient sous la contrainte.

Lacoste était au courant de la première question que leur poserait le procureur. Eux aussi, lui semblait-il. C'était, en gros, celle qu'avait posée le directeur général Gamache quand, en cette froide soirée de novembre, ils avaient bravé le grésil pour se rendre au gîte.

— Quelle heure est-il? demanda Gabri, ensommeillé, tandis qu'on continuait de marteler la porte. Quelqu'un a oublié sa clé?

— Tout le monde est rentré, répondit Olivier en s'extirpant du sommeil. Et de quelle clé parles-tu?

— Il est vraiment une heure et demie?

Complètement réveillé à présent, Gabri posa les pieds sur le sol et tendit la main vers sa robe de chambre.

— Il est arrivé quelque chose. Quelque chose de grave. Tiens, prends ça.

Il tendit à Olivier un bout de bois.

— Pourquoi? demanda Olivier.

— C'est notre système antivol.

— Tu as déjà entendu parler de voleurs qui frappent à la porte?

— Tu veux courir le risque?

Ils marchèrent à pas de loup pour ne pas réveiller leurs invités, même s'ils doutaient qu'un seul d'entre eux ait réussi à trouver le sommeil. Patrick, en particulier, avait semblé à la fois épuisé et survolté au moment où ses amis l'emmenaient se coucher.

Olivier et Gabri allumèrent la lumière du perron et jetèrent un coup d'œil par la fenêtre. Puis ils s'empressèrent d'ouvrir.

Patrick entendit les coups répétés contre la porte.

Quand on se fait réveiller à cette heure, les nouvelles sont rarement bonnes. Il est vrai que Patrick ne dormait pas.

À l'heure du coucher, Gabri lui avait proposé une autre chambre, mais il avait préféré retourner dans celle qu'il avait partagée avec Katie. Elle contenait tous les vêtements de sa femme, ses bijoux et ses articles de toilette.

Une fois catalogués et photographiés par les enquêteurs, tous ces objets avaient été remis exactement là où Katie les avait laissés.

Son sac à main sur la chaise. Ses lunettes de lecture près du livre abandonné sur la table de chevet.

Dans le lit, Patrick avait écouté les grincements de la vieille auberge. Puis les autres s'étaient couchés et tous les bruits humains s'étaient tus. Il était enfin resté seul avec Katie. Il put fermer les yeux et faire semblant qu'elle était là, à côté de lui, respirant si doucement qu'il ne l'entendait pas.

Patrick huma son odeur. Et il sut qu'elle était là. Pourquoi pas ? Comment pouvait-elle être partie ?

« Elle n'est pas partie », se dit-il, juste avant de basculer dans le vide. Elle était là. À côté de lui. Respirant si doucement qu'il ne l'entendait pas.

Puis, au beau milieu de la nuit, des coups répétés contre la porte du gîte. Puis le grattement contre la sienne.

— Patrick ?

— Oui.

— Vous pouvez descendre, s'il vous plaît ? dit Gabri.

Patrick, Léa et Matheo entrèrent dans le salon. Et s'immobilisèrent.

Devant eux se tenaient le directeur général Gamache, l'inspectrice-chef Lacoste et l'inspecteur Beauvoir.

Et Jacqueline. La pâtissière.

Gabri remua les braises dans l'âtre et y jeta quelques bouts de bouleau. Le bois s'embrasa et crépita, faisant oublier le grésil qui mitraillait les vitres.

— Que se passe-t-il ? chuchota Olivier quand Gabri vint le retrouver à la cuisine.

— Ils se dévisagent.

Gabri sortit les brioches et les mit au four, tandis qu'Olivier préparait du café.

— Pourquoi Jacqueline ?

— Elle a sans doute des informations, répondit Olivier. Elle a peut-être vu quelque chose.

— Mais pourquoi tiennent-ils à parler à Patrick et aux autres ? demanda Gabri. Au beau milieu de la nuit, en plus. Ça ne pouvait pas attendre ?

Une seule chose n'aurait pas pu attendre jusqu'au matin. Et ils savaient tous deux laquelle.

— Et si on s'assoyait ? proposa Gamache.

Beauvoir resta debout, près de la cheminée. Dans cette position, qui ne devait rien au hasard, il bloquait la porte. Il aurait été futile de tenter de fuir, mais les personnes prises au piège ont souvent des réactions désespérées.

Jusque-là, seule Léa avait ouvert la bouche.

— Enfin, avait-elle soufflé en voyant les officiers.

Pourtant, c'était Jacqueline qu'elle avait fixée en ouvrant la bouche.

Lacoste lança la discussion.

— Ce soir, Jacqueline est venue nous faire un récit extraordinaire, commença-t-elle en jetant un coup d'œil à la pâtissière qui, assise bien droite, fixait les autres d'un air de défi. Extraordinaire pour nous, mais pas pour vous, je crois.

« Et pourtant, songea Gamache, la surprise n'aurait pas dû être totale. » Avec le recul, c'était évident, et il se demanda comment il avait pu mettre tout ce temps à comprendre.

Tout comme les aveux qu'Anton avait faits à Jean-Guy un peu plus tôt, la visite de Jacqueline, savait Gamache, avait eu pour but de désamorcer une situation potentiellement explosive. En écoutant sa confession, il avait compris qu'ils allaient découvrir la vérité dans quelques heures à peine, de toute façon. Jacqueline aussi s'en rendait compte.

— Elle vous a tout raconté ? demanda Matheo, dont le regard passait de Jacqueline à Lacoste.

— Elle a avoué, en effet.

— Le meurtre ? demanda Patrick en fixant la pâtissière d'un air de stupéfaction. Tu as tué Katie ?

— Elle nous a parlé du *cobrador*, dit Lacoste. À présent, c'est votre tour. Dites-nous ce que vous savez.

Ils se regardèrent entre eux. Naturellement, ce fut Léa qui prit la parole.

— C'est Jacqueline qui nous a soumis l'idée, dit-elle en se tournant vers son mari, qui hocha la tête en signe de confirmation. Elle avait entendu parler du *cobrador* pendant qu'elle était au service de cet Espagnol. Au début, nous avons cru qu'elle plaisantait. C'était ridicule. Un type en dévisage un autre et tout s'arrange comme par magie ?

— Personne n'a pris la suggestion de Jacqueline au sérieux, ajouta Matheo. Désolé, mais c'est la vérité, comme tu le sais très bien.

Jacqueline hocha sèchement la tête.

— Mais ça m'a donné une idée, poursuivit Matheo. J'ai donc signé ce reportage sur le *cobrador del frac*, l'agent de recouvrement en haut-de-forme et queue-de-pie, et j'ai remercié Jacqueline de m'avoir soufflé le sujet. C'est alors qu'elle nous a dit que ce n'était pas au *cobrador* moderne qu'elle pensait, mais à celui des anciens temps.

— Elle nous a fait suivre des liens vers des médias espagnols, expliqua Léa. Ce *cobrador* était très différent. Terrifiant.

— Et pourtant, dit Lacoste, la première fois que vous en avez parlé à M. Gamache, vous avez dit que tout ce que vous saviez à propos du *cobrador* originel se résumait à cette vieille photographie. Vous avez dit qu'on en voyait rarement.

— Eh bien, répondit Matheo, les observations ne sont effectivement pas légion, mais…

— Nous ne voulions pas vous mâcher le travail, dit Léa en s'adressant franchement à Gamache. Nous savions que vous alliez creuser la question et comprendre par vous-même. Que vous vous investiriez davantage si vous déterriez vous-même l'information.

Près du feu, Jean-Guy se hérissa. Personne n'aime être manipulé, et Léa Roux l'avait fait à la perfection. De toute évidence, elle était très douée pour manœuvrer et orchestrer les choses à sa guise. Et il se demanda dans quelle mesure elle exerçait ce talent en ce moment même.

Gamache, cependant, ne semblait ni troublé ni fâché. Il se contenta d'acquiescer d'un mouvement de la tête. Ses yeux sagaces restaient toutefois rivés sur Léa.

— C'est à ce moment que nous avons commencé à réfléchir à la proposition de Jacqueline, dit Matheo. Nous avions tout essayé. Nous nous sommes dit que nous n'avions rien à perdre.

— Nous avons mis plus de temps que prévu à tout organiser, dit Léa. D'abord, il nous fallait un costume. En fin de compte, nous avons décidé d'en fabriquer un. Jacqueline vous l'a dit, sans doute ?

Elle se tourna vers la pâtissière, pâle et maîtresse d'elle-même, entre Gamache et Lacoste, sur le canapé.

— Oui, dit Lacoste. Mais nous devons l'entendre de votre bouche. Qui a fabriqué le costume ?

— Jacqueline, répondit Léa. Même après, nous n'étions toujours pas convaincus. L'idée semblait stupide. C'est Katie qui a fini par nous persuader. Édouard et elle étaient très proches. Elle voulait absolument que l'autre paie.

— Après toutes ces années ? s'étonna Lacoste. Édouard est mort il y a près de quinze ans.

— Voir un de ses amis sauter du haut d'un toit…, fit Matheo. C'est une image qui ne vous quitte jamais. En particulier quand le responsable s'en est tiré indemne. N'a même pas présenté d'excuses.

— C'est donc ce que vous vouliez ? demanda Gamache. Des excuses ?

Ils se consultèrent du regard. Il semblait possible qu'ils n'aient pas discuté au préalable de leurs attentes. Décidé jusqu'où ils iraient.

— Je pense que oui, répondit Léa. Le faire chier, lui flanquer une peur bleue, puis reprendre nos vies. Qu'aurions-nous pu faire de plus ?

— Vous avez utilisé le pronom « lui », dit Lacoste. De qui vouliez-vous parler ?

— Elle n'a rien dit ? demanda Matheo.

— Je répète que nous devons entendre votre version.

— Anton, répondit Léa. Nous l'avions supplié de ne plus vendre de drogues à Édouard, et il avait promis. Mais ce petit tas de merde nous a menti. Il a continué. De plus en plus de drogues. Des drogues de plus en plus dures.

— Nous ne nous doutions de rien, reprit Matheo. Jusqu'au jour où...

Matheo avait beau fixer Lacoste, il ne voyait que le saut dans le vide.

Ce n'était pas un accident. Édouard n'avait pas perdu pied. Il se tenait tout au bord, tandis que, autour de lui, les autres faisaient la fête. Plus bas, dans une chambre de dortoir, son grand amour, Katie, s'envoyait en l'air avec Patrick.

Autour de lui, la jeunesse, la liberté, la sexualité et l'amour.

Mais Édouard était resté seul sur l'île, en compagnie de Sa Majesté des Mouches. Et la bête insatiable le rongeait de l'intérieur.

Lentement, Édouard avait déployé ses ailes, à la façon d'une créature magnifique. Et, sous les yeux de Matheo et de Léa, trop éberlués et trop loin pour intervenir, il avait sauté.

Beauvoir ferma les yeux. Il ne savait rien d'Édouard, mais il connaissait ce désespoir. Tout comme le bienheureux soulagement procuré par les drogues. Combien il était facile de croire qu'on s'envole alors qu'on tombe en chute libre.

Édouard quitta le bord de l'immeuble et l'île. Et ses amis. Et sa famille. Mais eux ne l'avaient jamais quitté.

Léa détailla Jacqueline, qui avait assisté à l'échange sans dire un mot.

— Anton l'a tué, dit Léa en fixant la pâtissière. C'est comme s'il lui avait donné une poussée dans le dos. Nous le savions tous.

— Les policiers ont conclu à une mort accidentelle, enchaîna Matheo. Même s'ils avaient retrouvé Anton, ils l'auraient seulement accusé de trafic de stupéfiants. D'ailleurs, les accusations n'auraient pas tenu ou il aurait eu droit à un sursis. Jeune étudiant d'université sans casier judiciaire...

— La famille a chargé un détective privé de le retrouver, dit Léa. Il y a mis beaucoup de temps. Anton a traîné à gauche et à droite, il a subi une cure de désintoxication, puis il a trouvé un emploi auprès de cet Espagnol. Qui le payait comptant. Mais le détective a fini par découvrir où il se cachait.

Debout près du foyer, Jean-Guy hocha la tête.

Anton lui avait tout dit. Il se faisait appeler Lebrun, mais son vrai nom était Boucher.

Un nom prédestiné.

« Un nom parfait pour un meurtrier », s'était dit Beauvoir, pourtant conscient qu'il était absurde de soupçonner quelqu'un à cause de son nom de famille. Bien que…

— C'est là que Jacqueline est entrée en contact avec nous, dit Léa en se tournant de nouveau vers la femme assise, très raide, sur le canapé. Elle nous a dit qu'ils avaient retrouvé Anton et que les Ruiz étaient à la recherche d'une gardienne capable d'enseigner le français à leurs enfants.

— Elle voulait que nous la recommandions, ajouta Matheo. Nous avons accepté. Quand Mme Ruiz a téléphoné, nous nous sommes portés garants d'elle.

Au passage, Beauvoir se demanda quelles références Anton avait utilisées.

C'était là le hic. Le seul détail qui sonnait faux dans la conversation qu'Anton et lui avaient eue dans l'après-midi. Il avait tout avoué. Confessé ses péchés. Montré qu'il éprouvait des remords.

Il restait tout de même cette légère anomalie. Pourquoi la famille Ruiz, en particulier Antonio Ruiz, n'avait-elle pas vérifié les antécédents d'Anton avant de l'embaucher ? Comme elle l'avait fait pour Jacqueline, apparemment.

Ruiz, homme méfiant, peut-être même un peu paranoïaque, avait engagé un inconnu et l'avait accueilli sous son toit.

Beauvoir se demanda pourquoi. Pourquoi n'avait-il pas passé un seul coup de fil ?

— Et ensuite ? insista Lacoste.

— Après avoir travaillé dans cette maison pendant quelques mois, Jacqueline a entendu parler du *cobrador* et a de nouveau pris contact avec nous, dit Léa. Nous nous sommes mis d'accord.

Après, il a suffi d'arrêter les détails. Quand et où lancer le *cobrador* à ses trousses.

— Nous ne pouvions pas lui demander de se planter devant la maison, dit Matheo. Ruiz l'aurait sans doute descendu d'un coup de fusil. Il aurait sûrement cru qu'il était là pour lui. Anton aussi. Il nous fallait un autre endroit.

— Puis la famille a été mutée en Espagne et nous avons cru que notre projet était tombé à l'eau, poursuivit Léa. Mais alors Anton s'est trouvé un boulot de plongeur ici. Nous étions venus à Three Pines à quelques reprises pour des retrouvailles. C'était parfait. En plus, vous étiez là, vous.

— Moi ? s'étonna Gamache.

— Nous devions nous assurer que le *cobrador* ne courrait aucun risque, dit Matheo. Que personne ne l'agresserait.

— Nous savions que vous ne le permettriez pas, ajouta Léa.

— Vous m'avez manipulé ? lança Gamache.

— Nous avions confiance en vous, dit Léa. Nous étions convaincus que vous feriez respecter la loi, même si la situation vous dérangeait.

Gamache prit une longue et profonde inspiration. La manipulation, encore et toujours. Mais c'était plus éclairant que contrariant. L'aveu révélait le caractère de Léa Roux, sa capacité à comploter.

Elle avait fait beaucoup de chemin depuis ses débuts à l'Assemblée nationale et le projet de loi portant le nom d'Édouard.

— Jacqueline a trouvé du travail à la boulangerie et nous avons pu lancer notre plan.

— Quel était donc votre plan ? demanda Lacoste.

— Rien de plus simple, répondit Léa. Le *cobrador* débarquerait et flanquerait à Anton la frousse de sa vie.

— Et ensuite ? insista Lacoste. Vous vouliez seulement lui faire peur ?

Matheo fit mine de répondre, puis il ferma la bouche et regarda tour à tour Léa, Patrick et Jacqueline.

Ils semblaient pris au dépourvu par la question et Isabelle crut savoir pourquoi.

Le projet du début, la recherche d'excuses, s'était transformé.

Il arrive souvent qu'une entreprise au départ noble se dévoie, se corrompe et acquière une existence propre. Se change en une créature vêtue d'un manteau noir.

Un cadavre dans une cave à légumes.

La question était de savoir comment la métamorphose s'était opérée. Et Lacoste entendait bien le savoir avant la fin de la nuit.

— C'était au printemps, dit Léa. Les retrouvailles auraient lieu à l'été, tout était parfait. Mais…

— La lumière du jour, laissa tomber Matheo.

En entendant ces mots, Gamache grogna.

La lumière du jour.

La réponse à tant de questions…

Pourquoi les retrouvailles avaient-elles été repoussées jusqu'en octobre ? Comment le *cobrador* avait-il réussi à rester à sa place pendant toute la journée ?

Parce que la nuit tombait de bonne heure.

En été, le soleil brillait pendant des heures. Et la chaleur était implacable, impitoyable. Personne n'aurait pu tenir le coup.

Fin octobre, début novembre, les journées étaient plus courtes et plus fraîches.

Le *cobrador* pouvait s'éclipser à la nuit tombée.

La lumière du jour. C'était donc tout simple !

La plupart des crimes l'étaient aussi. Or ils se rapprochaient de plus en plus du crime.

— Myrna affirme qu'elle vous a parlé de l'église et de la prohibition, dit Beauvoir à Léa, qui hocha la tête.

— C'est vrai. Lors de ma première visite. Avant les retrouvailles. Elle m'a même fait voir la petite pièce, la cave à légumes. Je m'en suis souvenue quand nous avons mis au point la logistique.

— C'est là qu'habitait le *cobrador* ? fit Lacoste. Qui est-il ? Quelqu'un que vous avez embauché ? Où est-il maintenant ?

Ces questions les laissèrent une fois de plus pantois.

Léa se tourna vers Jacqueline.

— Tu ne leur as rien dit ?

— Je leur ai dit que j'étais responsable pour le *cobrador*. Que c'était mon idée et celle de personne d'autre.

— Et tu n'as pas pensé qu'ils finiraient par comprendre ? demanda Matheo.

— Comprendre quoi ? fit Lacoste. Où est le *cobrador* ?

— Vous l'avez sous les yeux.

Les officiers de la Sûreté fixèrent Matheo, qui montra Patrick, puis Léa et se désigna enfin lui-même du bout de l'index.

— Le *cobrador*, c'était nous, dit-il.

Gamache ferma les yeux et baissa la tête.

Comme sur l'île des malades, des damnés et des dépossédés, le *cobrador* de Three Pines n'était pas un individu. C'était une idée. Une communauté de conscience.

Ils étaient tous le *cobrador*.

— Et Katie ? demanda-t-il.

— Hier, c'était son tour, répondit Léa. Après la quasi-agression de la soirée, nous avons décidé de tout arrêter. C'était devenu dangereux. Dès que Katie aurait terminé, nous rentrerions chez nous, qu'Anton ait craqué ou non. Mais, évidemment…

« Ces amis sont décidément naïfs, songea Gamache. Ils ont pensé pouvoir faire des menaces impunément. En convoquant le *cobrador* à Three Pines, ils avaient éveillé plus qu'une conscience. »

Et ils n'avaient peut-être pas poussé assez loin leurs recherches sur les *cobradors* originels.

Ils avaient beau accuser publiquement leurs persécuteurs de crimes moraux, ce n'étaient pas les princes de l'époque qui finissaient par passer à la caisse. C'étaient les *cobradors* qui étaient rassemblés et éliminés.

Comme Katie l'avait été.

Gamache jeta un coup d'œil à Lacoste et à Beauvoir. Eux-mêmes le regardaient. Ils pensaient la même chose, tous les trois.

Le bâton de baseball. On y avait prélevé trois séries d'empreintes génétiques dominantes. Celle de Katie Evans. Celle, à peine discernable et presque certainement accidentelle, de Jacqueline. Et celle d'Anton Boucher.

L'ADN de ce dernier était partout.

Bref, le bâton, pour l'essentiel, racontait la même histoire que les quatre amis.

Anton Boucher avait craqué. La nuit dernière, il avait suivi le *cobrador* dans l'obscurité et le grésil jusqu'à l'église, jusqu'à la cave à légumes, et il l'avait battu à mort. Sans jamais lui avoir enlevé son masque. Sans savoir qui il avait tué.

En soi, c'était curieux. Anton n'aurait-il pas tenu à savoir qui l'avait harcelé sans merci ?

— Comment avez-vous fait pour entrer dans la cave à légumes et en sortir ? demanda Gamache.

— Par la porte, évidemment, répondit Matheo.

Gamache hocha la tête. Il devait faire preuve d'une extrême prudence.

— Vous n'aviez pas peur qu'on vous voie ?

— Qui regarde de ce côté à la nuit tombée ? demanda Matheo. Et plus personne ne va à l'église. Nous nous sommes dit que c'était l'endroit le plus sûr. Le *cobrador* ne pouvait quand même pas se réserver une chambre au gîte.

— Nous nous déshabillions, dit Léa, et nous laissions le costume pour la personne suivante. Et, si quelqu'un nous avait vus, nous aurions tout avoué. Anton était cuit, d'une façon ou d'une autre. Nous n'avions rien fait d'illégal.

— Ni même d'immoral, ajouta Matheo.

— Jusqu'à hier soir, dit Gamache.

— Mais nous n'avons pas tué Katie, dit Léa. C'est l'évidence même, non ?

— Et pourtant..., dit Jacqueline. Si nous n'avions pas monté cette mascarade avec le *cobrador*, elle serait encore en vie. Si je n'avais pas exigé qu'Anton expie son crime, elle serait encore en vie. Je connaissais Anton mieux que quiconque. Je savais qu'il était colérique. Quand il est contrarié, il devient méchant. Mais je n'ai jamais cru qu'il se montrerait violent. Pas de cette façon.

Elle se tourna vers Patrick.

— Je suis tellement désolée. J'aurais dû savoir qu'il allait frapper. Il a tué Katie et c'est ma faute.

— Pourquoi l'aurait-il fait ? demanda Gamache.

— Il ne savait pas que c'était Katie qu'il tuait, répondit Matheo. Il a supprimé le *cobrador* qui, de toute évidence, connaissait son secret.

— Quel secret ? demanda Gamache.

— Édouard, bien sûr, répondit Léa.

Gamache hocha la tête. Puis il la secoua à répétition.

— Ça ne colle pas. Il vous a tous reconnus, vous savez. Il savait que vous étiez les amis d'Édouard. Même s'il vous soupçonnait d'être sous le costume du *cobrador*, il savait que tuer l'un de vous ne servirait à rien. Vous seriez encore trois.

— D'ailleurs, il m'a tout raconté, dit Beauvoir.

— Tout ? demanda Léa.

— Oui. À propos de la drogue qu'il vendait et de la mort d'Édouard. Si Anton était prêt à tout admettre, pourquoi aurait-il tué quelqu'un pour protéger son secret ?

Gamache se tourna vers Jacqueline.

— Vous êtes la seule personne qu'il n'a pas reconnue. Normal puisqu'il ne vous a jamais rencontrée. Pas à l'université, en tout cas. Votre frère ne vous aurait pas permis de l'accompagner quand il allait voir son revendeur. Il savait ce que vous pensiez des drogues.

Jacqueline, la sœur d'Édouard, hocha la tête.

— Je vais devoir vous arrêter, lui dit-il.

Elle hocha la tête.

— Pour la mise en scène du *cobrador*, dit-elle.

— Pour le meurtre de Katie Evans.

— Mais c'est de la folie ! s'écria Léa. C'est Anton qui l'a tuée. Vous le savez. S'il vous a parlé comme il l'a fait cet après-midi, c'est uniquement pour se disculper. Il nous a sans doute seulement reconnus après le meurtre. Cet après-midi, pendant que nous attendions dans le bistro. Et il vous a parlé d'Édouard parce qu'il savait que vous finiriez par découvrir la vérité.

— Manipulation ? fit Gamache en posant sur elle ses yeux perçants.

— Il est intelligent, dit Matheo. Pour l'amour du ciel, ne soyez pas dupes. Vous n'avez pas idée de ce dont ce type est capable. Il n'est pas du tout conforme à l'image qu'il projette.

— Contrairement à vous ? dit Gamache.

Léa Roux soutint son regard. Ce qu'elle y vit ne lui plut pas du tout.

— Désolé, dit-il en se levant. Je pense que vos intentions étaient bonnes. Tout a débuté innocemment. Vous avez cru que personne ne serait blessé, même pas Anton. Tout ce que vous vouliez, c'était la justice pour Édouard. Vous vouliez que le trafiquant sache que vous saviez. Mais vous ne vous êtes pas rendu compte qu'on vous manipulait. Vous n'avez pas compris ce qui se passait vraiment.

— Mais vous, si ? lança Léa.

— Que se passe-t-il ? demanda Patrick, tandis que les officiers de la Sûreté entraînaient Jacqueline. Qu'est-ce que ça veut dire ? Elle a tué Katie ou pas ? Je ne comprends pas.

Dehors, le directeur général Gamache se tourna vers Jacqueline.

— Vous allez devoir monter une défense solide.

— Qu'est-ce que vous racontez ? Vous n'allez tout de même pas m'arrêter pour de vrai ?

— Évidemment. Pour le meurtre de Katie Evans.

Même Lacoste et Beauvoir parurent surpris. Leur étonnement n'était toutefois rien à côté de celui de Jacqueline.

— Vous savez que c'est Anton qui a fait le coup. Vous savez que je n'ai pas tué Katie, mais vous m'arrêtez quand même ? fit-elle. Pourquoi ?

Puis sa panique sembla se dissiper d'un coup.

— Je sais pourquoi. Vous n'avez pas assez de preuves pour l'inculper. Vous voulez laisser croire à Anton qu'il s'en est tiré. C'est à mon tour d'être le *cobrador*. De défendre mes convictions, malgré le risque. C'est ce que vous attendez de moi ?

— Vous avez la conscience tranquille ? demanda-t-il.

— Oui.

Et Gamache la crut. À propos de la sienne, il était moins sûr.

Assise dans le bistro, l'inspectrice-chef Lacoste tournait le dos à Matheo Bissonnette et à Léa Roux. Évitait leurs regards. En partie à cause de leur air accusateur, lourd de sous-entendus. Une femme était traduite en justice pour un meurtre qu'elle n'avait pas commis. Et Lacoste laissait faire.

Oui, l'ire dans leurs yeux était impossible à manquer.

Mais Isabelle devait aussi se concentrer sur l'Américain et son lieutenant. Assis là, à la vue de tous, en confiance.

Ou était-il là pour prendre part à une discussion amicale ? Pour diviser le territoire entre lui et son homologue québécois, maintenant que la Sûreté du Québec n'était plus un facteur ? Fêter le lancement de leur nouveau produit, le krokodil ?

Était-il plutôt venu dans l'intention d'affirmer ses droits ? Pourquoi partager quand on peut tout garder pour soi ?

Était-ce une réunion entre confrères ou le début d'une guerre territoriale brutale, courte et sanglante ?

Ils étaient tous assis au milieu du territoire en question. En pleine guerre.

Isabelle regarda Mme Gamache, Annie et Honoré. Et elle sut une chose que le directeur général Gamache avait sans doute comprise dès qu'elle lui avait dit que le patron du cartel américain était à Three Pines.

Si la bataille avait lieu dans ce petit village frontalier, le vainqueur, qui qu'il soit, se servirait des villageois pour faire un exemple. En particulier de M. Gamache et sa famille.

Les criminels réduiraient Three Pines en cendres afin que les populations des autres villages frontaliers sachent ce qui attendait ceux qui refusaient de jouer le jeu. Pour régner, les cartels ne faisaient jamais confiance à la loyauté ni à l'affection. Ils misaient toujours sur la terreur.

Lacoste sentait la lente progression des gouttes de sueur le long de son échine.

32

— Que faites-vous ? demanda Beauvoir.

Ce que faisait Gamache était pourtant évident. Jean-Guy voulait surtout savoir pourquoi.

Tandis que la voiture, à une vitesse raisonnable, voire pépère, amorçait la descente vers le village de Three Pines, Gamache se tortilla sur le siège, détacha de sa ceinture le pistolet automatique dans son étui et, après avoir eu soin de retirer les balles, rangea le tout dans la boîte à gants.

— Toi, on peut te voir avec une arme, expliqua Gamache en verrouillant le compartiment avant d'empocher la clé. Moi pas. Reine-Marie et Annie vont le remarquer et poser la question. On ne peut pas se le permettre.

Le soleil brillait encore, même si l'éclat impitoyable de l'été s'était atténué. Three Pines n'avait jamais été aussi beau. Aussi en paix avec lui-même. Les jardins étaient en pleine floraison. Les enfants, qui avaient fini de souper, jouaient dans le parc du village. Profitaient jusqu'au bout d'une parfaite journée d'été.

— Et que va-t-il arriver si l'échange a lieu dans le bistro et que vous êtes là, une cuillère à la main ?

— J'espère avoir au moins le temps de m'armer d'une fourchette.

Beauvoir ne sourit pas.

— J'ai ceci, dit Gamache.

La mine grave, il fit voir à Jean-Guy l'objet qu'il avait pris dans la boîte à gants en y rangeant son arme à feu.

Dans sa paume se trouvait ce qui avait toutes les apparences d'un bout de bois. Beauvoir ne s'y trompa pas. C'était un couteau suisse, un modèle destiné aux chasseurs. Sa lame cachée était faite pour éviscérer les animaux.

Le regard de Jean-Guy passa de la main ferme de Gamache à ses yeux, qui ne l'étaient pas moins.

Abattre un de ses semblables d'un coup de feu était une chose. Un acte horrible, qu'on n'oubliait jamais. Et qu'on ne devait jamais oublier. Beauvoir était bien placé pour le savoir. Mais poignarder quelqu'un, c'était une autre paire de manches. Enfoncer la lame dans la chair…

Jean-Guy ne l'avait jamais envisagé.

Gamache, oui. Il l'envisageait en ce moment même. Et il le ferait. Au besoin.

— Bon, fit Ruth en voyant Gamache et Beauvoir entrer dans le bistro. Voici Rocky et Boo-Boo.

Gamache se tourna vers Beauvoir et secoua la tête d'un air désespéré.

— Ce n'est pas plutôt Rocky et Bullwinkle ? demanda Gabri en posant une bière devant Clara, tandis que Beauvoir embrassait Annie et prenait Honoré dans ses bras.

— Un orignal et un écureuil.

Clara hocha la tête et prit une longue gorgée de Farnham blonde.

— C'est Yogi et Boo-Boo, dit Reine-Marie en serrant Armand dans ses bras.

— *Et tu, Brute ?* demanda Gamache.

Reine-Marie éclata de rire.

— Honoré, chuchota Jean-Guy à l'oreille du petit garçon en respirant à fond son odeur.

Il sentait la poudre pour bébés et Annie.

Et Jean-Guy comprit pourquoi le directeur général avait demandé que Ruth soit présente lorsqu'ils arriveraient. Elle ne manquerait pas de les tourner en ridicule devant tout le monde. Détail infime, mais révélateur. Comme les portraits de Clara, composés de traits, de petites touches de peinture. Placés avec soin. Pour produire un maximum d'effet.

Aux yeux de ceux qui les connaissaient, les insultes de Ruth étaient un simple rituel. Une carte de visite, en quelque sorte. Des inconnus, en revanche, y verraient une forme de dérision moqueuse : ces deux types étaient si incompétents que même une vieille femme ne s'y trompait pas. Et ne se gênait pas pour leur dire leurs quatre vérités.

Une telle liberté laissait voir Gamache sous les traits d'un homme amical, chaleureux, bon vivant. Un mou. Un type fait pour encaisser des insultes dans une auberge champêtre et non pour affronter les aspects plus tranchants du travail policier.

Beauvoir voyait Matheo Bissonnette et Léa Roux assis dans un coin. Tendant l'oreille. Le sourire de Léa était si pincé que ses lèvres avaient disparu. On aurait dit une vipère.

Les visiteurs américains dévisageaient leur petit groupe sans vergogne. Ne se donnaient même pas la peine de feindre l'indifférence.

Ils connaissaient Gamache, évidemment.

Le moment était critique.

Allaient-ils se lever et partir, de crainte que la Sûreté compromette l'exécution de leurs projets ?

Allaient-ils sortir leurs armes et ouvrir le feu sur les officiers de la Sûreté et les clients du bistro ? Le cartel n'en serait pas à son premier carnage.

Mais les deux hommes restèrent assis, donnant l'impression d'assister à un talk-show plutôt ennuyeux.

— Je ne savais pas que tu étais ici, dit Jean-Guy à Annie.

Il fut surpris et soulagé de constater que sa voix semblait normale.

— Je t'ai envoyé un texto, dit Annie. Nous avons décidé de venir faire un tour ici pour échapper à la chaleur de la ville.

À vrai dire, il ne faisait pas beaucoup plus frais à la campagne. L'air était chargé d'humidité. Sur le point de se changer en eau. Pas la moindre brise, pas le moindre signe de répit en vue. Les gens cherchaient de l'ombre, fébrilement, et priaient pour que le soleil se couche enfin.

Tous, sauf les enfants qui, en se tenant par la main, faisaient une ronde dans le parc du village. Deux garçons se disputaient un ballon.

Le bistro se remplissait, de nombreuses places étant déjà prises.

Gamache s'avança vers la table des Américains. On entendit un raclement, tandis que l'aîné des deux reculait sa chaise et laissait tomber sa main sur ses genoux.

Jean-Guy sentit se dresser les poils de ses bras et de sa nuque, et sa peau se mit à picoter. Comme si une brise de novembre venait tout juste de parcourir la pièce. Avec Honoré dans les bras, il ne pourrait toutefois rien faire, même si l'homme brandissait une arme. Et abattait le chef.

Beauvoir se força à se détourner. Protégeant Honoré de son corps, il se campa devant Annie.

Pendant que les autres reprenaient leur conversation à propos de l'exposition de Clara au Musée des beaux-arts de Montréal, qui débutait dans une semaine, Ruth observait Jean-Guy. Une lueur curieuse dans ses yeux curieux.

Gamache sourit aux deux hommes.

— Vous permettez ? demanda-t-il en français.

Comme les autres ne répondaient rien, il dit :

— Français ? *English ?*

— *Yes.*

— Vous avez besoin de ces chaises ?

— Non, prenez-les.

Gamache posa ses mains sur le dossier de l'une des deux chaises en pin et, avec hésitation, dévisagea les deux hommes.

— Vos visages me disent quelque chose. Nous nous connaissons ?

À l'autre bout de la pièce, Beauvoir se sentit défaillir. Ayant rendu Honoré à Annie, il était prêt à dégainer, au besoin.

Autour de lui, la conversation allait bon train, sans qu'il comprenne un traître mot, malgré les gros efforts qu'il déployait pour donner l'impression de la suivre.

Il n'osait pas jeter un coup d'œil à Gamache, qui devisait gaiement avec le patron du cartel de la drogue. Mais il entendait leur conversation.

« S'ils ne le tuent pas, songea-t-il, c'est moi qui le ferai. »

À côté de Clara, Isabelle Lacoste arborait un sourire forcé sur son visage crispé. Jean-Guy constata toutefois qu'elle avait glissé la main sous la table.

Le cœur de Jean-Guy battait si fort qu'il entendait à peine les voix.

— Je ne crois pas que nous nous soyons rencontrés, disait le plus jeune des deux. Nous sommes seulement de passage.

— Ah, fit Gamache, dont l'anglais avait conservé une légère trace d'accent britannique. Vous avez de la chance. On tombe rarement par hasard sur ce village, sur ce bistro. Il a un nouveau chef. Je vous recommande la truite grillée. Un régal.

— Nous avons déjà mangé, dit le jeune homme. C'était remarquable. Nous reviendrons sans faute.

— J'y compte bien. Merci pour les chaises.

Puis le directeur général Gamache salua les hommes d'un geste de la tête, saisit les chaises et en posa une près de Beauvoir avant de s'asseoir à côté de Reine-Marie.

— Ils ont l'air sympathiques, dit Jean-Guy en fusillant son beau-père du regard.

— Des Américains. Ils sont toujours gentils.

Armand retira son veston et le plia avec soin sur le dossier de la chaise. Sa façon de montrer à tous ceux que ce détail intéressait qu'il était sans défense. Que le directeur général était désarmé et qu'il n'avait aucune idée de l'identité des hommes à qui il venait de faire des recommandations gastronomiques. Aucune idée non plus de ce qui se préparait.

Une autre petite touche de peinture sur le portrait.

— Qu'est-ce qui vous ferait plaisir, patron ? demanda Olivier. Un scotch ?

— Non, il fait trop chaud pour ça, mon vieux. Une bière, plutôt. Ce que vous avez en fût.

— Nous avons de la limonade fraîche, proposa Olivier à Jean-Guy.

— C'est parfait, merci.

— Comment va le procès ? demanda Ruth. Vous avez déjà menti ?

— Depuis le début, bien sûr.

Avec Ruth, le problème, se rappela-t-il, trop tard, c'est qu'elle était incontrôlable. Par chance, on concluait en général qu'elle plaisantait ou qu'elle était atteinte de démence.

C'était un peu comme jouer avec un diable à ressort. On avait affaire à une boîte normale jusqu'au moment où...

Derrière Ruth, Armand constata que les enfants avaient interrompu leur ronde et qu'ils tombaient sur le sol. Où ils se roulaient en riant.

Cendres. Cendres.

La bataille pour le ballon avait pris fin. Un garçon le faisait rebondir sur son genou, tandis que l'autre, des larmes ruisselant sur ses joues sales, enfourchait sa bicyclette et s'éloignait.

Où un garçon à vélo peut-il aller
quand le droit chemin se sépare ?

Dans la vitre, Gamache distinguait le reflet des Américains. L'image spectrale du plus jeune se posa sur celle du garçon chancelant. Comme dans les photos prises « avant » et « après ».

C'était là qu'allait le garçon à vélo, savait Gamache.

Il se concentra ensuite sur les enfants. « Allez-vous-en, les supplia-t-il en silence. Rentrez chez vous. »

Mais les enfants poursuivirent leurs jeux et le garçon continua d'actionner ses jambes jusqu'à disparaître enfin.

Seul le spectre demeurait.

Gamache se cala sur sa chaise et laissa entendre un long soupir de contentement. Un soupir théâtral, même s'il eut soin de ne pas cabotiner. De la même façon qu'il eut soin de ne pas balayer du regard la forêt qui encerclait le village, à la recherche d'un soldat du crime organisé.

Ses propres yeux risquaient de le trahir, savait Gamache. Il se doutait bien que les visiteurs épiaient ses moindres gestes. Qu'ils écoutaient et soupesaient ses moindres paroles. Ils étaient confiants, mais ils devaient rester vigilants.

Le moindre faux pas serait fatal.

— Devrions-nous manger ici ? demanda-t-il. Je meurs de faim.

— Hum... C'est l'heure du repas d'Honoré, puis il faudra lui donner son bain, dit Annie en se levant.

— Moi, je devrais rentrer en ville, dit Lacoste. Je n'ai pas hâte à demain.

— Au fait, j'oubliais. La juge a devancé la reprise du procès. Huit heures.

— Du matin ? s'écria Lacoste.

Myrna et Clara s'esclaffèrent en même temps.

— Désolé, dit-il. Elle veut s'avancer le plus possible avant que la chaleur devienne insupportable.

— Dans ce cas, il vaut mieux que je me mette en route. Vous allez passer la nuit ici ?

— Probablement. Je n'ai pas encore décidé, répondit Gamache.

— Tu veux que je t'aide ? demanda Jean-Guy à Annie en se levant à son tour.

— Je m'en occupe, dit Reine-Marie. Restez ici tous les deux. Prenez le temps de finir vos verres. On mange dans environ quarante-cinq minutes. Saumon grillé. Vous venez ? demanda-t-elle à Myrna et Clara.

— C'est tentant, dit Myrna. Mais, ajouta-t-elle à l'intention de Clara, tu préfères peut-être rentrer dans ton atelier pour finir tes toiles.

— Ha ! ha ! Très drôle, fit Clara, même si elle trouvait manifestement que la plaisanterie avait assez duré. Merci pour l'invitation. On vous donnera un coup de main.

Au moment où ils s'apprêtaient à sortir, Armand serra Reine-Marie dans ses bras. Pas trop fort, du moins il l'espérait.

Fermant un instant les yeux, il respira son parfum. Roses anciennes et Honoré.

Jean-Guy embrassa Annie et Ré-Ré.

Il aurait voulu dire tout bas à Annie de ramener Honoré à Montréal. Mais, si les têtes des cartels flairaient quelque chose, il risquait de provoquer l'étincelle qui entraînerait leur mort à tous.

Seules Ruth et Rose restaient, la vieille dame avalant son scotch à toute vitesse. Se levant, Rose se dandina sur la table jusqu'à Beauvoir. Celui-ci grogna lorsque la cane sauta et atterrit sur ses genoux. Et s'y installa, comme à demeure.

En prenant une longue gorgée de bière, Gamache vit Lacoste s'éloigner au volant de sa voiture. Reine-Marie, Annie, Myrna et Clara, qui tenait Honoré dans ses bras, franchirent les derniers mètres dans l'or du soir. Reine-Marie s'immobilisa, se pencha, arracha une mauvaise herbe dans leur jardin.

Elle la fit voir à Myrna, qui applaudit. C'était devenu une plaisanterie entre elles depuis le premier printemps des Gamache au village, celui où Reine-Marie et Armand, en « sarclant » leur jardin, avaient laissé les mauvaises herbes et arraché la plus grande partie des plantes vivaces.

Depuis, Myrna était leur gourou en matière de jardinage.

Armand sourit en les observant.

— Je constate que la politicienne et son mari sont de retour, dit Ruth. Elle est passée chez moi, cet après-midi.

— Ah bon ? fit Jean-Guy. Pour quoi faire ?

— Pour m'apprendre que je serais nommée chevalière de l'Ordre national du Québec.

— C'est merveilleux, Ruth, dit Armand. Félicitations.

En gesticulant, le plus jeune des Américains invitait Anton à se joindre à son compagnon et à lui. Visiblement surpris, le chef secoua la tête en indiquant qu'il avait du travail en cuisine. L'expression de l'homme le fit changer d'avis. Il s'assit.

— Chevalière ? dit Beauvoir. Vous êtes sûre qu'ils n'ont pas dit « cheval » ? Parce que, franchement, la moitié du chemin est déjà faite.

Au fond du bistro, constata Gamache, Matheo et Léa surveillaient la table occupée par Anton et les Américains. Léa se tourna et dit quelques mots à Matheo. Celui-ci secoua la tête.

Puis Léa fixa Gamache sans détour. Ce fut si soudain qu'il n'eut pas le temps de baisser les yeux. S'il le faisait maintenant, il ne pourrait pas dissimuler la vraie nature du geste. Sa volonté de cacher quelque chose.

Il soutint son regard et lui sourit.

Elle ne lui rendit pas son sourire.

Jean-Guy et Ruth s'insultaient à qui mieux mieux, même si les yeux chassieux de la vieille poète étaient rivés non pas sur Beauvoir, mais plutôt sur Gamache.

Bien installé sur sa chaise, les jambes croisées, celui-ci entendait, mais seulement à moitié, les voix autour de lui. Sirotait une bière froide après une dure journée de témoignage. Apparemment en paix avec lui-même et avec le monde. Mais Beauvoir éprouvait la même sensation que Ruth.

Gamache irradiait quelque chose.

« De la rage ? » se demanda Jean-Guy. Certainement pas de la peur, en tout cas.

C'était plutôt, constata Beauvoir, non sans une certaine surprise, un calme extrême.

Gamache était devenu le centre de gravité de la pièce.

Quelle que soit l'issue, le bombardement prendrait fin cette nuit. La guerre cesserait cette nuit.

33

Isabelle Lacoste engagea sa voiture dans une vieille route forestière, à environ un kilomètre du village. Cette route, qui ne servait plus depuis des années, était envahie par la végétation. Les branches des arbres éraflèrent la voiture, mais elles avaient aussi l'avantage de la cacher.

Ouvrant le coffre, Lacoste enfila sa tenue d'assaut. Les lourdes bottes et le casque équipé d'une caméra. Elle sangla les pistolets automatiques dans leurs fixations en velcro et attacha la ceinture de munitions. Ses mains voltigeaient au-dessus du matériel familier, mettaient un morceau en place avec un déclic, en serraient un autre, vérifiaient. Vérifiaient de nouveau.

Elle avait téléphoné à son mari à Montréal et parlé à ses enfants. Leur avait souhaité bonne nuit, dit qu'elle les aimait.

À leur âge, la gêne les avait empêchés de répondre « moi aussi ».

Ils n'avaient donc rien dit.

Quand son mari avait repris le combiné, elle lui avait annoncé qu'elle travaillerait tard, mais qu'elle rentrerait avant qu'il ait eu le temps de s'ennuyer.

— Nous avons encore *Pinocchio* ? demanda-t-elle.

— Le livre ? Peut-être. Pourquoi ?

— Tu penses que les enfants aimeraient le lire, ce soir ?

— *Nos* enfants ? Ils sont un peu vieux, non ? Ils veulent regarder *The Walking Dead.*

— Ne les laisse pas faire, dit-elle.

Elle l'entendit rire.

— Je vais t'attendre, dit-il.

Même si elle lui recommandait chaque fois de ne pas le faire, il l'attendait toujours.

— Je t'aime, dit-il.

— Je t'aime, moi aussi, répondit-elle.

Les mots nets, délibérés.

Puis elle raccrocha, verrouilla ce téléphone dans la boîte à gants et glissa celui de la Sûreté dans une des poches en velcro.

Il avait bourdonné dès qu'elle avait atteint le sommet de la côte, à la sortie de Three Pines.

Un seul texto. De la part de Toussaint.

Ils étaient en position.

Lacoste répondit.

« G & B au bistro. Prends position. »

En s'enfonçant dans la forêt, Lacoste sentit une autre vibration.

« colis quitté église direction village. »

Lacoste répliqua rapidement : « village ? confirmez »

« village »

Elle se tourna vers Three Pines, mais ne vit que des arbres.

— Christ, murmura-t-elle en s'immobilisant un moment, les options qui s'offraient à elle traversant rapidement son esprit.

Puis elle se retourna et courut. Du côté opposé à l'église. Du côté opposé à la frontière.

En direction du village.

Près de la route de terre, elle s'arrêta et, avant de la franchir, s'assura qu'il n'y avait personne. Puis elle s'enfonça de nouveau dans la forêt. Elle dévala la colline en serrant le fusil d'assaut contre sa poitrine.

Elle longea la vieille école. Penchée, elle passa derrière la maison de Ruth. Près du jardin des Gamache, elle entendit le bruit d'une conversation. Mme Gamache, Myrna et Clara bavardaient. Une remarque les fit rire.

Lacoste détala de nouveau.

Elle traversa au pas de course le vieux chemin autrefois emprunté par les diligences et rentra dans le bois de l'autre côté. Derrière le gîte à présent, elle contourna l'immeuble et reprit son souffle en balayant les environs des yeux, à la recherche de sentinelles des cartels.

Vite, son regard embrassa les maisons. La route. Le parc du village. Les enfants qui jouaient.

« Rentrez chez vous, supplia-t-elle sans que personne l'entende. Rentrez chez vous. »

Elle vit la porte du bistro se fermer brusquement.

Gamache vit les deux hommes imposants entrer dans le bistro, chacun portant une caisse d'emballage. Ils déposèrent leur fardeau sur le sol, près du patron du cartel américain.

Anton se leva abruptement, au moment où l'Américain gratifiait les deux nouveaux venus d'un geste de la tête.

L'un se campa à côté d'Anton, l'autre prit place près du patron du cartel américain.

Dans tout le bistro, les clients observaient la scène. Les caisses portaient une estampille en anglais et en cyrillique. *Matryoshka Dolls*. C'était intéressant, mais pas assez pour faire dérailler la consommation et les conversations, qui reprirent de plus belle.

Ce que les clients ne pouvaient pas voir, c'est que les mots étaient légèrement obscurcis par des taches, des coulures rouges.

Avec précaution, Isabelle Lacoste ouvrit la porte intérieure qui reliait la librairie au bistro.

Par l'entrebâillement, elle aperçut le chef, bien calé sur sa chaise, l'air détendu, une bière à la main. Du coin de l'œil, elle vit le patron du cartel américain faire signe à Anton de se rasseoir.

C'était un Anton différent.

Il n'était plus plongeur. Il n'était plus cuisinier.

« Même s'il ne se doutait de rien avant, il a forcément compris, songea Lacoste, qu'il s'agit d'une prise de contrôle hostile et non d'un tête-à-tête amical visant à découper le territoire. »

Les taches rouges sur les boîtes de jouets étaient éloquentes : c'était tout ce qui restait de ses messagers.

Avec précaution, elle désengagea le cran de sûreté de son fusil d'assaut.

Olivier passa devant elle et se planta à côté de la table, en plein dans sa ligne de mire. Du coin de l'œil, elle constata que Jean-Guy Beauvoir avait commencé à se lever.

Les soldats se tournèrent vers lui. Lacoste souleva son arme. Dans la lunette, elle vit les hommes se fendre d'un large sourire.

Jean-Guy tenait un canard. Les hommes sourirent en le voyant prendre l'animal sur ses genoux et le tendre à une femme si vieille qu'elle semblait momifiée.

Bref, on assiégeait Saint-Profond-des-Meumeu.

Ruth, serrant Rose contre sa poitrine, se leva.

— Va te faire foutre, couille molle, cria-t-elle à Beauvoir de toutes ses forces.

Les hommes de main éclatèrent de rire. Ils s'arrêtèrent aussi sec lorsque Ruth braqua sur eux son regard incendiaire.

— Pour l'amour du ciel, murmura Lacoste en voyant la vieille femme s'approcher en boitillant des deux colosses. Poussez-vous de là.

Impossible de tirer sans atteindre Ruth.

— Allons, Ruth, fit Gamache en se levant pour l'entraîner à l'écart. Laissez ces messieurs tranquilles. Ils veulent seulement manger en paix. C'est probablement l'heure de votre repas à vous aussi. Nous allons vous raccompagner.

Il la poussa doucement vers la porte.

— Olivier ? L'addition, s'il vous plaît.

— Tout de suite, patron, répondit Olivier en se dirigeant vers le bar.

— Jean-Guy ? fit Gamache en priant son cadet de s'occuper de Ruth.

Le jeune Américain observait la scène, un air amusé figé sur son visage. Décontenancé, au moins un peu, par la curieuse tournure des événements. Mais visiblement insouciant.

Yogi et Boo-Boo n'avaient pas la moindre idée de ce qui se tramait. Ou alors le patron de la Sûreté était parfaitement au courant et s'enfuyait à toutes jambes. Leur cédait la place, le territoire.

Le patron du cartel américain aurait été soucieux, ou aurait dû l'être, si, au lieu d'observer Gamache, il avait remarqué l'expression d'Anton.

Féroce à présent. Sauvage. Rien à voir avec l'attitude d'un animal pris au piège. On aurait plutôt cru à un prédateur, les griffes plantées dans le ventre de la pauvre créature qu'il s'apprêtait à éviscérer.

Dans la librairie, Lacoste, grâce à l'intervention du chef, avait la voie libre. Mais l'expression d'Anton l'avait perturbée. Comment était-ce possible ? De toute évidence, il était surpassé en nombre. L'autre l'avait déjoué. Mais peut-être pas. Peut-être que…

Elle avait mis une fraction de seconde de trop à comprendre.

— Bonjour, chuchota une voix d'homme.

Elle sentit la pression d'une arme derrière son oreille.

Anton n'était pas seul. Il avait son propre garde du corps à portée de main, bien sûr.

Maintenant que l'homme la tenait en joue, il n'eut qu'à lui arracher son fusil.

En cet instant, Isabelle Lacoste comprit aussi autre chose : elle était morte.

Gamache entendit un léger bruit sur sa gauche. En se retournant, il vit Isabelle Lacoste entrer par la porte de la librairie de Myrna. Un homme braquait une arme sur sa tête.

Gamache le reconnut immédiatement. C'était celui qui avait menacé le *cobrador* à l'aide d'un tisonnier. Marchand. Gamache l'avait pris pour un simple ivrogne un peu énervé. Il prit la mesure de son erreur. C'était un homme de main d'Anton. Un soldat du cartel.

La lumière se fit instantanément dans son esprit.

Le monde sembla s'immobiliser. Tout devint limpide, brillant, coloré. Et très lent.

Avant même que Lacoste ait franchi le seuil, Gamache réagit.

Isabelle comprit qu'il y avait un seul avantage au fait d'être morte : elle n'avait plus rien à perdre.

Dès que l'homme la poussa dans la pièce, elle planta ses pieds et se projeta vers l'arrière, le heurtant de plein fouet.

Beauvoir n'eut qu'une milliseconde de retard. Il vit Gamache se jeter sur le garde du corps.

Il vit Lacoste et l'homme armé derrière elle tomber à la renverse. Ses sens en alerte eurent l'impression qu'ils se figeaient en plein vol.

Baissant l'épaule, Beauvoir porta la main à son holster.

Gamache s'élança. Dans le bistro, tous, y compris Anton et le patron du cartel américain, furent distraits par Lacoste. Une fraction de seconde.

Ce fut tout ce dont Gamache eut besoin.

Il ne pouvait pas voir Jean-Guy. Non plus que Lacoste, même si, dès qu'elle s'était arc-boutée, il avait deviné ses intentions.

Il se concentrait uniquement sur le garde du corps le plus proche. S'étant retourné, celui-ci perçut l'initiative de Gamache. Son visage trahit la surprise.

Il n'aurait jamais pu s'imaginer que cet amateur de bière, cet homme vieillissant et bonasse, puisse agir de façon aussi rapide. Et aussi décisive.

L'homme venait de poser la main sur son arme lorsque Gamache, le heurtant de plein fouet, le projeta sur Anton, les renversant l'un et l'autre.

Ils s'affalèrent tous les trois sur le sol. Anton laissa entendre un hoquet lorsqu'ils atterrirent sur lui.

Plaquant son avant-bras sur la gorge du premier homme, dont il repoussait la tête vers l'arrière, Gamache, sans hésitation, empoigna le couteau de chasse. L'ouvrit. Enfonça la lame dans la chair.

Des coups de feu retentirent.

Boum. Boum. Boum. Le vacarme était assourdissant. Non pas des bruits secs d'armes de poing, mais bien des explosions de fusils d'assaut. D'armes automatiques. Des éclats de bois volaient dans tous les sens. Des gens criaient. Des chaises et des tables étaient renversées. Des éclats de verre pleuvaient.

Gamache rampa sur le garde du corps agonisant pour saisir son arme, toujours dans son étui. Écrasé sous le poids de l'autre, Anton se débattait, se tortillait.

Jean-Guy Beauvoir s'abattit sur la table, envoyant valser verres et assiettes, krokodil et trafiquants.

Tout de suite, ce fut le chaos. Cris, hurlements. Coups de feu.

Il ne distinguait plus Gamache, mais il vit, comme dans la lumière d'un stroboscope, Isabelle Lacoste s'écrouler.

Puis, tout s'accéléra, tellement qu'on eût dit que le film avait sauté. Contrairement au chef, Beauvoir n'était pas doté d'un physique imposant, mais, comme le chef, il bénéficia, pendant un bref instant, de l'effet de surprise. Et il en fit bon usage.

Roulant sur lui-même, il brandit son arme et abattit le second garde du corps au moment où celui-ci s'apprêtait à lui tirer dessus.

— Qu'est-ce que c'est ? demanda Annie, le visage blême.

— Des coups de feu, répondit Myrna. Ça vient du bistro.

Elles se regardèrent pendant un moment, une éternité. Puis Reine-Marie se leva et entraîna Annie, qui allaitait Honoré, à l'intérieur. Myrna et Clara les suivirent.

— Préviens le 911, dit Reine-Marie à sa fille. Verrouille la porte derrière nous.

— J'y vais, moi aussi.

— Tu t'occupes de Ré-Ré, dit sa mère.

— Armand a-t-il une arme à feu ? demanda Clara, les yeux exorbités, les mains tremblantes, mais la voix assurée.

— Non.

Reine-Marie regarda autour d'elle et s'empara du tisonnier. Myrna et Clara s'armèrent à leur tour : la première saisit un objet en forme de hachette, la seconde dut se satisfaire de la brosse du foyer.

— Merde, fit-elle tout bas.

La fusillade se poursuivait de plus belle, les chiens aboyaient. Annie criait dans les oreilles du répartiteur des services d'urgence. Le cœur battant, les femmes sortirent et foncèrent dans l'allée qui menait à la route.

— Christ ! fit Myrna.

Une demi-douzaine d'enfants gisaient sur le sol. Morts, eût-on dit.

Mais alors, ils se secouèrent, se levèrent. Bras ballants, bouche bée.

— Venez ! leur cria Clara en leur faisant signe de s'approcher.

Elle se précipita vers eux pendant qu'ils s'exécutaient. Certains en larmes, d'autres déboussolés. Tous avaient compris que l'endroit le plus sûr au monde ne l'était pas vraiment.

Clara les rassembla sur le perron, où Annie, ayant laissé la porte ouverte, les pressa d'entrer en agitant frénétiquement les bras, au moment où les vitres du bistro volaient en éclats sous une pluie de projectiles.

Sans la moindre hésitation, Reine-Marie, Myrna et Clara coururent. Vers le danger.

Ruth rampa jusqu'à Rose qui, assise sous une table renversée, semblait plus éberluée qu'à son habitude.

L'air était presque irrespirable, à cause de la pierre des champs, de la brique et du plâtre pulvérisés.

Ruth se recroquevilla sur la cane.

C'est alors seulement qu'elle vit Isabelle Lacoste, étendue sur le sol, les yeux grands ouverts, fixes.

Gamache agrippa la crosse de l'arme dans l'étui du mourant, mais, avant qu'il ait pu l'en tirer, une botte l'atteignit en plein visage.

Le monde devint tout blanc et sa vision se troubla. Il encaissa un autre coup.

Anton frappait sauvagement. Avec son pied, il martelait violemment, désespérément, la tête, les épaules et les bras de Gamache.

Anton gigotait, se tortillait, se servait de sa jambe libre pour ruer. Rouait de coups Gamache qui, arrondissant les épaules pour se protéger, ne pensait qu'au revolver dans son holster.

Son emprise se raffermit et il libéra l'arme.

En la brandissant, il roula sur lui-même et fit feu, *bang, bang, bang*. À bout portant, il atteignit Marchand qui, à quelques pas seulement, soulevait le fusil d'assaut de Lacoste. Il eut l'air étonné. Puis, projeté vers l'arrière, il heurta le sol. Mort.

Gamache se retourna juste à temps pour voir Anton disparaître par la porte du fond.

— Patron, dit Jean-Guy à Gamache au moment où celui-ci, agrippé au bras de son cadet, se relevait.

— Anton s'est enfui, dit Gamache qui, en vacillant légèrement, se dirigeait vers la porte restée ouverte.

— Oui. L'Américain et son lieutenant se sont lancés à ses trousses, dit Beauvoir.

Le chaos qui régnait dans le bistro frappa Gamache.

Lacoste gisait sur le sol, Ruth à ses côtés. Elle lui tenait la main. Lui parlait tout bas.

Gabri était agenouillé près d'Olivier.

Les clients, qui, quelques instants plus tôt, buvaient tranquillement, pleuraient à présent, blottis les uns contre les autres, ou criaient. Appelaient à l'aide.

Gamache ne pouvait pas s'arrêter.

— Armand! hurla Reine-Marie, au moment où Myrna, Clara et elle débarquaient au milieu de la pagaille.

Trop tard. Il n'était plus là.

— Occupe-toi d'Anton, dit Gamache. Je me charge de l'Américain.

— Ils sont deux, cria Beauvoir dans son sillage.

Il n'eut pas le temps de s'assurer que Gamache l'avait entendu.

Les types des cartels avaient l'avantage d'être partis les premiers. Mais Gamache et Beauvoir avaient celui de la familiarité.

Ils connaissaient les bois, les sentiers et la route qui allait jusqu'à la frontière. En partie parce qu'ils les avaient parcourus en prévision de ce moment. En partie parce que, dans la maison des Gamache, ils avaient passé des heures à étudier des relevés topographiques détaillés.

Ils avaient discuté avec des chasseurs et des randonneurs. Des géologues et des amateurs de camping. Des bûcherons et des pêcheurs.

Au cours des huit derniers mois, depuis qu'ils avaient découvert la porte dérobée dans la cave à légumes et ses charnières bien huilées, puis compris son importance, ils s'étaient assurés de connaître le terrain jusque dans ses moindres replis.

Les trafiquants de drogue n'avaient pas pris cette peine. Ils avaient trouvé la voie la plus directe à travers bois, depuis la cachette datant de la prohibition jusqu'à la frontière. Ils n'avaient pas cherché plus loin.

— Nous étudions la situation, répondait Gamache avec une équanimité confinant à la bêtise lorsqu'on braquait des micros et des caméras dans son visage, qu'on lui posait des questions difficiles sur la montée de la criminalité.

Curieusement, c'était la plus stricte vérité.

Mais pas toute la vérité.

Il étudiait effectivement la situation, sauf que ce n'était pas celle dont parlaient les journalistes.

Gamache avait ordonné la tenue d'une enquête discrète sur les granges, les écoles, les églises et les chalets utilisés par les bootleggers près de cent ans plus tôt, tout le long de la frontière avec les États-Unis.

Certaines brèches n'avaient jamais été colmatées. Du côté de la tour de guet. Sa tour. Son guet.

Puis il les avait fait surveiller.

Et on avait constaté que l'organisation criminelle québécoise avait exploité chacune des brèches. Mais Saint-Thomas, dans le joli et paisible petit village de Three Pines, plus que toutes les autres.

De là, il était facile de traverser la frontière. Et le patron du cartel pouvait suivre les opérations de la cuisine où il s'était fait engager, d'abord comme plongeur, ensuite comme chef.

Formé par son père et son oncle, Anton avait fait son apprentissage auprès du confident et meilleur ami de son père. Antonio Ruiz. D'après qui il avait été nommé.

Jusqu'au jour où il avait été prêt à voler de ses propres ailes.

Ils pouvaient entendre les autres, loin devant. Ils gagnaient du terrain puisque les trafiquants couraient essentiellement à l'aveuglette. L'un pourchassant l'autre. L'Américain n'ayant d'autre choix que de supprimer la tête du cartel canadien. Pour s'emparer du territoire.

Anton, lui, devait s'échapper, se ressaisir et défendre son domaine.

Gamache et Beauvoir devaient les stopper l'un et l'autre. Un échec donnerait lieu à un bain de sang.

L'échec n'était pas permis.

Droit devant, Gamache vit Jean-Guy bifurquer vers l'est. Comprenant la manœuvre, Gamache obliqua vers l'ouest.

Ils poussaient leurs proies, les orientaient vers l'endroit où Toussaint et l'équipe tactique les attendaient.

Madeleine Toussaint arriva au bistro avec les membres de son équipe, arme au poing. Ils s'avancèrent rapidement, mais prudemment, incertains de la situation qui les attendait.

Elle avait été surprise de constater que le krokodil prenait la direction du village. Mais, même si l'échange y avait lieu, la drogue devrait encore traverser la frontière. Elle avait donc donné aux hommes et aux femmes de son équipe l'ordre de rester en position. De suivre le plan établi.

Jusqu'à ce que des coups de feu résonnent. Elle avait alors révisé le plan et leur avait ordonné de gagner le village. De venir en aide aux officiers sur place.

Malgré leur course folle, ils avaient mis beaucoup de temps à y arriver.

Ils avaient glissé dans les pentes, dévalé les collines, foncé au milieu des arbres, alors que les détonations résonnaient de plus en plus fort.

Puis tout s'était arrêté. Il n'était resté que le silence.

Puis elle les avait entendus. Les cris. Les hurlements. Les appels à l'aide.

Puis eux aussi avaient pris fin.

La directrice Toussaint guida ses gens dans le village. Ses yeux perçants distinguaient les moindres détails. Derrière elle, les membres de l'équipe, en formation, s'accroupirent, braquèrent leurs armes à gauche et à droite, balayèrent du regard les maisons, les fenêtres et les jardins.

Des vélos abandonnés d'un côté du parc. Un ballon.

Mais personne. Pas de chiens. Pas de chats. Pas même d'oiseaux.

Puis une femme sortit du bistro, un tisonnier à la main. Derrière elle, Toussaint entendit le bruit familier et reconnaissable entre tous de fusils d'assaut qu'on brandit.

Elle leva le poing. Stop.

C'était Mme Gamache. Qui courait vers eux. Appelait à l'aide.

D'un geste, Toussaint ordonna à une escouade de partir en patrouille, tandis qu'elle-même se dirigeait vers Mme Gamache.

— Il y a des cibles à l'intérieur ? demanda-t-elle.

— Des cibles ? Je ne sais pas, répondit Reine-Marie. Il y a des blessés. Des morts, je pense. Nous avons appelé les secours.

— Restez là, dit Toussaint en entraînant vers le bistro les membres de son équipe, prêts à faire feu.

Au lieu d'obéir, Reine-Marie courut à leur suite.

Toussaint vit les tables et les chaises renversées. Elle renifla l'odeur putride laissée par des armes à feu.

Mais ce qu'elle n'oublierait jamais, c'est ce qu'elle entendit.

Rien.

Le silence était presque absolu. Des yeux, affolés, se tournèrent vers elle.

— Vous devez aider Armand, dit Reine-Marie, rompant le silence.

— Où est-il ?

Balayant la pièce du regard, Toussaint aperçut Lacoste sur le sol, une vieille femme et deux femmes plus jeunes agenouillées à côté d'elle. L'une d'elles, remarqua Toussaint, tenait une brosse à foyer. Une autre, un canard.

Le directeur général Gamache n'était pas là. Beauvoir non plus.

Ils n'étaient pas morts. Mais les patrons des cartels non plus.

— Ils sont partis par là, dans les bois, expliqua Reine-Marie en montrant du doigt l'arrière du bistro.

— Combien étaient-ils ? demanda Toussaint d'une voix insistante.

— Je ne sais pas.

— Trois.

Un homme blond et mince, un torchon serré autour du bras, appuyé sur un homme corpulent, avait parlé. Sa voix faible, mais ses mots parfaitement audibles.

— Anton et les deux autres, ajouta Olivier.

Toussaint fit sortir les membres de l'équipe du bistro.

Au lieu de les entraîner par-derrière, elle les obligea à retourner à l'endroit d'où ils étaient venus.

À contourner l'église, à gravir la colline et à s'enfoncer dans les bois.

À la place de Gamache, elle aurait tenté d'orienter les membres du cartel vers la frontière. Là où l'équipe tactique, en embuscade, finirait le travail.

Sauf qu'elle n'était plus là. Elle avait dérogé au plan.

Merde, merde, merde.

Gamache, les poumons brûlants, avait du sang dans la bouche, mais il ne ralentit pas pour autant. Au contraire, il poussa ses jambes à aller plus vite.

Il distinguait l'Américain et son lieutenant, droit devant.

« Bien, bien », pensa-t-il. Ils y seraient bientôt. Dans les bras de Toussaint, qui n'aurait qu'à les cueillir.

Il réfléchit sans cesser de courir.

Qu'aurait-il fait, lui, s'il avait constaté que les opioïdes se dirigeaient vers le village ? Et s'il avait entendu des coups de feu ?

« Christ », se dit-il. Il aurait révisé le plan. Il n'aurait pas eu le choix. Il aurait entraîné son équipe vers le village. Pour donner un coup de main.

Il aurait abandonné la frontière.

Toussaint ne serait pas là. Mais les soldats des organisations criminelles, oui. Ils allaient se jeter dans les bras des deux cartels.

Il était toutefois trop tard. Beaucoup trop tard pour s'arrêter. Ils devaient aller jusqu'au bout.

Anton reconnut cette portion de la forêt.

La frontière, il le savait, était juste devant. Ses gens l'y attendaient. Fin prêts et armés jusqu'aux dents.

Gamache l'avait pris par surprise. De toute évidence, le directeur général savait depuis longtemps qui il était. Et ce qu'il faisait. Il était sans doute au courant de l'existence de la porte dérobée de la cave à légumes.

Les Américains le rattrapaient. Il les entendait. On aurait dit une cavalcade dans la forêt. Il accéléra.

Puis il ralentit.

En proie à une illumination soudaine.

Il ne courait pas vers la frontière. Il était poussé vers elle.

Elle était juste devant. Il ne pouvait pas la voir. Ni voir ses hommes, même si, il le savait, ils étaient là. Gamache, qu'il soit mort ou qu'il ait survécu, avait sûrement déployé l'équipe tactique de la Sûreté du Québec à la frontière. Et l'Américain y avait sans doute des gens à lui.

Il fonçait tout droit dans un piège.

Il s'immobilisa. Il devrait se défendre là, à cet endroit. Se retournant, il braqua son arme vers les bruits venus de la forêt.

Ouvrit le feu.

Une balle effleura la jambe de Jean-Guy, qui s'affala de tout son long.

Il resta un moment sur le sol, essayant de comprendre ce qui était arrivé. Ce qui arrivait.

Sans raison apparente, Anton s'était arrêté et avait décidé de prendre position. Les balles s'éloignèrent de Jean-Guy en décrivant un arc de cercle, arrosant la forêt.

Faisant fi de la brûlure dans sa jambe, Beauvoir s'avança furtivement.

L'objectif n'avait pas changé. Pour gagner la guerre, ils en avaient un seul.

Capturer les chefs.

Derrière un arbre, Anton avait les Américains dans le collimateur. Il tira de nouveau, son arme automatique crachant les cartouches.

Jean-Guy l'approcha par le flanc, les bruits de sa progression étouffés par le vacarme de la fusillade. Puis il remonta son arme et la plaqua derrière l'oreille d'Anton.

À la frontière, où ils attendaient leurs chefs, les soldats des organisations criminelles entendirent les coups de feu et brandirent aussitôt leurs propres armes.

Sans sourciller, les Canadiens mirent les Américains en joue.

Tout aussi déterminés, les Américains braquèrent leurs armes sur les Canadiens.

Ce fut l'impasse. Jusqu'à ce que l'un des plus jeunes panique.

Puis ce fut la pagaille.

Prenant tout de suite la mesure de la situation, Toussaint ordonna aux membres de son escouade de prendre position entre les deux camps qui se tiraient dessus et l'endroit où Gamache et Beauvoir, croyait-elle, s'efforçaient de diriger les chefs des cartels.

Elle ne serait peut-être pas capable de leur venir en aide, mais elle pourrait au moins empêcher les survivants de secourir leurs patrons.

Le patron du cartel américain entendit les coups de feu échangés devant lui et en devina la signification.

Son garde du corps était mort. Fauché par un des premiers tirs.

Il n'y avait pas de secours à attendre. Il devrait trouver la manière de franchir la frontière par ses propres moyens. Tel un homme ayant le feu aux trousses, il détala. Courut, courut encore. À travers bois, vers le Vermont. Et la sécurité.

Il entendait un bruit derrière lui. Il était pourchassé.

Il aperçut le repère indiquant la frontière, juste devant. Plus près. Si près.

Il traversa.

L'Américain distançait de plus en plus Gamache. Plus jeune, plus rapide, il s'échappait.

Puis ils franchirent la frontière. Gamache ne s'arrêta pas, n'hésita pas. Il poursuivit l'homme. Et il le vit s'immobiliser. Se retourner. Et soulever son arme, tandis que Gamache, emporté par son élan, s'efforçait de freiner.

Il se sentit glisser, tenta de se rétablir.

Il perdait l'équilibre. Le perdit effectivement. Ses pieds se dérobèrent sous lui. Il tombait.

L'Américain s'immobilisa, se retourna et vit la silhouette sombre surgir de la forêt. Il ne distinguait pas les traits de l'homme. Ne discerna qu'un contour.

Il souleva son arme et tira.

Gamache, un genou par terre, sentit les balles cisailler les arbres à quelques millimètres de sa tête.

Brandissant son arme, il visa. Et tira.

34

Armand Gamache et Maureen Corriveau étaient assis ensemble dans le bureau paisible.

Ils entendaient l'horloge égrener les secondes sur le bureau.

Il était un peu plus de huit heures, une semaine jour pour jour après les événements survenus à la frontière.

Un homme légèrement plus âgé que Gamache était assis derrière la table de travail. Regardant tour à tour la juge et le patron de la Sûreté.

Le visage de Gamache était meurtri et couvert d'ecchymoses, mais l'enflure avait beaucoup diminué.

— Comment va l'inspectrice-chef Lacoste ? demanda le premier ministre du Québec.

— Nous serons bientôt fixés, répondit Gamache. Les médecins l'ont plongée dans un coma artificiel. La balle a causé des lésions au cerveau, mais nous en ignorons encore la gravité.

— Je suis désolé, dit le premier ministre. Et les villageois ? De Three Pines, n'est-ce pas ?

— Oui.

— C'est curieux, mais je n'avais jamais entendu parler de cet endroit. J'aimerais bien le visiter, une fois la poussière retombée.

— Je crois qu'il vous plaira, monsieur. Les villageois… Nous nous efforçons tous de revenir à la normale.

Il s'abstint de mentionner que Three Pines n'avait rien de normal dans le meilleur des cas et que les événements récents n'avaient rien arrangé. Il savait toutefois qu'une étrange paix enveloppait désormais les lieux. Une quiétude.

Il ne s'y était jamais senti chez lui autant qu'en ce moment. Et jamais les villageois n'avaient formé une grande famille autant qu'en ce moment.

— Je crois savoir que d'autres ont été blessés, poursuivit le premier ministre.

— Le propriétaire du bistro, Olivier Brûlé, a été atteint au bras, mais son conjoint a réagi rapidement pour freiner l'hémorragie. D'autres ont subi des lacérations causées par des éclats de verre et de bois. Ils ont tous quitté l'hôpital. L'inspectrice-chef Lacoste a été la plus touchée.

— Il y a quelques mois, Armand, je vous ai demandé de me dire ce qui se passait. Vous avez refusé. Vous m'avez demandé de vous faire confiance. C'est ce que j'ai fait.

Il s'arrêta un moment pour fixer l'homme.

— Et je m'en félicite.

Gamache inclina la tête de façon presque imperceptible, sa façon de dire merci.

— Mais le moment est venu de parler. Je vous écoute.

Lorsque Gamache eut terminé, le premier ministre se contenta de le regarder fixement.

Il avait lu les comptes rendus, bien sûr. Ceux des médias. Mais aussi les rapports confidentiels qui s'empilaient sur sa table de travail.

Et il avait vu la vidéo, celle qu'avait filmée la caméra fixée au casque de Lacoste. Son point de vue à elle, au moment même où elle était tombée.

Le premier ministre avait blêmi.

Jamais plus, lui semblait-il, il ne pourrait regarder Armand Gamache sans qu'une partie de lui le voie s'élancer. Se ruer sur les deux hommes.

Et le couteau.

Cette image, cette certitude, le premier ministre ne parviendrait jamais à l'effacer. Ce dont était capable cet homme réfléchi, calme et aimable. Ce qu'il avait fait.

— Je regrette de devoir vous poser ces questions.

— Je comprends.

— Étiez-vous de l'autre côté de la frontière, Armand, lorsque vous avez abattu cet Américain ?

— Je crois que oui. Dans la forêt, il est difficile d'établir l'emplacement exact de la frontière. Il y a un repère qui date de l'époque de la prohibition, même si, à mon avis, les contrebandiers n'avaient pas un très grand souci de précision. Mais je pense, oui, que j'avais dépassé cette limite.

Le premier ministre secoua légèrement la tête et esquissa un sourire de regret.

— Et c'est maintenant que vous vous décidez à dire la vérité ?

Il se retint de dire que Gamache avait effectivement dépassé une limite. Plusieurs, en fait. Tant de limites que lui-même avait cessé de les compter ou décidé de ne plus s'en préoccuper. Pour les ministères de la Justice des deux pays concernés, c'était une autre paire de manches.

— Vous avez agi tout en sachant que vous n'aviez aucune autorité sur ce territoire ?

— À ce moment précis, je ne me suis pas posé la question. Mais, autorité ou non, j'aurais agi de la même manière.

— Vous ne nous facilitez pas beaucoup la tâche, Armand.

Gamache ne dit rien. Il sympathisa cependant en silence avec le premier ministre qui, soupçonnait-il, s'efforçait de l'aider.

Il avait ramené le cadavre du patron du cartel de l'autre côté du vieux repère décoloré. Remorqué le poids mort, un pas à la fois. Son corps à lui tourné vers le Québec, vers la maison.

La fusillade avait pris fin et il entendit la voix de Jean-Guy, qui l'appelait.

C'était fini.

Le cœur de Gamache n'était toutefois pas à la fête. Il était trop brisé.

Lorsqu'il fut certain d'avoir regagné le territoire québécois, Gamache tomba à genoux, épuisé. Quand Beauvoir le découvrit, il vit un homme couvert de sang, donnant l'impression de prier sur la victime qu'il venait lui-même de faire.

Jean-Guy et lui tirèrent l'Américain jusqu'à l'endroit où, grâce à Toussaint, l'ordre succédait peu à peu au chaos.

Jean-Guy avait subi une blessure à la jambe, mais elle était superficielle, et on la pansa rapidement. Dans l'équipe de la Sûreté, il était le seul blessé. Hormis, bien sûr, Isabelle.

Les membres des deux cartels avaient pour l'essentiel réussi à s'entretuer. Les survivants avaient été menottés, tandis que les ambulanciers s'occupaient du reste.

Voilà ce que cette forêt ancienne était devenue. Un champ de bataille. On entendait les sirènes de nouvelles ambulances et voitures de police.

Anton avait les mains ligotées derrière le dos.

— Tu as fait le travail pour moi, Armand, dit-il en désignant le cadavre. Tu t'imagines avoir reconquis le Québec, pas vrai ? Attends de voir.

— J'aurais dû le descendre, dit Jean-Guy, en route vers Three Pines.

Gamache essuya le sang, à présent coagulé, qui lui maculait les yeux. Il ne dit rien. En ce moment, il donnait raison à Jean-Guy. Cette solution aurait en effet été préférable, nettement préférable.

— Dommage, dit le premier ministre quand Armand eut terminé son récit, qu'Anton Boucher ait survécu.

Le commentaire, formulé sèchement, d'un ton neutre, prit Gamache par surprise. Pas que cette idée soit venue au premier ministre, mais qu'il l'ait exprimée à haute voix.

— Il y a des limites, dit Gamache. Des limites qu'on ne doit pas franchir. Parce que, après, on ne peut plus revenir en arrière.

— Le meurtre, par exemple, dit le premier ministre. Ce qui m'amène à la prochaine question.

La juge Corriveau se tourna légèrement dans son fauteuil, sachant que c'était son heure. Sachant ce que le premier ministre allait demander.

— Parlez-moi du meurtre de Mme Kathleen Evans.

Le directeur général Gamache avait eu essentiellement la même conversation avec la juge Corriveau, quelques jours après l'attaque.

Le procès avait naturellement été suspendu.

Accompagnée de Barry Zalmanowitz, Maureen Corriveau s'était rendue chez les Gamache pour discuter de l'affaire et des suites à lui donner.

Quand ils avaient frappé à la porte de l'appartement, le deuxième étage d'un triplex d'Outremont, Gamache lui-même avait ouvert.

— Bonjour, dit-il. Merci de vous être déplacés.

Il conduisit au salon les deux visiteurs qui, derrière lui, échangeaient des regards. Ils avaient entendu parler des graves blessures subies par l'inspectrice-chef Lacoste. Et ils avaient lu les rapports préliminaires, produits par les officiers supérieurs. Y compris le directeur général Gamache.

Dans le tourbillon d'information et de désinformation émanant des édifices gouvernementaux, ils avaient entendu dire que Gamache avait lui-même été blessé. Mais rien ne les avait préparés à la vue de son visage tuméfié, de son œil au beurre noir, complètement fermé. Les coups de botte lui avaient arraché des lambeaux de chair.

Quand il avait ouvert, la juge Corriveau avait sondé les yeux de l'homme, de crainte qu'ils aient été évidés par les événements survenus dans le village. Dans les bois.

De crainte que la chaleur ait été chassée par l'amertume. La bonté par la cruauté.

Qu'ils ne contiennent plus la moindre trace de décence.

La douleur qu'elle y lut n'était ni nouvelle ni même physique. Dans les yeux de Gamache, elle avait toujours été présente, à cause d'une sorte d'astigmatisme qui lui donnait une perspective légèrement différente.

Il avait été témoin de ce que l'humanité avait de plus horrible. Mais aussi de ce qu'elle avait de plus noble. Et la juge avait été soulagée de constater que la décence s'y trouvait toujours. Qu'elle était même plus forte que la souffrance. Plus forte que jamais.

— Merci pour les fleurs, dit Gamache en désignant le bouquet aux couleurs gaies posé sur la table basse.

— Je vous en prie, répondit la juge Corriveau.

La carte, sur laquelle figurait seulement le mot « Merci », était signée Maureen Corriveau et Joan Blanchette.

La juge Corriveau n'avait jamais abordé sa vie personnelle avec Gamache, mais elle s'était dit qu'elle lui devait au moins cette marque de confiance. D'ailleurs, Joan avait insisté.

Elle examina la pièce. C'était un pied-à-terre, elle le savait, leur résidence principale se trouvant dans le petit village. Un trois et demie typique d'Outremont. Les plafonds étaient hauts, la pièce claire, aérée et accueillante, avec des livres sur des tablettes et des tables basses. Des journaux, *La Presse*, *Le Devoir* et la *Gazette*, étaient éparpillés à gauche et à droite. Un espace sans chichis, mais aussi sans désordre.

Le fauteuil et le canapé étaient invitants, ni trop vieux ni trop neufs. Recouverts d'un tissu aux couleurs à la fois fraîches et chaleureuses. Bref, c'était un lieu que Joan et elle auraient occupé avec plaisir.

Dans la pièce se trouvait un autre homme, légèrement penché sur une canne.

— Vous connaissez l'inspecteur Beauvoir, je crois, dit Gamache.

Ils se serrèrent la main.

— Vous allez bien ? demanda Zalmanowitz.

— Ça ? C'est juste pour attirer la sympathie, fit Jean-Guy en agitant la canne devant lui, comme il avait vu Ruth le faire des milliers de fois.

Fugitivement, il se demanda comment réagirait le procureur en chef de la Couronne s'il le traitait de « couille molle ».

— Comment se porte l'inspectrice-chef Lacoste ? demanda le procureur.

— Dès que nous aurons terminé ici, nous irons la voir, répondit Gamache. J'ai parlé à son mari ce matin. Les médecins observent une certaine activité cérébrale.

Les deux autres hochèrent la tête. Quand une nouvelle comme celle-là pouvait être considérée comme bonne, il n'y avait pas grand-chose à ajouter.

— Je ne crois pas que vous connaissiez ma femme, dit Gamache au moment où Reine-Marie entrait dans la pièce avec un plateau chargé de rafraîchissements.

Il la débarrassa et lui présenta la juge Corriveau.

— Nous avons déjà fait connaissance, bien sûr, fit Me Zalmanowitz. Je vous ai interrogée comme témoin. C'est vous qui avez découvert le cadavre de Katie Evans.

— Oui, confirma Reine-Marie. Vous permettez que je me joigne à vous ?

— Bien sûr, répondit la juge Corriveau en se demandant si c'était une bonne idée et si elle n'aurait pas dû se faire accompagner par un sténographe de la cour.

Il était trop tard, cependant. Et, compte tenu du bourbier dans lequel ils se trouvaient, on ne relèverait sans doute pas cet accroc à la procédure.

La juge Corriveau se tourna vers le directeur général Gamache et le procureur de la Couronne Zalmanowitz.

— Cette rencontre était prévue il y a deux jours, dans mon cabinet. Évidemment, la donne a changé, ce serait absurde de ne pas en prendre acte. Et pourtant, certaines choses sont restées les mêmes. Une femme subit toujours son procès pour le meurtre de Mme Evans. Je dois savoir si vous croyez vraiment qu'elle est coupable ou si l'accusation n'est qu'un élément des grandes manœuvres que vous avez mis des mois à préparer.

Elle passa de l'un à l'autre avant d'arrêter son regard sur Gamache.

L'architecte. Le meneur, celui qui avait entraîné les autres à sa suite.

— Parlez-moi du meurtre de Katie Evans, dit la juge.

— Tout a débuté comme dans la plupart des meurtres, dit Gamache. Il y a longtemps. Pas très loin d'ici.

Il regarda sur sa gauche.

— À quelques rues, en fait. À l'Université de Montréal. Au moment où un étudiant s'est enlevé la vie. Défoncé, rendu fou à cause des drogues fournies par un étudiant de troisième année en science politique. Anton Boucher.

Nom que la juge Corriveau connaissait bien.

Dans les rapports soumis au stade des audiences préliminaires, Anton Boucher était présenté comme le plongeur du bistro.

Dans les rapports qu'elle venait de lire, il figurait plutôt à titre de grand patron du crime organisé au Québec.

— C'est le neveu de Maurice Boucher, dit Corriveau pour montrer qu'elle s'était bien préparée. Il a dirigé les Hells Angels de la province. Il purge une peine d'emprisonnement pour meurtre et pour trafic de stupéfiants.

Beauvoir hocha la tête.

— Exactement. Lorsqu'il a été incarcéré, son neveu a pris la relève. Il a réussi là où Mom Boucher avait échoué.

Beauvoir avait utilisé le surnom donné à l'aîné des Boucher. Parce que, apparemment, il avait l'habitude de « materner » les membres de son gang. Ce qui ne l'empêchait pas de massacrer les enfants des autres.

— Anton n'a pas perdu de temps, enchaîna Jean-Guy. Il avait été nommé d'après Antonio Ruiz, le meilleur ami de son oncle, qui l'a aidé à consolider les trois cartels. Anton avait donc une idée très précise de l'avenir du crime organisé.

— C'est-à-dire ? demanda Corriveau.

— Il était en passe de devenir beaucoup plus important, plus prospère et plus puissant que tout ce qu'on avait connu jusque-là, répondit Gamache. Avec les opioïdes comme catalyseur.

— Le fentanyl, par exemple, dit Zalmanowitz. Je parle en connaissance de cause. Ma propre fille est devenue accro à cette substance. Nous l'avons fait traiter, mais…

Il souleva les mains et les laissa retomber.

— On ne parle pas d'une drogue récréative qui inquiète les parents alarmistes, continua-t-il. Le fentanyl est brutal. Il transforme les utilisateurs. Ma fille a changé. Et encore, elle a eu de la chance. Elle est encore en vie.

— Le fentanyl a été la première drogue de ce type à connaître un véritable triomphe dans les rues, dit Gamache. Mais pas la dernière, loin de là. Elles entrent à flots, et on en crée de nouvelles, trop vite pour que nous puissions intervenir. Trop vite même pour que nous ayons le temps de les faire inscrire sur la liste des substances interdites. Il suffit de modifier légèrement la formulation, et on a affaire à une nouvelle substance. Laquelle n'est plus illicite. Jusqu'à ce que nous finissions par rattraper notre retard.

— Une échappatoire dans la loi, dit la juge. Il faut décrire avec précision les composés chimiques. La plus infime modification nous lie les mains, nous oblige à remettre les trafiquants en liberté.

— La peste des temps modernes, dit Zalmanowitz. Et les organisations criminelles sont les rats qui la propagent.

— Anton Boucher avait tout prévu, dit Gamache. Et il a agi de façon rapide et violente pour asseoir son contrôle.

— Une nouvelle génération de criminels, dit Corriveau. Pour une nouvelle génération de drogues.

— Oui, confirma Gamache.

— Katie Evans faisait-elle partie du cartel ? demanda Corriveau.

— Non. Son seul crime a été de fréquenter l'université en même temps que le jeune homme qui s'est suicidé. Ils ont été amants pendant quelques mois, puis elle a rompu. Il s'appelait Édouard Valcourt. C'était le frère de Jacqueline.

— Je me souviens d'avoir vu son nom dans les rapports produits au stade préliminaire.

— Mme Evans, son mari, Patrick, Matheo Bissonnette et Léa Roux étaient tous des amis d'Édouard. Des camarades de classe, expliqua Beauvoir. Léa et Matheo étaient sur le toit la nuit où Édouard a fait le grand saut.

Maureen Corriveau ne broncha pas, mais Barry Zalmanowitz baissa les yeux sur ses mains.

Son cauchemar personnel. Sa femme et lui n'avaient peut-être pas secouru leur fille à temps. Ils ne l'avaient peut-être pas secourue du tout. Ces produits chimiques, si profondément ancrés en elle, étaient peut-être impossibles à combattre, même pour un père.

— Anton était leur fournisseur, mais il a commis une erreur, dit Beauvoir. Une erreur de taille. Il a décidé d'essayer les drogues lui-même. Il est devenu accro et, comme la plupart des toxicomanes, négligent. Quand Édouard s'est tué et que des questions ont été posées, Anton a pris le large. Il a fini par se sevrer, mais, au centre de traitement, il a fait la connaissance de plusieurs hommes. Certains souhaitaient prendre un nouveau départ, d'autres pas vraiment. Ils sont devenus ses lieutenants. Comme lui, ils avaient l'avantage d'être sobres. Et de savoir ce dont les drogues sont capables.

— C'était il y a quelques années, ajouta Gamache. Depuis, les drogues sont devenues plus puissantes, plus cruelles, et les cartels aussi.

— Comment Mme Evans cadre-t-elle dans tout ça ? demanda la juge Corriveau. Elle a connu Édouard à l'université et aussi, peut-on présumer, Anton Boucher.

— Oui, confirma Gamache. Ils le connaissaient tous. Il les avait précédés de deux ou trois ans. Ils se fournissaient tous auprès de lui. Surtout de l'herbe, un peu de cocaïne. Mais pas de médicaments. Édouard était seul à en consommer.

— Voulez-vous dire que Mme Evans a été tuée à cause d'événements survenus à cette époque-là ?

— Oui, répondit Gamache. La plupart des meurtres sont simples. Le mobile transparent. Si nous avons du mal à nous y retrouver, c'est généralement parce que l'affaire remonte loin. Katie Evans a été tuée à cause des événements survenus à l'université. D'une dette contractée à l'époque. C'est là que le *cobrador* entre en ligne de compte. L'idée était de Jacqueline, la sœur d'Édouard, mais ce sont ses amis qui ont mis le projet à exécution.

— Ils ont tour à tour incarné la Conscience, reprit Beauvoir. Debout dans le parc du village. Accusant Anton. En principe, les choses ne devaient pas aller plus loin. Ils pensaient rester là pendant quelques jours, flanquer au plongeur la peur de sa vie et rentrer chez eux.

— Que s'est-il donc passé? demanda Maureen Corriveau.

Elle avait besoin de tous les détails. C'était son affaire, et sa carrière était en jeu.

Le matin même, elle avait reçu un coup de fil. Elle était convoquée au cabinet du premier ministre, à Québec, la semaine suivante. Et elle ne se berçait pas d'illusions : le premier ministre ne projetait pas de la féliciter pour son rôle dans cette affaire.

Avant ce rendez-vous, elle devait connaître tous les tenants et aboutissants de l'« affaire », justement.

— Attendez, fit-elle. Laissez-moi deviner. Ils n'ont pas compris qu'Anton n'était pas là pour laver la vaisselle. Qu'il était à Three Pines pour superviser le trafic des drogues.

— Ils ne savaient pas du tout à qui ils avaient affaire, confirma Zalmanowitz.

— Ils étaient obnubilés par le suicide de leur ami, ajouta Gamache. Le détective privé engagé par la famille poursuivait ses recherches à temps perdu et il a fini par retrouver Anton chez Antonio Ruiz.

— Ce Ruiz est aussi impliqué dans le crime organisé? demanda la juge Corriveau.

— Oui, du côté européen, répondit Gamache. Il est établi en Espagne. Les tribunaux semblent toutefois impuissants à le condamner.

— Autre mandat pour le *cobrador*, dit Zalmanowitz.

— Je vais faire comme si je n'avais rien entendu, dit la juge Corriveau. Le détective ne savait-il pas qu'Anton était apparenté à Mom Boucher? Comment a-t-il pu passer à côté d'une information aussi cruciale?

— C'est un nom banal, dit Gamache. Et les dossiers ont été volontairement expurgés. Nous savons que la corruption était endémique au sein de la Sûreté. Des fonctionnaires, à tous les échelons de la police et du gouvernement, étaient compromis. La lutte contre le crime organisé ne piétinait pas pour rien.

— Ces gens-là étaient bien « organisés », déclara Beauvoir.

Corriveau sourit, mais elle reprit aussitôt son sérieux.

— Qu'est-ce qui vous disait que je n'avais pas été soudoyée ?

— Nous n'en savions rien. Franchement, nous avons dû supposer que tout le monde l'était.

Ils se dévisagèrent, les yeux de Gamache moins empreints de bonté qu'en d'autres situations.

— Et monsieur le procureur ? fit-elle en se tournant vers Me Zalmanowitz.

— Notre enquête a révélé que le cabinet du procureur était peut-être compromis.

Zalmanowitz se tourna vers Gamache.

— Vous avez enquêté sur moi ?

— Bien sûr. Je n'allais tout de même pas vous aborder sans savoir à qui j'avais affaire.

« Nous y sommes, se dit Corriveau. Le cœur, le nœud de la question. »

— Comment…, commença-t-elle en promenant l'index entre les deux hommes. D'où vient cette collaboration ?

— J'avais besoin d'aide, répondit Gamache. J'ai donc demandé un rendez-vous au procureur en chef.

— À Halifax, précisa Zalmanowitz.

Il en fallait beaucoup pour surprendre Maureen Corriveau. La révélation eut cet effet.

— En Nouvelle-Écosse ?

— Oui. Nous avons voyagé chacun de son côté et nous nous sommes retrouvés dans un restaurant en bord de mer, expliqua Zalmanowitz. Une gargote, mais on y sert une tarte au citron meringuée absolument divine.

— Ah bon ? s'écria la juge Corriveau. Et c'est tout ce que vous avez retenu ?

— Elle était vraiment très bonne, dit le procureur, à qui l'exaspération de la magistrate arracha un léger sourire. Je n'ai jamais aimé M. Gamache. Pour des motifs personnels et non professionnels.

— Et c'est réciproque, ajouta Gamache. Je considérais le procureur comme un lâche qui ne pensait qu'à bien paraître.

— Quant à moi, je pense que c'est un trou de cul arrogant. Désolé, dit-il à l'intention de Mme Gamache.

— Mais vous avez tous deux apprécié la tarte, dit-elle.

— En fait, c'est la première chose sur laquelle nous sommes tombés d'accord, confirma Gamache en se fendant d'un sourire si large qu'il menaça de rouvrir sa lèvre blessée. Je lui ai exposé mon projet, les mesures que je jugeais nécessaires et ce que j'attendais de lui.

— Qu'attendait-il de vous, au juste? demanda la juge au procureur.

— Je pense que vous connaissez la réponse, répliqua Zalmanowitz.

— Et je pense que vous savez que je dois l'entendre de votre bouche.

— Il m'a demandé de cacher une preuve vitale qui risquait de compromettre l'enquête dont le cartel faisait l'objet. Il avait besoin de temps et d'une manœuvre de diversion. Anton Boucher devait croire qu'il avait les coudées franches, que la Sûreté du Québec, sous les ordres de Gamache, était incompétente.

Barry Zalmanowitz se cala sur sa chaise et posa les mains sur les accoudoirs rembourrés, un peu comme Lincoln dans son mémorial de pierre.

— Et j'ai accepté.

Voilà, c'était dit. Contrairement à Abraham Lincoln, Zalmanowitz venait de s'assassiner lui-même. Et aucune statue ne commémorerait ses états de service.

Barry Zalmanowitz était parfaitement conscient de risquer la prison en faisant cet aveu. Ou du moins de porter un coup fatal à sa carrière. De nuire à sa famille.

Sa participation avait toutefois contribué au démantèlement du cartel. Ils avaient enfin réussi à casser les reins des trafiquants. Il restait un peu de ménage à faire, mais, essentiellement, ils avaient remporté la guerre contre la drogue.

Sa carrière et sa réputation comptaient au nombre des victimes ? Soit. D'autres avaient subi des torts bien plus graves. Et les salauds qui avaient vendu des drogues à sa fille n'auraient plus jamais la chance de gâcher la vie des jeunes gens.

En face de lui, Armand Gamache hocha la tête, puis il eut un geste que Zalmanowitz trouva troublant.

Il baissa les yeux sur ses mains, elles aussi meurtries. Un bleu ressemblant à s'y méprendre à la marque d'une semelle de botte était en quelque sorte gravé sur ses jointures enflées.

Gamache soupira. Puis, levant les yeux sur Zalmanowitz, il dit :

— Désolé.

Dans le silence, le procureur sentit un picotement sur ses joues, qui rougirent avant de pâlir lorsque le sang, après y avoir afflué, se retira d'un coup.

— Pour quoi ? demanda-t-il doucement.

— Parce que je ne vous ai pas tout dit.

Barry Zalmanowitz se pétrifia.

— Quoi ?

— Anton Boucher n'a pas tué Katie Evans.

Zalmanowitz agrippa les accoudoirs, comme sous l'effet d'un spasme.

— Que voulez-vous dire ?

— Je vous ai menti. Je suis sincèrement navré.

— Expliquez-vous.

— Vous poursuivez la bonne personne. C'est bien Jacqueline qui a tué Katie Evans.

L'esprit de Zalmanowitz se tétanisa et s'emballa en même temps. Comme une voiture enchaînée à un mur. Dont les pneus tournent inutilement.

Il s'efforçait de comprendre. De déterminer s'il s'agissait d'une bonne nouvelle ou d'un nouveau désastre.

— Pourquoi ne m'avez-vous rien dit ? demanda-t-il enfin.

Il y avait peut-être des questions plus pressantes, mais celle-là lui était venue en premier.

— Parce que je n'avais confiance qu'en un petit groupe de mes officiers, répondit Gamache. Mais jamais je ne me serais adressé à vous si j'avais eu des doutes importants.

— Mais vous en aviez, dit Zalmanowitz.

— Oui. Je n'avais pas de preuve que vous étiez corrompu. Mais je n'avais pas de preuve du contraire non plus.

— Qu'est-ce qui vous a décidé à tenter votre chance ?

— Hormis le désespoir ? Votre fille.

— Qu'est-ce qu'elle vient faire là-dedans ? demanda le procureur, sa voix et son attitude lourdes de menace.

— Notre fils Daniel a fait l'expérience des drogues dures, dit Gamache.

Zalmanowitz plissa les yeux. Pour lui, c'était du nouveau.

— Moi aussi, avoua Beauvoir. Elles ont failli me tuer. Et détruire les personnes que j'aimais le plus.

— Nous sommes conscients des effets qu'elles ont sur une famille, ajouta doucement Gamache. Je me suis dit que si quelqu'un était prêt à tout pour mettre fin au trafic, c'était vous. J'ai donc décidé de courir le risque. Mais que vous soyez au-dessus de tout soupçon ne signifiait pas nécessairement que les membres de votre service l'étaient aussi.

— Espèce d'arrogant trou de cul.

Gamache soutint son regard furibond.

— Si ça peut vous consoler, je me méfiais aussi de mon propre service. Seule une poignée d'officiers savait ce que je projetais. La Sûreté tout entière était engagée, mais chaque service, chaque détachement n'avait qu'un petit rôle à jouer. Si petit, en réalité, que personne ne comprenait ce qui se tramait. Tellement que, comme vous le savez, plusieurs ont fini par se rebeller. Par m'accuser d'incompétence. Rares étaient ceux qui avaient une vue d'ensemble.

« Comme dans les portraits de Clara, se dit Beauvoir. De petites taches qui, considérées séparément, ne sont rien, mais qui, dès qu'on les combine, produisent des effets inattendus. »

— C'est une justification suffisante, à votre avis ? s'écria Zalmanowitz. Vous êtes conscient de ce que vous avez fait ? Vous m'avez obligé à trahir ma formation, mes principes. À mentir et à dissimuler des preuves. Vous m'avez fait croire que je poursuivais la mauvaise personne pour un crime passible d'une peine d'emprisonnement à perpétuité. Vous avez une idée des conséquences de votre attitude ? Pour moi ?

Il se frappa le sternum, si fort qu'un son mat se fit entendre.

— Regrettez-vous vos actes ? demanda Gamache.

— Là n'est pas la question.

— Au contraire, répliqua Gamache. Certes, je vous ai induit en erreur, et vous m'avez suivi. Et les cartels sont en pleine déroute. Ici comme dans le reste du pays. Le patron de la plus importante organisation criminelle des États-Unis est mort, tandis que le second est derrière les barreaux.

— Vous m'avez pris pour un imbécile.

— Non. Je me suis rendu compte que je m'étais trompé à votre sujet et que vous n'étiez pas un lâche. Bien au contraire. Vous étiez, vous êtes un homme très courageux.

— Et vous pensez que votre estime m'importe ? demanda Zalmanowitz.

— Non. Et d'ailleurs, je ne tiens pas à la vôtre. Ce qui compte en ce moment, ce sont les résultats. Je ne regrette pas mes actions. J'aurais préféré ne pas devoir aller jusque-là. J'aurais préféré qu'il y ait un autre moyen. Mais, s'il y en avait un, je ne l'ai pas trouvé. Vous regrettez ? demanda à nouveau le directeur général Gamache. Qu'on ait brûlé nos vaisseaux ?

Prenant une profonde inspiration, le procureur en chef de la Couronne, Me Zalmanowitz, se ressaisit.

— Non.

— Moi non plus.

— Ça ne vous disculpe pas, dit Zalmanowitz. Et n'allez pas croire que je vous pardonne. Vous auriez pu tout me dire.

— Vous avez raison. Je le sais maintenant. J'ai commis des erreurs. Vous étiez courageux et désintéressé et je vous ai tenu à distance. Je suis navré. Je me suis trompé.

— Trou de cul, balbutia Zalmanowitz, mais le cœur n'y était pas. Que m'avez-vous caché ? Quel était donc l'élément si important ?

— Le bâton de baseball.

— L'arme du crime ?

— Oui. Vous vous souvenez du témoignage de Mme Gamache ? Elle a déclaré ne pas avoir vu le bâton au moment de la découverte du cadavre.

— Oui, mais il était là quand l'inspectrice-chef Lacoste est arrivée. Dans votre témoignage, vous avez dit que Mme Gamache était dans l'erreur.

— J'ai menti.

Il se tourna vers Reine-Marie, qui hocha la tête.

Maureen regretta de ne pas avoir profité de ce moment pour aller aux toilettes, mais il était trop tard.

Si ce mensonge en particulier était nouveau pour elle, elle savait que tout le procès avait été émaillé de demi-vérités et de véritables parjures.

— Que s'est-il passé, alors ? demanda Zalmanowitz, réintégrant tout naturellement son rôle de procureur.

Contre-interrogeant un témoin potentiellement hostile.

— Je savais que Reine-Marie avait décrit la scène du crime avec exactitude. Sans rien omettre. Comment le bâton avait-il pu être remis dans la cave à légumes sans que personne remarque quoi que ce soit ?

— J'avais verrouillé la porte de l'église, rappela Reine-Marie. La seule issue.

— Et alors ? insista Zalmanowitz en levant les mains. Comment l'expliquez-vous ?

— Je n'avais pas d'explication. Mais, un peu plus tard, à la faveur d'une discussion entre amis, quelqu'un a mentionné que l'église avait connu un passé criminel. Des bootleggers s'en étaient servis au temps de la prohibition.

Le procureur et la juge hochèrent tous deux la tête. C'était un chapitre célèbre de l'histoire du Québec, que de nombreuses familles en vue auraient d'ailleurs préféré oblitérer.

— Les morceaux du casse-tête ont alors commencé à se mettre en place, poursuivit Gamache. Jamais les trafiquants n'auraient pu faire passer l'alcool de contrebande par la porte principale de l'église. Il y en avait donc forcément une autre. Une porte dérobée donnant accès à la cave à légumes.

— D'où la réapparition de l'arme du crime, dit la juge. La meurtrière s'est servie de cette issue-là. Mais comment en a-t-elle découvert l'existence?

— Jacqueline a suivi Anton chez les Ruiz, expliqua Beauvoir. Elle s'y est fait engager pour l'avoir à l'œil. Puis, quand Ruiz est parti en Espagne, elle a suivi Anton jusqu'à Three Pines. Elle le surveillait de près. Une nuit, elle l'a vu utiliser cette porte.

— Mais lui, comment a-t-il découvert cette sortie?

— Anton a grandi dans un foyer où on racontait des histoires de guerre, dit Gamache. Il y était question de disputes territoriales, de bars clandestins et de contrebande. De grandes quantités d'alcool qui franchissaient la frontière. Il a compris comment. Par où. Pour son père, son oncle et le meilleur ami de son oncle, ces récits tenaient de la légende, de l'histoire, presque de la mythologie. Mais ils n'étaient plus d'actualité. Ce qui distinguait Anton du reste de sa famille et des autres têtes dirigeantes des cartels, c'est qu'il ne rejetait rien a priori. Une information n'était pas inutile du seul fait qu'elle était ancienne. Il absorbait tout. Il a mis au rancart certaines pratiques, en a gardé d'autres en mémoire pour usage ultérieur. Et il en a revitalisé quelques-unes. Pour plusieurs, les récits de la prohibition n'étaient qu'une façon d'occuper les froides soirées d'hiver. Pour Anton, ils ont été une révélation.

— Il a creusé la question, enchaîna Beauvoir. Et repéré les brèches, les pièces et les couloirs secrets employés par les bootleggers. Il les a tous utilisés, mais, comme principal point de passage, il a choisi une pièce cachée dans un village caché.

— C'était parfait, dit Gamache.

— Vous avez donc compris comment l'arme du crime était entrée et sortie, ou plutôt sortie et rentrée, dit la juge Corriveau. Mais comment avez-vous su que la porte servait au trafic de stupéfiants ?

— Les charnières, expliqua Beauvoir. Elles avaient été lubrifiées, mais pas récemment. La pièce et la porte avaient servi bien avant que le *cobrador* s'installe.

— Interrogés à ce sujet, les amis ont nié connaître cette porte, dit Gamache. Les charnières avaient donc été graissées pour d'autres fins. Je n'ai pas compris tout de suite, évidemment. Mais j'ai commencé à me douter que les contrebandiers étaient de retour. Pendant un moment, la quantité de drogues qui franchissait la frontière nous avait laissés perplexes. Nous connaissions les circuits traditionnels, mais le trafic actuel était beaucoup plus important.

— Attendez, dit le procureur. Tout ce que vous racontez désigne encore Anton comme meurtrier. Comment en êtes-vous venu à la conclusion que c'est Jacqueline qui a fait le coup ?

— Si Anton Boucher avait voulu éliminer quelqu'un, vous croyez qu'il se serait sali les mains ? demanda Beauvoir. Même si c'était lui, le tueur, vous croyez que, pris de panique, il aurait emporté l'arme du crime et serait ensuite venu la remettre à sa place ? Pourquoi ne l'aurait-il pas plutôt brûlée ? C'est à ce moment que Jacqueline est venue nous voir pour tout confesser à propos du *cobrador*.

Jean-Guy se souvint de la glaciale soirée de novembre où Gamache et Lacoste, en compagnie des chiens, étaient rentrés en vitesse à la maison, au moment où lui-même venait de passer ses coups de fil à Myrna et à Ruth.

Elles avaient toutes deux admis être au courant de l'existence de la petite pièce. Et Myrna, en y réfléchissant bien, s'était souvenue d'en avoir parlé à Léa. Jean-Guy avait eu beau insister discrètement, ni l'une ni l'autre n'avaient semblé être au courant pour la porte cachée.

— Elle n'a pas avoué le meurtre de Katie Evans, dit Gamache. Ses aveux ne visaient que le *cobrador*. Le bâton continuait toutefois de nous tracasser. Après avoir servi à tuer Mme Evans, cet objet avait uniquement pour rôle de désigner le meurtrier. Mais pas, bien entendu, le vrai.

— Elle a voulu que le crime soit imputé à Anton Boucher, dit Zalmanowitz.

— Oui. C'était le projet de Jacqueline, depuis le début. Une fois de plus, c'était tout simple. Tuer Katie et faire porter le chapeau à Anton. Les deux personnes qu'elle jugeait responsables de la mort de son frère. La Conscience avait plus d'une dette à recouvrer. Édouard a fait le grand saut après avoir consommé des drogues vendues par Anton. Mais c'est la fin de sa relation avec Katie qui lui a fait perdre les pédales. Il avait le cœur brisé, et les drogues ont embrouillé son esprit. C'était, de l'avis général, un jeune homme gentil et sensible, qui aimait beaucoup trop cette jeune femme. Et Katie était une femme gentille et sensible dont le seul crime était de ne pas payer son affection de retour.

— Édouard a tout raconté à sa sœur, ajouta Beauvoir. Il était furieux. Il a présenté Katie sous les traits d'une femme cruelle. Sans cœur. Il n'en pensait pas un mot, évidemment. Il était fou de jalousie et les drogues altéraient son jugement. Je sais d'expérience qu'elles sont capables de nous monter contre les personnes qui tiennent le plus à nous.

— Et c'est après avoir déversé tout ce poison dans la tête de sa sœur qu'il s'est enlevé la vie, conclut Gamache. Laissant Jacqueline en proie à sa haine pour Katie. Ni elle ni le revendeur n'avaient payé pour la mort de son frère. Elle entendait y remédier.

Barry Zalmanowitz hochait la tête. Les autres avaient du mal à comprendre une telle obsession, mais pas lui. Si sa fille était morte, il aurait consacré le reste de sa vie à obtenir réparation. Par tous les moyens.

Le premier ministre écouta les explications sans formuler de commentaires, sans poser de questions.

Il se tourna ensuite vers la juge Corriveau.

— Que saviez-vous de toute cette affaire?

Le moment était venu. De traverser le pont de Selma avec Gamache, bras dessus, bras dessous.

De se camper sur le seuil d'une maison et d'en interdire l'accès aux personnes qui venaient déporter, pendre, battre et brutaliser.

Les coups frappés à la porte. Les Juifs dans le grenier.

C'était son moment, son heure. Sa chance de prendre position.

— Je n'étais au courant de rien, s'entendit-elle dire.

À côté d'elle, Gamache garda le silence.

— C'était votre initiative, Armand? demanda le premier ministre.

— Oui.

— Mais vos collaborateurs vous ont suivi. Le procureur en chef vous a suivi.

— Oui.

Gamache savait qu'il aurait été futile d'affirmer qu'ils s'étaient contentés d'obéir aux ordres. Cet argument ne constituait pas une défense valable. Et c'était très bien ainsi.

— Vous savez que je n'ai pas le choix, dit le premier ministre. Contrevenir à la loi, se parjurer, franchir la frontière et abattre un citoyen d'un autre pays... Quels que soient les torts de la victime, de tels actes ne doivent pas rester impunis.

— Je comprends.

— Vous serez, bien sûr...

— J'étais au courant, balbutia Maureen Corriveau en se tournant vers Gamache. Pardonnez-moi. J'aurais dû l'avouer plus tôt.

— Je comprends, dit-il.

Puis, à voix basse, il ajouta:

— Vous n'êtes pas seule.

— Expliquez-vous, dit le premier ministre.

— Je ne connaissais pas tous les détails, mais j'avais une bonne idée de ce qui se passait durant le procès. C'était quelque chose d'inhabituel. Ayant pressenti un parjure, j'ai convoqué

M. Gamache et Me Zalmanowitz dans mon cabinet. Ils ont pratiquement avoué. J'avais des motifs suffisants pour les faire arrêter ou, à tout le moins, détenir. Je les ai laissés partir.

— Pourquoi ?

— Je savais qu'ils n'agissaient pas à la légère. Et, puisqu'ils étaient disposés à courir de tels risques, je me suis dit que c'était le moins que je puisse faire.

Le premier ministre hocha la tête.

— Je vous en remercie. Vous savez que, si vous aviez retenu M. Gamache, tout se serait écroulé. Son plan aurait échoué et le cartel aurait remporté une victoire décisive.

— Oui.

Le premier ministre se tourna vers Gamache.

— Vous êtes relevé de vos fonctions. Suspendu dans l'attente des conclusions de l'enquête. Pareil pour votre second, l'inspecteur Jean-Guy Beauvoir. Vous étiez à la tête de l'opération, je crois ?

— Oui.

— La directrice Toussaint devient directrice générale par intérim de la Sûreté. Elle a été mêlée à cette affaire et fera elle aussi l'objet d'une enquête, mais il faut bien que quelqu'un prenne les rênes de l'organisation. Grâce à vous, Armand, tous les officiers supérieurs sont compromis. J'ai le choix entre Toussaint et le concierge.

— Et l'inspectrice-chef Lacoste ? demanda Gamache.

— Elle reste à la tête de la section des homicides.

Armand hocha la tête en guise de remerciement. Prêt à livrer bataille pour Isabelle, il fut soulagé de constater que ce ne serait pas nécessaire.

— Et moi ? demanda la juge Corriveau.

— C'est vous, la juge, répondit le premier ministre. Que devrais-je faire, à votre avis ?

Après un moment de réflexion, Maureen Corriveau dit :

— Rien.

Le premier ministre leva les mains bien haut.

— Voilà qui me paraît raisonnable. C'est d'accord.

— Pardon ? fit Corriveau.

Elle avait voulu plaisanter en disant « Rien ».

— J'ai discuté avec le juge en chef, hier. Je lui ai fait part de mes hypothèses à propos du procès. Il a convenu que vous avez agi de façon répréhensible, sur le plan des principes, mais dans l'intérêt supérieur de la province. De ses habitants. Vous avez fait preuve de beaucoup de jugement.

Le premier ministre du Québec se leva et tendit la main.

Se levant à son tour, la juge Corriveau la serra.

— Merci, dit le premier ministre.

Il se tourna ensuite vers Gamache, lui aussi debout.

— Je regrette, mon cher ami, qu'il faille vous punir. Nous devrions plutôt vous décerner une médaille…

D'un geste, Gamache repoussa cette éventualité.

— … mais c'est impossible, ajouta le premier ministre. Par contre, je peux vous promettre, à l'inspecteur Beauvoir et à vous-même, une enquête juste et équitable.

Après avoir raccompagné les visiteurs, le premier ministre ferma la porte et les yeux.

Et il vit, une fois de plus, le bistro charmant et l'homme bienveillant armé d'un couteau.

35

— Bon, fit Clara. Qu'en pensez-vous?

Au lendemain des attaques, elle avait annulé son exposition. Le vernissage aurait dû avoir lieu le jour même, au Musée des beaux-arts de Montréal. Elle avait plutôt accroché ses œuvres les plus récentes dans le bistro.

— Hum, fit Gabri. Au moins, elles cachent les trous.

C'était tout le bien qu'on pouvait dire des peintures. Elles n'avaient pas réussi à masquer toutes les énormes marques laissées dans le plâtre des murs, mais les plus grandes étaient dissimulées derrière les étranges portraits.

Gabri n'était pas convaincu qu'il s'agissait d'une amélioration.

On avait enlevé les débris. Ramassé les éclats de verre et de bois, jeté les meubles déchiquetés.

Les blessés étaient en voie de guérison. Olivier, son bras pansé retenu par une écharpe, se tenait à côté de Gabri.

Les experts en sinistres de la compagnie d'assurances étaient venus et repartis. Puis ils étaient venus de nouveau et repartis de nouveau. Et ce n'était pas fini. La demande d'indemnisation, qui faisait état de dommages causés par des armes automatiques, les avait laissés incrédules. Jusqu'à ce qu'ils voient de leurs propres yeux. Malgré tout, une nouvelle visite s'annonçait.

Et pourtant, les preuves étaient là, partout. Les murs criblés de trous. L'antique fenêtre en saillie fracassée, provisoirement remplacée par un entrepreneur du coin.

Des habitants des villages voisins étaient venus donner un coup de main. Désormais, le bistro semblait revenu à la normale, à condition de ne pas y regarder de trop près.

Ruth était campée devant un portrait de Jean-Guy.

Le tableau était lumineux, aérien. Sans doute parce que la toile n'était pas obscurcie par la peinture. Il y en avait très peu, en fait.

— Il est tout nu, constata Ruth. C'est dégoûtant.

Ce n'était pas rigoureusement exact. Le corps, ou ce qui en tenait lieu, était vêtu. Seulement, comme les vêtements du reste, il n'était que suggéré. Le beau visage de Beauvoir, en revanche, était détaillé. Mais plus vieux que celui de l'original.

Clara avait peint Jean-Guy tel qu'il serait dans trente ans, peut-être. Son visage semblait en paix, et on dénotait autre chose, au plus profond de ses yeux.

Ils déambulaient dans le bistro, un verre à la main. Regardaient des images d'eux-mêmes.

Au cours de la dernière année, Clara les avait tous peints. La plupart, en tout cas.

Myrna, Olivier, Sarah la boulangère, Jean-Guy. Leo et Gracie.

Elle s'était peinte elle-même, dans cet autoportrait tant attendu. On aurait dit une folle d'âge mûr se mirant dans une glace. Un pinceau à la main. S'efforçant de réaliser un autoportrait.

Gabri l'avait accroché près de la porte des toilettes.

— Mais il n'y a pas de trous à cet endroit, avait souligné Clara.

— Encore heureux, avait répondu Gabri en s'éloignant en vitesse.

Souriant, Clara l'avait suivi jusqu'au cœur du bistro. Accoudée au bar, elle sirotait un verre de sangria bien fraîche.

Elle les observa. Et se demanda quand ils comprendraient. Quand ils verraient.

Que les portraits inachevés étaient en fait achevés. Peut-être pas au sens conventionnel du terme, mais Clara avait saisi en chacun l'élément qu'elle jugeait essentiel.

Puis elle s'était arrêtée.

Les vêtements de Jean-Guy n'étaient pas parfaits ? Et alors ?

Les mains de Myrna étaient floues ? Tant pis.

Les cheveux d'Olivier étaient immatériels plutôt que réels ? Qu'est-ce que ça changeait ? De toute façon, ses cheveux, ainsi que Gabri se plaisait à le rappeler, se faisaient chaque jour plus fantomatiques.

Ruth étudiait le portrait de Rose, la cane dans les bras.

La Rose du tableau de Clara était impérieuse. Autoritaire. Rose, c'était Napoléon en canard. Clara l'avait très bien réussie.

Ruth laissa entendre un grognement bref. Puis elle passa au tableau suivant. Celui qui représentait Olivier. Puis aux suivants.

Quand Ruth eut terminé sa visite, ils se tournèrent vers elle. Dans l'attente de l'inévitable explosion.

Elle se dirigea plutôt vers Clara, l'embrassa sur la joue et retourna devant le portrait de Rose, où elle resta un long, un très long moment.

Après avoir échangé des regards, les amis allèrent rejoindre la vieille femme.

Reine-Marie fut la deuxième à saisir. Elle passa au tableau suivant et, selon l'itinéraire établi par Ruth, alla de toile en toile.

Puis ce fut au tour de Myrna, qui suivit Reine-Marie. Ensuite, Olivier leur emboîta le pas.

Dans les yeux hautains de Rose se cachait un autre portrait, minuscule, parfait et achevé. De Ruth. Penchée sur Rose. À qui elle offrait un nid fait de chemises de flanelle. Un foyer.

C'était le portrait de l'adoration. Du sauvetage. De l'intimité.

Il captait un moment empreint d'une telle tendresse et d'une telle vulnérabilité que Reine-Marie, Myrna et Olivier se firent l'effet d'être des voyeurs. De regarder l'intérieur d'une maison de verre. Mais ils ne se sentaient pas déloyaux. Ils avaient plutôt la sensation d'être des privilégiés. Quelle chance d'être témoins d'un tel amour.

Ils allèrent de tableau en tableau.

Dans les yeux de chacun des sujets se trouvait le reflet parfait d'un être aimé.

Myrna se tourna vers Clara, restée à l'autre bout de la pièce. Du bistro fracassé, meurtri. De cycles de vie remplis d'amitié.

Clara savait que les corps vont et viennent, mais que l'amour est éternel.

Armand avait téléphoné à Reine-Marie, puis à Jean-Guy, pour leur faire part de la décision du premier ministre.

Suspension avec solde pour Beauvoir et sans solde pour lui-même, dans l'attente des conclusions de l'enquête. Armand espérait que les enquêteurs prendraient tout leur temps, car lui-même avait encore un dossier pressant à régler.

Du fentanyl à retrouver.

C'était le Barreau du Québec qui ferait enquête sur Barry Zalmanowitz. Entre-temps, toutes les affaires dont s'occupait le procureur en chef seraient confiées à un collègue. Il restait toutefois en poste.

C'était le meilleur dénouement possible dans les circonstances, et Gamache savait que le premier ministre subirait les foudres de l'opposition pour ne pas avoir sévi plus durement.

— Et Isabelle ? demanda Jean-Guy.

— Elle reste à la tête de la section des homicides, répondit Gamache.

Visiblement, cette décision s'était imposée d'elle-même.

— Je pars à l'instant pour l'hôpital, dit Armand. On se voit bientôt.

Jean-Guy raccrocha et se dirigea vers le jardin, derrière la maison, où Annie était assise, à côté d'un pichet de thé glacé. À l'étage, Honoré faisait sa sieste. Tous les autres étaient au bistro.

Ils disposaient donc de quelques minutes de tranquillité, en tête à tête.

La jambe de Jean-Guy allait beaucoup mieux et il avait remisé sa canne, non sans regret. Cet accessoire lui plaisait.

Il ouvrit le livre qu'il avait pris dans le bureau de son beau-père, puis, le posant sur ses genoux, il regarda droit devant lui.

Annie s'en rendit compte, mais elle ne dit rien. Le laissa à ses réflexions. Il était facile de savoir à quoi il pensait. À qui il pensait.

Beauvoir et Gamache avaient redescendu la colline, le premier boitant, le second trébuchant à quelques reprises.

Leurs corps leur hurlaient de s'arrêter, de se reposer. Mais ils avaient continué d'avancer, désespérés de retrouver le village. Leur famille. Isabelle.

Reine-Marie et Annie coururent à leur rencontre.

— Dieu merci, fit Reine-Marie, blottie dans les bras d'Armand, qui la serrait, sa joue meurtrie posée sur sa tête.

Respirant l'odeur des roses anciennes et d'Honoré.

Ils ne voulaient pas se séparer, mais Gamache ne pouvait pas faire autrement. Il devait voir Isabelle.

— Tu es blessé, dit Annie en s'écartant de Jean-Guy et en portant la main à sa jambe, enveloppée d'un pansement temporaire.

— Toi aussi, constata Reine-Marie en s'écartant à son tour.

Tout le devant de la chemise blanche d'Armand était rouge et lui collait à la poitrine. Comme si, à la faveur de la terrible séquence d'événements, une métamorphose s'était opérée et que la sueur s'était changée en sang.

— Ce n'est pas le mien, dit-il.

Elle tendit la main et toucha son visage qui saignait. Puis elle embrassa ses lèvres fendues.

— Isabelle ? demanda Armand.

— On s'occupe d'elle.

— Elle est vivante ? demanda Jean-Guy en entraînant Annie contre lui.

Reine-Marie hocha la tête, puis elle regarda Armand. Qui vit la vérité dans les yeux de sa femme.

En vie, mais…

— Les autres ?

— Olivier a été touché au bras, mais Gabri s'est vite porté à son secours. Les ambulanciers affirment qu'il s'en remettra très bien. Plusieurs lacérations causées par des éclats de verre et de bois, mais rien de grave. Sauf pour Isabelle.

Gamache et Beauvoir marchèrent d'un pas vif vers le bistro et finirent le trajet au pas de course.

Des ambulances et des véhicules d'urgence étaient garés tout autour du parc. Pendant qu'ils s'approchaient, on sortit du bistro une civière, accompagnée de toutes sortes d'appareils. Au milieu, comme dans un nid, Isabelle.

Ruth marchait à côté d'elle. Depuis qu'elle avait rampé jusqu'à elle sous la pluie de débris, la vieille poète n'avait pas quitté Isabelle d'une semelle. Elle tenait la main de la jeune femme dans la sienne. Lui parlait à l'oreille. Lui rappelait qu'elle n'était pas seule.

Clara suivit, toujours cramponnée à la brosse de foyer, Myrna à côté d'elle qui serrait Rose dans ses bras.

Le cortège avait presque atteint l'ambulance lorsque Gamache et Beauvoir le rejoignirent.

Les yeux de Lacoste étaient fermés, à présent, son teint blafard, cendreux.

Cendres. Cendres. Nous tombons tous.

Armand lui toucha la joue. Toujours tiède.

L'ambulancier principal s'affairait autour d'Isabelle. L'homme leva brièvement les yeux et, devant Gamache, eut un mouvement de recul. Il avait vu non pas le patron de la Sûreté, mais plutôt un homme couvert de sang, presque de la tête aux pieds.

— Gamache, Sûreté, dit Armand. Je peux venir ?

— Une seule personne, répondit l'ambulancier. Sa grand-mère, peut-être…

Ruth s'écarta, ses lèvres pincées encore plus minces que d'habitude. Ses yeux chassieux encore plus humides que d'habitude.

— C'est votre fille, Armand, dit-elle à voix basse, pour que lui seul l'entende.

Elle plaça la main d'Isabelle dans la sienne.
— Depuis toujours.
— Merci, dit-il en se hâtant de monter à bord.
— Nous vous suivons, cria Reine-Marie au moment où la porte se refermait et où l'ambulance démarrait en trombe.
Armand se positionna près de la tête d'Isabelle en s'assurant de ne pas nuire au travail des ambulanciers. Il chuchota à son oreille :
— Tu es aimée. Tu es courageuse et bonne. Tu nous as tous sauvés. Merci, Isabelle. Tu es aimée. Tes enfants t'aiment. Ton mari t'aime et tes parents t'aiment…
Jusqu'à l'hôpital.

Tu es forte et courageuse.
Tu n'es pas seule.
Tu es aimée.
Tu es aimée.

Les lèvres d'Isabelle remuèrent, une fois. Gamache se pencha, mais n'entendit pas ce qu'elle essayait de dire. Il devina sans mal ses paroles.
— Je leur dirai, murmura-t-il. Et ils t'aiment, eux aussi.

Après son rendez-vous avec le premier ministre, Armand se rendit à l'hôpital, où il trouva le mari d'Isabelle à son chevet.
Les sondes d'intubation faisaient leur travail et des appareils suivaient à la trace ses fonctions cardiaques et cérébrales.
Il lui faisait la lecture à voix haute, tandis que de la musique jouait. Ginette Reno. « Un peu plus haut, un peu plus loin. »
— Il y a du changement, Armand, dit Robert en se levant.
Constatant l'inquiétude de l'autre, il se hâta d'ajouter :
— En mieux. Regardez.
Les ondes cérébrales semblaient plus fortes. Plus amples. Plus rythmiques.

— Elle répond à certains stimuli, expliqua-t-il en prenant la main d'Isabelle dans la sienne et en baissant la tête pour que Gamache ne puisse pas voir ses yeux.

— Les médecins disent qu'il est bon de lui faire la lecture. Le simple fait d'entendre une voix familière, je crois.

Il désigna le livre posé sur le lit.

— Ce sont les enfants qui me l'ont donné. Elle m'en a parlé, ce soir-là.

— Allez boire une boisson fraîche et manger un sandwich, proposa Armand. Prenez l'air. Je reste près d'elle.

Une fois Robert sorti, Armand s'installa sur la chaise qui, depuis les événements survenus une semaine plus tôt, n'avait jamais eu le temps de refroidir. Tendant le bras, il prit la main d'Isabelle. Puis il chuchota à son oreille :

— Tu es magnifique. Forte et courageuse. Tu nous as sauvé la vie, Isabelle. Tu es en sécurité, tu es aimée. Ta famille t'aime. Nous t'aimons. Tu es magnifique…

En arrière-plan, Ginette Reno chanta :

« Un peu plus haut, un peu plus loin. »

Ensuite, Gamache prit le livre et fit la lecture à voix haute à Isabelle. C'était l'histoire d'un petit garçon en bois et de la conscience qui allait faire de lui un être humain.

Note de l'auteure

Avant d'aller plus loin, je dois vous prévenir. Si ce n'est pas déjà fait, il vaut mieux lire d'abord le livre. Ces remerciements contiennent des révélations qui risquent de gâcher votre plaisir, dans la mesure où j'y décris des choses vraies, d'autres qui se fondent en partie sur des faits et d'autres encore qui sont inventées (ce qui, bien entendu, est le propre de la fiction).

Je voudrais bien que ce qui suit ne soit pas vrai, mais ça l'est. Mon mari, Michael, est décédé le 18 septembre 2016. Je venais de rentrer d'une tournée de promotion abrégée. Au bout de quelques jours, il est apparu clairement que son état se détériorait. Certains ont laissé entendre qu'il avait attendu mon retour. Je ne sais pas si c'est vrai, et je ne suis pas certaine de le vouloir.

Le moment venu, Michael est mort paisiblement. Chez lui. Entouré d'amour, comme de son vivant.

J'ai parlé de sa démence dans les remerciements du livre précédent, *Un outrage mortel*, et vous avez été nombreux à m'écrire pour me parler de votre expérience de la maladie. De la perte. Je tiens sincèrement, profondément, à vous remercier de m'avoir confié vos sentiments les plus intimes.

Il est à la fois triste et réconfortant de constater que nous étions loin d'être seuls dans cette situation, Michael et moi.

J'ai écrit *Maisons de verre* pendant que Michael déclinait et après sa mort. L'écriture est devenue mon sanctuaire, le lieu où je m'évadais aux heures les plus sombres. Je me projetais dans Three Pines et, chaque jour, je passais quelques heures précieuses dans le monde de Gamache, Clara, Myrna et compagnie.

L'écriture et le livre n'auraient pas été possibles sans le concours de Lise Desrosiers, mon adjointe et grande amie. Merci, chère Lise. Ce livre ne t'est pas dédié sans raison.

Merci également au mari de Lise, notre ami Del Page. Et à nos grands amis, Kirk et Walter, qui sont chaque jour venus aux nouvelles. Et qui, à mesure que Michael déclinait, se sont rapprochés encore davantage. Telle est la nature de la vraie amitié.

Merci infiniment à Kim, Rose et Daniel, les soignants de Michael. Et à la Dre Giannangelo. Et à tous les amis, dont le nombre est proprement ahurissant, qui ont toujours été à nos côtés, dans les pires moments comme dans les meilleurs. Merci de nous avoir soutenus et, à l'occasion, portés à bout de bras.

Je tiens à remercier mes remarquables réviseuses, Hope Dellon, de Minotaur Books/St. Martin's Press aux États-Unis, et Lucy Malagoni, de Little, Brown, au Royaume-Uni, qui, grâce à leurs judicieuses remarques, ont bonifié ce livre comme les précédents.

Merci à mon éditeur aux États-Unis, Andy Martin, et à toute l'équipe de Minotaur. Hope Dellon, bien sûr, Sarah Melnyk, Paul Hochman, Martin Quinn, Sally Richardson, Jennifer Enderlin de SMP et Don Weisberg de Macmillan.

Merci à Lori Saint-Martin et Paul Gagné pour ce talent complice qui traduit, avec humour et poésie, mes mots en français.

Merci aussi à mon agente, Teresa Chris, qui prend toujours de mes nouvelles avant de s'informer de la progression du livre. Pour une agente, c'est déjà extraordinaire !

Linda Lyall nous a accompagnés, Michael et moi, en plus d'administrer le site Web, de produire l'infolettre et d'accomplir, avant la publication d'*En plein cœur* déjà, mille et une tâches, sans même que je sois mise au courant. Merci, Linda !

Tous ceux que j'ai nommés sont devenus beaucoup plus que des collègues. Ce sont de vrais amis. Ils sont nombreux à s'être déplacés pour assister aux funérailles de Michael.

Je tiens à remercier mon frère Rob, qui a fait en vitesse le voyage d'Edmonton à Knowlton dès qu'il a appris pour Michael. Il m'a serrée dans ses bras puissants et j'ai compris que tout irait bien. Que je m'en sortirais. Merci à sa femme, Audi, et à leurs enfants, Kim, Adam et Sarah, qui aimaient leur oncle Michael.

Merci à Mary, ma belle-sœur, qui a interrompu ses vacances pour accourir, avec sa fille Roslyn, dès qu'elle a appris la nouvelle. Merci à Doug, Brian et Charlie.

Et maintenant, comme promis, une brève explication de ce qui, dans le livre, tient de la réalité et de ce qui relève de la fiction. Je vais sans doute omettre quelques détails, mais le principal enjeu a trait au *cobrador*. C'est notre bon ami Richard Oliver, alors correspondant du *Financial Times* à Madrid, qui m'a parlé du *cobrador del frac*, il y a des années déjà.

Le *cobrador del frac* existe bel et bien. En haut-de-forme et queue-de-pie, il suit les débiteurs. Il mise sur la honte pour les persuader de rembourser leur dette. C'était si extraordinaire que j'ai remisé cette image dans ma mémoire pendant des années. Dans l'attente du moment où l'utiliser à bon escient. *Maisons de verre* m'en a fourni l'occasion.

Mais… la suite tient de la fiction. L'histoire du *cobrador*… La peste, l'île, les silhouettes sombres drapées de longs manteaux qui remplacent la conscience de ceux qui n'en ont pas et exigent le remboursement d'une dette morale. J'ai tout inventé pour les besoins du récit. C'est, je crois, l'élément le plus important qui ne soit pas vrai. Si vous avez des doutes à propos de certains détails, vous effectuerez vous-même des recherches. Cela fait partie du plaisir, n'est-ce pas ?

Certains soutiendront que Three Pines n'est pas réel. Ils auront raison, mais c'est une vue un peu courte. Le village n'existe pas matériellement, il est vrai. Mais je crois qu'il est doté d'une existence infiniment plus importante et plus forte. Three Pines est un état d'esprit. Celui dans lequel nous nous trouvons lorsque nous préférons la tolérance à la haine. La gentillesse à la cruauté. La bonté à la brutalité. Lorsque nous choisissons d'être optimistes plutôt que cyniques. Chaque fois que ces conditions sont réunies, nous vivons à Three Pines.

Ces choix, je ne les fais pas toujours. Mais je sais quand j'erre dans les bois et quand je suis au bistro. Je sais où je veux être et je sais comment m'y rendre. Et vous aussi. Sinon, vous ne seriez plus avec moi, en train de lire ces mots.

Mes derniers remerciements vont à vous, chers lecteurs. Merci pour votre compagnie. Votre présence éclaire le monde.

Tout ira bien.

Armand Gamache enquête

Flammarion Québec

En plein cœur
2010 ; format poche, 2013

Sous la glace
2011 ; format poche, 2013

Le mois le plus cruel
2011 ; format poche, 2014

Défense de tuer
2012 ; format poche, 2014

Révélation brutale
2012 ; format poche, 2015

Enterrez vos morts
2013 ; format poche, 2016

Illusion de lumière
2013 ; format poche, 2017

Le beau mystère
2014 ; format poche, 2018

La faille en toute chose
2014 ; format poche, 2018

Un long retour
2015

La nature de la bête
2016

Un outrage mortel
2017

Maisons de verre
2018